French Poems

ARTHUR GRAVES CANFIELD
WARNER FORREST PATTERSON

University of Michigan

NEW YORK
HENRY HOLT AND COMPANY

COPYRIGHT, 1941, BY
HENRY HOLT AND COMPANY, INC.

PRINTED IN THE
UNITED STATES OF AMERICA

FOREWORD

FRENCH POEMS, the second edition, completely revised and considerably augmented, of its predecessor, FRENCH LYRICS, is intended as an introduction to the reading and study of French poetry, chiefly but not exclusively lyric. If in its new reshaping and enlarged form, to include other than lyrical genres, it contribute toward making French poetry more widely known and more justly appreciated, the purpose of the revision will have been fulfilled.

It is still rather too usual among English-speaking people to think somewhat slightingly of the poetry of France, especially of her lyrics. This is perhaps because the qualities that give French verse distinction are not always those that make the strength and charm of English or American poetry. We must guard ourselves against the conclusion that because a literary work is unlike other works that we are accustomed to admire it is necessarily bad. There are many kinds of excellence. This Anthology will have been poorly put together indeed if it fail to suggest that France possesses a wealth of lyric and other verse, with qualities of form and spirit that give it a high and serious interest and no small measure of beauty and charm.

The Editors have sought to keep the introductory purpose of this volume in view, while preparing the list of poems, the introduction and the notes. They have hoped to offer such selections as to show something of the range and variety of French poetry, and to supply such information as would be most immediately helpful. The list of poets and poems, from Machaut to Valéry, has been made more representative. All the periods before the nineteenth century and the later nineteenth and early twentieth centuries have been enriched and renewed, in particular, to provide a much wider choice of material. The number of literary genres included will be found to be as extensive as the limits of the collection would permit. The genre names, as well as poem titles (if any were given by authors, or had become traditional), are given in all cases down to the time of the French Revolution, after which the title of the poem alone is given, the genre name being less important after that date. In the poems before Malherbe old spellings are preserved and help is offered in the notes for interpreting many old forms. Poems after Malherbe are in the modern orthography, as is the usual practice.

Since the best service this comprehensive revision could render would be to persuade to a wider reading of French poetry than the Anthology could offer, the Editors have appended a selective bibliographical list, suggestive not exhaustive, which should be useful in meeting the more obvious wants of any readers who may be inclined to pursue further one or another of the poetic acquaintances here begun. For more detailed studies the standard literary histories and special works on bibliography will be essential.

The Editors wish to acknowledge their indebtedness to various works named in this book list and to other works of reference.

Ann Arbor, Michigan   A. G. C.
January 15, 1941   W. F. P.

TABLE OF CONTENTS

(Note: Poems are listed in the order of their appearance in the
French Poems. Poems marked with an asterisk appeared also in
its predecessor, the *French Lyrics*. This device shows at a glance,
to those familiar with the older collection, the degree of enrichment
provided in the present anthology.)

FOURTEENTH AND FIFTEENTH
CENTURY POETS

SIXTEENTH CENTURY POETS

Contents

SEVENTEENTH CENTURY POETS

Contents

EIGHTEENTH CENTURY POETS

Contents

NINETEENTH AND TWENTIETH CENTURY POETS

Contents

Contents

Contents   xix

INTRODUCTION

As literature is not a bundle of separate threads, but one fabric, it is manifestly impossible to give an adequate account of any one of its forms by itself and aside from the larger web of which it is a part. The following pages will attempt only to sketch the main phases which the history of the lyric, and, to a lesser extent, the history of certain other types of poetry in France exhibit. They will constitute an outline which will help the reader of these poems to place them in their principal relationships. The reader will complete the picture at all points by the use of a history or histories of French literature, of which a number, both in French and English, are excellent, well-known and easily available.

No account will be taken here of the songs of the *chansonniers* (save for those of PIERRE-JEAN DE BÉRANGER), of the songs, so abundant in modern *vaudeville* and light opera, of which many couplets remain fixed in the memory of the great public; or of the poems of oral tradition, the *chansons populaires*, of which France possesses a rich treasure, but which has seldom there, as so conspicuously in Germany, been brought into fructifying contact with the literary lyric.

Nor will it be profitable here to enter upon the history of the medieval French epic and romance of chivalry, pre-eminently important as those genres of poetry were in the times of the writer of *La Chanson de Roland*, of BEROUL and THOMAS, of CHRÉTIEN DE TROYES. Narrative poems, in general, with a few brief exceptions, will be perforce excluded from this collection, which can contain only shorter poems, chosen from the period of GUILLAUME DE MACHAUT, in the fourteenth century, to the present day. These limits do a necessary injustice to that epoch of French literature, the earlier middle ages, in which the most complete refutation was given to M. de Malézieu's gibe, "Les Français n'ont pas la tête épique." Considerations of linguistic difficulty also determined the omission of poems before the time of Middle French, which presents fewer problems than Old French to the modern reader. To have included chosen pages from the Renaissance epics of PIERRE DE RONSARD, GUILLAUME DU BARTAS or THÉODORE AGRIPPA D'AUBIGNÉ, or from the pseudo-epics of the seventeenth and eighteenth centuries, would have violated a fundamental editorial principle, namely that each poem in the collection must be an æsthetic unit.

That most widely read of medieval poems, *Le Roman de la Rose* of GUILLAUME DE LORRIS and JEAN CLOPINEL DE MEUNG, need be mentionned here only to remind the reader that many lyrics and other poems of the fourteenth and fifteenth centuries, in France, show clearly the tremendous influence exercised by the moralizing tradition of this remarkable allegory. The various divisions of *Le Roman de Renart*, the *Fabliaux* and other forms of medieval satiric verse may, for our purposes, be dismissed also with the indication that they must be inscribed in the geneological tree of the French satire, of which examples (as also of the epigram) are included in this collection. Examples of the *pastourelle*, charming Old French forbear of the Renaissance pastoral whose roots are chiefly classic, were regretfully omitted, for the same reasons as obtained for all poems current before the period of Middle French. Only pastoral poems from the Renaissance and later periods could be appropriately offered.

The beginnings of the literary tradition of lyric poetry in France are found in the poetry of the Provençal poets, the *troubadours*. No doubt lyric expression was no new discovery then. Lyrics in the popular dialects of southern and northern France had probably long existed. However, it was at the end of the eleventh century, in Provence and adjacent regions, that poetry began to be cultivated by a considerable number of persons, who consciously treated it as an art and developed for it rules and forms. These courtly versifiers were the *troubadours.* Though their poems did not, at least at first, lack sincerity and spontaneity (for a genuine inspiration is certainly discernible in GUILHEM DE POITIERS, BERNART DE VENTADOUR, BERTRAN DE BORN, GUIRAUT DE BORNELH), the lesser poets' tendency to overindulge in theorizing about the ideals of courtly life, especially about the nature and practice of love according to the forms of refined conduct, was not favorable to true lyricism. As lyrical expression lost in directness and spontaneity it was natural that more and more attention should be paid to technique. The external qualities of verse were industriously cultivated. Great ingenuity was expended upon the invention of intricate and elaborate forms, which made of Provençal poetry a highly artificial and studied product. It was then, toward the middle of the twelfth century, that it began to awaken imitation in the north of France and thus determine the course of French lyric poetry.

An earlier native lyric had indeed existed in northern France, known to us by allusions or scanty remains. It was a simple and light accompaniment to dancing or to the monotonous household tasks of sewing or spinning. Its theme was love and love-making. Its characteristic outward feature was a recurring refrain. These poems, short, narrative, ballad-like (in the English sense of the term ballad), are known as *chansons de toile* or *chansons d'histoire* (and tell the tales of Belle Doëtte, Belle Erembors, Belle Aélis, or of some other medieval heroine), or as *rondets, ballettes, virelays,* songs associated with the dance, as the others were with women's work. Few examples of the Old French lyric seem untouched by Provençal influence, even the fresh and graceful *pastourelles,* in which the pretty shepherdess is wooed by knight or shepherd. From the middle of the twelfth century, the native song was submerged by imitation of the troubadour poetic art. The marriage of Eleanor of Aquitaine with Louis VII, in 1137, had brought Provence and France together. The ideas and manners of the south were popularized at her court, and also about her daughter, Marie, Countess of Champagne, at Troyes, after Eleanor's divorce and remarriage to Henry II, Duke of Normandy and King of England. Among the cultivators of the courtly lyric in the French language, during the twelfth and thirteenth centuries, were CONON DE BÉTHUNE, GACE BRULÉ, GUI DE COUCI and THIBAUT DE CHAMPAGNE, King of Navarre. There is, save in the best works of these *trouvères*, a great sameness. All treat of love as the essential principle of perfect courtly conduct, and this abstraction is made still more lifeless by the use of allegory, which held such fascination for the medieval mind. Their art consisted too exclusively in saying the same conventional commonplaces in a form that was not completely like any other devised by previous poets, for a slight variation from existing forms was a thing prized.

This school of poetry flourished for about a century and then declined. In the fourteenth century GUILLAUME DE MACHAUT was a leading figure in a revival of the cultivation of lyric and other poetic forms. He endeavored to make the conventional themes again presentable by rhetorical embellishments of style and by directing the pursuit of form, not to the invention of ever new variations, but to the perfection of a few established forms. It is interesting to note that the lyric fixed forms that Machaut sought to consecrate were the sophisticated developments of the *rondets*, *ballettes*, *virelais* and other *chansons à danser*. He also wrote numerous longer poems in which he refines upon amorous commonplaces, allegories and moral reflections. His chief merit was, however, the establishment of the worth of the fixed forms, the *rondeau simple* or *triolet*, the *rondeau*, the *virelay*, the *ballade*, the *chant royal*. He maintained the connection

between lyric poetry and music, current in the middle ages
and later in the Renaissance, and was one of the most remarkable musicians of his times, when music was chiefly
vocal and many songs were set and sung. The new fashions
in verse promoted by Machaut, in lyrical and non-lyrical
genres, were widely followed by the late fourteenth and
fifteenth century poets, JEAN FROISSART, a poet of merit,
more famous for his prose *Chroniques*, EUSTACHE DES-
CHAMPS, who rhymed numerous poems, short and long,
mainly of a moralizing or satirical tendency, CHRISTINE DE
PISAN, attractive poetess, in her most personal ballades,
ALAIN CHARTIER, typical rhetorical poet and best prose-
writer of his day, CHARLES D'ORLÉANS, who marks the
culmination of the movement, by the perfection of formal
elegance, clarity and easy grace exhibited in his delicate
chivalric rondels and ballades.

During the middle ages there had existed, in the north of
France, a poetry expressive of a different social level than
the aristocratic and polite society which produced the
courtly lyric. The bourgeoisie, in the larger and industrial
towns, vied with the princely courts by cultivating various
poetic types. Now and then, from these groups of humbler
lovers of verse, there appeared men of marked individuality
whose poetic utterance revealed, with surprising directness
and sincerity, a closer contact with common life and real
experience. Here belong the farewell poems, or *congés*,
of JEAN BODEL (twelfth century) and ADAM DE LA HALLE
(thirteenth century) of Arras. Here belong those poets of
indigence in the thirteenth century, COLIN MUSET and
RUTEBEUF. Of course the great FRANÇOIS VILLON (fifteenth
century), most personal of all these poets of more realistic
tendency, transcends the system practiced in the urban
puys, or poetic academies, while continuing to use it, and
thus announces the end of the old order of things and the
beginning of modern times. He does this not by any renewal of the medieval forms of verse, within which medium

he continued to move, but by cutting loose from the conventional round of subjects and by giving voice to his own thoughts and feelings with striking directness and individuality.

No one at once appeared to make Villon's example fruitful for the development of poetry, and it went its way of formal elaboration, at the hands of the industrious school of rhetoricians, of whom GEORGES CHASTELLAIN was perhaps the least immeritorious, becoming ever more dry and empty, more and more a matter of intricate mechanism and ornament. No more signal proof of the sterility of the school could be imagined than the technical triumphs of such *grands rhétoriqueurs* as JEAN MOLINET and JEAN MESCHINOT. Their contemporaries, OCTOVIAN DE SAINT-GELAYS and JEAN MAROT, have moments of simpler style, when they seem rather in the tradition of Charles d'Orléans than in that of the rhetoricians. Yet in both cases, their greatest "works" were their sons. The last expiring effort of the medieval lyric is seen in the early sixteenth century, in the youthful works of CLÉMENT MAROT. Like his elder contemporary, the nephew of Jean Molinet, JEAN LE MAIRE DE BELGES, Clément Marot was beginning to catch the dawn glow of the Renaissance, but more perhaps than Le Maire, he remained rooted in the soil of the previous age, whose art of verse his father had taught him. He avoided absurdities of alliteration, redundant rhyme and pedantry. If he looked backward he also looked ahead. More than Octovian de Saint-Gelays, translator of ancient classics, and less than his friend the scholarly society poet, MELLIN DE SAINT-GELAYS, Clément Marot was a devotee of the Latin poets. Like Mellin, Marot used the Italian sonnet and he employed also forms from Latin literature, notably the epistle, epigram and elegy. His *L'Enfer* may be considered the first French satire, although it is not so called. His metrical translations from the *Psalms*, virtual odes, were widely popular and rank with the spiritual songs of MARGUERITE DE NAVARRE as the best religious poems of their time. Though he had not the learning of several poets of the Pléiade, Marot must rank with Jean Le Maire de Belges as one of their principal French forerunners. Only the chief of the poets of Lyons, MAURICE SCÈVE, Italianate and Platonist, and ANTOINE HÉROËT, noblest Platonic celebrator of ideal love, can rank with these as precursors of the dominant poetic movement of the sixteenth century.

The next poetic generation, that of the Pléiade, was nurtured on the literature of Greece, Rome and Renaissance Italy, which was also a classical land for the France of that day. These poets were filled with enthusiasm for ancient literatures and for the new poetry that was in process of creation, after the glorious models that these provided. The traditions of the medieval lyric and its fixed forms were swept away with one breath, as barbarous rubbish, by the young admirers of antiquity. The manifesto of the new movement, the *Deffence et Illustration de la langue françoise* (1549) by JOACHIM DU BELLAY, bade the poet "leave to the Floral Games of Toulouse and to the *puys* of Rouen all those old French verses, such as rondeaux, ballades, virelays, chants royaux, chansons, and other like vulgar trifles", and apply himself to rivalling the ancients in epigrams, elegies, odes, satires, epistles, eclogues, and the Italians in sonnets. It urged the ambitious poet also to compose tragedies, comedies and epics. The transformation which this movement effected for the lyric, and other genres, did not come solely from the substitution of different poetic forms as models. It had a deeper source. Fuller acquaintance with and understanding of the ancients and their Italian continuators — and the general quickening of the movement of ideas of all sorts during the Renaissance period — had reopened the true springs of poetry. The old moulds of thought and feeling were broken. The individual had a new, a more direct and personal view of nature and life. That note of direct experience, of individual sensation, that was possible to François Villon only by virtue of a very strong temperament and a very exceptional social position, became, after another manner, the privilege of a generation, by reason of the new and fresh aspect in which the world appeared. The Renaissance enriched the whole range of French literature. The lyric especially flowered, and other poetic forms, the elegy, the philosophic *hymne*, the satire, the tragedy, put forth promising buds. Of the famous seven poets, PIERRE DE RONSARD, JOACHIM DU BELLAY, JEAN-ANTOINE DE BAÏF, REMY BELLEAU, PONTUS DE TYARD, ÉTIENNE JODELLE, JEAN DAURAT, self-styled the *Brigade* or *Pléiade*, who were the champions, with their other friends and followers, of the renewal of letters, all except Jodelle, the tragic poet, and Belleau, the pastoral and descriptive artist, won their chief fame as lyricists. Of these Ronsard and Du Bellay have a claim to greatness. The most famed of French women poets of the Renaissance, LOUISE LABÉ, also attained celebrity by moving sonnets and elegies. The poets of the Pléiade strove consciously to be different. They condemned the common language and too familiar style and sought rather elevation, nobility, distinction. They endeavored to enrich the poetic vocabulary by discriminating use of words from the arts and trades, from the French dialects, and by borrowing or adaptation of words from the Latin (some of these already in current use), thus giving color to Boileau's later unjust charge that Ronsard's Muse "en français parlait grec et latin". When at their best the poets of the Pléiade were not pedantic and their nobler style was not lacking in clear simplicity.

Of this constellation of poets Ronsard was the bright particular star. The others hailed him as leader and he enjoyed for the time an almost unexampled fame. To him were addressed the well-known lines attributed to his royal master, Charles IX:

Tous deux également nous portons des couronnes:
Mais, roi, je la reçus: poète, tu la donnes.

Although Ronsard was most successful in the shorter lyric forms of verse and, certainly, in the sonnet, of which, like Du Bellay, he is an eminent exponent, his example was fruitful in nearly all genres save the tragedy, which he left to Jodelle and the younger and greater ROBERT GARNIER. He furnished his contemporaries with other and worthy models to place beside the ancient and Italian poems to which he pointed them. If Ronsard's epic, *La Franciade*, was still-born, Du Bellay's *Le Poète Courtisan* is a true satire in the classical manner, and with other poems, notably certain sonnets of *Les Regrets*, proved its author the "wit" of his school. Ronsard's *Discours*, eloquent and generously patriotic, reveal both a religio-philosophical and a satirical tendency.

Ronsard's authority declined after his death. The writers of epics, the Protestant poets, GUILLAUME DU BARTAS and THÉODORE AGRIPPA D'AUBIGNÉ, could still be counted as in some degree of his school. All the worst faults of the Pléiade were carried to an extreme in the two *Semaines* of Du Bartas, who, despite real talent, fell easily and often from the sublime to the ridiculous. D'Aubigné's *Les Tragiques*, uneven though it is, mingling epic, satiric and didactic elements, is a work of genius, evoking vividly the Wars of Religion. In this work, more truly than Du Bartas in his biblical epics, D'Aubigné is the French John Milton. *Les Tragiques*, published early in the seventeenth century, found the times unprepared for its appreciation. A reaction against the crude and undigested language, the disordered grammar, the too exuberant and undignified expression, characteristic especially of some lesser camp followers of the Pléiade, had set in. The poets PHILIPPE DESPORTES and JEAN BERTAUT mark the transition to a diction of greater restraint and fluency. The man who voiced preëminently the temper of the age, as recognized by a famous phrase in Boileau's *Art poétique* (1674), was FRANÇOIS DE MALHERBE, "Enfin Malherbe vint." He

crystallized the growing, though not as yet universal dis-
position, in the first half of the seventeenth century, to
exalt the claims of regularity, order and a recognized
standard of language and versification, stricter than that
demanded by Ronsard. Individual freedom, he thought,
must be brought more fully under the reign of rule. No
doubt Malherbe's service, cold as many of his verses seem
today, was great to French letters as a whole, since the
principles that he defended helped to develop those qualities
which give French literature of the great classic period
distinction. These qualities are, however, those of a highly
objective and impersonal expression, seeking perfection in
conformity to the general consensus of reasonable and intelligent minds, rather than those of an intensely subjective
expression, concerned in the first place with being true to
the promptings of an individual temperament. Lyric
expression is essentially of the latter kind. Malherbe, therefore, in repressing the liberty of the individual temperament, reduced the springs of lyric poetry, which the
Renaissance had made to gush forth so freely, to partially
sealed fountains, from which water merely trickled. These
springs were not to run full again until a new emancipation
of the individual had come with the great Revolution.
Other reasons there were, doubtless, for the decline of
poetry (save in tragedy, which reached its apex in PIERRE
CORNEILLE and JEAN RACINE), in this period, notably the
rise of rationalism and an increasing preference for prose.
Between Corneille and Chateaubriand, that is to say for
almost two hundred years, poetry that breathes the true
lyric spirit is relatively rare in French literature. There are
interesting exceptions to this generalization, but they come
too seldom, considering the volume of production in verse.
Examples of poetic merit in the non-lyrical genres are,
however, frequent, though even these are confined, in the
main, to the shorter forms.

Malherbe's independent contemporaries, the talented

satiric poet, MATHURIN RÉGNIER, the gifted THÉOPHILE DE
VIAU and MARC-ANTOINE DE SAINT-AMANT, and the grammarian poet's two attractive disciples, HONORAT DE RACAN
and FRANÇOIS MAYNARD, have each a share of the lyrical
temperament. Saint-Amant produced significantly, though
after a different manner from Régnier, in the realistic
tradition, and also in descriptive poetry. Of the numerous
writers of agreeable light society verse, VINCENT VOITURE
is the most able. In the latter half of the seventeenth
century among the genuinely lyrical productions are the
choruses of Jean Racine's biblical plays. Intermittently
lyrical too are certain of the immortal *Fables* of JEAN DE LA
FONTAINE, the supreme master of that poetic type, which
he makes variously moral, dramatic, descriptive, satiric,
lyrical, all things to all men. Racine and La Fontaine were
the greatest poets of their age, though neither was primarily
a lyricist. NICOLAS BOILEAU-DESPRÉAUX excelled in the
realistic and satiric genres. His *Art poétique* is the best
expression of the poetic ideal of his contemporaries and
remained authoritative until the opening years of the
nineteenth century.

The epigram, the epistle, the satire, the society lyric, even
the elegy and the short pastoral, fared better at the hands
of the poets of the age of FRANÇOIS-MARIE-AROUET DE
VOLTAIRE than did the true lyric, the epic or the poetic
drama. The typical lyric product of the time was the ode,
pompous and frigid, as we find it in JEAN-BAPTISTE ROUS-
SEAU. Certain exceptional poets, in the eighteenth century,
among them NICOLAS GILBERT and ÉVARISTE DE PARNY,
have moments of genuine if minor lyrical or elegiac inspiration. Witty poets, on the other hand, were numerous
and the cleverest of these was Voltaire, whose epigrams and
satires are mordant and amusing, more readable today by
far than his pseudo-epic, *La Henriade*, or his rhetorical and
eloquent tragedies. Voltaire's young *protégé*, JEAN-PIERRE
CLARIS DE FLORIAN, was the author of attractive *Fables* and

adorned a prose pastoral with short bucolic poems. The greatest poet of France in the age of reason, ANDRÉ CHÉNIER, who came on the eve of the Revolution, freed himself largely from the narrow restraint of the literary tradition, by imbibing directly the spirit of the Greek poets, but hardly yielded completely to the lyric impulse until he felt the shadow of the guillotine. It is significant of the difficulty that the whole poetical theory, then dominant, put in the way of the lyric, that perhaps the most intensely lyrical temperament in two hundred years, JEAN-JACQUES ROUSSEAU, preferred prose to verse as his chosen medium.

That which again unsealed the lyric fountains was Romanticism. Whatever else this much discussed but ill-defined word involves — sympathy with the middle ages, new perception of the world of nature, interest in the foreign and unusual — it certainly suggests a radically new estimate of the importance and authority of the individual. It was to the profit of the individual that the old social and political forms had been broken up and melted by the Revolution. It could seem for a moment as if, with the proclamation of freedom and independence for the individual, all the barriers were down that hemmed in his free motion, as if there were no limits to his self-assertion. His separate personal life got a new amplitude, its possibilities expanded infinitely, and its interest was vastly increased. The whole new world of ideas and impulses urged the individual to pursue and to express his own personal experience of the world. FRANÇOIS-RENÉ DE CHATEAUBRIAND, great artist in words, made the revelation of the change that had taken place. Despite the fact that his instrument is prose, the lyric quality of many a passage in *Atala* or *René* was as unmistakable as it was new. The lyric impulse could not, of course, shake off completely and at once the binding literary tradition. It needed a new language, one more direct and personal, one less stiff with the starch of propriety and elegance, one spontaneous and genuine. CASI-

MIR DELAVIGNE won contemporary applause, but the lyric impulse was not strong enough in him to make him independent of the traditional rhetoric.   Other minor poets, such as CHARLES-HUBERT MILLEVOYE, CHARLES DE CHÊNE-DOLLÉ, CHARLES NODIER, exhibit, in a few poems, a share of poetic temperament.   MARCELINE DESBORDES-VALMORE, less influenced by literary training and more mastered by the emotion that prompted her, found more often than the other transitional poets the real lyric note.   It was ALPHONSE DE LAMARTINE whose poetic utterance was most spontaneous and who recovered for France the gift of great lyric expression.   His inspired *Premières Méditations poétiques* (1820), poems of love, of melancholy, of nature, of religious faith, married to a harmonious verse-music, worthy of the deeply personal sentiments expressed, were greeted with extraordinary enthusiasm and marked the dawn of a new era in French poetry.

Other influences making for a poetic revival were multiplied.   A very important one was the spreading knowledge of modern literatures, particularly those of England and Germany, with their lyric treasures.   Presently there began to be a union of efforts for a literary reform, as in the Renaissance, and the Romantic movement began to be defined.   Its watchword was freedom in art, and, as a reform, it was naturally determined in considerable degree by the classicism against which it rebelled.   The qualities that it strove to possess were sharply in contrast with those that had distinguished French poetry for two hundred years, if they were not in direct opposition to them.   In its matter, breadth and infinite variety took the place of a narrow and sterile nobility — "everything that is in Nature is in art." In its language, directness, strength, freshness, color, brilliancy, picturesqueness replaced cold propriety, conventional elegance and trite periphrasis.   In its form, melody, variety of rhythm, richness and sonority of rhyme, diversity of stanza structure, flexibility of line were sought and achieved, sometimes at the expense of the old rules.

By 1830 the young poets, who were now fairly swarming, exhibited the general romantic coloring very clearly. Almost from the first VICTOR HUGO was the leader. His earliest volume, indeed, contained little promise of a literary revolution, but *Les Orientales* (1829) offered more than a promise, a large measure of fulfilment, and is a landmark in the history of French poetry. The technical qualities of its lyrics were a revelation. They distinctly enlarged the capacity of the language for lyrical expression. Victor Hugo came increasingly to think of himself, as notable volume followed volume, not only as the leader of a literary movement but also as a leader of world thought, a kind of poet-prophet, or philosopher-priest. He was more self-analytical on that day when he referred to himself as the "écho sonore" of his century. His vanity frequently betrayed him into errors of taste. Such egoism was possible only in a mind defective in humor. Yet Hugo possessed the violence of a satirist, in Juvenal's tradition, as his poetic diatribe against Napoleon III, *Les Châtiments* (1853), amply shows. His sentiment is not always true. He is neither a subtle psychological poet, like Racine, nor a genuine philosophic poet, such as Vigny or Leconte de Lisle. Nevertheless, Hugo is a great poetic genius. His imagination was as prodigious in its intensity as in its range. His gifts for evoking vast visions, strange antitheses, for creating modern myths, are most impressive. He alone, among the Romantics, possessed a full measure of the epic poet's inspiration. As a dramatist, he is a talented lyric or narrative poet adorning a melodrama, even in his best plays, such as the overwhelmingly successful *Hernani* (1830). Hugo's command of language and of versification amounts to supreme mastery. His talent as an "écho sonore", gathering into a focus, or a synthesis, the aspirations and tendencies of his age, accounts also for something of his appeal.

There are three other notable poets in the generation of 1830: ALFRED DE VIGNY, ALFRED DE MUSSET and THÉO-

PHILE GAUTIER. Vigny was, more truly than Hugo, the poet-thinker of the Romantic movement. He possessed a remarkable ability to generalize philosophical emotion in concrete symbols, which he develops with drama and color. Musset, classical in one aspect of his genius and critical of the absurdities of Romanticism, is the great poet of youth and tragic love. Vigny annexed to the domain of lyric poetry the province of intellectual passion and a more impersonal and reflective emotion. Musset gave to the lyric the most intense and direct accent of personal feeling and made his Muse the faithful and responsive echo of his heart. Musset, moreover, was the only Romantic poet to unite delicate humor and charming fancy to the lyrical gift, as his comedies and tales in prose give evidence. His are the best Romantic dramas, not Hugo's. Théophile Gautier, by his advocacy of the doctrine of "Art of Art's sake", emancipated himself from those too personal effusions of self-contemplation that characterized the Romantic movement. He found sufficient satisfactions in expressing the formal beauties of the external world, without concerning himself with profounder considerations. He paints in words a picture as perfect in form as it is possible for him to create. He is satisfied to be merely a painter-poet, save when stirred by the dread of disease, death and decay. Of the minor Romantic poets the most original and moving is GÉRARD DE NERVAL, who anticipates in some measure Charles Baudelaire, and the current in French poetry that stems from him.

By the middle of the century the main springs of Romanticism showed signs of exhaustion. The too subjective and personal character of its lyric verse provoked protest. It seemed to have no other theme but self, to be a universal confession or self-glorification, immodest and egotistical. It was becoming increasingly out of harmony with the intellectual temper, more and more determined by positive philosophy and the scientific spirit. CHARLES LECONTE DE

LISLE voiced this protest most clearly, setting forth the claims of an art that should find its aim in the achievement of an objective beauty and which would demand of the artist perfect self-control and self-repression. For such an art, personal emotion, unless generalized, was proclaimed a hindrance, as it might dim the artist's vision or make his hand unsteady. Yet Leconte de Lisle's own poems are not unemotional. They are the brilliant creation of a despairing philosopher, who finds no grounds for hope in the world religions. One can only contemplate, thinks this meditative poet, the majestic, limitless, everlasting and ultimately meaningless flow of things. He expressed his despair impersonally rather than impassively. He finds æsthetic satisfactions in the spectacle of the eternal becoming, whose transient accidents, beautiful if evanescent, he endeavors to fix with a descriptive art that is evocative, objective, brilliant in color, bold in relief, plastic, sculpturesque. His poetic form is richly rhythmical, architectural, "impeccable" in structure. Another seeker after technical perfection and plastic beauty, from about the mid century, was THÉODORE DE BANVILLE, who, like his friend and master Gautier, subordinated substance to virtuosity in the expression of formal loveliness.

CHARLES BAUDELAIRE was also a devotee of form, but the content that this most original poet poured into the forms he chose was richly individual, often impersonally, suggestively or symbolically, rather than directly expressed. His poems, startling and unconventional in subject matter, offer a remarkable union of pagan sensibility and a curious mysticism, for this powerful artist, neurotically sensual, who endeavored to move by images derived from all the senses, had a strange sense of sin combined with a sincere longing for ideal values, hence the impression of conflict, of pulsating vitality, of a "frisson nouveau" that his verses give. Baudelaire's poetry expresses at once his life of willful rebellion, of varied dissipation, and his intense spiritual travail, when he reflects on the perversity he exaggerates and the ideals he sincerely seeks. Sinister and sympathetic pictures of evil alternate with moods of repentance and desire for peace. Baudelaire's verse is prophetic of many things in modern French poetry. He transcends his time, particularly in the suggestive theory of *correspondences*, of which the Symbolists and their successors have made creative use. The form of his verse is, in the main, classical and of a sonorous music.

The loosely allied group of poets known as the Parnassians, from the collection *Le Parnasse Contemporain* (1866–71–76), in which some of their works appeared, were agreed only in their emphasis on formal excellence. They produced many poems distinguished by exquisite finish and making up for any lack of spontaneity by intellectual fervor. LOUISE ACKERMANN's verse is passionate in its bitter philosophic protest. Emotion also asserts its authority, discreetly and under the restraint of an imperious intellect, in FRANÇOIS-ARMAND SULLY PRUDHOMME, whose meditatively melancholy poems reveal a tender sensibility, more generalized than personal in the expression of a fundamental pessimism. JOSÉ-MARIA DE HÉRÉDIA follows the master of the Parnassians, Leconte de Lisle, more faithfully than most of his fellow disciples. He seeks after perfection of form and impersonality of expression. The one volume, *Les Trophées* (1893), on which his reputation rests, displays a plastic imagination, a keen sense of color, a fusion of form and idea, a gift for forceful suggestion of past epochs and brilliant scenes in harmonious diction and rhythm. While painting his wonderful small pictures, in his masterful sonnets, Hérédia seems to enlarge the scope of the form by frequently introducing a fresh vision in the last tercet. He lacks the philosophical depth and the range of deep, if subdued and generalized, emotion that we find in Leconte de Lisle. FRANÇOIS COPPÉE is a poet of lesser stature, who won favor by his "genre" pictures of life in Paris, which have the ring of sincerity and of social sympathy.

The rights of subjective personal emotion could not be denied to lyric poetry. Even Leconte de Lisle achieved a calm, justifying in part the epithet *impassible*, only at the cost of a struggle that still vibrates beneath the surface of his lines. A return is made to the old communicative frankness of self revelation with PAUL VERLAINE. In him, and more consciously and intellectually in STÉPHANE MALLARMÉ, both of whom began their poetic careers as Parnassians, we reach a reaction from a too objective and impersonal conception of art. This reaction sought to get at the inner significance, the spiritual meaning of things. It looked at reality as a veil behind which a deeper sense lies hidden, which it is the poet's privilege to penetrate and illumine. It also moved away from the clear images, precise contours and firm lines by which the Parnassians had given such an effect of plasticity to their verse. It sought rather vague, shadowy and nebulous impressions, the charm of music and melody. This, in general, was the direction taken by the very loosely allied group of decidedly individualistic poets, known as *Décadents* or Symbolists. They were weary of the rationalistic, naturalistic approach to reality, seeking to make all things clear. In love with mystery rather than with clarity, they sought to suggest more than to state, in their effort to plumb the unfathomable workings of the inner life. They modified the traditional versification, as reformed by the Romantics, when it suited their purpose of uniting verbal music to revery. They created new harmonies in a verse insubstantial, indecisive, fluid, unrhetorical as French verse had never been before. Verlaine is an emotional poet who suggests directly by the very music he employs to harmonize the images he evokes. His friend ARTHUR RIMBAUD, some of whose youthful works Verlaine made known in *Poètes maudits* (1884), uses symbols to create effects of appeal to all the senses, of a kind of hallucination orderly in its very disorder. His experiments with free rhythms found many disciples. Mallarmé, philosopher

and æsthetician, establishes mood and creates revery by
evoking related objects, or by using such objects as
symbols from which the mood and the revery may be
gradually disengaged. Among more recent poets HENRI DE
RÉGNIER and PAUL VALÉRY, especially the latter, seem
close to Mallarmé. PAUL CLAUDEL, most remarkable of
modern French Catholic poets, also seems often to prefer
suggestion of depth to clarity of direct statement. More
accessible to readers, who find "poets' poets" a closed
book, are, among others many and most worthy, ÉMILE
VERHAEREN, PAUL FORT, FRANCIS JAMMES and the COMTESSE
DE NOAILLES, most inspired of French poetesses in recent
years. The twentieth century poetic scene has offered
much variety and French poets have by no means said
their last word.

Fourteenth and Fifteenth Century Poets

JEHANNOT DE LESCUREL

RONDEAU

Douce dame, je vous pri,
Faites de moi vostre ami.

Belle, aiés de moi merci.
Douce dame, je vous pri

Qu'il soit ainsi com je di.   5
De cuer amoureus joli,
Douce dame, je vous pri
Faites de moi vostre ami.

GUILLAUME DE MACHAUT

RONDEAU

Blanche com lys, plus que rose vermeille,
Resplendissant com rubis d'Oriant,

En remirant vo biauté non pareille,
Blanche com lys, plus que rose vermeille,

Suy si ravis que mes cuers toudis veille   5
Afin que serve à loy de fin amant,
Blanche com lys, plus que rose vermeille,
Resplendissant com rubis d'Oriant.

BALLADE

DAME, de qui toute ma joie vient
Je ne vous puis trop amer, ne chierir,
N'assés loër, si com il apartient,
Servir, doubter, honnourer, n'obeïr;
  Car le gracieus espoir,   5
Douce dame, que j'ay de vous vëoir,
Me fait cent fois plus de bien et de joie,
Qu'en cent mille ans desservir ne porroie.

Cils dous espoir en vie me soustient
Et me norrist en amoureus desir,   10
Et dedens moy met tout ce qui couvient
Pour conforter mon cuer et resjoïr;
  N'il ne s'en part main ne soir,
Einsois me fait doucement recevoir
Plus des dous biens qu'Amours aus siens ottroie, 15
Qu'en cent mille ans desservir ne porroie.

Et quant Espoir qui en mon cuer se tient
Fait dedens moy si grande joie venir,
Lonteins de vous, ma dame, s'il avient
Que vo biauté voie que moult desir,   20
  Ma joie, si com j'espoir,
Ymaginer, penser, ne concevoir
Ne porroit nuls, car trop plus en aroie,
Qu'en cent mille ans desservir ne porroie.

JEAN FROISSART

BALLADE

SUS toutes flours tient on la rose à belle,
Et, en après, je croi, la violette.
La flour de lys est belle, et la perselle;
La flour de glay est plaisans et parfette;

Et li pluisour aiment moult l'anquelie; 5
Le pyonier, le muget, la soussie,
Cascune flour a par li son merite.
Mès je vous di, tant que pour ma partie:
Sus toutes flours j'aime la Margherite.

Car en tous temps, plueve, gresille ou gelle, 10
Soit la saisons ou fresque, ou laide, ou nette,
Ceste flour est gracieuse et nouvelle,
Douce, plaisans, blanchete et vermillete;
Close est à point, ouverte et espanie;
Jà n'i sera morte ne apalie. 15
Toute bonté est dedens li escripte,
Et pour un tant, quant bien y estudie:
Sus toutes flours j'aime la Margherite.

Mès trop grant duel me croist et renouvelle
Quant me souvient de la douce flourette; 20
Car enclose est dedens une tourelle,
S'a une haie au devant de li faitte,
Qui nuit et jour m'empece et contrarie;
Mès s'Amours voelt estre de mon aïe
Jà pour creniel, pour tour, ne pour garite 25
Je ne lairai qu'à occoison ne die:
Sus toutes flours j'aime la Margherite.

VIRELAY

On dist que j'ai bien maniere
    D'estre orgillousette;
Bien afiert à estre fiere
    Jone pucelette.

Hui main matin me levai 5
    Droit à l'ajournée;
En un jardinet entrai
    Dessus la rousée;

Je cuidai estre premiere
   Ou clos sur l'erbette,   10
Mès mon douls ami i ere,
   Cœillans la flourette.

On dist que j'ai bien maniere
   D'estre orgillousette;
Bien afiert à estre fiere   15
   Jone pucelette.

Un chapelet li donnai
   Fait de la vesprée,
Il le prist, bon gré l'en sçai;
   Puis m'a appellée.   20

« Vœilliés oïr ma proyere,
   « Très belle et doucette,
« Un petit plus que n'afiere
   « Vous m'estes durette.

On dist que j'ai bien maniere   25
   D'estre orgillousette;
Bien afiert à estre fiere
   Jone pucelette.

RONDEAU

Aies le coer courtois et honnourable,
Humble et discré, secré, vrai et joli,
Lié, attempré, et retien ce notable:
Aies le coer courtois et honnourable,
Et selonc ce que tu poes te fais able,   5
S'auront pité dame et Amours de ti.
Aies le coer courtois et honnourable.

RONDEAU

Amours, Amours, que volés de moi faire ?
En vous ne puis veoir riens de seür:
Je ne cognois ne vous ne vostre afaire.

Amours, Amours, que volés de moi faire ?
Lequel vault mieulz: pryer, parler, ou taire ? 5
Dittes le moi, qui avés bon eür.
Amours, Amours, que volés de moi faire ?

EUSTACHE DESCHAMPS

BALLADE

LE CHAT ET LES SOURIS.   FABLE

Je treuve qu'entre les souris
Ot un merveilleux parlement
Contre les chas leurs ennemis,
A veoir maniere comment
Elles vesquissent seurement   5
Sanz demourer en tel debat;
L'une dist lors en arguant:
« Qui pendra la sonnette au chat ? »

Ciz consaus fut conclus et pris;
Lors se partent communement.   10
Une souris du plat païs
Les encontre et va demandant
Qu'on a fait; lors vont respondant
Que leur ennemi seront mat:
Sonnette avront au col pendant.   15
Qui pendra la sonnette au chat ?

« C'est le plus fort », dit un rat gris.
Elle demande saigement
Par qui sera cis fais fournis.
Lors s'en va chascune escusant;   20
Il n'i ot point d'executant,
S'en va leur besogne de plat.
Bien fut dit, mais au demourant,
Qui pendra la sonnette au chat ?

Prince, on conseille bien souvent,   25
Mais on puet dire, com le rat,
Du conseil qui sa fin ne prent:
Qui pendra la sonnette au chat.

BALLADE

Le droit jour d'une Penthecouste,
En ce gracieux moys de May,
Celle ou j'ay m'esperance toute
En un jolis vergier trouvay
Cueillant roses, puis lui priay: 5
Baisiez moy. Si dit: Voulentiers.
Aise fu; adonc la baisay
Par amours, entre les rosiers.

Adonc n'ot ne paour ne doubte,
Mais de s'amour me confortay;   10
Espoir fu des lors de ma route,
Ains meilleur jardin ne trouvay.
De la me vient le bien que j'ay,
L'octroy et li doulx desiriers
Que j'oy, comme je l'acolay,   15
Par amours, entre les rosiers.

Cilz doulx baisier oste et reboute
Plus de griefz que dire ne say
De moy; adoucie est trestoute
Ma douleur; en joye vivray.   20
Le jour et l'eure benistray
Dont me vint li tresdoulx baisiers,
Quant ma dame lors encontray
Par amours, entre les rosiers.

Prince, ma dame à point trouvay   25
Ce jour, et bien m'estoit mestiers;
De bonne heure la saluay,
Par amours, entre les rosiers.

VIRELAY

PORTRAIT D'UNE PUCELLE PAR ELLE-MÊME

Il me semble, a mon avis,
Que j'ay beau front et doulz viz
Et la bouche vermeillette;
Dittes moy se je suis belle.

J'ay vers yeulx, petits sourcis,   5
Le chief blont, le nez traitis,
Ront menton, blanche gorgette;
Sui je, sui je, sui je belle?

J'ay dur sain et hault assis,
Lons bras, gresles doys aussis,   10
Et par le faulz sui greslette;
Dittes moy se je suis belle.

J'ay bonnes rains, ce m'est vis,
Bon dos, bon cul de Paris,
Cuisses et gambes bien faictes;   15
Sui je, sui je, sui je belle?

J'ay piez rondès et petiz,
Bien chaussans, et biaux habis,
Je sui gaye et foliette;
Dittes moy se je sui belle.   20

J'ay mantiaux fourrez de gris,
J'ay chapiaux, j'ay biaux proffis
Et d'argent mainte espinglette;
Sui je, sui je, sui je belle?

J'ay draps de soye et tabis,   25
J'ay draps d'or et blans et bis,
J'ay mainte bonne chosette;
Dittes moy se je sui belle.

Que .xv. ans n'ay, je vous dis;
Moult est mes tresors jolys,   30
S'en garderay la clavette;
Sui je, sui je, sui je belle?

Bien devra estre hardis
Cilz qui sera mes amis,
Qui ara tel damoiselle;   35
Dittes moy se je sui belle.

Et par Dieu je li plevis
Que tresloyal, se je vis,
Li seray, si ne chancelle;
Sui je, sui je, sui je belle?   40

Se courtois est et gentilz,
Vaillans, apers, bien apris,
Il gaignera sa querelle;
Dittes moy se je sui belle.

C'est un mondains paradiz   45
Que d'avoir dame toudis,
Ainsi fresche, ainsi nouvelle;
Sui je, sui je, sui je belle?

Entre vous accouardiz,
Pensez a ce que je diz;   50
Cy fine ma chansonelle;
Sui je, sui je, sui je belle?

CHRISTINE DE PISAN

BALLADE

SEULETE suy et seulete vueil estre,
Seulete m'a mon doulz ami laissiée;
Seulete suy, sanz compaignon ne maistre,
Seulete suy, dolente et courrouciée,
Seulete suy, en langour mesaisiée,   5
Seulete suy, plus que nulle esgarée,
Seulete suy, sanz ami demourée.

Seulete suy a huis ou a fenestre,
Seulete suy en un anglet muciée,
Seulete suy pour moi de plours repaistre,   10
Seulete suy, dolente ou apaisiée;
Seulete suy, riens n'est qui tant me siée;
Seulete suy, en ma chambre enserrée,
Seulete suy, sanz ami demourée.

Seulete suy partout et en tout estre;   15
Seulete suy, ou je voise ou je siée;
Seulete suy plus qu'autre riens terrestre,
Seulete suy, de chascun delaissiée,
Seulete suy, durement abaissiée,
Seulete suy, souvent tout esplourée,   20
Seulete suy, sanz ami demourée.

Prince, or est ma douleur commenciée:
Seulete suy, de tout dueil menaciée,
Seulete suy, plus tainte que morée;
Seulete suy, sanz ami demourée.   25

BALLADE

TANT avez fait par vostre grant doulçour,
Trés doulz ami, que vous m'avez conquise.
Plus n'y convient complainte ne clamour,
Ja n'y ara par moy deffense mise.
Amours le veult par sa doulce maistrise,   5
Et moy aussi le vueil, car, se m'ait Dieux,
Au fort c'estoit folour quant je m'avise
De reffuser ami si gracieux.

Et j'ay espoir qu'il a tant de valour
En vous, que bien sera m'amour assise.   10
Quant de beaulté, de grace et tout honnour
Il y a tant que c'est drois qu'il souffise;
Si est bien drois que sur tous vous eslise;
Car vous estes digne d'avoir trop mieulx,
Et j'ay eu tort, quant tant m'avez requise,   15
De reffuser ami si gracieux.

Si vous retien et vous donne m'amour,
Mon fin cuer doulz, et vous pri que faintise
Ne soit en vous, ne nul autre faulx tour;
Car toute m'a entierement acquise   20
Vo doulz maintien, vo maniere rassise,
Et vos trés doulx amoureux et beaulx yeux.
Si aroye grant tort en toute guise
De reffuser ami si gracieux.

Mon doulz ami, que j'aim sur tous et prise,   25
J'oy tant de bien de vous dire en tous lieux
Que par raison devroye estre reprise
De reffuser ami si gracieux.

BALLADE

JADIS par amours amoient
Et les dieux et les deesses,
Ce dit Ovide, et avoient
Pour amours maintes destresses;
Foy, loiaulté et promesses   5
Tenoient sanz decepvoir,
Se les fables dient voir.

Et du ciel jus decendoient,
Non obstant leurs grans hauteces,
Et a estre amez queroient   10
Les haulz dieux pleins de nobleces;
Pour amours leurs grans richeces
Mettoient en nonchaloir,
Se les fables dient voir.

Lors si trés contrains estoient,   15
Nymphes et enchanterresses,
Et les dieux qui lors regnoient,
Satirielz et maistresses,
D'amours, qu'a trop grans largeces
Mettoient corps et avoir,   20
Se les fables dient voir.

> Pour ce, princes et princepces
> Doivent amer et savoir
> D'amours toutes les adresces,
> Se les fables dient voir.   25

ALAIN CHARTIER

BALLADE

Dieu tout puissant, de qui noblesse vient
Et dont descent toute perfectïon,
A tout crée, tout nourrist, tout soustient
Par sa haulte digne provisïon;
Mais, pour tenir la terre en unïon,   5
A ordonné chascun en son office,
Ly ung seigneur, l'autre en subjectïon,
Pour foy garder et pour vivre en justice.

Et qui de Dieu le plus hault honneur tient
Par seigneurie ou dominatïon,   10
Plus est tenu et plus luy appartient
D'avoir en luy entiere affectïon,
Crainte et honneur, bonne devocïon,
Et vergoigne de meffait et de vice,
Et faire tout a bonne entencïon,   15
Pour foy garder et pour vivre en justice.

Cil est nobles et pour tel se maintient,
Sans vanterie et sans decepcïon,
Qui envers Dieu obeïssant se tient
Et fait droit de sa professïon.   20
Qui quiert noblesse en autre opinïon,
Fait a Dieu tort et au sang prejudice;
Car Dieu forma noble condicïon,
Pour foy garder et pour vivre en justice.

Povre et riche meurt en corruptïon,   25
Noble et commun doivent a Dieu service;
Mais les nobles ont exaltacïon
Pour foy garder et pour vivre en justice.

BALLADE

O FOLZ des folz, et les folz mortelz hommes,
Qui vous fiez tant és biens de fortune
En celle terre, és pays où nous sommes,
Y avez vous de chose propre nes-une
Fors les beaulx dons de grace et de nature.   5
Se Fortune donc, par case d'adventure,
Vous toult les biens que vostre vous tenez,
Tort ne vous fait, ainçois vous fait droicture,
Car nous n'aviez riens quand vous fustes nez.

Ne laissez plus le dormir à grans sommes   10
En vostre lict, par nuit obscure et brune,
Pour acquester richesses a grans sommes,
Ne convoitez choses dessoubs la lune,
Ne de Paris jusques à Pampelune,
Fors ce qui fault, sans plus, à creature   15
Pour recouvrer sa simple nourriture;
Suffise vous d'estre bien renommez,
Et d'emporter bon loz en sepulture:
Car vous n'aviez riens quand vous fustes nez.

Les joyeulx fruicts des arbres, et les pommes,   20
Au temps que fut toute chose commune,
Le beau miel, les glandes et les gommes
Souffisoient bien a chascun et chascune.
Et pour ce fut sans noise et sans rancune.
Soyez contens des chaulx et des froidures,   25
Et me prenez Fortune doulce et seure.
Pour vos pertes, griesve dueil n'en menez,
Fors à raison, à point, et à mesure,
Car vous n'aviez riens quand vous fustes nez.

Se fortune vous fait aucune injure,   30
C'est de son droit, jà ne l'en reprenez,
Et perdissiez jusques à la vesture:
Car vous n'aviez riens quand vous fustes nez.

CHARLES D'ORLÉANS

RONDEAU

Dieu, qu'il la fait bon regarder,
La gracieuse, bonne et belle !
Pour les grans biens qui sont en elle,
Chascun est prest de la louer.

Qui se pourroit d'elle lasser !   5
Tousjours sa beauté renouvelle.
Dieu, qu'il la fait bon regarder,
La gracieuse, bonne et belle !

Par deça ne delà la mer,
Ne sçay dame ne damoiselle   10
Qui soit en tous biens parfais telle;
C'est un songe que d'y penser.
Dieu, qu'il la fait bon regarder !

RONDEAU

Les fourriers d'Esté sont venus
Pour appareillier son logis,
Et ont fait tendre ses tappis
De fleurs et verdure tissus.

En estandant tappis velus   5
De vert herbe par le païs,
Les fourriers d'Esté sont venus.

Cueurs d'ennuy pieça morfondus,
Dieu mercy, sont sains et jolis;
Alez vous ent, prenez païs,   10
Yver, vous ne demourrés plus;
Les fourriers d'Esté sont venus !

RONDEAU

Le temps a laissé son manteau.
De vent, de froidure et de pluye,
Et s'est vestu de broderie,
De soleil luyant, cler et beau.

Il n'y a beste, ne oyseau,   5
Qu'en son jargon ne chante ou crie:
Le temps a laissé son manteau !

Rivière, fontaine et ruisseau
Portent, en livrée jolie,
Gouttes d'argent d'orfavrerie,   10
Chascun s'abille de nouveau.
Le temps a laissé son manteau.

RONDEAU

Alez vous ant, allez, alés,
Soussy, Soing et Merencolie,
Me cuidez-vous, toute ma vie,
Gouverner, comme fait avés ?

Je vous prometz que non ferés;   5
Raison aura sur vous maistrie:
Alez vous ant, allez, alés,
Soussy, Soing et Merencolie.

Se jamais plus vous retournés
Avecques vostre compaignie,   10
Je pri à Dieu qu'il vous maudie

Et ce par qui vous revendrés:
Alez vous ant, allez, alés.
Soussy, Soing et Merencolie.

BALLADE

Las ! Mort, qui t'a fait si hardie
De prendre la noble Princesse
Qui estoit mon confort, ma vie,
Mon bien, mon plaisir, ma richesse !
Puis que tu as prins ma maistresse,   5
Prens moy aussi son serviteur,
Car j'ayme mieulx prouchainement
Mourir que languir en tourment,
En paine, soussy et doleur.

Las ! de tous biens estoit garnie   10
Et en droitte fleur de jeunesse !
Je pry a Dieu qu'il te maudie,
Faulse Mort, plaine de rudesse !
Ce ne fust pas si grant rigueur;
Mais prise l'as hastivement   15
Et m'as laissié piteusement
En paine, soussy et doleur.

Las ! Je suis seul sans compaignie !
Adieu ma Dame, ma lyesse !
Or est nostre amour departie,   20
Non pour tant, je vous fais promesse
Que de prieres, à largesse,
Morte vous serviray de cueur,
Sans oublier aucunement;
Et vous regretteray souvent   25
En paine, soussy et doleur.

Dieu, sur tout souverain Seigneur,
Ordonnez par grace et doulceur,
De l'ame d'elle, tellement
Qu'elle ne soit pas longuement   30
En paine, soussy et doleur.

BALLADE

Eⁿ regardant vers le païs de France,
Un jour m'avint, a Dovre sur la mer,
Qu'il me souvint de la doulce plaisance
Que je souloye oudit païs trouver.
Si commençay de cœur a souspirer,   5
Combien certes que grant bien me faisoit,
De voir France, que mon cœur amer doit.

Je m'avisay que c'estoit non-savance
De tels souspirs dedens mon cœur garder,
Veu que je voy que la voye commence   10
De bonne paix, qui tous biens peut donner.
Pour ce, tournay en confort mon penser:
Mais non pourtant mon cœur ne se lassoit
De voir France, que mon cœur amer doit.

Alors chargeay en la nef d'Espérance   15
Tous mes souhaitz, en les priant d'aler
Oultre la mer, sanz faire demourance,
Et a France de me recommander.
Or nous doint Dieu bonne paix sans tarder !
Adonc auray loisir, mais qu'ainsi soit,   20
De voir France, que mon cœur amer doit.

Paix est tresor qu'on ne peut trop loer,
Je hé guerre, point ne la doit prisier;
Destourbé m'a long temps, soit tort ou droit,
De voir France, que mon cœur amer doit.   25

FRANÇOIS VILLON

BALLADE

DES DAMES DU TEMPS JADIS

Dictes moy ou, n'en quel pays
Est Flora, la belle Rommaine;

Archipiades, ne Thaïs
Qui fut sa cousine germaine;
Echo parlant quant bruyt on maine   5
Dessus riviere ou sus estan,
Qui beaulté ot trop plus qu'humaine?
Mais ou sont les neiges d'antan!

Ou est la tres sage Helloïs,
Pour qui fut chastré et puis moyne   10
Pierre Esbaillart à Saint Denis?
Pour son amour ot cest essoyne.
Semblablement, ou est la royne
Qui commanda que Buridan
Fust geté en ung sac en Saine?   15
Mais ou sont les neiges d'antan!

La royne Blanche comme lis,
Qui chantoit à voix de seraine;
Berte au grant pié, Bietris, Alis;
Haremburgis qui tint le Maine,   20
Et Jehanne la bonne Lorraine,
Qu'Englois brulerent à Rouan;
Ou sont ilz, ou, Vierge souvraine?...
Mais ou sont les neiges d'antan!

Prince, n'enquerez de sepmaine   25
Ou elles sont, ne de cest an,
Que ce reffrain ne vous remaine:
Mais ou sont les neiges d'antan!

LES REGRETS DE LA BELLE HËAULMIERE

ADVIS m'est que j'oy regreter
La belle qui fut hëaulmiere,
Soy jeune fille soushaitter
Et parler en telle maniere:
« Ha! viellesse felonne et fiere,   5
Pourquoy m'as si tost abatue
Qui me tient? Qui, que ne me fiere,
Et qu'a ce coup je ne me tue?

‹ Tollu m'as la haulte franchise
Que beaulté m'avoit ordonné   10
Sur clers, marchans et gens d'Eglise:
Car lors, il n'estoit homme né
Qui tout le sien ne m'eust donné
Quoi qu'il en fust des repentailles,
Mais que luy eusse habandonné   15
Ce que reffusent truandailles.

‹ A maint homme l'ay reffusé,
Que n'estoit à moy grant sagesse,
Pour l'amour d'ung garson rusé,
Auquel j'en feiz grande largesse.   20
A qui que je feisse finesse,
Par m'ame, je l'amoye bien !
Or ne me faisoit que rudesse,
Et ne m'amoit que pour le mien.

‹ Si ne me sceut tant detrayner,   25
Fouler au piez, que ne l'amasse,
Et m'eust il fait les rains trayner,
S'il m'eust dit que je le baisasse,
Que tous mes maulx je n'oubliasse.
Le glouton, de mal entechié,   30
M'embrassoit. . . . J'en suis bien plus grasse !
Que m'en reste il ?   Honte et pechié.

‹ Or est il mort, passé trente ans,
Et je remains, vielle, chenue.
Quant je pense, lasse ! au bon temps,   35
Quelle fus, quelle devenue:
Quant me regarde toute nue,
Et je me voy si tres changiée,
Povre, seiche, megre, menue,
Je suis presque toute enragiée.   40

‹ Qu'est devenu ce front poly,
Cheveulx blons, ces sourcilz voultiz,
Grant entrœil, ce regart joly,
Dont prenoie les plus soubtilz;
Ce beau nez droit grant ne petit;   45

Ces petites joinctes oreilles,
Menton fourchu, cler vis traictiz,
Et ces belles levres vermeilles ?

‹ Ces gentes espaulles menues;
Ces bras longs et ces mains traictisses; 50
Petiz tetins, hanches charnues,
Eslevées, propres, faictisses
A tenir amoureuses lisses;
Ces larges rains, ce sadinet
Assis sur grosses fermes cuisses, 55
Dedens son petit jardinet ?

‹ Le front ridé, les cheveux gris,
Les sourcilz cheuz, les yeulz estains,
Qui faisoient regars et ris,
Dont mains marchans furent attains; 60
Nez courbes de beaulté loingtains;
Oreilles pendantes, moussues;
Le vis pally, mort et destains;
Menton froncé, levres peaussues:

‹ C'est d'umaine beaulté l'yssues ! 65
Les bras cours et les mains contraites,
Les espaulles toutes bossues;
Mamelles, quoy ! toutes retraites;
Telles les hanches que les tetes.
Du sadinet, fy ! Quant des cuisses, 70
Cuisses ne sont plus, mais cuissetes,
Grivelees comme saulcisses.

‹ Ainsi le bon temps regretons
Entre nous, povres vielles sotes,
Assises bas, à crouppetons, 75
Tout en ung tas comme pelotes,
A petit feu de chenevotes
Tost allumées, tost estaintes;
Et jadis fusmes si mignotes !...
Ainsi en prent à mains et maintes. » 80

BALLADE

QUE FIT VILLON À LA REQUÊTE DE SA MÈRE,
POUR PRIER NOTRE DAME

DAME du ciel, regente terrienne,
Emperiere des infernaux palus,
Recevez moy, vostre humble chrestienne,
Que comprinse soye entre vos esleus,
Ce non obstant qu'oncques rien ne valus.   5
Les biens de vous, Ma Dame et Ma Maistresse,
Sont trop plus grans que ne suis pecheresse,
Sanz lesquelz biens ame ne peut merir
N'avoir les cieulx, je n'en suis jangleresse.
En ceste foy je vueil vivre et mourir.   10

A vostre Filz dictes que je suis sienne;
De luy soyent mes pechiez abolus:
Pardonne moy comme à l'Egipcienne,
Ou comme il feist au clerc Theophilus,
Lequel par vous fut quitte et absolus,   15
Combien qu'il eust au deable fait promesse.
Preservez moy de faire jamais ce,
Vierge portant, sans rompure encourir
Le sacrement qu'on celebre à la messe.
En ceste foy je vueil vivre et mourir.   20

Femme je suis povrette et ancienne,
Qui riens ne sçay; oncques lettre ne leus;
Au moustier voy dont suis paroissienne
Paradis paint, ou sont harpes et lus,
Et ung enfer ou dampnez sont boullus: 25
L'ung me fait paour, l'autre joye et liesse.
La joye avoir me fay, haulte Deesse,
A qui pecheurs doivent tous recourir,
Comblez de foy, sans fainte ne paresse.
En ceste foy je vueil vivre et mourir.   30

Vous portastes, digne Vierge, princesse,
Iesus regnant qui n'a ne fin ne cesse.

Le Tout Puissant, prenant nostre foiblesse,
Laissa les cieulx et nous vint secourir,
Offrit à mort sa tres chiere jeunesse.   35
Nostre Seigneur tel est, tel le confesse,
En ceste foy je vueil vivre et mourir.

RONDEAU

MORT, j'appelle de ta rigueur,
Qui m'as ma maistresse ravie,
Et n'es pas encore assouvie,
Se tu ne me tiens en langueur.
Onc puis n'eus force ne vigueur;   5
Mais que te nuysoit elle en vie,
    Mort ?

Deux estions et n'avions qu'ung cuer;
S'il est mort, force est que devie,
Voire, ou que je vive sans vie,   10
Comme les images, par cuer,
    Mort !

BALLADE

L'ÉPITAPHE VILLON

FRERES humains, qui apres nous vivez,
N'ayez les cuers contre nous endurcis,
Car, se pitié de nous povres avez,
Dieu en aura plus tost de vous mercis.
Vous nous voiez cy atachez cinq sis,   5
Quant de la chair, que trop avons nourrie,
Elle est pieça devorée et pourrie,
Et nous, les os, devenons cendre et pouldre.
De nostre mal personne ne s'en rie,
Mais priez Dieu que tous nous vueille absouldre !   10

Se vous clamons freres, pas n'en devez
Avoir desdaing, quoy que fusmes occis
Par justice. Toutesfois, vous sçavez
Que tous hommes n'ont pas bon sens assis;
Excusez nous puis que sommes transsis,   15
Envers le filz de la Vierge Marie,
Que sa grace ne soit pour nous tarie,
Nous preservant de l'infernale fouldre.
Nous sommes mors, ame ne nous harie;
Mais priez Dieu que tous nous vueille absouldre! 20

La pluye nous a debuez et lavez,
Et le soleil dessechié et noircis;
Pies, corbeaulx, nous ont les yeux cavez,
Et arrachié la barbe et les sourcis.
Jamais nul temps nous ne sommes rassis;   25
Puis ça, puis là, comme le vent varie,
A son plaisir sans cesser nous charie,
Plus becquetez d'oiseaulx que dez à couldre.
Ne soiez donc de nostre confrairie,
Mais priez Dieu que tous nous vueille absouldre! 30

Prince Jhesus, qui sur tous a maistrie,
Garde qu'Enfer n'ait de nous seigneurie:
A luy n'ayons que faire ne que souldre.
Hommes, icy n'a point de mocquerie,
Mais priez Dieu que tous nous vueille absouldre. 35

Sixteenth Century Poets

JEAN LE MAIRE DE BELGES

CHANSON DE GALATÉE

ARBRES feuillez, revestus de verdure,
Quant l'yver dure, on vous voit desolez.
Mais maintenant aucun de vous n'endure
Nulle laidure, ains vous donne Nature
Riche paincture et flourons à tous lez;   5
Ne vous branlez, ne tremblez, ne crouslez,
Soyez meslez de joye et fleurissance,
Zephire est sus, donnant aux fleurs issance.

    Gentes bergerettes,
    Parlant d'amourettes   10
    Dessoubz les couldrettes,
    Jeunes et tendrettes
    Cueillent fleur jolie,
    Framboises, meurettes,
    Pommes et poirettes   15
    Rondes et durettes,
    Flourons et flourettes
    Sans melancolie.

Sur les préaux de sinople vestuz
Et d'or battu autour des entellettes   20
De sept couleurs selon les sept vertuz
Seront vestuz. Et de joncs non torduz,
Droicts et pointuz, feront sept corbeillettes:
Violettes, au nombre des planettes,
Fort honnestes mettront en rondelet,   25
Pour faire à Pan un joly chapelet.

    Là viendront dryades
    Et hamadryades,

Faisant sous feuillades
Ris et resveillades   30
Avec aultres fées.
Là feront naïades
Et les oréades,
Dessus les herbades,
Aubades, gambades,   35
De joye eschauffées.

Quant Aurora, la princesse des fleurs,
Rend les couleurs aux boutonceaux barbuz,
La nuyt s'enfuyt avecques ses douleurs;
Aussi font pleurs, tristesses et malheurs,   40
Et sont valeurs en vigueur, sanz abuz,
Des près herbuz et des nobles vergiers
Qui sont à Pan et à ses bons bergiers.

Chouettes s'enfuyent,
Couleuvres s'estuyent,   45
Cruels loups s'enfuyent,
Pastoureaulx les huyent.
Et Pan les poursuit.
Les oyseletz bruyent,
Les cerfs aux boys ruyent,   50
Les champs s'enjolyent,
Tous elemens ryent,
Quant Aurora luyt.

CLÉMENT MAROT

RONDEAU

Au bon vieulx temps un train d'amour regnoit
Qui sans grand art et dons se démenoit,
Si qu'un bouquet donné d'amour profonde,
C'estoit donné toute la terre ronde,
Car seulement au cœur on se prenoit.   5

Et si, par cas, à jouyr on venoit,
Sçavez-vous bien comme on s'entretenoit?
Vingt ans, trente ans: cela duroit un monde
    Au bon vieulx temps.

Or est perdu ce qu'amour ordonnoit: 10
Rien que pleurs fainctz, rien que changes on n'oyt;
Qui vouldra donc qu'à aymer je me fonde,
Il fault premier que l'amour on refonde,
Et qu'on la meine ainsi qu'on la menoit
    Au bon vieulx temps.   15

BALLADE

VOULENTIERS en ce moys icy
La terre mue et renouvelle.
Maintz amoureux en font ainsi,
Subjectz a faire amour nouvelle
Par legiereté de cervelle,   5
Ou pour estre ailleurs plus contens;
Ma façon d'aymer n'est pas telle,
Mes amours durent en tout temps.

N'y a si belle dame aussi
De qui la beaulté ne chancelle;   10
Par temps, maladie ou soucy,
Laydeur les tire en sa nasselle;
Mais rien ne peult enlaydir celle
Que servir sans fin je pretens;
Et pource qu'elle est toujours belle,   15
Mes amours durent en tout temps.

Celle dont je dy tout cecy,
C'est Vertu, la nymphe eternelle,
Qui au mont d'honneur esclercy
Tous les vrays amoureux appelle: 20
« Venez, amans, venez (dit elle),
Venez à moi, je vous attens;
Venez (ce dit la jouvencelle),
Mes amours durent en tout temps. »

Prince, fais amye immortelle,   25
Et à la bien aymer entens;
Lors pourras dire sans cautelle:
« Mes amours durent en tout temps. »

CHANSON

Puis que de vous je n'ay autre visage,
Je m'en voys rendre hermite en un desert,
Pour prier Dieu, si un autre vous sert,
Qu'autant que moy en vostre honneur soit sage.

Adieu amours, adieu gentil corsage,   5
Adieu ce tainct, adieu ces frians yeulx.
Je n'ay pas eu de vous grand advantage;
Un moins aymant aura peult estre mieulx.

ÉPIGRAMME

DE SOY MESME

Plus ne suis ce que j'ay esté,
Et ne le sçaurois jamais estre;
Mon beau printemps et mon esté
Ont fait le saut par la fenestre.
Amour, tu as esté mon maistre: 5
Je t'ai servi sur tous les dieux.
O si je pouvois deux fois naistre
Comme je te servirois mieulx !

ÉPÎTRE

AU ROY, POUR AVOIR ESTÉ DÉROBÉ

On dict bien vray, la maulvaise Fortune
Ne vient jamais qu'elle n'en apporte une
Ou deux avecques elle (Syre).

Vostre cueur noble en sçauroit bien que dire;
Et moy, chetif, qui ne suis Roy ne rien, 5
L'ay esprouvé, et vous compteray bien,
Si vous voulez, comme vint la besongne.

J'avois un jour un valet de Gascongne,
Gourmand, ivrongne, et asseuré menteur,
Pipeur, larron, jureur, blasphemateur, 10
Sentant la hart de cent pas à la ronde,
Au demourant, le meilleur filz du monde,
Prisé, loué, fort estimé des filles
Par les bordeaulx, et beau joueur de quilles.

Ce venerable hillot fut adverty 15
De quelque argent que m'aviez departy,
Et que ma bourse avoit grosse apostume;
Si se leva plus tost que de coustume,
Et me va prendre en tapinoys icelle,
Puis vous la meit tresbien soubz son esselle 20
Argent et tout (cela se doit entendre),
Et ne croy point que ce fust pour la rendre,
Car oncques puis n'en ay ouy parler.

Brief, le villain ne s'en voulut aller
Pour si petit; mais encore il me happe 25
Saye et bonnet, chausses, pourpoint et cappe;
De mes habitz (en effect) il pilla
Tous les plus beaux, et puis s'en habilla
Si justement, qu'à le veoir ainsi estre,
Vous l'eussiez prins (en plein jour) pour son maistre. 30

Finablement, de ma chambre il s'en va
Droict à l'estable, où deux chevaulx trouva;
Laisse le pire, et sur le meilleur monte,
Pique et s'en va. Pour abreger le compte,
Soyez certain qu'au partir du dict lieu 35
N'oublia rien fors qu'à me dire adieu.

Ainsi s'en va, chatouilleux de la gorge,
Ledict vallet, monté comme un Sainct Georges,
Et vous laissa Monsieur dormir son soul,
Qui au resveil n'eust sceu finer d'un soul. 40
Ce Monsieur là (Syre) c'estoit moy mesme,
Qui, sans mentir, fuz au matin bien blesme,

Quand je me vey sans honneste vesture,
Et fort fasché de perdre ma monture;
Mais de l'argent que vous m'aviez donné,   45
Je ne fuz point de le perdre estonné;
Car vostre argent (tresdebonnaire Prince)
Sans point de faulte est subject à la pince.

    Bien tost après ceste fortune là,
Une autre pire encores se mesla   50
De m'assaillir, et chascun jour m'assault,
Me menaçant de me donner le sault,
Et de ce sault m'envoyer à l'envers,
Rithmer soubz terre et y faire des vers.

    C'est une lourde et longue maladie   55
De trois bons moys, qui m'a toute eslourdie
La povre teste, et ne veult terminer,
Ains me contrainct d'apprendre à cheminer,
Tant affoibly m'a d'estrange manière;
Et si m'a faict la cuysse heronniere,   60
L'estomac sec, le ventre plat et vague:
Quand tout est dit, aussi mauvaise bague
Ou peut s'en fault que femme de Paris,
Saulve l'honneur d'elles et leurs maris.

    Que diray plus au misérable corps   65
Dont je vous parle il n'est demouré fors
Le povre esprit, qui lamente et souspire,
Et en pleurant tasche à vous faire rire.

    Et pour autant (Syre) que suis à vous,
De trois jours l'un viennent taster mon poulx   70
Messieurs Braillon, Le Coq, Akaquia,
Pour me garder d'aller jusqu'à *quia*.

    Tout consulté, ont remis au printemps
Ma guarison; mais, à ce que j'entens,
Si je ne puis au printemps arriver,   75
Je suis taillé de mourir en yver,
Et en danger, si en yver je meurs,
De ne veoir pas les premiers raisins meurs.

    Voilà comment, depuis neuf moys en ça,
Je suis traicté. Or, ce que me laissa   80
Mon larronneau, long temps a l'ay vendu,

Et en sirops et julez despendu;
Ce neantmoins, ce que je vous en mande
N'est pour vous faire ou requeste ou demande;
Je ne veulx point tant de gens ressembler,   85
Qui n'ont soucy autre que d'assembler;
Tant qu'ilz vivront ilz demanderont, eulx;
Mais je commence à devenir honteux,
Et ne veulx plus à voz dons m'arrester.

   Je ne dy pas, si voulez rien prester,   90
Que ne le prenne. Il n'est point de presteur
(S'il veult prester) qui ne face un debteur.
Et sçavez-vous (Syre) comment je paye?
Nul ne le sçait, si premier ne l'essaye;
Vous me devrez (si je puis) de retour,   95
Et vous feray encores un bon tour.
A celle fin qu'il n'y ait faulte nulle,
Je vous feray une belle cedulle,
A vous payer (sans usure, il s'entend)
Quand on verra tout le monde content;   100
Ou si voulez, a payer ce sera
Quand vostre loz et renom cessera.
Et si sentez que soys foible de reins
Pour vous payer, les deux princes Lorrains
Me plegeront. Je les pense si fermes   105
Qu'ilz ne fauldront pour moy à l'un des termes.
Je sçay assez que vous n'avez pas peur
Que je m'enfuye ou que je soys trompeur;
Mais il faict bon asseurer ce qu'on preste;
Bref, vostre paye, ainsi que je l'arreste,   110
Est aussi seure advenant mon trespas
Comme advenant que je ne meure pas.

   Avisez donc si vous avez desir
De rien prester; vous me ferez plaisir,
Car puis un peu j'ay basty à Clement,   115
Là où j'ay faict un grand desboursement;
Et à Marot, qui est un peu plus loing,
Tout tombera, qui n'en aura le soing.

   Voilà le point principal de ma lettre;
Vous sçavez tout, il n'y fault plus rien mettre.   120

Rien mettre ? Las ! Certes, et si feray;
Et ce faisant, mon style j'enfleray,
Disant: « O Roy amoureux des neuf Muses,
Roy en qui sont leurs sciences infuses,
Roy plus que Mars d'honneur environné,   125
Roy le plus roy qui fut onc couronné,
Dieu tout puissant te doint pour t'estrenner
Les quatres coings du monde gouverner,
Tant pour le bien de la ronde machine,
Que pour autant que sur tous en es digne. »   130

ÉGLOGUE

AU ROY SOUBS LES NOMS DE PAN ET DE ROBIN

Un pastoureau, qui Robin s'apelloit,
Tout à part soy n'agueres s'en alloit
Parmy fousteaux (arbres qui font umbrage)
Et là tout seul faisoit, de grand courage,
Hault retentir les boys et l'air serain,   5
Chantant ainsi: « O Pan, dieu souverain,
Qui de garder ne fus onc paresseux
Parcs et brebis et les maistres d'iceux,
Et remets sus tous gentilz pastoureaux
Quand ilz n'ont prez, ne loges, ne toreaux,   10
Je te supply (si onc en ces bas estres
Daignas ouyr chansonnettes champestres),
Escoute un peu, de ton vert cabinet,
Le chant rural du petit Robinet.
    Sur le printemps de ma jeunesse folle   15
Je ressemblois l'arondelle qui vole
Puis ça, puis là: l'aage me conduisoit,
Sans peur ne soing, où le cueur me disoit.
En la forest (sans la craincte des loups)
Je m'en allois souvent cueillir le houx,   20
Pour faire gluz à prendre oyseaulx ramages,
Tous differens de chantz et de plumages;
Ou me souloys (pour les prendre) entremettre

A faire bricz, ou cages pour les mettre.
Ou transnouoys les rivieres profondes, 25
Ou r'enforçoys sur le genoil les fondes
Puis d'en tirer droict et loing j'apprenois
Pour chasser loups et abbatre des noix.
  O quantesfoys aux arbres grimpé j'ay,
Pour desnicher ou la pye ou le geay, 30
Ou pour jetter des fruictz ja meurs et beaulx
A mes compaings, qui tendoient leurs chappeaulx.
  Aucunesfoys aux montaignes alloye,
Aucunesfoys aux fosses devalloye,
Pour trouver là les gistes des fouynes, 35
Des herissons ou des blanches hermines,
Ou pas à pas le long des buyssonnetz
Allois cherchant les nidz des chardonnetz
Ou des serins, des pinsons ou lynotes.
  Desja pourtant je faisoys quelques notes 40
De chant rustique, et dessoubz les ormeaux,
Quasy enfant, sonnoys les chalumeaux.
Si ne sçaurois bien dire ne penser
Qui m'enseigna si tost d'y commencer,
Ou la nature aux Muses inclinée, 45
Ou ma fortune, en cela destinée
A te servir: si ce ne fust l'un d'eux,
Je suis certain que ce furent tous deux.
  Ce que voyant, le bon Janot, mon pere,
Voulut gaiger à Jaquet, son compere, 50
Contre un veau gras deux aignelletz bessons,
Que quelque jour je feroys des chansons
A ta louange (ô Pan, dieu tressacré),
Voyre chansons qui te viendroyent à gré.
Et me souvient que bien souvent aux festes, 55
En regardant de loing paistre nos bestes,
Il me souloit une leçon donner
Pour doulcement la musette entonner,
Ou à dicter quelque chanson rurale
Pour la chanter en mode pastorale. 60
  Aussi le soir, que les trouppeaux espars
Estoient serrez et remis en leurs parcs,

Le bon vieillard après moy travailloit,
Et à la lampe assez tard me veilloit,
Ainsi que font leurs sansonnetz ou pyes   65
Auprès du feu bergeres accroupies.
Bien est il vray que ce luy estoit peine;
Mais de plaisir elle estoit si fort pleine,
Qu'en ce faisant sembloit au bon berger
Qu'il arrousoit en son petit verger   70
Quelque jeune ente, ou que teter faisoit
L'aigneau qui plus en son parc luy plaisoit;
Et le labeur qu'après moy il mit tant,
Certes, c'estoit affin qu'en l'imitant
A l'advenir je chantasse le los   75
De toy (ô Pan), qui augmentas son clos,
Qui conservas de ses prez la verdure,
Et qui gardas son trouppeau de froidure.
    « Pan (disoit-il), c'est le dieu triumphant
Sur les pasteurs; c'est celuy (mon enfant)   80
Qui le premier les roseaux pertuysa,
Et d'en former des flustes s'advisa:
Il daigna bien luy mesme peine prendre
D'user de l'art que je te veux apprendre.
Apprends le donc, affin que montz et boys,   85
Rocz et estangs, apprennent soubz ta voix
A rechanter le hault nom, après toy,
De ce grand Dieu que tant je ramentoy;
Car c'est celuy par qui foysonnera
Ton champ, ta vigne, et qui te donnera   90
Plaisante loge entre sacrez ruisseaux
Encourtinez de flairans arbrisseaux.
    Là d'un costé auras la grand' closture
De saulx espez, où pour prendre pasture
Mousches à miel la fleur succer iront   95
Et d'un doulx bruit souvent t'endormiront
Mesmes alors que ta fluste champestre
Par trop chanter lasse sentiras estre.
    Puis tost après sur le prochain bosquet
T'esveillera la pye en son caquet: 100
T'esveillera aussi la columbelle,

Pour rechanter encores de plus belle. »
Ainsi, soingneux de mon bien, me parloit
Le bon Janot, et il ne m'en chaloit;
Car soucy lors n'avoys, en mon courage, 105
D'aucun bestail ne d'aucun pasturage.
  Quand printemps fault et l'esté comparoit
Adoncques l'herbe en forme et force croist.
Aussi, quand hors du printemps j'euz esté,
Et que mes jours vindrent en leur esté, 110
Me creut le sens, mais non pas le soucy;
Si employay l'esprit, le corps aussi,
Aux choses plus a tel aage sortables,
A charpenter loges de boys portables,
A les rouler de l'un en l'autre lieu, 115
A radouber treilles, buyssons et hayes,
A proprement entrelasser les clayes
Pour les parquets des ouailles fermer,
Ou à tyssir (pour frommages former)
Paniers d'osier et fiscelles de jonc, 120
Dont je souloys (car je l'aymois adonc)
Faire present à Heleine la blonde.
  J'apprins les noms des quatre partz du monde,
J'apprins les noms des vents qui de là sortent,
Leurs qualitez, et quel temps ilz apportent, 125
Dont les oiseaulx, sages devins des champs,
M'advertissoyent par leurs volz et leurs chantz.
  J'apprins aussi, allant aux pasturages,
A eviter les dangereux herbages,
Et à cognoistre et guerir plusieurs maulx 130
Qui quelquefoys gastoient les animaulx
De nos pastiz: mais par sus toutes choses,
D'autant que plus plaisent les blanches roses
Que l'aubespin, plus j'aymois à sonner
De la musette, et la fy resonner 135
En tous les tons et chantz de bucoliques,
En chantz piteux, en chantz melancoliques,
Si qu'à mes plaintz un jour les Oreades,
Faunes, Silvans, Satyres et Dryades,
En m'escoutant jectèrent larmes d'yeux; 140

Si feirent bien les plus souverains Dieux;
Si feit Margot, bergere qui tant vault.
Mais d'un tel pleur esbahyr ne se fault,
Car je faisois chanter à ma musette
La mort (helas !), la mort de Loysette,   145
Qui maintenant au ciel prend ses esbatz
A veoir encor ses trouppeaux icy bas.

    Une autre foys, pour l'amour de l'amye,
A tous venants pendy la challemye,
Et ce jour là à grand peine on sçavoit   150
Lequel des deux gaigné le prix avoit,
Ou de Merlin ou de moy: dont à l'heure
Thony s'en vint sur le pré grand' alleure
Nous accorder, et orna deux houlettes
D'une longueur, de force violettes: 155
Puis nous en feit present pour son plaisir:
Mais à Merlin je baillé à choisir.

    Et penses tu (ô Pan, dieu debonnaire)
Que l'exercice et labeur ordinaire
Que pour sonner du flajolet je pris   160
Fust seulement pour emporter le prix ?
Non, mais afin que si bien j'en apprinse,
Que toy, qui es des pastoureaux le prince,
Prinsses plaisir à mon chant escouter,
Comme à ouyr la marine flotter   165
Contre la rive, ou des roches haultaines
Ouyr tomber contre val les fontaines.

    Certainement, c'estoit le plus grand soing
Que j'eusse alors, et en prends à tesmoing
Le blond Phebus qui me voyt et regarde,   170
Si l'espesseur de ce boys ne l'en garde,
Et qui m'a veu traverser maint rocher
Et maint torrent pour de toy approcher.

    Or m'ont les Dieux celestes et terrestres
Tant faict heureux, mesmement les sylvestres,   175
Qu'en gré tu prins mes petis sons rustiques,
Et exaulças mes hymnes et cantiques,
Me permettant les chanter en ton temple,
Là où encor l'image je contemple

De ta haulteur, qui en l'une main porte 180
De dur cormier houlette riche et forte,
Et l'autre tient chalemelle fournie
De sept tuyaux, faictz selon l'harmonie
Des cieulx, où sont les sept Dieux clairs et haulx,
Et denotant les sept artz liberaulx, 185
Qui sont escriptz dedans ta teste saincte,
Toute de pin bien couronnée et ceincte.

   Ainsi et donc en l'esté de mes jours,
Plus me plaisoit aux champestres sejours
Avoir faict chose (ô Pan) qui t'agreast, 190
Ou qui l'oreille un peu te recreast,
Qu'avoir autant de moutons que Tityre;
Et plus (cent foys) me plaisoit d'ouyr dire:
« Pan faict bon œil à Robin le berger. »
Que veoir chés nous trois cents beufz heberger, 195
Car soucy lors n'avoys en mon courage
D'aucun bestail ne d'aucun pasturage.

   Mais maintenant que je suis en l'autonne,
Ne sçay quel soing inusité m'estonne,
De tel' façon que de chanter la veine 200
Devient en moy, non point lasse ne vaine,
Ains triste et lente, et certes, bien souvent,
Couché sur l'herbe, à la frescheur du vent,
Voy ma musette à un arbre pendue
Se plaindre à moy qu'oysive l'ay rendue; 205
Dont tout à coup mon desir se resveille,
Qui de chanter voulant faire merveille,
Trouve ce soing devant ses yeulx planté,
Lequel le rend morne et espovanté:
Car tant est soing basanné, layd, et pasle, 210
Qu'à son regard la Muse pastoralle,
Voyre la Muse heroyque et hardie,
En un moment se trouve refroidie,
Et devant luy vont fuyant toutes deux
Comme brebis devant un loup hydeux. 215

   J'oy d'autre part le pyvert jargonner,
Siffler l'escouffle et le butor tonner,
Voy l'estourneau, le heron et l'aronde

Estrangement voller tout à la ronde,
M'advertissant de la froide venue   220
Du triste yver, qui la terre desnue.
     D'autre costé j'oy la bise arriver,
Qui en soufflant me prononce l'yver;
Dont mes trouppeaux, cela craignant et pis,
Tout en un tas se tiennent accroupis,   225
Et diroit on, à les ouyr besler,
Qu'avecques moy te veulent appeller
A leur secours, et qu'ilz ont cognoissance
Que tu les as nourriz dès leur naissance.
     Je ne quiers pas (ô bonté souveraine)   230
Deux mille arpentz de pastiz en Touraine,
Ne mille beufz errants par les herbis
Des montz d'Auvergne, ou autant de brebis:
Il me suffit que mon troupeau preserves
Des loups, des ours, des lyons, des loucerves,   235
Et moy du froid, car l'yver qui s'appreste
A commencé à neiger sur ma teste.
     Lors à chanter plus soing ne me nuyra,
Ains devant moy plus viste s'enfuyra
Que devant luy ne vont fuyant les Muses,   240
Quand il verra que de faveur tu m'uses.
     Lors ma musette, à un chesne pendue,
Par moy sera promptement descendue,
Et chanteray l'yver à seureté
Plus hault et clair que ne feiz onc l'esté.   245
     Lors, en science, en musique et en son,
Un de mes vers vauldra une chanson;
Une chanson, une eglogue rustique;
Et une eglogue, une œuvre bucolique.
     Que diray plus? vienne ce qui pourra: 250
Plus tost le Rosne encontremont courra
Plus tost seront haultes foretz sans branches,
Les cygnes noirs et les corneilles blanches,
Que je t'oublie (ô Pan de grand renom),
Ne que je cesse à louer ton hault nom.   255
     Sus, mes brebis, trouppeau petit et maigre,
Autour de moy saultez de cueur allaigre,

Car desja Pan, de sa verte maison,
M'a faict ce bien d'ouyr mon oraison.

MARGUERITE DE NAVARRE

CHANSON SPIRITUELLE

PENSÉES DE LA ROYNE ESTANT DANS SA LITIERE,
DURANT LA MALADIE DU ROY

Sı la douleur de mon esprit
Je povois monstrer par parole
Ou la declarer par escrit,
Onques ne feut sy triste rolle;
Car le mal qui plus fort m'affolle   5
Je le cache et couvre plus fort;
Parquoy n'ay rien qui me console,
Fors l'espoir de la douce mort.

Je sçay que je ne dois celer
Mon ennuy, plus que raisonnable;   10
Mais si ne sçauroit mon parler
Atteindre à mon dueil importable;
A l'escriture veritable
Defaudroit la force à ma main,
Le taire me seroit louable   15
S'il ne m'estoit tant inhumain.

Mes larmes, mes souspirs, mes criz,
Dont tant bien je sçay la pratique,
Sont mon parler et mes escritz,
Car je n'ay autre rhetorique.   20
Mais leurs effects à Dieu j'applique
Devant son throsne de pitié,
Monstrant par raison et replique
Mon cœur souffrant plein d'amitié.

O Dieu, qui les vostres aimez,   25
J'adresse à vous seul ma complainte;
Vous, qui les amis estimez,
Voyez l'amour que j'ay sans feinte,
Où par votre loy suis contrainte,
Et par nature et par raison.   30
J'appelle chaque Saint et Sainte
Pour se joindre à mon oraison.

Las! celuy que vous aimez tant
Est detenu par maladie,
Qui rend son peuple mal content,   35
Et moy envers vous si hardie
Que j'obtiendray, quoy que l'on die,
Pour luy très parfaite santé.
De vous seul ce bien je mendie,
Pour rendre chacun contenté.   40

C'est celuy que vous avez oinct
A Roy sur nous, par vostre grace;
C'est celuy qui ha son cœur joint
A vous, quoy qu'il die ou qu'il face;
Qui vostre foy en toute place   45
Soustient, laquelle le rend seur
De voir à jamais vostre face:
Oyez donc les criz de sa sœur.

Helas! c'est vostre vray David,
Qui en vous seul ha sa fiance;   50
Vous vivez en luy tant qu'il vit,
Car de vous ha vraye science;
Vous regnez en sa conscience,
Vous estes son Roy et son Dieu.
En autre nul n'ha confiance,   55
Ny n'ha son cœur en autre lieu.

Pour maladie et pour prison,
Pour peine, douleur ou souffrance,
Pour envie ou pour trahison
N'ha eu en vous moindre esperance.   60
Par luy estes congnu en France

Mieux que n'estiez le temps passé:
Il est ennemy d'Ignorance,
Son sçavoir tout autre a passé.

De toutes ses graces et dons   65
A vous seul a rendu la gloire.
Par quoy les mains à vous tendons,
Afin qu'ayez de luy memoire.
Puis qu'il vous plaist luy faire boire
Vostre calice de douleur,   70
Donnez à nature victoire
Sur son mal, et nostre malheur.

O grand Medecin tout puissant,
Redonnez luy santé parfaite,
Et des ans vivre jusqu'à cent,   75
Et à son cœur ce qu'il souhaite;
Lors sera la joye refaite,
Que douleur brise dens noz cœurs;
Dont louenge vous sera faite
De femme, enfans, et serviteurs.   80

Par Jesus Christ nostre Sauveur,
En ce temps de sa mort cruelle,
Seigneur, j'attens vostre faveur,
Pour en ouyr bonne nouvelle.
J'en suis loing, dont j'ay douleur telle   85
Que nul ne la peult estimer.
O que la lettre sera belle
Qui le pourra sain affermer!

Le desir du bien que j'attens
Me donne de travail matiere.   90
Une heure me dure cent ans,
Et me semble que ma litiere
Ne bouge, ou retourne en arriere,
Tant j'ay de m'avancer desir.
O! qu'elle est longue, la carriere   95
Où à la fin gist mon plaisir.

Je regarde de tous costez
Pour voir s'il arrive personne;
Priant sans cesser, n'en doutez,
Dieu, que santé à mon Roy donne;   100
Quand nul ne voy, l'œil j'abandonne
A pleurer; puis sur le papier
Un peu de ma douleur j'ordonne:
Voilà mon douloureux mestier.

O! qu'il sera le bienvenu,   105
Celuy qui, frappant à ma porte,
Dira « le Roy est revenu
En sa santé tresbonne et forte! »
Alors sa sœur, plus mal que morte,
Courra baiser le messager   110
Qui telles nouvelles apporte,
Que son frere est hors de danger.

Avancez vous, homme et chevaux,
Asseurez moy, je vous supplie,
Que nostre Roy pour ses grands maux 115
A receu santé accomplie.
Lors seray de joye remplie.
Las! Seigneur Dieu, esveillez vous,
Et vostre œil sa douceur desplie,
Sauvant vostre Christ et nous tous.   120

Sauvez, Seigneur, Royaume et Roy,
Et ceux qui vivent en sa vie!
Voyez son espoir et sa Foy,
Qui à le sauver vous convie.
Son cœur, son desir, son envie   125
A tousjours offert à voz yeux:
Rendez nostre joye assouvie;
Le nous donnant sain et joyeux.

Vous le voulez et le povez;
Aussi, mon Dieu, à vous m'adresse   130
Car le moyen vous seul sçavez
De m'oster hors de la destresse
De peur de pis, qui tant me presse

Que je ne sçay là où j'en suis.
Changez en joye ma tristesse,   135
Las ! hastez vous, car plus n'en puis.

ANTOINE HÉROËT

ÉPITAPHE

DE MARGUERITE DE NAVARRE

Si la Mort n'est que separation
D'Ame et de corps, et que la congnoissance
De Dieu s'acquiert par elevation
D'Esprit, laissant corporelle aliance,
Entre la mort et vie difference   5
De Marguerite aulcune ne peut estre,
Sinon que, morte, ha parfaicte science
De ce que, vive, eust bien voulu congnoistre.

MAURICE SCÈVE

DIZAIN

Libre vivois en L'Avril de mon aage
De cure exempt soubz celle adolescence,
Ou l'œil, encor non expert de dommage,
Se veit surpris de la doulce presence,
Qui par sa haulte et divine excellence   5
M'estonna l'Ame, et le sens tellement
Que de ses yeulx l'archier tout bellement
Ma liberté luy a toute asservie:
Et des ce jour continuellement
En sa beaulté gist ma mort, et ma vie.   10

ÉPITAPHE

DE DAME PERNETTE DU GUILLET

L'Heureuse cendre aultrefois composee
En un corps chaste, où Vertu reposa
Est en ce lieu par les Graces posee,
Parmy ces os, que Beaulté composa.
   O terre indigne: en toi son repos a,   5
Le riche Estuy de celle Ame gentile,
En tout sçavoir sur toute aultre subtile,
Tant que les Cieulx, par leur trop grande envie,
Avant ses jours l'ont d'entre nous ravie,
Pour s'enrichir d'un tel bien mecongneu: 10
Au Monde ingrat laissant honteuse vie,
Et longue mort à ceulx, qui l'ont congneu.

MELLIN DE SAINT-GELAYS

SONNET

Voyant ces monts de veue ainsi lointaine,
Je les compare à mon long desplaisir:
Haut est leur chef et haut est mon desir,
Leur pied est ferme et ma foi est certaine.

D'eux maint ruisseau coule et mainte fontaine,   5
De mes deux yeux sortent pleurs à loisir;
De forts souspirs ne me puis dessaisir,
Et de grands vents leur cime est toute pleine.

Mille troupeaux s'y promènent et paissent;
Autant d'amours se couvent et renaissent   10
Dedans mon cœur, qui seul est ma pasture;

Ils sont sans fruict, mon bien n'est qu'aparence;
Et d'eux à moy n'a qu'une difference,
Qu'en eux la neige, en moy la flamme dure.

PIERRE DE RONSARD

SONNET

PREN ceste rose, aimable comme toy,
Qui sers de rose aux roses les plus belles,
Qui sera de fleur aux fleurs les plus nouvelles,
Dont la senteur me ravist tout de moy.

Pren ceste rose, et ensemble reçoy   5
Dedans ton sein mon cœur qui n'a point d'ailes;
Il est constant, et cent playes cruelles
N'ont empesché qu'il ne gardast sa foy.

La rose et moy differons d'une chose:
Un Soleil voit naistre et mourir la rose;   10
Mille Soleils ont veu naistre m'amour,

Dont l'action jamais ne se repose.
Ha ! pleust à Dieu que telle amour enclose
Comme une fleur, ne m'eust duré qu'un jour.

SONNET

JE veux brusler, pour m'en-voler aux cieux,
Tout l'imparfait de mon escorce humaine,
M'éternisant comme le fils d'Alcmene
Qui tout en feu s'assit entre les Dieux.

Ja mon esprit desireux de son mieux,   5
Dedans ma chair, rebelle, se promeine,
Et ja le bois de sa victime ameine
Pour s'immoler aux rayons de tes yeux.

Ô saint brazier, ô flame entretenue
D'un feu divin, avienne que ton chaud   10
Brusle si bien ma despouille connue

Que libre et nud, je vole d'un plein saut
Outre le ciel, pour adorer là haut
L'autre Beauté dont la tienne est venue.

SONNET

MARIE, levez-vous, ma jeune paresseuse,
Ja la gaye Alouette au ciel a fredonné,
Et ja le Rossignol doucement jargonné,
Dessus l'espine assis, sa complainte amoureuse.

Sus ! debout ! allons voir l'herbelette perleuse,   5
Et vostre beau rosier de boutons couronné
Et vos œillets mignons ausquels aviez donné
Hier au soir de l'eau d'une main si songneuse.

Harsoir en vous couchant vous jurastes vos yeux
D'estre plus tost que moy ce matin esveillée,   10
Mais le dormir de l'Aube aux filles gracieux

Vous tient d'un doux sommeil encor les yeux sillée.
Ça ça, que je les baise et vostre beau tetin
Cent fois pour vous apprendre à vous lever matin.

SONNET

JE vous envoye un bouquet que ma main
Vient de trier de ces fleurs épanies;
Qui ne les eust à ce vespre cueillies,
Cheutes à terre elles fussent demain.

Cela vous soit un exemple certain   5
Que vos beautez, bien qu'elles soient fleuries,
En peu de tems cherront toutes fletries,
Et comme fleurs, periront tout soudain.

Le tems s'en va, le tems s'en va, ma Dame;
Las ! le tems non, mais nous nous en allons,   10
Et tost serons estendus sous la lame.

Et des amours, desquelles nous parlons,
Quand serons morts, n'en sera plus nouvelle,
Pour-ce aymez moy ce pendant qu'estes belle.

SONNET

COMME on voit sur la branche au mois de May la rose
En sa belle jeunesse, en sa premiere fleur,
Rendre le ciel jaloux de sa vive couleur,
Quand l'Aube de ses pleurs au poinct du jour l'arrose,

La Grace dans sa fueille et l'amour se repose,   5
Enbasmant les jardins et les arbres d'odeur;
Mais batue ou de pluye ou d'excessive ardeur,
Languissante elle meurt fueille à fueille déclose.

Ainsi en ta premiere et jeune nouveauté,
Quand la terre et le ciel honoroient ta beauté,   10
La Parque t'a tuee, et cendre tu reposes.

Pour obseques reçoy mes larmes et mes pleurs,
Ce vase plein de laict, ce panier plein de fleurs,
Afin que vif et mort ton corps ne soit que roses.

SONNET

JE plante en ta faveur cest arbre de Cybelle,
Ce pin, où tes honneurs se liront tous les jours:
J'ay gravé sur le tronc nos noms et nos amours,
Qui croistront à l'envy de l'escorce nouvelle.

Faunes qui habitez ma terre paternelle,   5
Qui menez sur le Loir vos dances et vos tours,
Favorisez la plante et luy donnez secours,
Que l'Esté ne la brusle, et l'Hyver ne la gelle.

Pasteur, qui conduiras en ce lieu ton troupeau,
Flageolant une Eglogue en ton tuyau d'aveine,   10
Attache tous les ans à cest arbre un tableau,

Qui tesmoigne aux passans mes amours et ma peine:
Puis l'arrosant de laict et du sang d'un agneau,
Dy, Ce Pin est sacré, c'est la plante d'Helene.

SONNET

QUAND vous serez bien vieille, au soir à la chandelle,
Assise aupres du feu, devidant et filant,
Direz chantant mes vers, en vous esmerveillant:
Ronsard me celebroit du temps que j'estois belle.

Lors vous n'aurez servante oyant telle nouvelle,   5
Desja sous le labeur à demy sommeillant,
Qui au bruit de mon nom de s'aille resveillant,
Benissant vostre nom de louange immortelle.

Je seray sous la terre et fantôme sans os,
Par les ombres myrteux je prendray mon repos;   10
Vous serez au foyer une vieille accroupie,

Regrettant mon amour et vostre fier desdain.
Vivez, si m'en croyez, n'attendez à demain;
Cueillez dés aujourd'huy les roses de la vie.

ODE

A SA MAISTRESSE

MIGNONNE, allons voir si la rose
Qui ce matin avoit desclose
Sa robe de pourpre au Soleil
A point perdu ceste vesprée
Les plis de sa robe pourprée,   5
Et son teint au vostre pareil.

Las ! voyez comme en peu d'espace,
Mignonne, elle a dessus la place
Las las ses beautez laissé cheoir !

O vrayment marastre Nature, 10
Puis qu'une telle fleur ne dure
Que du matin jusques au soir !

Donc, si vous me croyez, mignonne,
Tandis que vostre âge fleuronne
En sa plus verte nouveauté, 15
Cueillez cueillez vostre jeunesse:
Comme à ceste fleur la vieillesse
Fera ternir vostre beauté.

ODE

A LA FONTAINE BELLERIE

O FONTAINE Bellerie,
Belle fontaine cherie
De nos Nymphes quand ton eau
Les cache au creux de ta source
Fuyantes le Satyreau, 5
Qui les pourchasse à la course
Jusqu'au bord de ton ruisseau:

Tu es la Nymphe eternelle
De ma terre paternelle:
Pource en ce pré verdelet 10
Voy ton Poëte qui t'orne
D'un petit chevreau de lait,
A qui l'une et l'autre corne
Sortent du front nouvelet.

L'Esté je dors ou repose 15
Sus ton herbe, où je compose
Caché sous tes saules vers,
Je ne sçay quoy, qui ta gloire
Envoira par l'univers,
Commandant à la Memoire 20
Que tu vives par mes vers.

L'ardeur de la Canicule
   Ton verd rivage ne brule,
   Tellement qu'en toutes pars
   Ton ombre est espaisse et druë   25
   Aux pasteurs venans des parcs,
   Aux bœufs las de la charruë,
   Et au bestial espars.

Iô, tu seras sans cesse
   Des fontaines la princesse,   30
   Moy celebrant le conduit
   Du rocher percé, qui darde
   Avec un enroué bruit
   L'eau de ta source jazarde
   Qui trepillante se suit.   35

ODE

Fay refraischir mon vin de sorte
Qu'il passe en froideur un glaçon:
Fay venir Janne, qu'elle apporte
Son luth pour dire une chanson:
Nous ballerons tous trois au son: 5
Et dy à Barbe qu'elle vienne
Les cheveux tors à la façon
D'une follastre Italienne.

Ne vois tu que le jour se passe?
Je ne vy point au lendemain: 10
Page, reverse dans ma tasse,
Que ce grand verre soit tout plain.
Maudit soit qui languit en vain:
Ces vieux Medecins je n'appreuve:
Mon cerveau n'est jamais bien sain,   15
Si beaucoup de vin ne l'abreuve.

ODE

A LA FOREST DE GASTINE

Couché sous tes ombrages vers,
    Gastine, je te chante,
Autant que les Grecs par leurs vers
    La forest d'Erymanthe.

Car malin, celer je ne puis   5
    A la race future
De combien obligé je suis
    A ta belle verdure:

Toy, qui sous l'abry de tes bois
    Ravy d'esprit m'amuses;   10
Toy, qui fais qu'à toutes les fois
    Me respondent les Muses:

Toy, par qui de ce mechant soin
    Tout franc je me delivre,
Lors qu'en toy je me pers bien loin,   15
    Parlant avec un livre.

Tes bocages soient tousjours pleins
    D'amoureuses brigades,
De Satyres et de Sylvains,
    La crainte des Naiades.   20

En toy habite desormais
    Des Muses le college,
Et ton bois ne sente jamais
    La flame sacrilege.

ODE

DE L'ELECTION DE SON SEPULCHRE

Antres, et vous fontaines,
De ces roches hautaines
Qui tombez contre-bas
    D'un glissant pas:

Et vous forests et ondes   5
Par ces prez vagabondes,
Et vous rives et bois,
    Oyez ma voix.

Quand le ciel et mon heure
Jugeront que je meure,   10
Ravi du beau sejour
    Du commun jour,

Je defens qu'on ne rompe
Le marbre pour la pompe
De vouloir mon tombeau   15
    Bastir plus beau.

Mais bien je veux qu'un arbre
M'ombrage au lieu d'un marbre,
Arbre qui soit couvert
    Tousjours de vert.   20

De moy puisse la terre
Engendrer un lierre,
M'embrassant en maint tour
    Tout à l'entour,

Et la vigne tortisse   25
Mon sepulcre embellisse,
Faisant de toutes parts
    Un ombre espars!

Là viendront chaque année,
A ma feste ordonnée   30
Avecques leurs troupeaux
    Les pastoureaux;

Puis ayant fait l'office
De leur beau sacrifice,
Parlans à l'isle ainsi,   35
    Diront ceci:

« Que tu es renommée
D'estre tombeau nommée
D'un, de qui l'univers
    Chante les vers!   40

Et qui onq en sa vie
Ne fut bruslé d'envie
Mendiant les honneurs
    Des grands Seigneurs !

Ni ne r'apprist l'usage   45
De l'amoureux breuvage,
Ni l'art des anciens
    Magiciens,

Mais bien à nos campagnes
Fist voir les Sœurs compagnes,   50
Foulantes l'herbe aux sons
    De ses chansons.

Car il fist à sa Lyre
Si bons accords eslire,
Qu'il orna de ses chants   55
    Nous et nos champs.

La douce manne tombe
A jamais sur sa tumbe,
Et l'humeur que produit
    En Mai la nuit !   60

Tout à l'entour l'emmure
L'herbe et l'eau qui murmure,
L'un tousjours verdoyant,
    L'autre ondoyant !

Et nous, ayans memoire   65
Du renom de sa gloire,
Lui ferons comme à Pan
    Honneur chaque an.

Ainsi dira la troupe,
Versant de mainte coupe   70
Le sang d'un agnelet
    Avec du laict,

Desur moy, qui à l'heure
Seray par la demeure
Où les heureux esprits   75
    Ont leurs pourpris.

La gresle ne la neige
N'ont tels lieux pour leur siege,
Ne la foudre oncque là
        Ne devala;   80

Mais bien constante y dure
L'immortelle verdure,
Et constant en tout temps
        Le beau Printemps.

Le soin qui sollicite   85
Les rois, ne les incite
Le monde ruiner
        Pour dominer.

Ains comme freres vivent,
Et morts encore suivent   90
Les mestiers qu'ils avoient
        Quand ils vivoient.

La là, j'oiray d'Alcée
La lyre courroucée
Et Sapphon qui sur tous   95
        Sonne plus dous.

Combien ceux qui entendent
Les chansons qu'ils respandent
Se doivent resjouir
        De les ouïr,   100

Quand la peine receuë
Du rocher est déceuë
Et quand le vieil Tantal'
        N'endure mal !

« La seule lyre douce   105
« L'ennui des cœurs repousse,
« Et va l'esprit flatant
        « De l'écoutant.

ODE

QUAND je suis vingt ou trente mois
Sans retourner en Vandomois,
Plein de pensées vagabondes,
Plein d'un remors et d'un souci,
Aux rochers je me plains ainsi, 5
Aux bois, aux antres, et aux ondes:

Rochers, bien que soyez âgez
De trois mil ans, vous ne changez
Jamais ny d'estat ny de forme:
Mais tousjours ma jeunesse fuit, 10
Et la vieillesse qui me suit
De jeune en vieillard me transforme.

Bois, bien que perdiez tous les ans
En hyver vos cheveux plaisans,
L'an d'apres qui se renouvelle 15
Renouvelle aussi vostre chef:
Mais le mien ne peut de rechef
R'avoir sa perruque nouvelle.

Antres, je me suis vu chez vous
Avoir jadis verds les genous, 20
Le corps habile, et la main bonne:
Mais ores j'ay le corps plus dur
Et les genous, que n'est le mur
Qui froidement vous environne.

Ondes, sans fin vous promenez 25
Et vous menez et ramenez
Vos flots d'un cours qui ne séjourne:
Et moy sans faire long sejour,
Je m'en vais de nuict et de jour
Au lieu d'où plus on ne retourne. 30

Si est-ce que je ne voudrois
Avoir esté rocher ou bois,
Pour avoir la peau plus espesse,

Et veincre le temps emplumé;
Car ainsi dur je n'eusse aimé   35
Toy, qui m'as fait vieillir, Maistresse.

ODE

A UN AUBEPIN

BEL Aubepin fleurissant,
  Verdissant
Le long de ce beau rivage,
Tu es vestu jusqu'au bas
  Des longs bras   5
D'une lambrunche sauvage.

Deux camps de rouges fourmis
  Se sont mis
En garnison sous ta souche:
Dans les pertuis de ton tronc   10
  Tout du long,
Les avettes ont leur couche.

Le chantre Rossignolet
  Nouvelet,
Courtisant sa bien-aimée,   15
Pour ses amours alleger
  Vient loger
Tous les ans en ta ramée.

Sur ta cime il fait son ny,
  Tout uny   20
De mousse et de fine soye,
Où ses petis esclorront
  Qui seront
De mes mains la douce proye.

Or vy gentil aubespin,   25
  Vy sans fin,
Vy sans que jamais tonnerre,

Ou la coignée, ou les vents,
Ou les temps,
Te puissent ruer par terre.   30

ÉLÉGIE

CONTRE LES BUCHERONS DE LA FOREST DE GASTINE

QUICONQUE aura premier la main embesongnée
A te couper, forest, d'une dure congnée,
Qu'il puisse s'enferrer de son propre baston,
Et sente en l'estomac la faim d'Erisichthon,
Qui coupa de Cerés le Chesne venerable,   5
Et qui gourmand de tout, de tout insatiable,
Les bœufs et les moutons de sa mere esgorgea,
Puis pressé de la faim, soy-mesme se mangea:
Ainsi puisse engloutir ses rentes et sa terre,
Et se devore apres par les dents de la guerre.   10

Qu'il puisse pour vanger le sang de nos forests,
Tousjours nouveaux emprunts sur nouveaux interests
Devoir à l'usurier, et qu'en fin il consomme
Tout son bien à payer la principale somme.

Que tousjours sans repos ne face en son cerveau   15
Que tramer pour-neant quelque dessein nouveau,
Porté d'impatience et de fureur diverse,
Et de mauvais conseil qui les hommes renverse.

Escoute, Bucheron (arreste un peu le bras)
Ce ne sont pas des bois que tu jettes à bas,   20
Ne vois-tu pas le sang lequel degoute à force
Des Nymphes qui vivoyent dessous la dure escorce ?
Sacrilege meurtrier, si on pend un voleur
Pour piller un butin de bien peu de valeur,
Combien de feux, de fers, de morts, et de destresses   25
Merites-tu, meschant, pour tuer des Deesses ?

Forest, haute maison des oiseaux bocagers,
Plus le Cerf solitaire et les Chevreuls legers
Ne paistront sous ton ombre, et ta verte criniere

Plus du Soleil d'Esté ne rompra la lumiere.   30
    Plus l'amoureux Pasteur sur un tronq adossé,
Enflant son flageolet à quatre trous persé,
Son mastin à ses pieds, à son flanc la houlette,
Ne dira plus l'ardeur de sa belle Janette:
Tout deviendra muet, Echo sera sans voix: 35
Tu deviendras campagne, et en lieu de tes bois,
Dont l'ombrage incertain lentement se remue,
Tu sentiras le soc, le coutre et la charrue:
Tu perdras ton silence, et haletans d'effroy
Ny Satyres ny Pans ne viendront plus chez toy.   40
    Adieu vieille forest, le jouet de Zephyre,
Où premier j'accorday les langues de ma lyre,
Où premier j'entendi les fleches resonner
D'Apollon, qui me vint tout le cœur estonner:
Où premier admirant la belle Calliope,   45
Je devins amoureux de sa neuvaine trope,
Quand sa main sur le front cent roses me jetta,
Et de son propre laict Euterpe m'allaita.
    Adieu vieille forest, adieu testes sacrées,
De tableaux et de fleurs autrefois honorées,   50
Maintenant le desdain des passans alterez,
Qui bruslez en Esté des rayons etherez,
Sans plus trouver le frais de tes douces verdures,
Accusent vos meurtriers, et leur disent injures.
    Adieu Chesnes, couronne aux vaillans citoyens,   55
Arbres de Jupiter, germes Dodonéens,
Qui premiers aux humains donnastes à repaistre,
Peuples vrayment ingrats, qui n'ont sceu recognoistre
Les biens receus de vous, peuples vraiment grossiers,
De massacrer ainsi nos peres nourriciers.   60
    Que l'homme est malheureux qui au monde se fie!
O Dieux, que veritable est la Philosophie,
Qui dit que toute chose à la fin perira,
Et qu'en changeant de forme une autre vestira:
De Tempé la vallée un jour sera montagne,   65
Et la cyme d'Athos une large campagne,
Neptune quelquefois de blé sera couvert.
La matiere demeure, et la forme se perd.

DISCOURS

INSTITUTION POUR L'ADOLESCENCE DU ROY
TRES-CHRESTIEN CHARLES IX. DE CE NOM

SIRE, ce n'est pas tout que d'estre Roy de France,
Il faut que la vertu honore vostre enfance:
« Un Roy sans la vertu porte le sceptre en vain,
« Qui ne luy est sinon un fardeau dans la main.
   Pource on dit que Thetis la femme de Pelée,   5
Apres avoir la peau de son enfant bruslée,
Pour le rendre immortel, le print en son giron,
Et de nuict l'emporta dans l'antre de Chiron,
Chiron noble Centaure, à fin de luy apprendre
Les plus rares vertus dés sa jeunesse tendre,   10
Et de science et d'art son Achille honorer.
« Un Roy pour estre grand ne doit rien ignorer.
   Il ne doit seulement sçavoir l'art de la guerre,
De garder les citez, ou les ruer par terre,
De picquer les chevaux, ou contre son harnois   15
Recevoir mille coups de lances aux tournois:
De sçavoir comme il faut dresser une embuscade,
Ou donner une cargue ou une camisade,
Se renger en bataille et sous les estendars
Mettre par artifice en ordre les soldars.   20
   Les Rois les plus brutaux telles choses n'ignorent,
Et par le sang versé leurs couronnes honorent:
Tout ainsi que lions qui s'estiment alors
De tous les animaux estre veuz les plus fors,
Quand ils ont devoré un cerf au grand corsage,   25
Et ont remply les champs de meurtre et de carnage.
   Mais les Princes mieux naiz n'estiment leur vertu
Proceder ny de sang ny de glaive pointu,
Ny de harnois ferrez qui les peuples estonnent,
Mais par les beaux mestiers que les Muses nous donnent.   30
   Quand les Muses qui sont filles de Jupiter
(Dont les Rois sont issus) les Rois daignent chanter,
Elles les font marcher en toute reverence,
Loin de leur Majesté banissant l'ignorance:

Et tous remplis de grace et de divinité,   35
Les font parmy le peuple ordonner equité.
    Ils deviennent appris en la Mathematique,
En l'art de bien parler, en Histoire et Musique,
En Physiognomie, à fin de mieux sçavoir
Juger de leurs sujets seulement à les voir.   40
    Telle science sceut le jeune Prince Achille,
Puis sçavant et vaillant fit trebucher Troïlle
Sur le champ Phrygien et fit mourir encor
Devant le mur Troyen le magnanime Hector:
Il tua Sarpedon, tua Pentasilée,   45
Et par luy la cité de Troye fut bruslée.
    Tel fut jadis Thesée, Hercules et Jason,
Et tous les vaillans preux de l'antique saison,
Tel vous serez aussi, si la Parque cruelle
Ne tranche avant le temps vostre trame nouvelle.   50
    Charles, vostre beau nom tant commun à nos Rois,
Nom du Ciel revenu en France par neuf fois,
Neuf fois, nombre parfait (comme cil qui assemble
Pour sa perfection trois triades ensemble),
Monstre que vous aurez l'empire et le renom   55
De huit Charles passez dont vous portez le nom.
Mais pour vous faire tel il faut de l'artifice,
Et dés jeunesse apprendre à combatre le vice.
    Il faut premierement apprendre à craindre Dieu,
Dont vous estes l'image, et porter au milieu   60
De vostre cœur son nom et sa saincte parole,
Comme le seul secours dont l'homme se console.
    En apres si voulez en terre prosperer,
Vous devez vostre mere humblement honorer,
La craindre et la servir: qui seulement de mere   65
Ne vous sert pas icy, mais de garde et de pere.
    Apres il faut tenir la loy de vos ayeux,
Qui furent Rois en terre et sont là haut aux cieux:
Et garder que le peuple imprime en sa cervelle
Le curieux discours d'une secte nouvelle.   70
    Apres il faut apprendre à bien imaginer,
Autrement la raison ne pourroit gouverner:
Car tout le mal qui vient à l'homme prend naissance

Quand par sus la raison le cuider a puissance.
   Tout ainsi que le corps s'exerce en travaillant, 75
Il faut que la raison s'exerce en bataillant
Contre la monstrueuse et fausse fantasie,
De peur que vainement l'ame n'en soit saisie.
Car ce n'est pas le tout de sçavoir la vertu:
Il faut cognoistre aussi le vice revestu 80
D'un habit vertueux, qui d'autant plus offence,
Qu'il se monstre honorable, et a belle apparence.
   De là vous apprendrez à vous cognoistre bien,
Et en vous cognoissant vous ferez tousjours bien.
« Le vray commencement pour en vertus accroistre, 85
« C'est (disoit Apollon) soy-mesme se cognoistre:
Celuy qui se cognoist est seul maistre de soy,
Et sans avoir Royaume il est vrayment un Roy.
   Commencez donc ainsi: puis si tost que par l'âge
Vous serez homme fait de corps et de courage, 90
Il faudra de vous-mesme apprendre à commander,
A ouyr vos sujets, les voir et demander,
Les cognoistre par nom et leur faire justice,
Honorer la vertu, et corriger le vice.
   Malheureux sont les Rois qui fondent leur appuy 95
Sur l'aide d'un commis, qui par les yeux d'autruy
Voyent l'estat du peuple, et oyent par l'oreille
D'un flateur mensonger qui leur conte merveille.
Tel Roy ne regne pas, ou bien il regne en peur
(D'autant qu'il ne sçait rien) d'offenser un trompeur. 100
Mais (Sire) ou je me trompe en voyant vostre grace,
Ou vous tiendrez d'un Roy la legitime place:
Vous ferez vostre charge, et comme un Prince doux,
Audience et faveur vous donnerez à tous.
   Vostre palais royal cognoistrez en presence, 105
Et ne commettrez point une petite offence.
Si un Pilote faut tant soit peu sur la mer
Il fera dessous l'eau le navire abysmer.
« Si un Monarque faut tant soit peu, la province
« Se perd: car volontiers le peuple suit le Prince. 110
   Aussi pour estre Roy vous ne devez penser
Vouloir comme un Tyran vos sujets offenser.

De mesme nostre corps vostre corps est de bouë.
« Des petits et des grands la Fortune se jouë:
Tous les regnes mondains se font et se desfont,   115
Et au gré de Fortune ils viennent et s'en-vont,
Et ne durent non-plus qu'une flame allumée,
Qui soudain est esprise, et soudain consumée.

   Or, Sire, imitez Dieu, lequel vous a donné
Le Sceptre, et vous a fait un grand Roy couronné,   120
Faites misericorde à celuy qui supplie,
Punissez l'orgueilleux qui s'arme en sa folie:
Ne poussez par faveur un homme en dignité,
Mais choisissez celuy qui l'a bien merité:
Ne baillez pour argent ny estats ny offices,   125
Ne donnez aux premiers les vacans benefices,
Ne souffrez pres de vous ne flateurs ne vanteurs:
Fuyez ces plaisans fols qui ne sont que menteurs,
Et n'endurez jamais que les langues legeres
Mesdisent des seigneurs des terres estrangeres.   130

   Ne soyez point mocqueur, ne trop haut à la main,
Vous souvenant tousjours que vous estes humain:
Ne pillez vos sujets par rançons ny par tailles,
Ne prenez sans raison ny guerres ny batailles:
Gardez le vostre propre, et vos biens amassez: 135
Car pour vivre content vous en avez assez.

   S'il vous plaist vous garder sans archer de la garde,
Il faut que d'un bon œil le peuple vous regarde,
Qu'il vous aime sans crainte: ainsi les puissans Rois
Ont conservé le sceptre, et non par le harnois.   140

   Comme le corps royal ayez l'ame royale,
Tirez le peuple à vous d'une main liberale,
« Et pensez que le mal le plus pernicieux
« C'est un Prince sordide et avaricieux.

   Ayez autour de vous personnes venerables,   145
Et les oyez parler volontiers à vos tables:
Soyez leur auditeur comme fut vostre ayeul,
Ce grand François qui vit encores au cercueil.

   Soyez comme un bon Prince amoureux de la gloire,
Et faites que de vous se remplisse une histoire   150
Du temps victorieux, vous faisant immortel

Comme Charles le Grand, ou bien Charles Martel.
  Ne souffrez que les grands blessent le populaire,
Ne souffrez que le peuple aux grands puisse desplaire,
Gouvernez vostre argent par sagesse et raison.   155
« Le Prince qui ne peut gouverner sa maison,
« Sa femme, ses enfans, et son bien domestique,
« Ne sçauroit gouverner une grand' Republique.
  Pensez longtemps devant que faire aucuns Edicts:
Mais si tost qu'ils seront devant le peuple dicts,   160
Qu'ils soient pour tout jamais d'invincible puissance,
Autrement vos Decrets sentiroient leur enfance.
Ne vous monstrez jamais pompeusement vestu,
« L'habillement des Rois est la seule vertu.
Que vostre corps reluise en vertus glorieuses,   165
Et non pas vos habits de perles precieuses.
  D'amis plus que d'argent monstrez vous desireux:
« Les Princes sans amis sont tousjours malheureux.
Aimez les gens de bien, ayant tousjours envie
De ressembler à ceux qui sont de bonne vie.   170
Punissez les malins et les seditieux:
Ne soyez point chagrin, despit ne furieux:
Mais honneste et gaillard, portant sur le visage
De vostre gentille ame un gentil tesmoignage.
  Or, Sire, pour-autant que nul n'a le pouvoir   175
De chastier les Rois qui font mal leur devoir,
Punissez vous vous-mesme, afin que la justice
De Dieu, qui est plus grand, vos fautes ne punisse.
  Je dy ce puissant Dieu dont l'empire est sans bout,
Qui de son throsne assis en la terre voit tout,   180
Et fait à un chacun ses justices egales,
Autant aux laboureurs qu'aux personnes Royales:
Lequel nous supplions vous tenir en sa loy,
Et vous aimer autant qu'il fit David son Roy,
Et rendre comme à luy vostre sceptre tranquille: 185
« Sans la faveur de Dieu la force est inutile.

ÉPITAPHE

A SON AME

AMELETTE Ronsardelette,
Mignonnelette, doucelette,
Tres-chere hostesse de mon corps,
Tu descens là bas foiblelette,
Pasle, maigrelette, seulette,   5
Dans le froid royaume des mors;
Toutefois simple, sans remors,
De meurtre, poison, ou rancune,
Mesprisant faveurs et tresors
Tant enviez par la commune.   10
    Passant, j'ai dit: suy ta fortune,
Ne trouble mon repos: je dors.

JOACHIM DU BELLAY

SONNET

VOUS, qui aux bois, aux fleuves, aux campaignes,
A cri, à cor, et à course hative
Suyvez des cerfz la trace fugitive
Avec' Diane et les Nymphes compaignes:

Et toi ô Dieu! qui mon rivage baignes,   5
As-tu point veu une Nymphe craintive,
Qui va menant ma liberté captive
Par les sommez des plus haultes montaignes?

Helas enfans! si le sort malheureux
Vous monstre à nu sa cruelle beauté   10
Que telle ardeur longuement ne vous tienne.

Trop fut celuy chasseur avantureux,
Qui de ses chiens sentit la cruauté,
Pour avoir veu la chaste Cyntienne.

SONNET

DEJA la nuit en son parc amassoit
Un grand troupeau d'etoiles vagabondes,
Et pour entrer aux cavernes profondes,
Fuyant le jour, ses noirs chevaulx chassoit:

Deja le ciel aux Indes rougissoit, 5
Et l'Aulbe encor' de ses tresses tant blondes
Faisant gresler mile perlettes rondes,
De ses thesors les prez enrichissoit;

Quand d'occident, comme une etoile vive,
Je vy sortir dessus ta verte rive, 10
O fleuve mien, une Nymphe en riant.

Alors voyant cete nouvelle Aurore,
Le jour honteux, d'un double teint colore
Et l'Angevin et l'Indique Orient.

SONNET

PERE du ciel, si mil' et mile fois
Au gré du corps, qui mon desir convie,
Or que je suis au printemps de ma vie,
J'ay asservi et la plume et la voix:

Toy, qui du cœur les abismes congnois, 5
Ains que l'hiver ait ma force ravie,
Fay moy brusler d'une celeste envie,
Pour mieux goûter la douceur de tes loix.

Las! si tu fais comparoitre ma faulte
Au jugement de ta majesté haulte, 10
Ou mes forfaictz me viendront accuser,

Qui me pourra deffendre de ton ire?
Mon grand péché me veult condamner, Sire,
Mais ta bonté me peult bien excuser.

SONNET

L'IDÉAL

Si nostre vie est moins qu'une journée
En l'eternel, si l'an qui faict le tour
Chasse noz jours sans espoir de retour,
Si perissable est toute chose née,

Que songes-tu, mon ame emprisonnée ?   5
Pourquoy te plaist l'obscur de nostre jour,
Si, pour voler en un plus cler sejour,
Tu as au dos l'aele bien empanée ?

Là, est le bien que tout esprit desire,
Là, le repos où tout le monde aspire,   10
Là, est l'amour, là, le plaisir encore.

Là, ô mon ame, au plus hault ciel guidée,
Tu y pouras recongnoistre l'Idée
De la beauté, qu'en ce monde j'adore.

SONNET

Telle que dans son char la Berecynthienne,
Couronnee de tours, et joyeuse d'avoir
Enfanté tant de Dieux, telle se faisoit voir,
En ses jours plus heureux ceste ville ancienne,

Ceste ville, qui fut, plus que la Phrygienne,   5
Foisonnante en enfans, et de qui le pouvoir
Fut le pouvoir du monde, et ne se peult revoir,
Pareille à sa grandeur, grandeur sinon la sienne.

Rome seule pouvoit à Rome ressembler,
Rome seule pouvoit Rome faire trembler: 10
Aussi n'avoit permis l'ordonnance fatale

Qu'autre pouvoir humain, tant fust audacieux,
Se vantast d'égaler celle qui fit égale
Sa puissance à la terre et son courage aux cieux.

SONNET

FRANCE, mere des arts, des armes et des loix,
Tu m'as nourry long temps du laict de ta mamelle:
Ores, comme un aigneau qui sa nourisse appelle:
Je remplis de ton nom les antres et les bois.

Si tu m'as pour enfant advoué quelquefois   5
Que ne me respons-tu maintenant, ô cruelle?
France, France, respons à ma triste querelle.
Mais nul, sinon Echo, ne respond à ma voix.

Entre les loups cruels j'erre parmy la plaine,
Je sens venir l'hyver, de qui la froide haleine   10
D'une tremblante horreur fait herisser ma peau.

Las, tes autres aigneaux n'ont faute de pasture,
Ils ne craignent le loup, le vent ny la froidure:
Si ne suis-je pourtant le pire du troppeau.

SONNET

L'AMOUR DU CLOCHER

HEUREUX qui, comme Ulysse, a fait un beau voyage,
Ou comme cestuy-là qui conquit la toison,
Et puis est retourné, plein d'usage et raison,
Vivre entre ses parents le reste de son aage!

Quand revoiray-je, helas, de mon petit village   5
Fumer la cheminée, et en quelle saison
Revoyray-je le clos de ma pauvre maison,
Qui m'est une province, et beaucoup davantage?

Plus me plaist le sejour qu'ont basty mes ayeux
Que des palais Romains le front audacieux,   10
Plus que le marbre dur me plaist l'ardoise fine,

Plus mon Loire Gaulois que le Tybre Latin,
Plus mon petit Lyré que le mont Palatin,
Et plus que l'air marin la doulceur angevine.

SÓNNET

Il fait bon voir (Paschal) un conclave serré,
Et l'une chambre à l'autre egalement voisine
D'antichambre servir, de salle et de cuisine,
En un petit recoing de dix pieds en carré:

Il fait bon voir autour le palais emmuré,   5
Et briguer là dedans ceste troppe divine,
L'un par l'ambition, l'autre par bonne mine,
Et par despit de l'un estre l'autre adoré:

Il fait bon voir dehors toute la ville en armes,
Crier: le Pape est fait, donner de faulx alarmes,   10
Saccager un palais: mais plus que tout cela

Fait bon voir, qui de l'un, qui de l'autre se vante,
Qui met pour cestuy-cy, qui met pour cestuy-là,
Et pour moins d'un escu dix Cardinaux en vente.

VILLANELLE

D'UN VANNEUR DE BLÉ, AUX VENTS

A vous troppe legere,
Qui d'aele passagere
Par le monde volez,
Et d'un sifflant murmure
L'ombrageuse verdure   5
Doulcement esbranlez,

J'offre ces violettes,
Ces lis, et ces fleurettes,
Et ces roses icy,
Ces vermeillettes roses,   10
Tout freschement écloses,
Et ces œilletz aussi.

De vostre douce haleine
Eventez ceste plaine,
Eventez ce sejour,   15

Ce pendant que j'ahanne
A mon blé, que je vanne
A la chaleur du jour.

VILLANELLE

En ce moys delicieux,
Qu'amour toute chose incite,
Un chacun à qui mieulx mieulx
La doulceur du temps imite,
Mais une rigueur despite   5
Me faict pleurer mon malheur.
Belle et franche Marguerite,
Pour vous j'ay ceste douleur.

Dedans vostre œil gracieux
Toute doulceur est escritte,   10
Mais la doulceur de voz yeulx
En amertume est confite,
Souvent la couleuvre habite
Dessoubs une belle fleur.
Belle et franche Marguerite,   15
Pour vous j'ay ceste douleur.

Or puis que je deviens vieux,
Et que rien ne me profite,
Desesperé d'avoir mieulx,
Je m'en iray rendre hermite,   20
Je m'en iray rendre hermite,
Pour mieulx pleurer mon malheur.
Belle et franche Marguerite,
Pour vous j'ay ceste douleur.

Mais si la faveur des Dieux   25
Au bois vous avoit conduitte,
Où, desperé d'avoir mieulx,
Je m'en iray rendre hermite:
Peult estre que ma poursuite
Vous feroit changer couleur.   30

Belle et franche Marguerite,
Pour vous j'ay ceste douleur.

ÉPITAPHE

D'UN PETIT CHIEN

DESSOUS ceste motte verte
De lis et roses couverte
Gist le petit Peloton
De qui le poil foleton
Frisoit d'une toyson blanche   5
Le doz, le ventre et la hanche.
    Son nez camard, ses gros yeux
Qui n'estoient pas chassieux,
Sa longue oreille velue
D'une soyë crespelue,   10
Sa queuë au petit floquet,
Semblant un petit bouquet,
Sa gembe gresle, et sa patte
Plus mignarde qu'une chatte
Avec ses petits chattons,   15
Ses quatre petits tetons,
Ses dentelettes d'yvoire,
Et la barbelette noyre
De son musequin friand;
Bref, tout son maintien riand   20
Des pieds jusques à la teste,
Digne d'une telle beste,
Meritoient qu'un chien si beau
Eust un plus riche tumbeau.
    Son exercice ordinaire   25
Estoit de japper et braire,
Courir en hault et en bas,
Et faire cent mille esbas,
Tous estranges et farouches,
Et n'avoit guerre qu'aux mousches,   30
Qui luy faisoient maint torment.

Mais Peloton dextrement
Leur rendoit bien la pareille:
Car se couchant sur l'oreille,
Finement il aguignoit   35
Quand quelqu'une le poingnoit:
Lors d'une habile soupplesse
Happant la mouche traitresse,
La serroit bien fort dedans,
Faisant accorder ses dens   40
Au tintin de sa sonnette
Comme un clavier d'espinette.
   Peloton ne caressoit
Si non ceulx qu'il cognoissoit,
Et n'eust pas voulu repaistre   45
D'autre main que de son maistre,
Qu'il alloit tousjours suyvant,
Quelquefois marchoit devant,
Faisant ne sçay quelle feste
D'un gay branlement de teste.   50
   Peloton tousjours veilloit
Quand son maistre sommeilloit,
Et ne souilloit point sa couche
Du ventre ny de la bouche,
Car sans cesse il gratignoit   55
Quand ce desir le poingnoit:
Tant fut la petite beste
En toutes choses honneste.
   Le plus grand mal, ce dict-on,
Que feist nostre Peloton,   60
(Si mal appellé doit estre)
C'estoit d'esveiller son maistre,
Jappant quelquefois la nuict,
Quand il sentoit quelque bruit,
Ou bien le voyant escrire,   65
Sauter, pour le faire rire,
Sur la table, et trepigner,
Follastrer, et gratigner,
Et faire tumber sa plume,
Comme il avoit de coustume.   70

Mais quoy ? nature ne faict
En ce monde rien parfaict:
Et n'y a chose si belle,
Qui n'ait quelque vice en elle.
  Peloton ne mangeoit pas   75
De la chair à son repas:
Ses viandes plus prisees
C'estoient miettes brisees
Que celuy qui le paissoit
De ses doigts amollissoit: 80
Aussi sa bouche estoit pleine
Tousjours d'une doulce haleine.
  Mon-dieu, quel plaisir c'estoit
Quand Peloton se grattoit,
Faisant tinter sa sonnette   85
Avec sa teste folette !
Quel plaisir, quand Peloton
Cheminoit sur un baston,
Ou coifé d'un petit linge,
Assis comme un petit singe,   90
Se tenoit mignardelet
D'un maintien damoiselet !
Ou sur les pieds de derriere
Portant la pique guerriere
Marchoit d'un front asseuré,   95
Avec un pas mesuré:
Ou couché dessus l'eschine,
Avec ne sçay quelle mine
Il contrefaisoit le mort !
Ou quand il couroit si fort,   100
Il tournoit comme une boule,
Ou un peloton, qui roule !
  Bref, le petit Peloton
Sembloit un petit mouton:
Et ne feut onc creature   105
De si benigne nature.
  Las, mais ce doulx passetemps
Ne nous dura pas long temps:
Car la mort ayant envie

Sur l'ayse de nostre vie,   110
Envoya devers Pluton
Nostre petit Peloton,
Qui maintenant se pourmeine
Parmy ceste umbreuse plaine,
Dont nul ne revient vers nous.   115
Que mauldictes soyez-vous,
Filandieres de la vie,
D'avoir ainsi par envie
Envoyé devers Pluton
Nostre petit Peloton: 120
Peloton qui estoit digne
D'estre au ciel un nouveau signe,
Temperant le Chien cruel
D'un printemps perpetuel.

SATIRE

LE POÈTE COURTISAN

Je ne veulx point icy du maistre d'Alexandre,
Touchant l'art poëtiq, les preceptes t'apprendre:
Tu n'apprendras de moy comment joüer il fault
Les miseres des Roys dessus un eschafault:
Je ne t'enseigne l'art de l'humble comoedie,   5
Ny du Mëonien la Muse plus hardie:
Bref je ne monstre icy d'un vers Horatien
Les vices et vertuz du poëme ancien:
Je ne depeins aussi le Poëte du Vide,
La court est mon autheur, mon exemple et ma guide. 10
Je te veux peindre icy, comme un bon artisan,
De toutes ses couleurs l'Apollon Courtisan:
Ou la longueur sur tout il convient que je fuye,
Car de tout long ouvrage à la court on s'ennuye.
    Celuy donc qui est né (car il se fault tenter   15
Premier que lon se vienne à la court presenter)
A ce gentil mestier, il fault que de jeunesse
Aux ruses et façons de la court il se dresse.

Ce precepte est commun: car qui veult s'avancer
A la court, de bonne heure il vient commencer.   20
   Je ne veulx que long temps à l'estude il pallisse,
Je ne veulx que resveur sur le livre il vieillisse,
Fueilletant studieux tous les soirs et matins
Les exemplaires Grecs, et les autheurs Latins.
Ces exercices là font l'homme peu habile,   25
Le rendent catareux, maladif, et debile,
Solitaire, facheux, taciturne et songeard,
Mais nostre courtisan est beaucoup plus gaillard.
Pour un vers allonger ses ongles il ne ronge,
Il ne frappe sa table, il ne resve, il ne songe,   30
Se brouillant le cerveau de pensemens divers
Pour tirer de sa teste un miserable vers,
Qui ne rapporte, ingrat, qu'une longue risée
Par tout ou l'ignorance est plus authorisée.
   Toy donc qui as choisi le chemin le plus court,   35
Pour estre mis au ranc des sçavants de la court,
Sans macher le laurier, ny sans prendre la peine
De songer en Parnasse, et boire à la fontaine
Que le cheval volant de son pied fist saillir,
Faisant ce que je dy, tu ne pourras faillir.   40
   Je veulx en premier lieu, que sans suivre la trace
(Comme font quelques-uns) d'un Pindare et Horace,
Et sans vouloir, comme eux, voler si haultement,
Ton simple naturel tu suives seulement.
Ce procés tant mené, et qui encore dure,   45
Lequel des deux vault mieulx, ou l'art, ou la Nature,
En matiere de vers, à la court est vuidé:
Car il suffit icy que tu soyes guidé
Par le seul naturel, sans art et sans doctrine,
Fors cet art qui apprend à faire bonne mine.   50
Car un petit sonnet qui n'ha rien que le son,
Un dixain à propos, ou bien une chanson,
Un rondeau bien troussé, avec' une ballade
(Du temps qu'elle couroit) vault mieux qu'une *Iliade*.
Laisse moy donques là ces Latins et Gregeoys,   55
Qui ne servent de rien au poëte François,
Et soit la seule court ton Virgile et Homere,

Puis qu'elle est (comme on dict) des bons esprits la mere.
La court te fournira d'argumens suffisans,
Et seras estimé entre les mieulx disans,　　　　　　　　60
Non comme ces resveurs, qui rougissent de honte
Fors entre les sçavants, desquelz on ne fait compte.
　　Or si les grands seigneurs tu veulx gratifier,
Argumens à propos il te fault espier:
Comme quelque victoire, ou quelque ville prise,　　　65
Quelque nopce, ou festin, ou bien quelque entreprise
De masque, ou de tournoy: avoir force desseings,
Desquelz à ceste fin tes coffres seront pleins.
　　Je veulx qu'aux grands seigneurs tu donnes des devises,
Je veulx que tes chansons en musique soyent mises,　　70
Et à fin que les grands parlent souvent de toy,
Je veulx que lon les chante en la chambre du Roy.
Un sonnet à propoz, un petit epigramme
En faveur d'un grand Prince, ou de quelque grand'Dame,
Ne sera pas mauvais: mais garde toy d'user　　　　75
De mots durs, ou nouveaulx, qui puissent amuser
Tant soit peu le lisant: car la doulceur du stile
Fait que l'indocte vers aux oreilles distille:
Et ne fault s'enquerir s'il est bien ou mal fait
Car le vers plus coulant est le vers plus parfaict.　　80
　　Quelque nouveau poëte à la court se presente,
Je veulx qu'à l'aborder finement on le tente:
Car s'il est ignorant, tu sçauras bien choisir
Lieu et temps à propoz, pour en donner plaisir:
Tu produiras par tout ceste beste, et, en somme,　　85
Aux despens d'un tel sot, tu seras galland homme.
　　S'il est homme sçavant, il te fault dextrement
Le mener par le néz, le loüer sobrement,
Et d'un petit soubriz et branlement de teste
Devant les grands seigneurs luy faire quelque feste:　　90
Le presenter au Roy, et dire qu'il fait bien,
Et qu'il ha merité qu'on luy face du bien.
Ainsi tenant tousjours ce pauvre homme soubs bridé,
Tu te feras valoir, en luy servant de guide:
Et combien que tu soys d'envie epoinçonné,　　　　95
Tu ne seras pour tel toutefois soubsonné.

Je te veulx enseigner un autre poinct notable:
Pour ce que de la court l'eschole c'est la table,
Si tu veulx promptement en honneur parvenir,
C'est ou plus saigement il te fault maintenir.   100
Il fault avoir tousjours le petit mot pour rire,
Il fault des lieux communs, qu'à tous propoz on tire,
Passer ce qu'on ne sçait, et se monstrer sçavant
En ce que lon ha leu deux ou trois soirs devant.

Mais qui des grands seigneurs veult acquerir la grace 105
Il ne fault que les vers seulement il embrasse,
Il fault d'autres propoz son stile déguiser,
Et ne leur fault tousjours des lettres deviser.
Bref, pour estre en cest art des premiers de ton age
Si tu veulx finement joüer ton personnage,   110
Entre les Courtisans du sçavant tu feras,
Et entre les sçavants courtisan tu seras.

Pour ce te fault choisir matiere convenable,
Qui rende son autheur aux lecteurs agreable,
Et qui de leur plaisir t'apporte quelque fruict.   115
Encores pourras tu faire courir le bruit,
Qui si tu n'en avois commandement du Prince
Tu ne l'exposerois aux yeulx de ta province,
Ains te contenterois de le tenir secret:
Car ce que tu en fais est à ton grand regrét.   120

Et à la verité, la ruse coustumiere,
Et la meilleure, c'est, rien ne mettre en lumiere:
Ains jugeant librement des œuvres d'un chacun,
Ne se rendre subject au jugement d'aulcun,
De peur que quelque fol te rende la pareille,   125
S'il gaigne comme toy des grands Princes l'oreille.

Tel estoit de son temps le premier estimé.
Duquel si on eust leu quelque ouvraige imprimé,
Il eust renouvelé, peut estre, la risée
De la montaigne enceinte: et sa Muse prisée   130
Si hault au paravant, eust perdu (comme on dict)
La reputation qu'on luy donne à credit.
Retien donques ce point, et si tu m'en veulx croire,
Au jugement commun ne hasarde ta gloire.
Mais sage sois content du jugement de ceulx   135

Lesquelz trouvent tout bon, ausquelz plaire tu veulx,
Qui peuvent t'avancer en estats et offices,
Qui te peuvent donner les riches benefices,
Non ce vent populaire, et ce frivole bruit
Qui de beaucoup de peine apporte peu de fruict.　　140
Ce faisant, tu tiendras le lieu d'un Aristarque,
Et entre les sçavants seras comme un Monarque:
Tu seras bien venu entre les grands seigneurs,
Desquelz tu recevras les biens et les honneurs,
Et non la pauvreté, des Muses l'heritage,　　145
Laquelle est à ceulx là reservée en partage,
Qui dédaignant la court, facheux et malplaisans,
Pour allonger leur gloire, accourcissent leurs ans.

PONTUS DE TYARD

SONNET

PERE du doux repos, Sommeil, pere du songe,
Maintenant que la nuit, d'une grande ombre obscure,
Faict à cet air serain humide couverture,
Viens, Sommeil desiré, et dans mes yeux te plonge.

Ton absence, Sommeil, languissamment alonge,　　5
Et me faict plus sentir la peine que j'endure.
Viens, Sommeil, l'assoupir et la rendre moins dure,
Viens abuser mon mal de quelque doux mensonge.

Ja le muet Silence un esquadron conduit
De fantosmes ballans dessous l'aveugle nuict,　　10
Tu me dedaignes seul qui te suis tant devot!

Viens, Sommeil desiré, m'environner la teste,
Car d'un vœu non menteur un bouquet je t'appreste
De la chere morelle, et de ton cher pavot.

JEAN-ANTOINE DE BAÏF

CHANSON

La froidure paresseuse
De l'yver a fait son tems;
Voici la saison joyeuse
Du délicieux Printems.

La terre est d'herbes ornee,   5
L'herbe de fleuretes l'est;
La fueillure retournee
Fait ombre dans la forest.

De grand matin la pucelle
Va devancer la chaleur,   10
Pour de la rose nouvelle
Cueillir l'odorante fleur.

Pour avoir meilleure grace,
Soit qu'elle en pare son sein,
Soit que present elle en fasse   15
A son amy de sa main.

Qui de sa main l'ayant uë
Pour souvenance d'amour,
Ne la perdra point de vuë,
La baisant cent fois le jour.   20

Mais oyez dans le bocage
Le flageolet du berger,
Qui agace le ramage
Du rossignol bocager.

Voyez l'onde clere et pure   25
Se cresper dans les ruisseaux;
Dedans voyez la verdure
De ces voisins arbrisseaux.

La mer est calme et bonasse
Le ciel est serein et cler,   30
La nef jusqu'aux Indes passe;
Un bon vent la fait voler.

Les menageres avetes
Font ça et la un doux bruit,
Voletant par les fleuretes   35
Pour cueillir ce qui leur duit.

En leur ruche elles amassent
Des meilleures fleurs la fleur,
C'est à fin qu'elles en facent
Du miel la douce liqueur.   40

Tout resonne des voix nettes
De toutes races d'oyseaux,
Par les chans des alouetes,
Des cygnes, dessus les eaux.

Aux maisons, les arondelles,   45
Les rossignols, dans les boys,
En gayes chansons nouvelles
Exercent leurs belles voix.

Doncques, la douleur et l'aise
De l'amour je chanteray,   50
Comme sa flame ou mauvaise,
Ou bonne, je sentiray.

Et si le chanter m'agree,
N'est-ce pas avec raison,
Puis qu'ainsi tout se recree   55
Avec la gaye saison ?

REMY BELLEAU

CHANSON

AVRIL

AVRIL, l'honneur et des bois
  Et des mois:
Avril, la douce esperance
Des fruicts qui sous le coton
  Du bouton   5
Nourissent leur jeune enfance.

Avril, l'honneur des prez verds,
  Jaunes, pers,
Qui d'une humeur bigarree
Emaillent de mille fleurs   10
  De couleurs,
Leur parure diapree.

Avril, l'honneur des soupirs
  Des Zephyrs,
Qui sous le vent de leur aelle   15
Dressent encor és forests
  Des doux rets,
Pour ravir Flore la belle.

Avril, c'est ta douce main
  Qui du sein   20
De la nature desserre
Une moisson de senteurs
  Et de fleurs,
Embasmant l'Air, et la Terre.

Avril, l'honneur verdissant,   25
  Florissant
Sur les tresses blondelettes

De ma Dame, et de son sein,
  Tousjours plein
De mille et mille fleurettes.   30

Avril, la grace, et le ris
  De Cypris,
Le flair et la douce haleine:
Avril, le parfum des Dieux,
  Qui des cieux   35
Sentent l'odeur de la plaine.

C'est toy courtois et gentil,
  Qui d'exil
Retires ces passageres,
Ces arondelles qui vont   40
  Et qui sont
Du printemps les messageres.

L'aubespine et l'aiglantin,
  Et le thym,
L'œillet, le lis, et les roses   45
En ceste belle saison
  A foison,
Monstrent leurs robes écloses.

Le gentil rossignolet,
  Doucelet,   50
Decoupe dessous l'ombrage
Mille fredons babillars,
  Fretillars,
Au doux chant de son ramage.

C'est à ton heureux retour   55
  Que l'amour
Souffle à doucettes haleines,
Un feu croupi et couvert,
  Que l'hyver
Receloit dedans nos veines.   60

Tu vois en ce temps nouveau
  L'essaim beau
De ces pillardes avettes

Volleter de fleur en fleur,
                Pour l'odeur   65
Qu'ils mussent en leurs cuissettes.

May vantera ses fraischeurs,
                Ses fruicts meurs,
Et sa feconde rosee,
La manne et le sucre doux,   70
                Le miel roux,
Dont sa grace est arrosee.

Mais moy je donne ma voix
                A ce mois,
Qui prend le surnom de celle   75
Qui de l'escumeuse mer
                Veit germer
Sa naissance maternelle.

LOUISE LABÉ

SONNET

Tout aussi tot que je commence à prendre
Dens le mol lit le repos desiré,
Mon triste esprit hors de moy retiré
S'en va vers toy incontinent se rendre.

Lors m'est avis que dedens mon sein tendre,   5
Je tiens le bien, où j'ay tant aspiré,
Et pour lequel j'ay si haut souspiré,
Que de sanglots ay souvent cuidé fendre.

O dous sommeil, ô nuit à moy heureuse !
Plaisant repos, plein de tranquilité,   10
Continuez toutes les nuiz mon songe:

Et si jamais ma povre ame amoureuse
Ne doit avoir de bien en verité,
Faites au moins qu'elle en ait en mensonge.

SONNET

TANT que mes yeus pourront larmes espandre,
A l'heur passé avec toy regretter;
Et qu'aus sanglots et soupirs resister
Pourra ma voix, et un peu faire entendre;

Tant que ma main pourra les cordes tendre   5
Du mignart Lut, pour tes graces chanter;
Tant que l'esprit se voudra contenter
De ne vouloir rien fors que toy comprendre;

Je ne souhaitte encore point mourir:
Mais, quand mes yeus je sentiray tarir,   10
Ma voix cassee, et ma main impuissante,

Et mon esprit en ce mortel sejour,
Ne pouvant plus montrer signe d'amante;
Priray la Mort noircir mon plus cler jour.

SONNET

NE reprenez, Dames, si j'ay aymé;
Si j'ay senti mile torches ardentes,
Mile travaus, mile douleurs mordantes:
Si en pleurant j'ay mon tems consumé,

Las ! que mon nom n'en soit par vous blasmé   5
Si j'ay failli, les peines sont presentes;
N'aigrissez point leurs pointes violentes:
Mais estimez qu'Amour, à point nommé,

Sans votre ardeur d'un Vulcan excuser,
Sans la beauté d'Adonis acuser,   10
Pourra, s'il veut, plus vous rendre amoureuses:

En ayant moins que moy d'ocasion,
Et plus d'estrange et forte passion;
Et gardez-vous d'estre plus malheureuses.

ÉLÉGIE

QUAND vous lirez, ô Dames Lionnoises,
Ces miens escrits pleins d'amoureuses noises,
Quand mes regrets, ennuis, despits et larmes
M'orrez chanter en pitoyables carmes,
Ne veuillez point condamner ma simplesse,   5
Et jeune erreur de ma fole jeunesse,
Si c'est erreur: mais qui dessous les Cieus
Se peut vanter de n'estre vicieus ?
L'un n'est content de sa sorte de vie,
Et tousjours porte à ses voisins envie;   10
L'un forcenant de voir la paix en terre,
Par tous moyens tache y mettre la guerre;
L'autre, croyant povreté estre vice,
A autre Dieu qu'or ne fait sacrifice;
L'autre sa foy parjure il emploira   15
A decevoir quelcun qui le croira;
L'un en mentant de sa langue lezarde,
Mile brocars sur l'un et l'autre darde.
Je ne suis point sous ces planettes nee,
Qui m'ussent pù tant faire infortunee;   20
Onques ne fut mon œil marri, de voir
Chez mon voisin mieus que chez moy pleuvoir;
Onq ne mis noise ou discord entre amis:
A faire gain jamais ne me soumis.
Mentir, tromper, et abuser autrui,   25
Tant m'a desplu, que mesdire de lui.
Mais si en moy rien y ha d'imparfait,
Qu'on blame Amour: c'est lui seul qui l'a fait.
Sur mon verd aage en ses laqs il me prit,
Lors qu'exerçois mon corps et mon esprit   30
En mile et mile euvres ingenieuses,
Qu'en peu de tems me rendit ennuieuses.
Pour bien savoir avec l'esguille peindre,
J'eusse entrepris la renommee esteindre
De celle là, qui plus docte que sage,   35
Avec Pallas comparoit son ouvrage.

Qui m'ust vù lors en armes fiere aller,
Porter la lance et bois faire voler,
Le devoir faire en l'estour furieus,
Piquer, volter le cheval glorieus,   40
Pour Bradamante, ou la haute Marphise,
Seur de Roger, il m'ust, possible, prise.
Mais quoy ? Amour ne peut longuement voir
Mon cœur n'aymant que Mars et le savoir,
Et, me voulant donner autre souci,   45
En souriant, il me disoit ainsi:
« Tu penses donq, ô Lionnoise Dame,
Pouvoir fuir par ce moyen ma flame ?
Mais non feras, j'ay subjugué les Dieus
Es bas Enfers, en la Mer et es Cieus.   50
Et penses tu que n'aye tel pouvoir
Sur les humeins de leur faire savoir
Qu'il n'y ha rien qui de ma main eschape ?
Plus fort se pense, et plus tot je le frape.
De me blamer quelquefois tu n'as honte,   55
En te fiant en Mars, dont tu fais conte;
Mais meintenant, voy si pour persister
En le suivant me pourras resister. »
Ainsi parloit. Et, tout eschaufé d'ire,
Hors de sa trousse une sagette il tire,   60
Et, decochant de son extreme force,
Droit la tira contre ma tendre escorce:
Foible harnois pour bien couvrir le cœur
Contre l'Archer qui tousjours est vainqueur.
La bresche faite, entre Amour en la place,   65
Dont le repos premierement il chasse,
Et de travail qu'il me donne sans cesse,
Boire, manger et dormir ne me laisse.
Il ne me chaut de soleil ne d'ombrage;
Je n'ay qu'Amour et feu en mon courage,   70
Qui me desguise et fait autre paroitre,
Tant que ne peu moymesme me connoitre.
Je n'avois vù encore seize Hivers,
Lors que j'entray en ces ennuis divers:
Et jà voici le treizième esté   75

Que mon cœur fut par Amour arresté.
Le tems met fin aus hautes Pyramides,
Le tems met fin aus fonteines humides:
Il ne pardonne aus braves Colisees,
Il met à fin les viles plus prisees;   80
Finir aussi il ha acoutumé
Le feu d'Amour, tant soit il allumé.
Mais, las! en moy il semble qu'il augmente
Avec le tems, et que plus me tourmente.
Paris ayma Oenone ardamment,   85
Mais son amour ne dura longuement;
Medee fut aymee de Jason,
Qui tot apres la mit hors sa maison.
Si meritoient elles estre estimees,
Et pour aymer leurs Amis, estre aymees.   90
S'estant aymé, on peut Amour laisser;
N'est-il raison, ne l'estant, se lasser?
N'est-il raison te prier de permettre,
Amour, que puisse à mes tourmens fin mettre?
Ne permets point que de Mort face espreuve,   95
Et plus que toy pitoyable la treuve;
Mais si tu veus que j'ayme jusqu'au bout,
Fay que celui que j'estime mon tout,
Qui seul me peut faire plorer et rire,
Et pour lequel si souvent je soupire,   100
Sente en ses os, en son sang, en son ame,
Ou plus ardente, ou bien egale flame.
Alors ton faix plus aisé me sera,
Quand avec moy quelcun le portera.

JEAN PASSERAT

VILLANELLE

J'ai perdu ma tourterelle;
Est-ce point celle que j'oy?
Je veux aller après elle.

Tu regrettes ta femelle;
Hélas ! aussi fais-je, moy.   5
J'ai perdu ma tourterelle.

Si ton amour est fidelle,
Aussi est ferme ma foy;
Je veux aller après elle.

Ta plainte se renouvelle,   10
Toujours plaindre je me doy;
J'ai perdu ma tourterelle.

En ne voyant plus la belle,
Plus rien de beau je ne voy;
Je veux aller après elle.   15

GUILLAUME DE SALLUSTE DU BARTAS

SONNET

FRANÇOIS, arreste toi, ne passe la campagne
Que Nature mura de rochers d'un costé,
Que l'Auriège entrefend d'un cours précipité;
Campagne qui n'a point en beauté de compagne.

Passant, ce que tu vois n'est point une montagne: 5
C'est un grand Briarée, un géant haut monté
Qui garde ce passage, et défend, indomté,
De l'Espagne la France, et de France l'Espagne.

Il tend à l'une l'un, à l'autre l'autre bras,
Il porte sur son chef l'antique faix d'Atlas,   10
Dans deux contraires mers il pose ses deux plantes.

Les espaisses forests sont ses cheveux espais;
Les rochers sont ses os; les rivières bruyantes
L'éternelle sueur que luy cause un tel faix.

JEAN VAUQUELIN DE LA FRESNAYE

IDILLIE

PASTEURS, voici la fonteinette
Où tousjours se venoit mirer,
Et ses beautez, seule, admirer
La pastourelle Philinette.

Voici le mont où de la bande   5
Je la vis la dance mener,
Et les nymphes l'environner
Comme celle qui leur commande.

Pasteurs, voici la verte prée
Où les fleurs elle ravissoit,   10
Dont, après, elle embellissoit
Sa perruque blonde et sacrée.

Ici, folastre et decrochée,
Contre un chesne elle se cacha;
Mais, par avant, elle tascha   15
Que je la vis estre cachée.

Dans cet antre secret encore,
Mile fois elle me baisa;
Mais, depuis, mon cœur n'apaisa
De la flamme qui le devore.   20

Donc, à toutes ces belles places,
A la fontaine, au mont, au pré,
Au chesne, à l'antre tout sacré,
Pour ces dons, je rends mile graces.

IDILLIE

ENTRE les fleurs, entre les lis,
Doucement dormoit ma Philis,
Et tout autour de son visage,

Les petits Amours, comme enfans,
Jouoient, folastroient, triomphans, 5
Voyant des cieux la belle image.

J'admirois toutes ces beautez
Egalles à mes loyautez,
Quand l'esprit me dist en l'oreille:
Fol, que fais-tu ? le temps perdu 10
Souvent est chèrement vendu,
S'on le recouvre, c'est merveille.

Alors, je m'abbaissai tout bas,
Sans bruit je marchai pas à pas,
Et baisai ses lèvres pourprines: 15
Savourant un tel bien, je dis
Que tel est dans le paradis
Le plaisir des âmes divines.

PHILIPPE DESPORTES

SONNET

ICARE

Icare est cheut ici, le jeune audacieux,
Qui pour voler au ciel eut assez de courage:
Ici tomba son corps degarni de plumage,
Laissant tous braves cœurs de sa cheute envieux.

O bienheureux travail d'un esprit glorieux 5
Qui tire un si grand gain d'un si petit dommage !
O bienheureux malheur plein de tant d'avantage,
Qu'il rende le vaincu des ans victorieux !

Un chemin si nouveau n'estonna sa jeunesse,
Le pouvoir lui faillit, mais non la hardiesse; 10
Il eut pour le brûler des astres le plus beau;

Il mourut poursuivant une haute adventure;
Le ciel fut son desir, la mer sa sepulture:
Est-il plus beau dessein, ou plus riche tombeau?

STANCES

CONTRE UNE NUICT TROP CLAIRE

O Nuict! jalouse Nuict, contre moy conjurée,
Qui renflammes le ciel de nouvelle clarté,
T'ay-je donc aujourd'huy tant de fois desirée
Pour estre si contraire à ma felicité?

Pauvre moy! je pensoy qu'à ta brune rencontre　　　5
Les cieux d'un noir bandeau dussent estre voilez,
Mais, comme un jour d'esté, claire tu fais ta monstre
Semant parmy le ciel mille feux estoilez.

Et toy, sœur d'Apollon, vagabonde courriere,
Qui pour me découvrir flambes si clairement,　　　10
Allumes-tu la nuict d'aussi grande lumière,
Quand sans bruit tu descens pour baiser ton amant?

Hélas! s'il t'en souvient, amoureuse deesse,
Et si quelque douceur se cueille en le baisant,
Maintenant que je sors pour baiser ma maistresse,　　　15
Que l'argent de ton front ne soit pas si luisant.

Ah! la fable a menty, les amoureuses flammes
N'eschaufferent jamais ta froide humidité;
Mais Pan, qui te conneut du naturel des femmes,
T'offrant une toison, vainquit ta chasteté.　　　20

Si tu avois aimé, comme on nous fait entendre,
Les beaux yeux d'un berger, de long sommeil touchez,
Durant tes chauds desirs tu aurois peu apprendre
Que les larcins d'amour veulent estre cachez.

Mais flamboye à ton gré, que ta corne argentée　　　25
Fasse de plus en plus ses rais estinceler:
Tu as beau découvrir, ta lumière empruntée
Mes amoureux secrets ne pourra deceler.

Que de facheuses gens, mon Dieu! quelle coustume
De demeurer si tard dans la ruë à causer!   30
Otez-vous du serein, craignez-vous point le rheume?
La nuit s'en va passée, allez vous reposer.

Je vay, je vien, je fuy, j'escoute et me promeine,
Tournant tousjours mes yeux vers le lieu desiré;
Mais je n'avance rien, toute la ruë est pleine   35
De jaloux importuns, dont je suis esclairé.

Je voudrois estre roy pour faire une ordonnance
Que chacun deust la nuict au logis se tenir.
Sans plus les amoureux auroient toute licence;
Si quelque autre failloit, je le feroy punir.   40

O somme! ô doux repos des travaux ordinaires,
Charmant par ta douceur les pensers ennemis,
Charme ces yeux d'Argus, qui me sont si contraires
Et retardent mon bien, faute d'estre endormis.

Mais je perds, malheureux, le tans et la parole,   45
Le somme est assommé d'un dormir ocieux;
Puis, durant mes regrets, la nuit pronte s'envole,
Et l'aurore desjà veut defermer les cieux.

Je m'en vay pour entrer, que rien ne me retarde,
Je veux de mon manteau mon visage boucher;   50
Mais las! je m'aperçois que chacun me regarde,
Sans estre découvert, je ne puis approcher.

Je ne crains pas pour moy; j'ouvrirois une armée,
Pour entrer au sejour qui recelle mon bien;
Mais je crains que ma dame en pust estre blasmée, 55
Son repos mille fois m'est plus cher que le mien.

Quoy? m'en iray-je donc? mais que voudrois-je faire?
Aussi bien peu à peu le jour s'en va levant,
O trompeuse esperance! Heureux cil qui n'espere
Autre loyer d'amour que mal en bien servant!   60

CHANSON

O BIEN-HEUREUX qui peut passer sa vie
Entre les siens, franc de haine et d'envie,
Parmy les champs, les forests et les bois,
Loin du tumulte et du bruit populaire;
Et qui ne vend sa liberté pour plaire   5
Aux passions des princes et des rois !

Il n'a soucy d'une chose incertaine,
Il ne se paist d'une esperance vaine,
Nulle faveur ne le va decevant;
De cent fureurs il n'a l'ame embrasée   10
Et ne maudit sa jeunesse abusée,
Quand il ne trouve à la fin que du vant.

Il ne fremist quand la mer courroucée
Enfle ses flots, contrairement poussée
Des vens esmeus soufflans horriblement;   15
Et quand la nuict à son aise il sommeille,
Une trompette en sursaut ne l'esveille
Pour l'envoyer du lict au monument.

L'ambition son courage n'attise,
D'un fard trompeur son ame il ne desguise,   20
Il ne se plaist à violer sa foy;
Des grands seigneurs l'oreille il n'importune,
Mais en vivant content de sa fortune
Il est sa cour, sa faveur et son roy.

Je vous rens grace, ô deïtez sacrées   25
Des monts, des eaux, des forests et des prées,
Qui me privez de pensers soucieux,
Et qui rendez ma volonté contente,
Chassant bien loin la miserable attente.
Et les desirs des cœurs ambitieux !   30

Dedans mes champs ma pensée est enclose.
Si mon corps dort mon esprit se repose,
Un soin cruel ne le va devorant:

Au plus matin, la fraischeur me soulage,
S'il fait trop chaud, je me mets à l'ombrage, 35
Et s'il fait froid, je m'eschauffe en courant.

Si je ne loge en ces maisons dorées,
Au front superbe, aux voûtes peinturées
D'azur, d'esmail, et de mille couleurs,
Mon œil se paist des tresors de la plaine 40
Riche d'œillets, de lis, de marjolaine,
Et du beau teint des printanieres fleurs.

Dans les palais enflez de vaine pompe,
L'ambition, la faveur qui nous trompe,
Et les soucys logent communément: 45
Dedans nos champs se retirent les fées,
Roines des bois à tresses decoiffées,
Les jeux, l'amour, et le contentement.

Ainsi vivant, rien n'est qui ne m'agrée.
J'oy des oiseaux la musique sacrée, 50
Quand au matin ils benissent les cieux;
Et le doux son des bruyantes fontaines
Qui vont coulant de ces roches hautaines,
Pour arrouser nos prez delicieux.

Que de plaisir de voir deux colombelles, 55
Bec contre bec, en tremoussant des ailes,
Mille baisers se donner tour à tour;
Puis, tout ravy de leur grace naïve,
Dormir au frais d'une source d'eau vive,
Dont le doux bruit semble parler d'amour! 60

Que de plaisir de voir sous la nuict brune,
Quand le soleil a fait place à la lune,
Au fond des bois les nymphes s'assembler,
Monstrer au vent leur gorge découverte,
Danser, sauter, se donner cotte-verte, 65
Et sous leur pas tout l'herbage trembler.

Le bal finy je dresse en haut la veuë
Pour voir le teint de la lune cornuë,
Claire, argentée, et me mets à penser

Au sort heureux du pasteur de Latmie: 70
Lors je souhaite une aussi belle amie,
Mais je voudrois en veillant l'embrasser.

Ainsi, la nuict, je contente mon ame,
Puis, quand Phebus de ses rays nous enflame,
J'essaye encor mille autres jeux nouveaux: 75
Diversement mes plaisirs j'entrelasse,
Ores je pesche, or' je vay à la chasse,
Et or' je dresse embuscade aux oyseaux.

Je fay l'amour, mais c'est de telle sorte
Que seulement du plaisir j'en rapporte,   80
N'engageant point ma chere liberté;
Et quelques laqs que ce dieu puisse faire
Pour m'attraper, quand je m'en veux distraire,
J'ay le pouvoir comme la volonté.

Douces brebis, mes fidelles compagnes,   85
Hayes, buissons, forests, prez et montagnes,
Soyez témoins de mon contentement:
Et vous, ô dieux! faites, je vous supplie,
Que, cependant que durera ma vie,
Je ne connoisse un autre changement.   90

VILLANELLE

ROZETTE, pour un peu d'absence
Vostre cœur vous avez changé,
Et moy, sçachant cette inconstance,
Le mien autre part j'ay rangé;
Jamais plus, beauté si legere   5
Sur moy tant de pouvoir n'aura:
Nous verrons, volage bergere,
Qui premier s'en repentira.

Tandis qu'en pleurs je me consume,
Maudissant cet esloignement,   10
Vous, qui n'aimez que par coustume,
Caressiez un nouvel amant.

Jamais legere girouëtte
Au vent si tost ne se vira:
Nous verrons, bergere Rozette,   15
Qui premier s'en repentira.

Où sont tant de promesses saintes,
Tant de pleurs versez en partant?
Est-il vray que ces tristes plaintes
Sortissent d'un cœur inconstant?   20
Dieux! que vous estes mensongere!
Maudit soit qui plus vous croira!
Nous verrons, volage bergere,
Qui premier s'en repentira.

Celuy qui a gaigné ma place   25
Ne vous peut aymer tant que moy;
Et celle que j'aime vous passe
De beauté, d'amour et de foy.
Gardez bien vostre amitié neuve,
La mienne plus ne varira,   30
Et puis, nous verrons à l'espreuve
Qui premier s'en repentira.

SONNET

JE regrette en pleurant les jours mal employez
A suivre une beauté passagere et muable,
Sans m'eslever au ciel et laisser memorable
Maint haut et digne exemple aux esprits desvoyez.

Toi qui dans ton pur sang nos mesfaits as noyez,   5
Juge doux, benin pere et sauveur pitoyable,
Las! releve, ô Seigneur! un pecheur miserable,
Par qui ces vrais soupirs au ciel sont envoyez.

Si ma folle jeunesse a couru mainte année
Les fortunes d'amour, d'espoir abandonnée,   10
Qu'au port, en doux repos, j'accomplisse mes jours,

Que je meure en moy-mesme, à fin qu'en toy je vive,
Que j'abhorre le monde et que, par ton secours
La prison soit brisée où mon ame est captive.

JEAN BERTAUT

CHANSON

Les Cieux inexorables
Me sont si rigoureux,
Que les plus miserables
Se comparans à moy se trouveroient heureux.

Je ne fais à toute heure   5
Que souhaiter la mort,
Dont la longue demeure
Prolonge dessus moy l'insolence du Sort.

Mon lict est de mes larmes
Trempé toutes les nuits: 10
Et ne peuvent ses charmes,
Lors mesme que je dors, endormir mes ennuis.

Si je fay quelque songe
J'en suis espouvanté,
Car mesme son mensonge   15
Exprime de mes maux la triste verité.

Toute paix, toute joye
A pris de moy congé,
Laissant mon ame en proye
A cent mille soucis dont mon cœur est rongé.   20

La pitié, la justice,
La constance, et la foy,
Cedant à l'artifice,
Dedans les cœurs humains sont esteintes pour moy.

L'ingratitude paye   25
Ma fidelle amitié:
La calomnie essaye
A rendre mes tourments indignes de pitié.

En un cruel orage
On me laisse perir,   30
Et courant au naufrage
Je voy chacun me plaindre et nul me secourir.

Et ce qui rend plus dure
La misere où je vy,
C'est, es maux que j'endure,   35
La memoire de l'heur que le Ciel m'a ravi.

Felicité passée
Qui ne peux revenir:
Tourment de ma pensée
Que n'ai-je en te perdant perdu le souvenir !   40

Helas ! il ne me reste
De mes contentements
Qu'un souvenir funeste,
Qui me les convertit à toute heure en tourments.

Le sort plein d'injustice   45
M'ayant en fin rendu
Ce reste un pur supplice,
Je serois plus heureux si j'avois plus perdu.

THÉODORE AGRIPPA D'AUBIGNÉ

STANCES

L'HYVER DE M. D'AUBIGNÉ

MES volages humeurs, plus sterilles que belles,
S'en vont; et je leur dis: Vous sentez, irondelles,
S'esloigner la chaleur et le froid arriver.
Allez nicher ailleurs, pour ne tascher, impures,
Ma couche de babil et ma table d'ordures;   5
Laissez dormir en paix la nuict de mon hyver.

D'un seul poinct le soleil n'esloigne l'hemisphere;
Il jette moins d'ardeur, mais autant de lumiere.
Je change sans regrets, lorsque je me repens
Des frivoles amours et de leur artifice.   10
J'ayme l'hyver qui vient purger mon cœur de vice,
Comme de peste l'air, la terre de serpens.

Mon chef blanchit dessous les neiges entassées.
Le soleil, qui reluit, les eschauffe, glacées,
Mais ne les peut dissoudre, au plus court de ses mois. 15
Fondez, neiges; venez dessus mon cœur descendre,
Qu'encores il ne puisse allumer de ma cendre
Du brazier, comme il fit des flammes autrefois.

Mais quoi! serai-je esteint devant ma vie esteinte?
Ne luira plus sur moi la flamme vive et sainte,   20
Le zèle flamboyant de la sainte maison?
Je fais aux saints autels holocaustes des restes,
De glace aux feux impurs, et de naphte aux celestes:
Clair et sacré flambeau, non funebre tison!

Voici moins de plaisirs, mais voici moins de peines. 25
Le rossignol se taist, se taisent les Sereines.
Nous ne voyons cueillir ni les fruits ni les fleurs;
L'esperance n'est plus bien souvent tromperesse,
L'hyver jouit de tout. Bienheureuse vieillesse
La saison de l'usage, et non plus des labeurs!   30

Mais la mort n'est pas loin; cette mort est suivie
D'un vivre sans mourir, fin d'une fausse vie:
Vie de nostre vie, et mort de nostre mort.
Qui hait la seureté, pour aimer le naufrage?
Qui a jamais esté si friant de voyage   35
Que la longueur en soit plus douce que le port?

Seventeenth Century Poets

Entendant sa constance eut peur de sa furie,
    Et demanda la paix.

De moi, déjà deux fois d'une pareille foudre   65
    Je me suis vu perclus,
Et deux fois la raison m'a si bien fait résoudre
    Qu'il ne m'en souvient plus.

Non qu'il ne me soit grief que la terre possède
    Ce qui me fut si cher;   70
Mais en un accident qui n'a point de remède,
    Il n'en faut point chercher.

La mort a des rigueurs à nulle autre pareilles;
    On a beau la prier,
La cruelle qu'elle est se bouche les oreilles,   75
    Et nous laisse crier.

Le pauvre en sa cabane, où le chaume le couvre,
    Est sujet à ses lois;
Et la garde qui veille aux barrières du Louvre
    N'en défend point nos Rois.   80

De murmurer contre elle et perdre patience
    Il est mal à propos;
Vouloir ce que Dieu veut est la seule science
    Qui nous met en repos.

SONNET

BEAUX et grands bâtiments d'éternelle structure
Superbes de matière et d'ouvrages divers,
Où le plus digne Roi qui soit en l'univers
Aux miracles de l'art fait céder la nature;

Beau parc et beaux jardins, qui dans votre clôture   5
Avez toujours des fleurs et des ombrages verts,
Non sans quelque démon qui défend aux hivers
D'en effacer jamais l'agréable peinture;

Bois, fontaines,
Mon humeur est chagrine et mon visage triste,

Ce n'est point qu'en effet vous n'ayez des appas;
Mais quoi que vous ayez, vous n'avez point Caliste,
Et moi je ne vois rien, quand je ne la vois pas.

CHANSON

ILS s'en vont, ces rois de ma vie,
    Ces yeux, ces beaux yeux
Dont l'éclat fait pâlir d'envie
    Ceux même des cieux.
Dieux amis de l'innocence,   5
Qu'ai-je fait pour mériter
Les ennuis où cette absence
    Me va précipiter?

Elle s'en va, cette merveille
    Pour qui nuit et jour,   10
Quoi que la raison me conseille,
    Je brûle d'amour.
Dieux amis, etc.

En quel effroi de solitude
    Assez écarté   15
Mettrai-je mon inquiétude
    En sa liberté?
Dieux amis, etc.

Les affligés ont en leurs peines
    Recours à pleurer;   20
Mais quand mes yeux seraient fontaines,
    Que puis-je espérer?
Dieux amis, etc.

SONNET

AU ROY LOUIS XIII

Qu'AVEC une valeur à nulle autre seconde,
Et qui seule est fatale à notre guérison,
Votre courage mûr en sa verte saison
Nous ait acquis la paix sur la terre et sur l'onde;

Que l'hydre de la France, en révoltes féconde,   5
Par vous soit du tout morte, ou n'ait plus de poison,
Certes c'est un bonheur dont la juste raison
Promet à votre front la couronne du monde.

Mais qu'en de si beaux faits vous m'ayez pour témoin,
Connaissez-le, mon Roi, c'est le comble du soin   10
Que de vous obliger ont eu les destinées.

Tous vous savent louer, mais non également;
Les ouvrages communs vivent quelques années:
Ce que Malherbe écrit dure éternellement.

PARAPHRASE

DU PSAUME CXLV

N'ESPÉRONS plus, mon âme, aux promesses du monde:
Sa lumière est un verre, et sa faveur une onde
Que toujours quelque vent empêche de calmer.
Quittons ces vanités, lassons-nous de les suivre;
       C'est Dieu qui nous fait vivre,   5
       C'est Dieu qu'il faut aimer.

En vain, pour satisfaire à nos lâches envies,
Nous passons près des rois tout le temps de nos vies
A souffrir des mépris et ployer les genoux.
Ce qu'ils peuvent n'est rien; ils sont comme nous
     sommes,   10
       Véritablement hommes,
       Et meurent comme nous.

Ont-ils rendu l'esprit, ce n'est plus que poussière
Que cette majesté si pompeuse et si fière
Dont l'éclat orgueilleux étonne l'univers;   15
Et dans ces grands tombeaux où leurs âmes hautaines,
     Font encore les vaines,
     Ils sont mangés des vers.

Là se perdent ces noms de maîtres de la terre,
D'arbitres de la paix, de foudres de la guerre;   20
Comme ils n'ont plus de sceptre, ils n'ont plus de flat-
   teurs,
Et tombent avec eux d'une chute commune
     Tous ceux que leur fortune
     Faisait leurs serviteurs.

SONNET

SUR LA MORT DE SON FILS

Que mon fils ait perdu sa dépouille mortelle,
Ce fils qui fut si brave, et que j'aimai si fort,
Je ne l'impute point à l'injure du sort,
Puisque finir à l'homme est chose naturelle.

Mais que de deux marauds la surprise infidèle   5
Ait terminé ses jours d'une tragique mort,
En cela ma douleur n'a point de réconfort,
Et tous mes sentiments sont d'accord avec elle.

O mon Dieu, mon Sauveur, puisque par la raison,
Le trouble de mon âme étant sans guérison,   10
Le vœu de la vengeance est un vœu légitime,

Fais que de ton appui je sois fortifié:
Ta justice t'en prie; et les auteurs du crime
Sont fils de ces bourreaux qui t'ont crucifié.

MATHURIN RÉGNIER

SATIRE

L'IMPORTUN OU LE FÂCHEUX

CHARLES, de mes péchés j'ai bien fait pénitence.
Or toi, qui te connais aux cas de conscience,
Juge si j'ai raison de penser être absous.
J'oyais un de ces jours la messe à deux genoux,
Faisant mainte oraison, l'œil au ciel, les mains jointes, 5
Le cœur ouvert aux pleurs, et tout percé de pointes
Qu'un dévot repentir élançait dedans moi,
Tremblant des peurs d'enfer et tout brûlant de foi,
Quand un jeune frisé, relevé de moustache,
De galoche, de botte et d'un ample panache, 10
Me vint prendre et me dit, pensant dire un bon mot:
« Pour un poète du temps vous êtes trop dévot. »
Moi, civil, je me lève et le bonjour lui donne.
Qu'heureux est le folâtre à la tête grisonne,
Qui brusquement eût dit, avec un sambieu: 15
« Oui bien pour vous, Monsieur, qui ne croyez en Dieu ! »
    Sotte discrétion ! je voulus faire accroire
Qu'un poète n'est bizarre et fâcheux qu'après boire,
Je baisse un peu la tête, et tout modestement
Je lui fis à la mode un petit compliment. 20
Lui, comme bien appris, le même me sut rendre,
Et cette courtoisie à si haut prix me vendre,
Que j'aimerais bien mieux, chargé d'âge et d'ennuis,
Me voir à Rome pauvre entre les mains des Juifs.
    Il me prit par la main après mainte grimace, 25
Changeant sur l'un des pieds à toute heure de place,
Et, dansant tout ainsi qu'un barbe encastelé,
Me dit, en remâchant un propos avalé:
    « Que vous êtes heureux, vous autres belles âmes,
Favoris d'Apollon, qui gouvernez les dames, 30

Et par mille beaux vers les charmez tellement,
Qu'il n'est point de beautés que pour vous seulement!
Mais vous les méritez: vos vertus non communes
Vous font digne, Monsieur, de ces bonnes fortunes. »
  Glorieux de me voir si hautement loué,   35
Je devins aussi fier qu'un chat amadoué;
Et sentant au palais mon discours se confondre,
D'un ris de saint Médard il me fallut répondre.
Je poursuis. Mais, ami, laissons-le discourir,
Dire cent et cent fois: « Il en faudrait mourir!»   40
Sa barbe pinçoter, cajoler la science,
Relever ses cheveux; dire: « En ma conscience!»
Faire la belle main, mordre un bout de ses gants,
Rire hors de propos, montrer ses belles dents,
Se carrer sur un pied, faire arser son épée,   45
Et s'adoucir les yeux ainsi qu'une poupée:
Cependant qu'en trois mots je te ferai savoir
Où premier à mon dam ce fâcheux me put voir.
  J'étais chez une dame en qui, si la satire
Permettait en ces vers que je le puisse dire,   50
Reluit, environné de la divinité,
Un esprit aussi grand que grande est sa beauté.
  Ce fanfaron chez elle eut de moi connaissance;
Et ne fut de parler jamais en ma puissance,
Lui voyant ce jour-là son chapeau de velours,   55
Rire d'un fâcheux conte, et faire un sot discours,
Bien qu'il m'eût à l'abord doucement fait entendre
Qu'il était mon valet à vendre et à dépendre;
Et détournant les yeux: « Belle, à ce que j'entends,
Comment! vous gouvernez les beaux esprits du temps!» 60
Et faisant le doucet de parole et de geste,
Il se met sur un lit, lui disant: « Je proteste
Que je me meurs d'amour quand je suis près de vous;
Je vous aime si fort que j'en suis tout jaloux. »
Puis rechangeant de note, il montre sa rotonde: 65
« Cet ouvrage est-il beau? Que vous semble du monde?
L'homme que vous savez m'a dit qu'il n'aime rien.
Madame, à votre avis, ce jourd'hui suis-je bien?
Suis-je pas bien chaussé? ma jambe est-elle belle?

Voyez ce taffetas: la mode en est nouvelle; 70
C'est œuvre de la Chine. A propos, on m'a dit
Que contre les clinquants le roi fait un édit. »
Sur le coude il se met, trois boutons se délace:
« Madame, baisez-moi: n'ai-je pas bonne grâce ?
Que vous êtes fâcheuse ! A la fin on verra, 75
Rosette, le premier qui s'en repentira. »
    D'assez d'autres propos il me rompit la tête.
Voilà quand et comment je connus cette bête;
Te jurant, mon ami, que je quittai ce lieu
Sans demander son nom et sans lui dire adieu. 80
    Je n'eus depuis ce jour de lui nouvelle aucune,
Si ce n'est ce matin que, de male fortune,
Je fus en cette église où, comme j'ai conté,
Pour me persécuter Satan l'avait porté.
Après tous ces propos qu'on se dit d'arrivée, 85
D'un fardeau si pesant ayant l'âme grevée,
Je chauvis de l'oreille, et demeurant pensif,
L'échine j'allongeais comme un âne rétif,
Minutant me sauver de cette tyrannie.
Il le juge à respect: « O ! sans cérémonie, 90
Je vous supplie, dit-il, vivons en compagnons. »
Ayant, ainsi qu'un pot les mains sur les rognons,
Il me pousse en avant, me présente la porte,
Et sans respect des saints, hors l'église il me porte,
Aussi froid qu'un jaloux qui voit son corrival. 95
Sortis, il me demande: « Êtes-vous à cheval ?
Avez-vous point ici quelqu'un de votre troupe ?
— Je suis tout seul, à pied. » Lui, de m'offrir la croupe.
Moi pour m'en dépêtrer, lui dire tout exprès:
« Je vous baise les mains, je m'en vais ici près, 100
Chez mon oncle dîner. — O Dieu ! le galant homme !
J'en suis. » Et moi pour lors, comme un bœuf qu'on
    assomme
Je laisse choir la tête, et bien peu s'en fallut,
Remettant par dépit en la mort mon salut,
Que je n'allasse lors, la tête la première, 105
Me jeter du Pont-Neuf à bas en la rivière.
    Insensible, il me traîne en la cour du Palais,

Où trouvant par hasard quelqu'un de ses valets,
Il l'appelle et lui dit: « Holâ hau ! Ladreville,
Qu'on ne m'attende point; je vais dîner en ville. »   110
   Dieu sait si ce propos me traversa l'esprit !
Encor n'est-ce pas tout: il tire un long écrit,
Que voyant je frémis. Lors, sans cajolerie:
« Monsieur, je ne m'entends à la chicanerie,
Ce lui dis-je, feignant l'avoir vu de travers.   115
— Aussi n'en est-ce pas: ce sont des méchants vers
(Je connus qu'il était véritable à son dire)
Que pour tuer le temps je m'efforce d'écrire;
Et pour un courtisan, quand vient l'occasion,
Je montre que j'en sais pour ma provision. »   120
   Il lit, et se tournant brusquement par la place,
Les banquiers étonnés admiraient sa grimace,
Et montraient en riant qu'ils ne lui eussent pas
Prêté sur son minois quatre doubles ducats
(Que j'eusse bien donné pour sortir de sa patte);   125
Je l'écoute, et durant que l'oreille il me flatte,
Le bon Dieu sait comment, à chaque fin de vers,
Tout exprès je disais quelque mot de travers.
Il poursuit nonobstant d'une fureur plus grande,
Et ne cessa jamais qu'il n'eût fait sa légende.   130
   Me voyant froidement ses œuvres avouer,
Il les serre, et se met lui-même à se louer:
« Donc pour un cavalier, n'est-ce pas quelque chose ?
Mais, Monsieur, n'avez-vous jamais vu de ma prose ? »
Moi de dire que si, tant je craignais qu'il eût   135
Quelque procès-verbal, qu'entendre il me fallût.
   « Encore dites-moi en votre conscience,
Pour un qui n'a du tout acquis nulle science,
Ceci n'est-il pas rare ? — Il est vrai, sur ma foi, »
Lui dis-je en souriant. Lors se tournant vers moi,   140
M'accole à tour de bras, et tout pétillant d'aise,
Doux comme une épousée à la joue il me baise:
Puis me flattant l'épaule, il me fit librement
L'honneur que d'approuver mon petit jugement.
Après cette caresse il rentre de plus belle: 145
Tantôt il parle à l'un, tantôt l'autre l'appelle,

Toujours nouveaux discours; et tant fut-il humain,
Que toujours de faveur il me tint par la main.
J'ai peur que, sans cela, j'ai l'âme si fragile,
Que le laissant d'aguet j'eusse pu faire gile;   150
Mais il me fut bien force, étant bien attaché,
Que ma discrétion expiât mon péché.

  Quel heur ce m'eût été, si, sortant de l'église,
Il m'eût conduit chez lui, et, m'ôtant la chemise,
Ce beau valet à qui ce beau maître parla   155
M'eût donné l'anguillade et puis m'eût laissé là !
Honorable défaite, heureuse échappatoire !
Encore derechef me la fallut-il boire.

  Il vint à reparler dessus le bruit qui court,
De la reine, du roi, des princes, de la cour;   160
Que Paris est bien grand; que le Pont-Neuf s'achève;
Si plus en paix qu'en guerre un empire s'élève;
Il vint à définir que c'était qu'amitié
Et tant d'autres vertus, que c'en était pitié.
Mais il ne définit, tant il était novice,   165
Que l'indiscrétion est un si fâcheux vice
Qu'il vaut bien mieux mourir de rage ou de regret
Que de vivre à la gêne avec un indiscret.

  Tandis que ces discours me donnaient la torture,
Je sonde tous moyens pour voir si d'aventure   170
Quelque bon accident eût pu m'en retirer,
Et m'empêcher enfin de me désespérer.

  Voyant un président, je lui parle d'affaire:
S'il avait des procès, qu'il était nécessaire
D'être toujours après ces messieurs bonneter;   175
Qu'il ne laissât, pour moi, de les solliciter;
Quant à lui, qu'il était homme d'intelligence,
Qui savait comme on perd son bien par négligence;
Où marche l'intérêt, qu'il faut ouvrir les yeux.
« Ha ! non, Monsieur, dit-il, j'aimerais beaucoup mieux 180
Perdre tout ce que j'ai que votre compagnie; »
Et se mit aussitôt sur la cérémonie.

  Moi qui n'aime à débattre en ces fadaises-là,
Un temps sans lui parler ma langue vacilla.
Enfin je me remets sur les cajoleries,   185

Lui dis (comme le roi était aux Tuileries,)
Ce qu'au Louvre on disait qu'il ferait ce jourd'hui,
Qu'il devrait se tenir toujours auprès de lui.
Dieu sait combien alors il me dit de sottises,
Parlant de ses hauts faits et de ses vaillantises;   190
Qu'il avait tant servi, tant fait la faction,
Et n'avait cependant aucune pension;
Mais qu'il se consolait en ce qu'au moins l'histoire,
Comme on fait son travail, ne dérobait sa gloire;
Et s'y met si avant que je crus que mes jours   195
Devaient plus tôt finir que non pas son discours.
Mais comme Dieu voulut, après tant de demeures,
L'horloge du Palais vint à frapper onze heures;
Et lui, qui pour la soupe avait l'esprit subtil:
« A quelle heure Monsieur votre oncle dîne-t-il ? »   200
Lors bien peu s'en fallut, sans plus longtemps attendre,
Que de rage au gibet je ne m'allasse pendre.
Encore l'eussé-je fait, étant désespéré;
Mais je crois que le Ciel, contre moi conjuré,
Voulut que s'accomplit cette aventure mienne   205
Que me dit, jeune enfant, une Bohémienne:
    « Ni la peste, la faim, la vérole, la toux,
    « La fièvre, les venins, les larrons ni les loups
    « Ne tueront celui-ci, mais l'importun langage
    « D'un fâcheux: qu'il s'en garde étant grand, s'il est
        sage. »   210
    Comme il continuait cette vieille chanson
Voici venir quelqu'un d'assez pauvre façon:
Il se porte au devant, lui parle, le cajole;
Mais cet autre, à la fin, se monta de parole:
« Monsieur, c'est trop longtemps ... Tout ce que vous
        voudrez,   215
Voici l'arrêt signé ... Non, Monsieur, vous viendrez ...
Quand vous serez dedans, vous ferez à partie ... »
Et moi, qui cependant n'étais de la partie,
J'esquive doucement, et m'en vais à grand pas,
La queue en loup qui fuit et les yeux contre bas,   220
Le cœur sautant de joie, et triste d'apparence.
Depuis aux bons sergents j'ai porté révérence,

Comme à des gens d'honneur par qui le ciel voulut
Que je reçusse un jour le bien de mon salut.
   Mais, craignant d'encourir vers toi le même vice 225
Que je blâme en autrui, je suis à ton service,
Et prie Dieu qu'il nous garde, en ce bas monde ici,
De faim, d'un importun, de froid et de souci.

STANCES

QUAND sur moi je jette les yeux,
A trente ans me voyant tout vieux,
Mon cœur de frayeur diminue.
Étant vieilli dans un moment
Je ne puis dire seulement   5
Que ma jeunesse est devenue.

Du berceau courant au cercueil,
Le jour se dérobe à mon œil,
Mes sens troublés s'évanouissent.
Les hommes sont comme des fleurs,   10
Qui naissent et vivent en pleurs,
Et d'heure en heure se fanissent.

Leur âge à l'instant écoulé,
Comme un trait qui s'est envolé
Ne laisse après soi nulle marque;   15
Et leur nom, si fameux ici,
Sitôt qu'ils sont morts, meurt aussi,
Du pauvre autant que du monarque.

Naguère, vert, sain et puissant,
Comme un aubépin florissant,   20
Mon printemps était délectable.
Les plaisirs logeaient en mon sein;
Et lors était tout mon dessein
Du jeu d'amour et de la table.

Mais, las ! mon sort est bien tourné;   25
Mon âge en un rien s'est borné;
Faible languit mon espérance:

En une nuit, à mon malheur,
De la joie et de la douleur
J'ai bien appris la différence !   30

La douleur aux traits vénéneux,
Comme d'un habit épineux,
Me ceint d'une horrible torture.
Mes beaux jours sont changés en nuits;
Et mon cœur tout flétri d'ennuis   35
N'attend plus que la sépulture.

Enivré de cent maux divers,
Je chancelle et vais de travers,
Tant mon âme en regorge pleine;
J'en ai l'esprit tout hébété,   40
Et si peu qui m'en est resté,
Encor me fait-il de la peine.

La mémoire du temps passé,
Que j'ai follement dépensé,
Épand du fiel en mes ulcères: 45
Si peu que j'ai de jugement,
Semble animer mon sentiment,
Me rendant plus vif aux misères.

Ha ! pitoyable souvenir !
Enfin, que dois-je devenir ?   50
Où se réduira ma constance ?
Étant jà défailli de cœur,
Qui me don'ra de la vigueur,
Pour durer en la pénitence ?

Qu'est-ce de moi ! faible est ma main,   55
Mon courage, hélas ! est humain,
Je ne suis de fer ni de pierre.
En mes maux montre-toi plus doux,
Seigneur; aux traits de ton courroux
Je suis plus fragile que verre.   60

Je ne suis à tes yeux sinon
Qu'un fétu sans force et sans nom,
Qu'un hibou qui n'ose paraître;

Qu'un fantôme ici-bas errant,
Qu'une orde écume de torrent,   65
Qui semble fondre avant que naître,

Où toi, tu peux faire trembler
L'univers, et désassembler
Du firmament le riche ouvrage;
Tarir les flots audacieux,   70
Ou, les élevant jusqu'aux cieux,
Faire de la terre un naufrage.

Le soleil fléchit devant toi,
De toi les astres prennent loi,
Tout fait joug dessous ta parole,   75
Et cependant tu vas dardant
Dessus moi ton courroux ardent,
Qui ne suis qu'un bourrier qui vole.

Mais quoi, si je suis imparfait,
Pour me défaire m'as tu fait?   80
Ne sois aux pécheurs si sévère.
Je suis homme, et toi Dieu clément:
Sois donc plus doux au châtiment,
Et punis les tiens comme père.

J'ai l'œil scellé d'un sceau de fer;   85
Et déjà les portes d'enfer
Semblent s'entr'ouvrir pour me prendre:
Mais encore, par ta bonté,
Si tu m'as ôté la santé,
O Seigneur! tu peux me la rendre.   90

Le tronc de branches dévêtu,
Par une secrète vertu
Se rendant fertile en sa perte,
De rejetons espère un jour
Ombrager les lieux d'alentour,   95
Reprenant sa perruque verte.

Où l'homme, en la fosse couché,
Après que la mort l'a touché
Le cœur est mort comme l'écorce;

Encor l'eau reverdit le bois,   100
Mais l'homme étant mort une fois,
Les pleurs pour lui n'ont plus de force.

THÉOPHILE DE VIAU

ODE

LE MATIN

L'AURORE, sur le front du jour,
Sème l'azur, l'or et l'ivoire,
Et le soleil, lassé de boire
Commence son oblique tour.

Ses chevaux, au sortir de l'onde,   5
De flamme et de clarté couverts,
La bouche et les naseaux ouverts,
Ronflent la lumière du monde.

La lune fuit devant nos yeux;
La nuit a retiré ses voiles;   10
Peu à peu le front des étoiles
S'unit à la couleur des cieux.

Déjà la diligente avette
Boit la marjolaine et le thym,
Et revient riche du butin   15
Qu'elle a pris sur le mont Hymette.

Je vois le généreux lion
Qui sort de sa demeure creuse,
Hérissant sa perruque affreuse
Qui fait fuir Endymion.   20

Sa dame, entrant dans les bocages,
Compte les sangliers qu'elle a pris,
Ou dévale chez les esprits
Errant aux sombres marécages.

Je vois les agneaux bondissants 25
Sur ces blés qui ne font que naître;
Cloris, chantant les mène paître,
Parmi ces coteaux verdissants.

Les oiseaux, d'un joyeux ramage,
En chantant semblent adorer 30
La lumière qui vient dorer
Leur cabinet et leur plumage.

La charrue écorche la plaine;
Le bouvier, qui suit les sillons,
Presse de voix et d'aiguillons 35
Le couple de bœufs qui l'entraîne.

Alix apprête son fuseau;
Sa mère, qui lui fait la tâche,
Presse le chanvre qu'elle attache
A sa quenouille de roseau. 40

Une confuse violence
Trouble le calme de la nuit,
Et la lumière, avec le bruit,
Dissipe l'ombre et le silence.

Alidor cherche à son réveil 45
L'ombre d'iris qu'il a baisée,
Et pleure en son âme abusée
La fuite d'un si doux sommeil.

Les bêtes sont dans leurs tanières,
Qui tremblent de voir le soleil, 50
L'homme, remis par le sommeil,
Reprend son œuvre coutumière.

Le forgeron est au fourneau;
Ois comme le charbon s'allume!
Et le fer rouge, dessus l'enclume, 55
Étincelle sous le marteau.

Cette chandelle semble morte,
Le jour la fait évanouir;
Le soleil vient nous éblouir;
Vois qu'il passe au travers la porte! 60

Il est jour: levons-nous, Philis;
Allons à notre jardinage,
Voir s'il est, comme ton visage,
Semé de roses et de lys.

STANCES

LE GIBET

La frayeur de la mort ébranle le plus ferme.
      Il est bien malaisé
Que, dans le désespoir et proche de son terme,
      L'esprit soit apaisé.

L'âme la plus robuste et la mieux préparée   5
      Aux accidents du sort,
Voyant auprès de soi sa fin tout assurée,
      Elle s'étonne fort.

Le criminel pressé de la mortelle crainte
      D'un supplice douteux   10
Encore avec espoir endure la contrainte
      De ses liens honteux.

Mais, quand l'arrêt sanglant a résolu sa peine,
      Et qu'il voit le bourreau
Dont l'impiteuse main lui détache une chaîne,   15
      Et lui met un cordeau;

Il n'a goutte de sang qui ne soit lors glacée.
      Son âme est dans les fers,
L'image du gibet lui monte à la pensée,
      Et l'effroi des enfers.   20

L'imagination de cet objet funeste
      Lui trouble la raison;
Et, sans qu'il ait du mal, il a pis que la peste,
      Et pis que le poison.

Il jette malgré lui les siens dans la détresse   25
  Et traîne en son malheur
Des gens indifférents, qu'il voit parmi la presse
  Pâles de sa douleur.

Par tout dedans la Grève, il voit fondre la terre;
  La Seine est l'Achéron;   30
Chaque rayon du jour est un trait de tonnerre,
  Et chaque homme Charon.

La consolation que le prêcheur apporte
  Ne lui fait point de bien;
Car le pauvre se croit une personne morte   35
  Et n'écoute plus rien.

Les sens sont retirés, il n'a plus son visage,
  Et, dans ce changement,
Ce serait fol de conserver l'usage
  D'un peu de jugement.   40

La nature, de peine et d'horreur abattue,
  Quitte ce malheureux;
Il meurt de mille morts, et le coup qui le tue
  Est le moins rigoureux.

HONORAT DE BUEIL DE RACAN

STANCES

A TIRCIS, SUR LA RETRAITE

TIRCIS, il faut penser à faire la retraite:
La course de nos jours est plus qu'à demi faite.
L'âge insensiblement nous conduit à la mort.
Nous avons assez vu sur la mer de ce monde
Errer au gré des flots notre nef vagabonde;   5
Il est temps de jouir des délices du port.

Le bien de la fortune est un bien périssable;
Quand on bâtit sur elle, on bâtit sur le sable.
Plus on est élevé, plus on court de dangers;
Les grands pins sont en butte aux coups de la tempête, 10
Et la rage des vents brise plutôt le faîte
Des maisons de nos rois que des toits des bergers.

O bienheureux celui qui peut de sa mémoire
Effacer pour jamais ce vain espoir de gloire
Dont l'inutile soin traverse nos plaisirs,   15
Et qui, loin retiré de la foule importune,
Vivant dans sa maison content de sa fortune,
A selon son pouvoir mesuré ses désirs !

Il laboure le champ que labourait son père;
Il ne s'informe point de ce qu'on délibère   20
Dans ces graves conseils d'affaires accablés;
Il voit sans intérêt la mer grosse d'orages,
Et n'observe des vents les sinistres présages
Que pour le soin qu'il a du salut de ses blés.

Roi de ses passions, il a ce qu'il désire;   25
Son fertile domaine est son petit empire;
Sa cabane est son Louvre et son Fontainebleau;
Ses champs et ses jardins sont autant de provinces,
Et, sans porter envie à la pompe des princes,
Se contente chez lui de les voir en tableau.   30

Il voit de toutes parts combler d'heur sa famille,
La javelle à plein poing tomber sous la faucille,
Le vendangeur ployer sous le faix des paniers,
Et semble qu'à l'envi les fertiles montagnes,
Les humides vallons et les grasses campagnes   35
S'efforcent à remplir sa cave et ses greniers.

Il suit aucunesfois un cerf par les foulées
Dans ces vieilles forêts du peuple reculées
Et qui même du jour ignorent le flambeau;
Aucunesfois des chiens il suit les voix confuses,   40
Et voit enfin le lièvre, après toutes ses ruses,
Du lieu de sa naissance en faire son tombeau.

Tantôt il se promène au long de ses fontaines,
De qui les petits flots font luire dans les plaines
L'argent de leurs ruisseaux parmi l'or des moissons;   45
Tantôt il se repose avecque les bergères
Sur des lits naturels de mousse et de fougères,
Qui n'ont d'autres rideaux que l'ombre des buissons.

Il soupire en repos l'ennui de sa vieillesse
Dans ce même foyer où sa tendre jeunesse   50
A vu dans le berceau ses bras emmaillotés;
Il tient par les moissons registre des années,
Et voit de temps en temps leurs courses enchaînées
Vieillir avecque lui les bois qu'il a plantés.

Il ne va point fouiller aux terres inconnues,   55
A la merci des vents et des ondes chenues,
Ce que Nature avare a caché de trésors,
Et ne recherche point, pour honorer sa vie,
De plus illustre mort, ni plus digne d'envie,
Que de mourir au lit où ses pères sont morts.   60

Il contemple du port les insolentes rages
Des vents de la faveur, auteurs de nos orages,
Allumer des mutins les desseins factieux,
Et voit en un clin d'œil, par un contraire échange,
L'un déchiré du peuple au milieu de la fange,   65
Et l'autre en même temps élevé dans les cieux.

S'il ne possède point ces maisons magnifiques,
Ces tours, ces chapiteaux, ces superbes portiques,
Où la magnificence étale ses attraits,
Il jouit des beautés qu'ont les saisons nouvelles,   70
Il voit de la verdure et des fleurs naturelles,
Qu'en ces riches lambris l'on ne voit qu'en portraits.

Crois-moi, retirons-nous hors de la multitude,
Et vivons désormais loin de la servitude
De ces palais dorés où tout le monde accourt.   75
Sous un chêne élevé, les arbrisseaux s'ennuient,
Et devant le soleil tous les astres s'enfuient
De peur d'être obligés de lui faire la cour.

Après qu'on a suivi sans aucune assurance
Cette vaine faveur qui nous paît d'espérance,   80
L'envie en un moment tous nos desseins détruit.
Ce n'est qu'une fumée, il n'est rien de si frêle;
Sa plus belle moisson est sujette à la grêle,
Et souvent elle n'a que des fleurs pour du fruit.

Agréables déserts, séjours de l'innocence,   85
Où loin des vanités, de la magnificence,
Commence mon repos et finit mon tourment;
Vallons, fleuves, rochers, plaisante solitude,
Si vous fûtes témoins de mon inquiétude,
Soyez-le désormais de mon contentement.   90

FRANÇOIS MAYNARD

ODE

LA BELLE VIEILLE

CLORIS, que dans mon cœur j'ai si longtemps servie
Et que ma passion montre à tout l'Univers,
Ne veux-tu pas changer le destin de ma vie,
Et donner de beaux jours à mes derniers hivers !

N'oppose plus ton deuil au bonheur où j'aspire.   5
Ton visage est-il fait pour demeurer voilé ?
Sors de ta nuit funèbre, et permets que j'admire
Les divines clartés des yeux qui m'ont brûlé.

Où s'enfuit ta prudence acquise et naturelle ?
Qu'est-ce que ton esprit a fait de sa vigueur ?   10
La folle vanité de paraître fidèle
Aux cendres d'un jaloux, m'expose à ta rigueur.

Eusses-tu fait le vœu d'un éternel veuvage
Pour l'honneur du mari que ton lit a perdu,
Et trouvé des Césars dans ton haut parentage,   15
Ton amour est un bien qui m'est justement dû.

Qu'on a vu revenir de malheurs et de joies !
Qu'on a vu trébucher de peuples et de rois !
Qu'on a pleuré d'Hectors ! Qu'on a brûlé de Troies
Depuis que mon courage a fléchi sous tes lois !   20

Ce n'est pas d'aujourd'hui que je suis ta conquête:
Huit lustres ont suivi le jour que tu me pris;
Et j'ai fidèlement aimé ta belle tête
Sous des cheveux châtains et sous des cheveux gris.

C'est de tes jeunes yeux que mon ardeur est née;   25
C'est de leurs premiers traits que je fus abattu:
Mais tant que tu brûlas du flambeau d'hyménée,
Mon amour se cacha pour plaire à ta vertu.

Je sais de quel respect il faut que je t'honore,
Et mes ressentiments ne l'ont pas violé.   30
Si quelquefois j'ai dit le soin qui me dévore,
C'est à des confidents qui n'ont jamais parlé.

Pour adoucir l'aigreur des peines que j'endure
Je me plains aux rochers et demande conseil
A ces vieilles forêts dont l'épaisse verdure   35
Fait de si belles nuits en dépit du soleil.

L'âme pleine d'amour et de mélancolie,
Et couché sur des fleurs, et sous des orangers,
J'ai montré ma blessure aux deux mers d'Italie,
Et fait dire ton nom aux échos étrangers.   40

Ce fleuve impérieux à qui tout fit hommage,
Et dont Neptune même endura le mépris,
A su qu'en mon esprit j'adorais ton image,
Au lieu de chercher Rome en ces vastes débris.

Cloris, la passion que mon cœur t'a jurée   45
Ne trouve point d'exemple aux siècles les plus vieux.
Amour et la Nature admirent la durée
Du feu de mes désirs, et du feu de tes yeux.

La beauté, qui te suit depuis ton premier âge,
Au déclin de tes jours ne veut pas te laisser;   50
Et le temps, orgueilleux d'avoir fait ton visage,
En conserve l'éclat, et craint de l'effacer.

Regarde sans frayeur la fin de toutes choses.
Consulte le miroir avec des yeux contents.
On ne voit point tomber ni tes lys, ni tes roses;　55
Et l'hiver de ta vie est ton second printemps.

Pour moi, je cède aux ans; et ma tête chenue
M'apprend qu'il faut quitter les hommes et le jour.
Mon sang se refroidit. Ma force diminue;
Et je serais sans feu, si j'étais sans amour.　60

C'est dans peu de matins que je croîtrai le nombre
De ceux à qui la Parque a ravi la clarté.
O ! qu'on oyra souvent les plaintes de mon ombre
Accuser tes mépris de m'avoir maltraité.

Que feras-tu, Cloris, pour honorer ma cendre ?　65
Pourras-tu sans regret ouïr parler de moi ?
Et le mort, que tu plains, te pourra-il défendre
De blâmer ta rigueur, et de louer ma foi ?

Si je voyais la fin de l'âge qui te reste,
Ma raison tomberait sous l'excès de mon deuil:　70
Je pleurerais sans cesse un malheur si funeste;
Et ferais, jour et nuit, l'amour à ton cercueil.

MARC–ANTOINE DE SAINT–AMANT

ODE

LA SOLITUDE. A ALCIDON

O QUE j'aime la solitude !
Que ces lieux sacrés à la nuit,
Eloignés du monde et du bruit,
Plaisent à mon inquiétude !
Mon Dieu ! que mes yeux sont contents　5

De voir ces bois, qui se trouvèrent
A la nativité du temps,
Et que tous les siècles révèrent,
Être encore aussi beaux et verts,
Qu'aux premiers jours de l'univers !   10

   Un gai zéphire les caresse.
D'un mouvement doux et flatteur.
Rien que leur extrême hauteur
Ne fait remarquer leur vieillesse,
Jadis Pan et ses demi-dieux   15
Y vinrent chercher du refuge,
Quand Jupiter ouvrit les cieux
Pour nous envoyer le déluge,
Et, se sauvant sur leurs rameaux,
A peine virent-ils les eaux.   20

   Que sur cette épine fleurie,
Dont le printemps est amoureux,
Philomèle, au chant langoureux,
Entretient bien ma rêverie !
Que je prends de plaisir à voir   25
Ces monts pendants en précipices,
Qui, pour les coups du désespoir,
Sont aux malheureux si propices,
Quand la cruauté de leur sort
Les force à rechercher la mort !   30

   Que je trouve doux le ravage
De ces fiers torrents vagabonds,
Qui se précipitent par bonds
Dans ce vallon vert et sauvage !
Puis, glissant sous les arbrisseaux,   35
Ainsi que des serpents sur l'herbe,
Se changent en plaisants ruisseaux,
Où quelque Naïade superbe
Règne comme en son lit natal
Dessus un trône de cristal !   40

   Que j'aime ce marais paisible !
Il est tout bordé d'aliziers,

D'aulnes, de saules et d'osiers,
A qui le fer n'est point nuisible.
Les nymphes, y cherchant le frais,   45
S'y viennent fournir de quenouilles,
De pipeaux, de joncs et de glais,
Où l'on voit sauter les grenouilles,
Qui de frayeur s'y vont cacher
Sitôt qu'on veut s'en approcher.   50

    Là, cent mille oiseaux aquatiques,
Vivent, sans craindre, en leur repos,
Le giboyeur fin et dispos,
Avec ses mortelles pratiques.
L'un, tout joyeux d'un si beau jour,   55
S'amuse à becqueter sa plume;
L'autre alentit le feu d'amour
Qui dans l'eau même se consume,
Et prennent tous innocemment
Leur plaisir en cet élément.   60

    Jamais l'été ni la froidure
N'ont vu passer dessus cette eau
Nulle charette ni bateau,
Depuis que l'un et l'autre dure;
Jamais voyageur altéré   65
N'y fit servir sa main de tasse;
Jamais chevreuil désespéré
N'y finit sa vie à la chasse;
Et jamais le traître hameçon
N'en fit sortir aucun poisson.   70

    Que j'aime à voir la décadence
De ces vieux châteaux ruinés,
Contre qui les ans mutinés
Ont déployé leur insolence !
Les sorciers y font leur sabbat;   75
Les démons follets s'y retirent,
Qui d'un malicieux ébat
Trompent nos sens et nous martyrent;
Là se nichent en mille trous
Les couleuvres et les hiboux.   80

L'orfraie, avec ses cris funèbres,
Mortels augures des destins,
Fait rire et danser les lutins
Dans ces lieux remplis de ténèbres.
Sous un chevron de bois maudit   85
Y branle le squelette horrible
D'un pauvre amant qui se pendit
Pour une bergère insensible,
Qui d'un seul regard de pitié
Ne daigna voir son amitié.   90

    Aussi le Ciel, juge équitable,
Qui maintient les lois en vigueur,
Prononça contre sa rigueur
Une sentence épouvantable:
Autour de ces vieux ossements   95
Son ombre, aux peines condamnée,
Lamente en longs gémissements
Sa malheureuse destinée,
Ayant, pour croître son effroi,
Toujours son crime devant soi.   100

    Là se trouvent sur quelques marbres
Des devises du temps passé;
Ici l'âge a presque effacé
Des chiffres taillés sur les arbres;
Le plancher du lieu le plus haut   105
Est tombé jusque dans la cave,
Que la limace et le crapaud
Souillent de venin et de bave;
Le lierre y croît au foyer
A l'ombrage d'un grand noyer.   110

    Là-dessous s'étend une voûte
Si sombre, en un certain endroit,
Que, quand Phébus y descendroit,
Je pense qu'il n'y verrait goutte;
Le Sommeil aux pesants sourcils,   115
Enchanté d'un morne silence,
Y dort, bien loin de tous soucis,
Dans les bras de la Nonchalance,

Lâchement couché sur le dos
Dessus des gerbes de pavots.   120

Au creux de cette grotte fraîche,
Où l'Amour se pourrait geler,
Écho ne cesse de brûler
Pour son amant froid et revêche.
Je m'y coule sans faire bruit,   125
Et par la céleste harmonie
D'un doux luth, aux charmes instruit,
Je flatte sa triste manie,
Faisant répéter mes accords
A la voix qui lui sert de corps.   130

Tantôt, sortant de ces ruines,
Je monte au haut de ce rocher,
Dont le sommet semble chercher
En quel lieu se font les bruines;
Puis je descends tout à loisir,   135
Sous une falaise escarpée,
D'où je regarde avec plaisir
L'onde qui l'a presque sapée
Jusqu'au siège de Palémon,
Fait d'éponges et de limon.   140

Que c'est une chose agréable
D'être sur le bord de la mer,
Quand elle vient à se calmer
Après quelque orage effroyable !
Et que les chevelus Tritons,   145
Hauts, sur les vagues secouées,
Frappent les airs d'étranges tons
Avec leurs trompes enrouées,
Dont l'éclat rend respectueux
Les vents les plus impétueux.   150

Tantôt l'onde, brouillant l'arène,
Murmure et frémit de courroux
Se roulant dessus les cailloux
Qu'elle apporte et qu'elle r'entraîne,
Tantôt, elle étale en ses bords,   155

Que l'ire de Neptune outrage,
Des gens noyés, des monstres morts,
Des vaisseaux brisés du naufrage,
Des diamants, de l'ambre gris,
Et mille autres choses de prix.   160

Tantôt, la plus claire du monde,
Elle semble un miroir flottant,
Et nous représente à l'instant
Encore d'autres cieux sous l'onde,
Le soleil s'y fait si bien voir,   165
Y contemplant son beau visage,
Qu'on est quelque temps à savoir
Si c'est lui-même, ou son image,
Et d'abord il semble à nos yeux
Qu'il s'est laissé tomber des cieux.   170

Bernières, pour qui je me vante
De ne rien faire que de beau,
Reçois ce fantasque tableau
Fait d'une peinture vivante.
Je ne cherche que les déserts,   175
Où, rêvant tout seul, je m'amuse
A des discours assez diserts
De mon génie avec la muse;
Mais mon plus aimable entretien
C'est le ressouvenir du tien.   180

Tu vois dans cette poésie,
Pleine de licence et d'ardeur,
Les beaux rayons de la splendeur
Qui m'éclaire la fantaisie:
Tantôt chagrin, tantôt joyeux,   185
Selon que la fureur m'enflamme,
Et que l'objet s'offre à mes yeux,
Les propos me naissent en l'âme,
Sans contraindre la liberté
Du démon qui m'a transporté.   190

O que j'aime la solitude!
C'est l'élément des bons esprits,

C'est par elle que j'ai compris
L'art d'Apollon sans nulle étude.
Je l'aime pour l'amour de toi,   195
Connaissant que ton humeur l'aime;
Mais, quand je pense bien à moi,
Je la hais pour la raison même:
Car elle pourrait me ravir
L'heur de te voir et te servir.   200

SONNET

L'AUTOMNE DES CANARIES

Voici les seuls coteaux, voici les seuls vallons
Où Bacchus et Pomone ont établi leur gloire;
Jamais le riche honneur de ce beau territoire
Ne ressentit l'effort des rudes aquilons.

Les figues, les muscats, les pêches, les melons   5
Y couronnent ce dieu qui se délecte à boire;
Et les nobles palmiers, sacrés à la victoire,
S'y courbent sous des fruits qu'au miel nous égalons.

Les cannes au doux suc, non dans les marécages,
Mais sur des flancs de roche, y forment des bocages 10
Dont l'or plein d'ambroisie éclate et monte aux cieux.

L'orange en même jour y mûrit et boutonne,
Et durant tous les mois on peut voir en ces lieux
Le printemps et l'été confondus en l'automne.

SONNET

L'HIVER DES ALPES

Ces atomes de feu, qui sur la neige brillent,
Ces étincelles d'or, d'azur et de cristal
Dont l'hiver, au soleil, d'un lustre oriental,
Pare ses cheveux blancs que les vents éparpillent;

Ce beau coton du ciel de quoi les monts s'habillent, 5
Ce pavé transparent fait du second métal,
Et cet air net et sain, propre à l'esprit vital,
Sont si doux à mes yeux que d'aise ils en pétillent.

Cette saison me plaît, j'en aime la froideur;
Sa robe d'innocence et de pure candeur   10
Couvre en quelque façon les crimes de la terre.

Aussi l'Olympien la voit d'un front humain;
Sa colère l'épargne, et jamais le tonnerre
Pour désoler ses jours ne partit de sa main.

SONNET

LA PIPE

ASSIS sur un fagot, une pipe à la main,
Tristement accoudé contre une cheminée,
Les yeux fixés vers terre, et l'âme mutinée,
Je songe aux cruautés de mon sort inhumain.

L'espoir qui me remet du jour au lendemain,   5
Essaie à gagner temps sur ma peine obstinée,
Et, me venant promettre une autre destinée,
Me fait monter plus haut qu'un empereur romain.

Mais à peine cette herbe est-elle mise en cendre,
Qu'en mon premier état il me convient descendre   10
Et passer mes ennuis à redire souvent:

Non, je ne trouve point beaucoup de différence
De prendre du tabac à vivre d'espérance,
Car l'un n'est que fumée, et l'autre n'est que vent.

SONNET

LE PARESSEUX

ACCABLÉ de paresse et de mélancolie,
Je rêve dans un lit où je suis fagoté,

Comme un lièvre sans os qui dort dans un pâté
Ou comme un Don Quichotte en sa morne folie.

Là, sans me soucier des guerres d'Italie,   5
Du comte Palatin, ni de sa royauté,
Je consacre un bel hymne à cette oisiveté
Où mon âme en langueur est comme ensevelie.

Je trouve ce plaisir si doux et si charmant,
Que je crois que les biens me viendront en dormant, 10
Puisque je vois déjà s'en enfler ma bedaine,

Et hais tant le travail que, les yeux entr'ouverts,
Une main hors des draps, cher Baudouin, à peine
Ai-je pu me résoudre à t'écrire ces vers.

VINCENT VOITURE

SONNET

A URANIE

Il faut finir mes jours en l'amour d'Uranie:
L'absence ni le temps ne m'en sauraient guérir,
Et je ne vois plus rien qui me pût secourir,
Ni qui sût rappeler ma liberté bannie.

Dès longtemps je connais sa rigueur infinie;   5
Mais pensant aux beautés, pour qui je dois périr,
Je bénis mon martyre, et content de mourir,
Je n'ose murmurer contre sa tyrannie.

Quelquefois ma raison par de faibles discours
M'incite à la révolte et me promet secours;   10
Mais lorsqu'à mon besoin je me veux servir d'elle,

Après beaucoup de peine et d'efforts impuissants,
Elle dit qu'Uranie est seule aimable et belle,
Et m'y rengage plus que ne font tous mes sens.

SONNET

LA BELLE MATINEUSE

DES portes du matin l'amante de Céphale
Ses roses épandait dans le milieu des airs,
Et jetait sur les cieux nouvellement ouverts,
Ces traits d'or et d'azur, qu'en naissant elle étale.

Quand la Nymphe divine, à mon repos fatale,   5
Apparut, et brilla de tant d'attraits divers,
Qu'il semblait qu'elle seule éclairait l'univers
Et remplissait de feux la rive orientale.

Le Soleil se hâtant pour la gloire des cieux
Vint opposer sa flamme à l'éclat de ses yeux   10
Et prit tous les rayons dont l'Olympe se dore.

L'onde, la terre et l'air s'allumaient à l'entour;
Mais auprès de Philis on le prit pour l'Aurore,
Et l'on crut que Philis était l'astre du jour.

RONDEAU

MA FOI, c'est fait de moi: car Isabeau
M'a conjuré de lui faire un rondeau,
Cela me met en une peine extrême.
Quoi! treize vers, huit en eau, cinq en ème!
Je lui ferais aussitôt un bâteau.   5

En voilà cinq pourtant en un monceau,
Faisons en huit, en invoquant Brodeau,
Et puis mettons par quelque stratagème:
    Ma foi, c'est fait.

Si je pouvais encor de mon cerveau   10
Tirer cinq vers, l'ouvrage serait beau.
Mais cependant je suis dedans l'onzième,
Et si je crois que je fais le douzième,
En voilà treize ajustés au niveau:
    Ma foi, c'est fait!   15

CHANSON

À SYLVIE

J'avais de l'amour pour vous,
Charmante Sylvie,
Mais vos injustes courroux
Ont refroidie mon envie.
Je sais aimer constamment   5
Mais si l'on n'aime également,
Ma foi, je m'ennuie.

Votre bouche et vos beaux yeux,
Les rois de ma vie,
Et votre ris gracieux,   10
Avaient mon âme asservie;
Vous m'aviez gagné le cœur,
Mais quand on a trop de rigueur,
Ma foi, je m'ennuie.

J'approuve un feu bien heureux   15
Qui deux âmes lie,
Et tient deux cœurs amoureux
Sans peine et mélancolie.
J'aime les douces amours,
Mais pour soupirer tous les jours,   20
Ma foi, je m'ennuie.

L'amour sur un autre amour
Volontiers s'appuie,
J'aime sans aucun détour;
Mais si je vois qu'on me fuie   25
Et qu'on se plaise à m'ouïr
Pleurer, tourmenter et gémir,
Ma foi, je m'ennuie.

J'approuve un cœur enflammé
Qui se glorifie   30
D'aimer sans qu'il soit aimé,
Et son plaisir sacrifie.

Je le fais bien quelquefois,
Mais quand cela passe trois mois,
Ma foi, je m'ennuie.   35

Vous exercez sur mon cœur
Trop de tyrannie;
Je ne vis plus qu'en langueur,
C'est une peine infinie
Que de vivre en vous aimant,   40
Et pour vous parler franchement,
Ma foi, je m'ennuie.

Si vous pensez honorer
Une âme transie,
Qui meurt pour vous adorer,   45
Pour moi, je vous remercie.
Je ne veux point tant d'honneur.
Gardez-l(e) à quelque grand seigneur,
Ma foi, je m'ennuie.

Faire des vers en bateau   50
Ce serait folie;
Car par la fraîcheur de l'eau
Je sens ma tête assaillie;
Vous n'aurez donc que ceci,
Il fait mauvais écrire ici;   55
Ma foi, je m'ennuie.

CHANSON

SUR L'AIR DES LANTURLU

LE ROI, notre sire,
Pour bonnes raisons,
Que l'on n'ose dire,
Et que nous taisons,
Nous a fait défense   5
De plus chanter lanturlu,
Lanturlu, lanturlu,
            lanturlu, lanturlu.

La reine, sa mère,
Reviendra bientôt,   10
Et Monsieur, son frère,
Ne dira plus mot.
Tout sera paisible,
Pourvu qu'on ne chante plus
Lanturlu, lanturlu,   15
          lanturlu, lanturlu.

De la Grand' Bretagne,
Les ambassadeurs,
Ceux du roi d'Espagne
Et des électeurs,   20
Se sont venus plaindre
D'avoir partout entendu
Lanturlu, lanturlu,
          lanturlu, lanturlu.

Ils ont fait leur plainte   25
Fort éloquemment,
Et parlé sans crainte
Du gouvernement;
Pour les satisfaire,
Le Roi leur a répondu: 30
Lanturlu, lanturlu,
          lanturlu, lanturlu.

Dans cette querelle
Le bon Cardinal,
Dont l'âme fidèle   35
Ne pense à nul mal,
A promis merveilles,
Et puis a dit à Bautru,
Lanturlu, lanturlu,
          lanturlu, lanturlu.   40

Dessus cette affaire,
Le nonce parla,
Et notre Saint-Père
Entendant cela,

Au milieu de Rome   45
S'écria comme un perdu:
Lanturlu, lanturlu,
    lanturlu, lanturlu.

Pour bannir de France
Ces troubles nouveaux,   50
Avec grand' prudence
Le garde des sceaux
A scellé ces lettres,
Dont voici le contenu:
Lanturlu, lanturlu,   55
    lanturlu, lanturlu.

NICOLAS BOILEAU–DESPRÉAUX

SATIRE

A SON ESPRIT

C'est à vous, mon Esprit, à qui je veux parler.
Vous avez des défauts que je ne puis celer:
Assez et trop longtemps ma lâche complaisance
De vos jeux criminels a nourri l'insolence;
Mais, puisque vous poussez ma patience à bout,   5
Une fois en ma vie il faut vous dire tout.
  On croirait, à vous voir dans vos libres caprices
Discourir en Caton des vertus et des vices,
Décider du mérite et du prix des auteurs,
Et faire impunément la leçon aux docteurs,   10
Qu'étant seul à couvert des traits de la satire
Vous avez tout pouvoir de parler et d'écrire.
Mais moi, qui dans le fond sais bien ce que j'en crois,
Qui compte tous les jours vos défauts par mes doigts,
Je ris quand je vous vois, si faible et si stérile, 15
Prendre sur vous le soin de réformer la ville,

Dans vos discours chagrins plus aigre et plus mordant
Qu'une femme en furie, ou Gautier en plaidant.
   Mais répondez un peu. Quelle verve indiscrète
Sans l'aveu des neuf sœurs vous a rendu poète ?   20
Sentiez-vous, dites-moi, ces violents transports
Qui d'un esprit divin font mouvoir les ressorts ?
Qui vous a pu souffler une si folle audace ?
Phébus a-t-il pour vous aplani le Parnasse ?
Et ne savez-vous pas que, sur ce mont sacré,   25
Qui ne vole au sommet tombe au plus bas degré,
Et qu'à moins d'être au rang d'Horace ou de Voiture,
On rampe dans la fange avec l'abbé de Pure ?
   Que si tous mes efforts ne peuvent réprimer
Cet ascendant malin qui vous force à rimer,   30
Sans perdre en vains discours tout le fruit de vos veilles,
Osez chanter du roi les augustes merveilles:
Là, mettant à profit vos caprices divers,
Vous verriez tous les ans fructifier vos vers;
Et par l'espoir du gain votre muse animée   35
Vendrait au poids de l'or une once de fumée.
Mais en vain, direz-vous, je pense vous tenter
Par l'éclat d'un fardeau trop pesant à porter.
Tout chantre ne peut pas, sur le ton d'un Orphée,
Entonner en grands vers la « Discorde étouffée »;   40
Peindre « Bellone en feu tonnant de toutes parts »,
« Et le Belge effrayé fuyant sur ses remparts ».
Sur un ton si hardi, sans être téméraire,
Racan pourrait chanter au défaut d'un Homère;
Mais pour Cotin et moi, qui rimons au hasard,   45
Que l'amour de blâmer fit poètes par art,
Quoiqu'un tas de grimauds vante notre éloquence,
Le plus sûr est pour nous de garder le silence.
Un poème insipide et sottement flatteur
Déshonore à la fois le héros et l'auteur: 50
Enfin de tels projets passent notre faiblesse.
   Ainsi parle un esprit, languissant de mollesse,
Qui, sous l'humble dehors d'un respect affecté,
Cache le noir venin de sa malignité,
Mais, dussiez-vous en l'air voir vos ailes fondues,   55

Ne valait-il pas mieux vous perdre dans les nues
Que d'aller sans raison, d'un style peu chrétien,
Faire insulte en rimant à qui ne vous dit rien,
Et du bruit dangereux d'un livre téméraire
A vos propres périls enrichir le libraire ?　　　　　60
　Vous vous flattez peut-être, en votre vanité,
D'aller comme un Horace à l'immortalité;
Et déjà vous croyez dans vos rimes obscures
Aux Saumaises futurs préparer des tortures.
Mais combien d'écrivains, d'abord si bien reçus,　　65
Sont de ce fol espoir honteusement déçus !
Combien, pour quelques mois, ont vu fleurir leur livre,
Dont les vers en paquet se vendent à la livre !
Vous pourrez voir, un temps, vos écrits estimés
Courir de main en main par la ville semés;　　　　70
Puis de là, tout poudreux, ignorés sur la terre,
Suivre chez l'épicier Neuf-Germain et La Serre;
Ou, de trente feuillets réduits peut-être à neuf,
Parer, demi-rongés, les rebords du Pont-Neuf.
Le bel honneur pour vous, en voyant vos ouvrages　　75
Occuper le loisir des laquais et des pages,
Et souvent dans un coin renvoyés à l'écart
Servir de second tome aux airs du Savoyard !
　Mais je veux que le sort, par un heureux caprice,
Fasse de vos écrits prospérer la malice,　　　　　80
Et qu'enfin votre livre aille au gré de vos vœux
Faire siffler Cotin chez nos derniers neveux:
Que vous sert-il qu'un jour l'avenir vous estime,
Si vos vers aujourd'hui vous tiennent lieu de crime
Et ne produisent rien, pour fruit de leurs bons mots,　85
Que l'effroi du public et la haine des sots ?
Quel démon vous irrite et vous porte à médire ?
Un livre vous déplaît: qui vous force à le lire ?
Laissez mourir un fat dans son obscurité:
Un auteur ne peut-il pourrir en sûreté ?　　　　　90
Le *Jonas* inconnu sèche dans la poussière;
Le *David* imprimé n'a point vu la lumière;
Le *Moïse* commence à moisir par les bords.
Quel mal cela fait-il ? Ceux qui sont morts sont morts:

Le tombeau contre vous ne peut-il les défendre ?   95
Et qu'ont fait tant d'auteurs, pour remuer leur cendre ?
Que vous ont fait Perrin, Bardin, Pradon, Hainault,
Colletet, Pelletier, Titreville, Quinault,
Dont les noms en cent lieux, placés comme en leurs niches,
Vont de vos vers malins remplir les hémistiches ?   100
Ce qu'ils font vous ennuie.   O le plaisant détour !
Ils ont bien ennuyé le roi, toute la cour,
Sans que le moindre édit ait, pour punir leur crime,
Retranché les auteurs, ou supprimé la rime.
Ecrive qui voudra: chacun à ce métier   105
Peut perdre impunément de l'encre et du papier.
Un roman, sans blesser les lois ni la coutume,
Peut conduire un héros au dixième volume.
De là vient que Paris voit chez lui de tout temps
Les auteurs à grands flots déborder tous les ans,   110
Et n'a point de portail où, jusques aux corniches,
Tous les piliers ne soient enveloppés d'affiches.
Vous seul, plus dégoûté, sans pouvoir et sans nom,
Viendrez régler les droits et l'Etat d'Apollon !

     Mais vous, qui raffinez sur les écrits des autres,   115
De quel œil pensez-vous qu'on regarde les vôtres ?
Il n'est rien en ce temps à couvert de vos coups;
Mais savez-vous aussi comme on parle de vous ?

     Gardez-vous, dira l'un, de cet esprit critique:
On ne sait bien souvent quelle mouche le pique;   120
Mais c'est un jeune fou qui se croit tout permis,
Et qui pour un bon mot va perdre vingt amis.
Il ne pardonne pas aux vers de *la Pucelle*
Et croit régler le monde au gré de sa cervelle.
Jamais dans le barreau trouva-t-il rien de bon ?   125
Peut-on si bien prêcher qu'il ne dorme au sermon ?
Mais lui, qui fait ici le régent du Parnasse,
N'est qu'un gueux revêtu des dépouilles d'Horace.
Avant lui Juvénal avait dit en latin
Qu'on est assis à l'aise aux sermons de Cotin.   130
L'un et l'autre avant lui s'étaient plaints de la rime,
Et c'est aussi sur eux qu'il rejette son crime:
Il cherche à se couvrir de ces noms glorieux.

J'ai peu lu ces auteurs, mais tout n'irait que mieux,
Quand de ces médisants l'engeance tout entière   135
Irait la tête en bas rimer dans la rivière.

    Voilà comme on vous traite: et le monde effrayé
Vous regarde déjà comme un homme noyé.
En vain quelque rieur, prenant votre défense,
Veut faire au moins, de grâce, adoucir la sentence: 140
Rien n'apaise un lecteur toujours tremblant d'effroi,
Qui voit peindre en autrui ce qu'il remarque en soi.

    Vous ferez-vous toujours des affaires nouvelles ?
Et faudra-t-il sans cesse essuyer des querelles ?
N'entendrai-je qu'auteurs se plaindre et murmurer ?   145
Jusqu'à quand vos fureurs doivent-elles durer ?
Répondez, mon Esprit; ce n'est plus raillerie:
Dites ... Mais, direz-vous, pourquoi cette furie ?
Quoi ! pour un maigre auteur que je glose en passant,
Est-ce un crime, après tout, et si noir et si grand ?   150
Et qui, voyant un fat s'applaudir d'un ouvrage
Où la droite raison trébuche à chaque page,
Ne s'écrie aussitôt: L'impertinent auteur !
L'ennuyeux écrivain ! Le maudit traducteur !
A quoi bon mettre au jour tous ces discours frivoles,   155
Et ces riens enfermés dans de grandes paroles ?

    Est-ce donc là médire ou parler franchement ?
Non, non, la médisance y va plus doucement.
Si l'on vient à chercher pour quel secret mystère
Alidor à ses frais bâtit un monastère: 160
Alidor ! dit un fourbe, il est de mes amis;
Je l'ai connu laquais avant qu'il fût commis.
C'est un homme d'honneur, de piété profonde,
Et qui veut rendre à Dieu ce qu'il a pris au monde.

    Voilà jouer d'adresse, et médire avec art;   165
Et c'est avec respect enfoncer le poignard.
Un esprit né sans fard, sans basse complaisance,
Fuit ce ton radouci que prend la médisance.
Mais de blâmer des vers ou durs ou languissants,
De choquer un auteur qui choque le bon sens,   170
De railler d'un plaisant qui ne sait pas nous plaire,
C'est ce que tout lecteur eut toujours droit de faire.

Tous les jours à la cour un sot de qualité
Peut juger de travers avec impunité;
A Malherbe, à Racan, préférer Théophile,　　　175
Et le clinquant du Tasse à tout l'or de Virgile.
Un clerc, pour quinze sous, sans craindre le holà,
Peut aller au parterre attaquer *Attila;*
Et, si le roi des Huns ne lui charme l'oreille,
Traiter de visigoths tous les vers de Corneille.　　　180
　　Il n'est valet d'auteur, ni copiste à Paris,
Qui, la balance en main, ne pèse les écrits.
Dès que l'impression fait éclore un poète,
Il est esclave né de quiconque l'achète:
Il se soumet lui-même aux caprices d'autrui,　　　185
Et ses écrits tout seuls doivent parler pour lui.
Un auteur à genoux, dans une humble préface,
Au lecteur qu'il ennuie a beau demander grâce;
Il ne gagnera rien sur ce juge irrité,
Qui lui fait son procès de pleine autorité.　　　190
　　Et je serai le seul qui ne pourrai rien dire !
On sera ridicule, et je n'oserai rire !
Et qu'ont produit mes vers de si pernicieux,
Pour armer contre moi tant d'auteurs furieux ?
Loin de les décrier, je les ai fait paraître:　　　195
Et souvent, sans ces vers qui les ont fait connaître,
Leur talent dans l'oubli demeurerait caché.
Et qui saurait sans moi que Cotin a prêché ?
La satire ne sert qu'à rendre un fat illustre:
C'est une ombre au tableau, qui lui donne du lustre. 200
En les blâmant enfin j'ai dit ce que j'en crois;
Et tel qui m'en reprend en pense autant que moi.
　　Il a tort, dira l'un: pourquoi faut-il qu'il nomme ?
Attaquer Chapelain ! ah ! c'est un si bon homme !
Balzac en fait l'éloge en cent endroits divers.　　　205
Il est vrai, s'il m'eût cru, qu'il n'eût point fait de vers.
Il se tue à rimer: que n'écrit-il en prose ?
Voilà ce que l'on dit. Et que dis-je autre chose ?
En blâmant ses écrits, ai-je d'un style affreux
Distillé sur sa vie un venin dangereux ?　　　210
Ma muse, en l'attaquant, charitable et discrète,

Sait de l'homme d'honneur distinguer le poète.
Qu'on vante en lui la foi, l'honneur, la probité;
Qu'on prise sa candeur et sa civilité;
Qu'il soit doux, complaisant, officieux, sincère: 215
On le veut, j'y souscris, et suis prêt de me taire.
Mais que pour un modèle on montre ses écrits;
Qu'il soit le mieux renté de tous les beaux esprits;
Comme roi des auteurs qu'on l'élève à l'empire:
Ma bile alors s'échauffe, et je brûle d'écrire,   220
Et, s'il ne m'est permis de le dire au papier,
J'irai creuser la terre, et, comme ce barbier,
Faire dire aux roseaux par un nouvel organe:
« Midas, le roi Midas a des oreilles d'âne. »
Quel tort lui fais-je enfin ? Ai-je par un écrit   225
Pétrifié sa veine et glacé son esprit ?
Quand un livre au Palais se vend et se débite,
Que chacun par ses yeux juge de son mérite,
Que Bilaine l'étale au deuxième pilier,
Le dégoût d'un censeur peut-il le décrier ?   230
En vain contre *le Cid* un ministre se ligue:
Tout Paris pour Chimène a les yeux de Rodrigue.
L'Académie en corps a beau le censurer:
Le public révolté s'obstine à l'admirer.
Mais, lorsque Chapelain met une œuvre en lumière,   235
Chaque lecteur d'abord lui devient un Linière.
En vain il a reçu l'encens de mille auteurs:
Son livre en paraissant dément tous ses flatteurs.
Ainsi, sans m'accuser, quand tout Paris le joue,
Qu'il s'en prenne à ses vers que Phébus désavoue;   240
Qu'il s'en prenne à sa muse allemande en françois.
Mais laissons Chapelain pour la dernière fois.
    La satire, dit-on, est un métier funeste,
Qui plaît à quelques gens et choque tout le reste.
La suite en est à craindre; en ce hardi métier   245
La peur plus d'une fois fit repentir Régnier.
Quittez ces vains plaisirs dont l'appât vous abuse:
A de plus doux emplois occupez votre muse;
Et laissez à Feuillet réformer l'univers.
    Et sur quoi donc faut-il que s'exercent mes vers ?   250

Irai-je dans une ode, en phrases de Malherbe,
Troubler dans ses roseaux le Danube superbe;
Délivrer de Sion le peuple gémissant;
Faire trembler Memphis ou pâlir le croissant;
Et, passant du Jourdain les ondes alarmées,   255
Cueillir mal à propos les palmes idumées ?
Viendrai-je en une églogue, entouré de troupeaux,
Au milieu de Paris enfler mes chalumeaux,
Et, dans mon cabinet assis au pied des hêtres,
Faire dire aux échos des sottises champêtres ?   260
Faudra-t-il de sens froid, et sans être amoureux,
Pour quelque Iris en l'air faire le langoureux;
Lui prodiguer les noms de Soleil et d'Aurore,
Et, toujours bien mangeant, mourir par métaphore ?
Je laisse aux doucereux ce langage affété,   265
Où s'endort un esprit de mollesse hébété.

    La satire, en leçons, en nouveautés fertile,
Sait seule assaisonner le plaisant et l'utile,
Et, d'un vers qu'elle épure aux rayons du bon sens,
Détromper les esprits des erreurs de leur temps.   270
Elle seule, bravant l'orgueil et l'injustice,
Va jusque sous le dais faire pâlir le vice;
Et souvent sans rien craindre, à l'aide d'un bon mot,
Va venger la raison des attentats d'un sot.
C'est ainsi que Lucile, appuyé de Lélie,   275
Fit justice en son temps des Cotins d'Italie,
Et qu'Horace, jetant le sel à pleines mains,
Se jouait aux dépens des Pelletiers romains.
C'est elle qui, m'ouvrant le chemin qu'il faut suivre,
M'inspira dès quinze ans la haine d'un sot livre,   280
Et sur ce mont fameux, où j'osai la chercher,
Fortifia mes pas et m'apprit à marcher.
C'est pour elle, en un mot, que j'ai fait vœu d'écrire.

    Toutefois, s'il le faut, je veux bien m'en dédire,
Et, pour calmer enfin tous ces flots d'ennemis,   285
Réparer en mes vers les maux qu'ils ont commis.
Puisque vous le voulez, je vais changer de style.
Je le déclare donc: Quinault est un Virgile;
Pradon comme un soleil en nos ans a paru;

Pelletier écrit mieux qu'Ablancourt ni Patru;   290
Cotin, à ses sermons traînant toute la terre,
Fend les flots d'auditeurs pour aller à sa chaire;
Saufal est le phénix des esprits relevés;
Perrin ... Bon, mon Esprit! courage! poursuivez.
Mais ne voyez-vous pas que leur troupe en furie   295
Va prendre encor ces vers pour une raillerie?
Et Dieu sait aussitôt que d'auteurs en courroux,
Que de rimeurs blessés s'en vont fondre sur vous!
Vous les verrez bientôt, féconds en impostures,
Amasser contre vous des volumes d'injures,   300
Traiter en vos écrits chaque vers d'attentat,
Et d'un mot innocent faire un crime d'État.
Vous aurez beau vanter le roi dans vos ouvrages,
Et de ce nom sacré sanctifier vos pages;
Qui méprise Cotin n'estime point son roi,   305
Et n'a, selon Cotin, ni Dieu, ni foi, ni loi.
    Mais quoi! répondrez-vous, Cotin nous peut-il nuire?
Et par ses cris enfin que saurait-il produire?
Interdire à mes vers, dont peut-être il fait cas,
L'entrée aux pensions où je ne prétends pas?   310
Non, pour louer un roi que tout l'univers loue,
La langue n'attend point que l'argent la dénoue;
Et sans espérer rien de mes faibles écrits,
L'honneur de le louer m'est un trop digne prix:
On me verra toujours, sage dans mes caprices,   315
De ce même pinceau dont j'ai noirci les vices
Et peint du nom d'auteur tant de sots revêtus,
Lui marquer mon respect et tracer ses vertus.
Je vous crois; mais pourtant on crie, on vous menace.
Je crains peu, direz-vous, les braves du Parnasse.   320
Hé! mon Dieu, craignez tout d'un auteur en courroux,
Qui peut ... — Quoi? — Je m'entends. — Mais encor?
                                        [— Taisez-vous.

ÉPÎTRE

A M. RACINE, DE L'UTILITÉ DES ENNEMIS

Que tu sais bien, Racine, à l'aide d'un acteur,
Emouvoir, étonner, ravir un spectateur !
Jamais Iphigénie, en Aulide immolée,
N'a coûté tant de pleurs à la Grèce assemblée,
Que dans l'heureux spectacle à nos yeux étalé   5
En a fait sous son nom verser la Champmeslé.
Ne crois pas toutefois, par tes savants ouvrages,
Entraînant tous les cœurs, gagner tous les suffrages.
Sitôt que d'Apollon un génie inspiré
Trouve loin du vulgaire un chemin ignoré,   10
En cent lieux contre lui les cabales s'amassent;
Ses rivaux obscurcis autour de lui croassent,
Et son trop de lumière, importunant les yeux,
De ses propres amis lui fait des envieux;
La mort seule ici-bas, en terminant sa vie,   15
Peut calmer sur son nom l'injustice et l'envie;
Faire au poids du bon sens peser tous ses écrits,
Et donner à ses vers leur légitime prix.
Avant qu'un peu de terre, obtenu par prière,
Pour jamais sous la tombe eût enfermé Molière,   20
Mille de ces beaux traits, aujourd'hui si vantés,
Furent des sots esprits à nos yeux rebutés.
L'ignorance et l'erreur à ses naissantes pièces,
En habits de marquis, en robes de comtesses,
Venaient pour diffamer son chef-d'œuvre nouveau,   25
Et secouaient la tête à l'endroit le plus beau.
Le commandeur voulait la scène plus exacte;
Le vicomte indigné sortait au second acte:
L'un, défenseur zélé des bigots mis en jeu,
Pour prix de ses bons mots le condamnait au feu;   30
L'autre, fougueux marquis, lui déclarant la guerre,
Voulait venger la cour immolée au parterre.
Mais, sitôt que d'un trait de ses fatales mains
La Parque l'eut rayé du nombre des humains,

On reconnut le prix de sa muse éclipsée. 35
L'aimable comédie, avec lui terrassée,
En vain d'un coup si rude espéra revenir,
Et sur ses brodequins ne put plus se tenir.
Tel fut chez nous le sort du théâtre comique.
　Toi donc qui, t'élevant sur la scène tragique, 40
Suis les pas de Sophocle, et, seul de tant d'esprits,
De Corneille vieilli sais consoler Paris,
Cesse de t'étonner si l'envie animée,
Attachant à ton nom sa rouille envenimée,
La calomnie en main quelquefois te poursuit. 45
En cela, comme en tout, le ciel qui nous conduit,
Racine, fait briller sa profonde sagesse.
Le mérite en repos s'endort dans la paresse:
Mais par les envieux un génie excité
Au comble de son art est mille fois monté. 50
Plus on veut l'affaiblir, plus il croît et s'élance.
Au *Cid* persécuté *Cinna* doit sa naissance,
Et peut-être ta plume aux censeurs de Pyrrhus
Doit les plus nobles traits dont tu peignis Burrhus.
　Moi-même, dont la gloire ici moins répandue 55
Des pâles envieux ne blesse point la vue,
Mais qu'une humeur trop libre, un esprit peu soumis,
De bonne heure a pourvu d'utiles ennemis,
Je dois plus à leur haine, il faut que je l'avoue,
Qu'au faible et vain talent dont la France me loue. 60
Leur venin, qui sur moi brûle de s'épancher,
Tous les jours en marchant m'empêche de broncher.
Je songe, à chaque trait que ma plume hasarde,
Que d'un œil dangereux leur troupe me regarde.
Je sais sur leur avis corriger mes erreurs, 65
Et je mets à profit leurs malignes fureurs.
Sitôt que sur un vice ils pensent me confondre,
C'est en me guérissant que je sais leur répondre:
Et plus en criminel ils pensent m'ériger,
Plus, croissant en vertu, je songe à me venger. 70
Imite mon exemple; et lorsqu'une cabale,
Un flot de vains auteurs follement te ravale,
Profite de leur haine et de leur mauvais sens,

Ris du bruit passager de leurs cris impuissants.
Que peut contre tes vers une ignorance vaine ?   75
Le Parnasse français, ennobli par ta veine,
Contre tous ces complots saura te maintenir,
Et soulever pour toi l'équitable avenir.
Eh ! qui, voyant un jour la douleur vertueuse
De Phèdre malgré soi perfide, incestueuse,   80
D'un si noble travail justement étonné,
Ne bénira d'abord le siècle fortuné
Qui, rendu plus fameux par tes illustres veilles,
Vit naître sous ta main ces pompeuses merveilles ?
    Cependant laisse ici gronder quelques censeurs,   85
Qu'aigrissent de tes vers les charmantes douceurs.
Et qu'importe à nos vers que Perrin les admire;
Que l'auteur du *Jonas* s'empresse pour les lire;
Qu'ils charment de Senlis le poète idiot,
Ou le sec traducteur du français d'Amyot: 90
Pourvu qu'avec éclat leurs rimes débitées
Soient du peuple, des grands, des provinces goûtées;
Pourvu qu'ils sachent plaire au plus puissant des rois,
Qu'à Chantilly Condé les souffre quelquefois;
Qu'Enghien en soit touché; que Colbert et Vivonne, 95
Que La Rochefoucauld, Marsillac et Pomponne,
Et mille autres qu'ici je ne puis faire entrer,
A leurs traits délicats se laissent pénétrer ?
Et plût au ciel encor, pour couronner l'ouvrage,
Que Montausier voulût leur donner son suffrage !   100
    C'est à de tels lecteurs que j'offre mes écrits;
Mais pour un tas grossier de frivoles esprits,
Admirateurs zélés de toute œuvre insipide,
Que, non loin de la place où Brioché préside,
Sans chercher dans les vers ni cadence ni son,   105
Il s'en aille admirer le savoir de Pradon !

JEAN DE LA FONTAINE

FABLE

LE CORBEAU ET LE RENARD

MAÎTRE Corbeau, sur un arbre perché,
    Tenait en son bec un fromage.
Maître Renard, par l'odeur alléché,
    Lui tint à peu près ce langage:
    Hé! bonjour, Monsieur du Corbeau,   5
Que vous êtes joli! que vous me semblez beau!
    Sans mentir, si votre ramage
    Se rapporte à votre plumage,
Vous êtes le phénix des hôtes de ces bois.
A ces mots le Corbeau ne se sent pas de joie;   10
    Et, pour montrer sa belle voix,
Il ouvre un large bec, laisse tomber sa proie.
Le Renard s'en saisit, et dit: Mon bon Monsieur,
    Apprenez que tout flatteur
    Vit aux dépens de celui qui l'écoute.   15
Cette leçon vaut bien un fromage, sans doute.
    Le Corbeau, honteux et confus,
Jura, mais un peu tard, qu'on ne l'y prendrait plus.

FABLE

LA GRENOUILLE QUI VEUT SE FAIRE AUSSI GROSSE
QUE LE BŒUF

    UNE Grenouille vit un Bœuf
    Qui lui sembla de belle taille.
Elle, qui n'était pas grosse en tout comme un œuf,
Envieuse, s'étend, et s'enfle, et se travaille
    Pour égaler l'animal en grosseur,   5
    Disant: « Regardez bien, ma sœur;

Est-ce assez ? dites-moi; n'y suis-je point encore ?
— Nenni. — M'y voici donc ? — Point du tout. — M'y
[voilà ?
— Vous n'en approchez point. » La chétive pécore
    S'enfla si bien qu'elle creva.   10

Le monde est plein de gens qui ne sont pas plus sages:
Tout bourgeois veut bâtir comme les grands seigneurs,
    Tout petit prince a des ambassadeurs,
    Tout marquis veut avoir des pages.

FABLE

LE LOUP ET LE CHIEN

    Un Loup n'avait que les os et la peau,
      Tant les chiens faisaient bonne garde.
Ce Loup rencontre un Dogue aussi puissant que beau,
Gras, poli, qui s'était fourvoyé par mégarde.
      L'attaquer, le mettre en quartiers,   5
      Sire Loup l'eût fait volontiers;
      Mais il fallait livrer bataille;
      Et le mâtin était de taille
      A se défendre hardiment.
      Le Loup donc l'aborde humblement,   10
Entre en propos, et lui fait compliment
      Sur son embonpoint, qu'il admire.
      Il ne tiendra qu'à vous, beau sire,
D'être aussi gras que moi, lui repartit le Chien.
      Quittez les bois, vous ferez bien: 15
      Vos pareils y sont misérables,
      Cancres, hères et pauvres diables,
Dont la condition est de mourir de faim.
Car, quoi ? rien d'assuré, point de franche lippée,
      Tout à la pointe de l'épée.   20
Suivez-moi, vous aurez un bien meilleur destin.
    Le Loup reprit: Que me faudra-t-il faire ?
— Presque rien, dit le Chien: donner la chasse aux gens
      Portants bâtons et mendiants;

Flatter ceux du logis, à son maître complaire: 25
      Moyennant quoi votre salaire
Sera force reliefs de toutes les façons,
      Os de poulets, os de pigeons;
      Sans parler de mainte caresse.
Le Loup déjà se forge une félicité   30
      Qui le fait pleurer de tendresse.
Chemin faisant, il vit le cou du Chien pelé.
Qu'est-ce là ? lui dit-il. — Rien. — Quoi ? rien ? — Peu
                                    [de chose.
— Mais encor ? — Le collier dont je suis attaché
De ce que vous voyez est peut-être la cause.   35
— Attaché ! dit le Loup: vous ne courez donc pas
  Où vous voulez ? — Pas toujours: mais qu'importe ?
— Il importe si bien que de tous vos repas
      Je ne veux en aucune sorte,
Et ne voudrais pas même à ce prix un trésor.   40
Cela dit, maître Loup s'enfuit, et court encor.

FABLE

LE LOUP ET L'AGNEAU

LA raison du plus fort est toujours la meilleure:
      Nous l'allons montrer tout à l'heure.

      Un Agneau se désaltérait
      Dans le courant d'une onde pure;
Un Loup survient à jeun, qui cherchait aventure,   5
      Et que la faim en ces lieux attirait.
Qui te rend si hardi de troubler mon breuvage ?
      Dit cet animal plein de rage:
Tu seras châtié de ta témérité.
— Sire, répond l'Agneau, que Votre Majesté   10
      Ne se mette pas en colère;
      Mais plutôt qu'elle considère
      Que je me vas désaltérant
         Dans le courant

Plus de vingt pas au-dessous d'Elle;   15
Et que par conséquent, en aucune façon,
        Je ne puis troubler sa boisson.
— Tu la troubles, reprit cette bête cruelle;
Et je sais que de moi tu médis l'an passé.
— Comment l'aurais-je fait si je n'étais pas né?   20
    Reprit l'Agneau, je tette encor ma mère.
        — Si ce n'est toi, c'est donc ton frère.
    — Je n'en ai point. — C'est donc quelqu'un des tiens;
        Car vous ne m'épargnez guère,
        Vous, vos bergers et vos chiens.   25
    On me l'a dit: il faut que je me venge.
        Là-dessus, au fond des forêts
        Le Loup l'emporte, et puis le mange,
        Sans autre forme de procès.

FABLE

LA MORT ET LE BÛCHERON

Un pauvre Bûcheron, tout couvert de ramée,
Sous le faix du fagot aussi bien que des ans
Gémissant et courbé, marchait à pas pesants,
Et tâchait de gagner sa chaumine enfumée.
Enfin, n'en pouvant plus d'effort et de douleur,   5
Il met bas son fagot, il songe à son malheur.
Quel plaisir a-t-il eu depuis qu'il est au monde?
En est-il un plus pauvre en la machine ronde?
Point de pain quelquefois, et jamais de repos:
Sa femme, ses enfants, les soldats, les impôts,   10
        Le créancier et la corvée
Lui font d'un malheureux la peinture achevée.
Il appelle la Mort. Elle vient sans tarder,
        Lui demande ce qu'il faut faire.
        C'est, dit-il, afin de m'aider   15
A recharger ce bois; tu ne tarderas guère.

Le trépas vient tout guérir;
Mais ne bougeons d'où nous sommes:
Plutôt souffrir que mourir,
C'est la devise des hommes.   20

FABLE

LE CHÊNE ET LE ROSEAU

LE Chêne, un jour, dit au Roseau:
Vous avez bien sujet d'accuser la nature;
Un roitelet pour vous est un pesant fardeau;
 Le moindre vent qui d'aventure
 Fait rider la face de l'eau,   5
 Vous oblige à baisser la tête;
Cependant que mon front, au Caucase pareil,
Non content d'arrêter les rayons du soleil,
 Brave l'effort de la tempête.
Tout vous est aquilon, tout me semble zéphyr.   10
Encor si vous naissiez à l'abri du feuillage
 Dont je couvre le voisinage,
 Vous n'auriez pas tant à souffrir,
 Je vous défendrais de l'orage:
 Mais vous naissez le plus souvent   15
Sur les humides bords des royaumes du vent.
La nature envers vous me semble bien injuste.

— Votre compassion, lui répondit l'arbuste,
Part d'un bon naturel; mais quittez ce souci:
 Les vents me sont moins qu'à vous redoutables; 20
Je plie, et ne romps pas. Vous avez jusqu'ici
 Contre leurs coups épouvantables
 Résisté sans courber le dos;
Mais attendons la fin. Comme il disait ces mots,
Du bout de l'horizon accourt avec furie   25
 Le plus terrible des enfants
Que le Nord eût portés jusque-là dans ses flancs.
 L'arbre tient bon; le Roseau plie.

Le vent redouble ses efforts
Et fait si bien qu'il déracine   30
Celui de qui la tête au ciel était voisine
Et dont les pieds touchaient à l'empire des morts.

FABLE

LE POT DE TERRE ET LE POT DE FER

Le Pot de fer proposa
Au Pot de terre un voyage.
Celui-ci s'en excusa,
Disant qu'il ferait que sage
De garder le coin du feu;   5
Car il lui fallait si peu,
Si peu que la moindre chose
De son débris serait cause:
Il n'en reviendrait morceau.
Pour vous, dit-il, dont la peau   10
Est plus dure que la mienne,
Je ne vois rien qui vous tienne.
— Nous vous mettrons à couvert,
Repartit le Pot de fer:
Si quelque matière dure   15
Vous menace d'aventure,
Entre deux je passerai,
Et du coup vous sauverai.
Cette offre le persuade.
Pot de fer son camarade   20
Se met droit à ses côtés.
Mes gens s'en vont à trois pieds,
Clopin-clopant comme ils peuvent,
L'un contre l'autre jetés
Au moindre hoquet qu'ils treuvent.   25
Le Pot de terre en souffre; il n'eut pas fait cent pas
Que par son compagnon il fut mis en éclats,
Sans qu'il eût lieu de se plaindre.

Ne nous associons qu'avecque nos égaux;
   Ou bien il nous faudra craindre 30
   Le destin d'un de ces pots.

FABLE

LES ANIMAUX MALADES DE LA PESTE

  Un mal qui répand la terreur,
  Mal que le Ciel en sa fureur
Inventa pour punir les crimes de la terre,
La Peste (puisqu'il faut l'appeler par son nom),
Capable d'enrichir en un jour l'Achéron, 5
  Faisait aux Animaux la guerre.
Ils ne mouraient pas tous, mais tous étaient frappés:
  On n'en voyait point d'occupés
A chercher le soutien d'une mourante vie;
  Nul mets n'excitait leur envie; 10
  Ni loups ni renards n'épiaient
  La douce et l'innocente proie;
  Les tourterelles se fuyaient:
  Plus d'amour, partant plus de joie.
Le Lion tint conseil, et dit: Mes chers amis, 15
  Je crois que le Ciel a permis
  Pour nos péchés cette infortune.
  Que le plus coupable de nous
Se sacrifie aux traits du céleste courroux;
Peut-être il obtiendra la guérison commune. 20
L'histoire nous apprend qu'en de tels accidents,
  On fait de pareils dévouements.
Ne nous flattons donc point; voyons sans indulgence
  L'état de notre conscience.
Pour moi, satisfaisant mes appétits gloutons, 25
  J'ai dévoré force moutons.
  Que m'avaient-ils fait ? Nulle offense;
Même il m'est arrivé quelquefois de manger
   Le berger.
Je me dévouerai donc, s'il le faut: mais je pense 30

Qu'il est bon que chacun s'accuse ainsi que moi:
Car on doit souhaiter, selon toute justice,
   Que le plus coupable périsse.
— Sire, dit le Renard, vous êtes trop bon roi;
Vos scrupules font voir trop de délicatesse.   35
Eh bien! manger moutons, canaille, sotte espèce,
Est-ce un péché? Non, non. Vous leur fîtes, Seigneur,
   En les croquant, beaucoup d'honneur;
   Et quant au berger, l'on peut dire
   Qu'il était digne de tous maux,   40
Étant de ces gens-là qui sur les animaux
   Se font un chimérique empire.
Ainsi dit le Renard; et flatteurs d'applaudir.
   On n'osa trop approfondir
Du Tigre, ni de l'Ours, ni des autres puissances,   45
   Les moins pardonnables offenses.
Tous les gens querelleurs, jusqu'aux simples mâtins,
Au dire de chacun, étaient de petits saints.
L'Ane vint à son tour, et dit: J'ai souvenance
   Qu'en un pré de moines passant,   50
La faim, l'occasion, l'herbe tendre, et, je pense,
   Quelque diable aussi me poussant,
Je tondis de ce pré la largeur de ma langue.
Je n'en avais nul droit puisqu'il faut parler net.
A ces mots, on cria haro sur le Baudet.   55
Un Loup, quelque peu clerc, prouva par sa harangue
Qu'il fallait dévouer ce maudit animal,
Ce pelé, ce galeux, d'où venait tout leur mal.
Sa peccadille fut jugée un cas pendable.
Manger l'herbe d'autrui! quel crime abominable!   60
   Rien que la mort n'était capable
D'expier son forfait: on le lui fit bien voir.

Selon que vous serez puissant ou misérable,
Les jugements de cour vous rendront blanc ou noir.

FABLE

LA LAITIÈRE ET LE POT AU LAIT

PERRETTE, sur sa tête ayant un Pot au lait
     Bien posé sur un coussinet,
Prétendait arriver sans encombre à la ville.
Légère et court vêtue, elle allait à grands pas,
Ayant mis, ce jour-là, pour être plus agile,   5
     Cotillon simple et souliers plats.
     Notre laitière ainsi troussée
     Comptait déjà dans sa pensée
Tout le prix de son lait, en employait l'argent;
Achetait un cent d'œufs, faisait triple couvée: 10
La chose allait à bien par son soin diligent.
     Il m'est, disait-elle, facile
D'élever des poulets autour de ma maison;
     Le renard sera bien habile
S'il ne m'en laisse assez pour avoir un cochon.   15
Le porc à s'engraisser coûtera peu de son;
Il était, quand je l'eus, de grosseur raisonnable:
J'aurai, le revendant, de l'argent bel et bon.
Et qui m'empêchera de mettre en notre étable,
Vu le prix dont il est, une vache et son veau,   20
Que je verrai sauter au milieu du troupeau ?
Perrette là-dessus saute aussi, transportée:
Le lait tombe; adieu veau, vache, cochon, couvée.
La dame de ces biens, quittant d'un œil marri
     Sa fortune ainsi répandue,   25
     Va s'excuser à son mari,
     En grand danger d'être battue.
     Le récit en farce en fut fait;
     On l'appela le Pot au lait.
     Quel esprit ne bat la campagne ?   30
     Qui ne fait châteaux en Espagne ?
Picrochole, Pyrrhus, la Laitière, enfin tous,
     Autant les sages que les fous.
Chacun songe en veillant; il n'est rien de plus doux:

Une flatteuse erreur emporte alors nos âmes;   35
    Tout le bien du monde est à nous,
    Tous les honneurs, toutes les femmes.
Quand je suis seul, je fais au plus brave un défi;
Je m'écarte, je vais détrôner le Sophi;
    On m'élit roi, mon peuple m'aime;   40
Les diadèmes vont sur ma tête pleuvant:
Quelque accident fait-il que je rentre en moi-même,
    Je suis gros Jean comme devant.

FABLE

LE VIEILLARD ET LES TROIS JEUNES HOMMES

    Un Octogénaire plantait.
Passe encor de bâtir; mais planter à cet âge!
Disaient trois Jouvenceaux, enfants du voisinage;
    Assurément il radotait.
    Car, au nom des Dieux, je vous prie,   5
Quel fruit de ce labeur pouvez-vous recueillir?
Autant qu'un patriarche il vous faudrait vieillir.
    À quoi bon charger votre vie
Des soins d'un avenir qui n'est pas fait pour vous?
Ne songez désormais qu'à vos erreurs passées;   10
Quittez le long espoir et les vastes pensées;
    Tout cela ne convient qu'à nous.
    — Il ne convient pas à vous-mêmes,
Repartit le Vieillard. Tout établissement
Vient tard et dure peu. La main des Parques blêmes 15
De vos jours et des miens se joue également.
Nos termes sont pareils par leur courte durée.
Qui de nous des clartés de la voûte azurée
Doit jouir le dernier? Est-il aucun moment
Qui vous puisse assurer d'un second seulement?   20
Mes arrière-neveux me devront cet ombrage:
    Eh bien! défendez-vous au sage
De se donner des soins pour le plaisir d'autrui?
Cela même est un fruit que je goûte aujourd'hui:

J'en puis jouir demain, et quelques jours encore;   25
    Je puis enfin compter l'aurore
    Plus d'une fois sur vos tombeaux.
Le Vieillard eut raison: l'un des trois Jouvenceaux
Se noya dès le port, allant à l'Amérique;
L'autre, afin de monter aux grandes dignités,   30
Dans les emplois de Mars servant la République,
Par un coup imprévu vit ses jours emportés;
    Le troisième tomba d'un arbre
    Que lui-même il voulut enter;
Et, pleurés du Vieillard, il grava sur leur marbre   35
    Ce que je viens de raconter.

JEAN RACINE

HYMNE

LE LUNDI, À MATINES

TANDIS que le sommeil, réparant la nature,
    Tient enchaînés le travail et le bruit,
Nous rompons ses liens, ô clarté toujours pure!
    Pour te louer dans la profonde nuit.

Que dès notre réveil notre voix te bénisse;   5
    Qu'à te chercher notre cœur empressé
T'offre ses premiers vœux; et que par toi finisse
    Le jour par toi saintement commencé.

L'astre dont la présence écarte la nuit sombre
    Viendra bientôt recommencer son tour: 10
O vous, noirs ennemis qui vous glissez dans l'ombre,
    Disparaissez à l'approche du jour.

Nous t'implorons, Seigneur: tes bontés sont nos armes:
    De tout péché rends-nous purs à tes yeux;
Fais que, t'ayant chanté dans ce séjour de larmes,   15
    Nous te chantions dans le repos des cieux.

Exauce, Père saint, notre ardente prière,
 Verbe, son Fils, Esprit leur nœud divin,
Dieu qui, tout éclatant de ta propre lumière,
 Règnes au ciel sans principe et sans fin. 20

HYMNE

LE LUNDI, À VÊPRES

GRAND DIEU, qui vis les cieux se former sans matière,
 A ta voix seulement;
Tu séparas les eaux, leur marquas pour barrière
 Le vaste firmament.

Si la voûte céleste a ses plaines liquides 5
 La terre a ses ruisseaux,
Qui, contre les chaleurs, portent aux champs arides
 Le secours de leurs eaux.

Seigneur, qu'ainsi les eaux de ta grâce féconde
 Réparent nos langueurs; 10
Que nos sens désormais vers les appas du monde
 N'entraînent plus nos cœurs.

Fais briller de ta foi les lumières propices
 A nos yeux éclairés:
Qu'elle arrache le voile à tous les artifices 15
 Des enfers conjurés.

Règne, ô Père éternel, Fils, sagesse incréée,
 Esprit saint, Dieu de paix,
Qui fais changer des temps l'inconstante durée,
 Et ne changes jamais. 20

ÉPIGRAMMES

SUR L'IPHIGÉNIE DE LE CLERC

ENTRE Le Clerc et son ami Coras
Tous deux auteurs rimants en compagnie,

N'a pas longtemps sourdirent grands débats
Sur le propos de son *Iphigénie*.
Coras lui dit: ' La pièce est de mon cru;'   5
Le Clerc répond: ' Elle est mienne, et non vôtre.'
Mais aussitôt que l'ouvrage a paru
Plus n'ont voulu l'avoir fait l'un ni l'autre.

SUR L'ASPAR DE M. DE FONTENELLE.

L'ORIGINE DES SIFFLETS

CES jours passés, chez un vieil histrion,
Grand chroniqueur, s'émut en question
Quand à Paris commença la méthode
De ces sifflets qui sont tant à la mode.
'Ce fut,' dit l'un, 'aux pièces de Boyer.'   5
Gens pour Pradon voulurent parier:
'Non,' dit l'acteur, 'je sais toute l'histoire,

Que par degrés je vais vous débrouiller:
Boyer apprit au parterre à bailler;
Quant à Pradon, si j'ai bonne mémoire,   10
Pommes sur lui volèrent largement;
Or quand sifflets prirent commencement,
C'est, j'y jouais, j'en suis témoin fidèle,
C'est à l'*Aspar* du sieur de Fontenelle.'

SUR LE GERMANICUS DE PRADON

QUE je plains le destin du grand Germanicus!
Quel fut le prix de ses rares vertus?
Persécuté par le cruel Tibère,
Empoisonné par le traître Pison,
Il ne lui restait plus, pour dernière misère,   5
    Que d'être chanté par Pradon.

FRANÇOIS PAYOT DE LINIÈRES

ÉPIGRAMMES

LA PUCELLE DE JEAN CHAPELAIN

La France attend de Chapelain,
Ce rare et fameux écrivain,
Une merveilleuse *Pucelle:*
La cabale en dit force bien;
Depuis vingt ans on parle d'elle,   5
Dans six mois on n'en dira rien.

*   *   *

Par bonheur devant qu'on imprime
Cette *Pucelle* magnanime,
Chapelain, tu tiens le haut bout;
Mais on dit que cette Pucelle   10
Ne s'est fait voir qu'à la chandelle,
Et que le jour gâtera tout.

ANTOINETTE DES HOULIÈRES

STANCES

Agréables transports qu'un tendre amour inspire,
Désirs impatients, qu'êtes-vous devenus ?
Dans le cœur du berger pour qui le mien soupire
        Je vous cherche, je vous désire,
        Et je ne vous retrouve plus.   5

Son rival est absent, et la nuit qui s'avance
Pour la troisième fois a triomphé du jour,
Sans qu'il ait profité de cette heureuse absence;
        Avec si peu d'impatience,
        Hélas ! on n'a guère d'amour.   10

Il ne sent plus pour moi ce qu'on sent quand on aime;
L'infidèle a passé sous de nouvelles lois.
Il me dit bien encor que son mal est extrême;
    Mais il ne le dit plus de même
    Qu'il me le disait autrefois.   15

Revenez dans mon cœur, paisible indifférence
Que l'amour a changée en de cuisants soucis.
Je ne reconnais plus sa fatale puissance;
    Et, grâce à tant de négligence,
    Je ne veux plus aimer Tircis.   20

Je ne veux plus l'aimer! Ah! discours téméraire!
Voudrais-je éteindre un feu qui fait tout mon bonheur?
Amour, redonnez-lui le dessein de me plaire:
    Mais, quoi que l'ingrat puisse faire,
    Ne sortez jamais de mon cœur.   25

MARIE DESJARDINS DE VILLEDIEU

ÉGLOGUE

SOLITAIRES déserts, et vous, sombres allées,
A la clarté du jour presque toujours voilées:
Parterres émaillés, clairs et bruyants ruisseaux:
Bocages où l'on voit mille charmants oiseaux,
D'un harmonieux chant divertir les dryades,   5
Et d'un bec amoureux caresser les naïades:
Lieux qui fûtes souvent témoins de mon bonheur,
Soyez-le maintenant de ma juste douleur.
Je ne viens plus ici le cœur plein d'allégresse,
Pour demander l'objet de toute ma tendresse,   10
Et, du bruit de son nom, incessamment troubler
Les palais résonnants de la fille de l'air.
Je viens l'esprit rempli de mortelles alarmes,
Le cœur gros de soupirs, et les yeux pleins de larmes,
Vous montrer en Philis, par un triste retour,   15

Les funestes débris d'une constante amour.
Hôtesses de ces lieux, divinités champêtres,
Qui m'avez vu cent fois à l'ombre de vos hêtres,
Goûter tranquillement les douceurs de mon sort,
Auriez-vous bien prévu mes douleurs et ma mort ?   20
Qui vous eût dit alors que le traître Tireine
Briserait quelque jour notre commune chaîne,
Que Philis de son cœur se verrait effacer ?
Saintes divinités, l'auriez-vous pu penser ?
Quand mes justes soupçons me donnaient quelque
          atteinte: 25
« Bannissez, disait-il, bannissez cette crainte,
Cessez de faire tort à vos divins appas;
Ha ! je vous aimerai même après le trépas !
La Parque ne peut rien sur mon amour extrême;
Ne vivant plus en moi, je vivrais en vous-même,   30
Et la terre et les cieux se joindraient aux enfers
Pour éteindre mes feux et pour briser mes fers,
Que pour me conserver fidèle à ma bergère,
Seul, je résisterais à toute leur colère. »
Hélas ! que ne peut point un aimable imposteur,   35
Quand l'amour l'a rendu le plus fort dans un cœur ?
Ces mots seuls remettaient le calme dans mon âme,
Et le plus grand des dieux m'aurait offert sa flamme,
Qu'après un tel discours, je l'aurais négligé:
Et cependant, de fers, le parjure a changé.   40
Puissantes déités qui gouvernez la terre,
Monarque souverain qui lancez le tonnerre,
Pour qui réservez vous vos justes châtiments,
Si vous laissez en paix les perfides amants ?
Quoi ! tous les criminels seront réduits en poudre,   45
Et les parjures seuls éviteront la foudre ?
Quoi ! pour les Ixions, pour les ambitieux,
Il sera des enfers, des juges et des dieux,
Et pour les traîtres seuls il n'est point de supplices ?
Ha ! que fait, immortels, que fait votre justice ?   50
Pourquoi ne pas montrer, à qui l'ose offenser,
Que vous savez punir comme récompenser,
Qu'on ressent tôt où tard l'effet de vos menaces,

Et que, si mon ingrat abuse de vos grâces,
Vous lui ferez sentir votre juste courroux, 55
Et vengerez sur lui Philis, l'amour et vous ?
Mais où m'emportez-vous, tragique rêverie ?
Qu'osez-vous demander, indiscrète furie ?
Tireine, contre qui vous implorez les dieux,
N'est-il pas ce berger si charmant à mes yeux ? 60
Quoi donc ? Vous demandez les plus cruels supplices
Pour Tireine l'objet de mes chères délices,
Tireine, mes amours, Tireine mon berger ?
Non, non, que cet ingrat soit parjure et léger,
Qu'il ait manqué de foi, qu'il mérite ma haine, 65
Qu'il soit lâche et trompeur, il est toujours Tireine;
Et mon cœur amoureux, bien loin de le haïr,
Semble d'intelligence à se laisser trahir.
Qu'il vive donc; grands dieux, pardonnez-lui son crime;
Et si pour l'expier il faut une victime, 70
Apaisez sur Philis votre juste courroux:
Prenez, prenez mon cœur pour l'objet de vos coups;
Vous pouvez le punir sans faire une injustice,
Il fut de tous mes maux l'auteur ou le complice;
Le crédule qu'il est aima trop fortement, 75
Et fut trop tôt soumis par un perfide amant;
Il devait se choisir de plus illustres chaînes;
Par sa faiblesse, hélas ! il mérita ses peines.
Faites-lui donc sentir le barbare pouvoir
Des coups empoisonnés qu'il voulut recevoir. 80

CHARLES–AUGUSTE DE LA FARE

ODE SUR LA PARESSE

Pour avoir secoué le joug de quelque vice,
Qu'avec peu de raison l'homme s'enorgueillit !
Il vit frugalement; mais c'est par avarice:
S'il fuit les voluptés, hélas ! c'est qu'il vieillit.

Pour moi, par une longue et triste expérience,   5
De cette illusion j'ai reconnu l'abus;
Je sais, sans me flatter d'une vaine apparence,
Que c'est à mes défauts que je dois mes vertus.

Je chante tes bienfaits, favorable Paresse,
Toi seule dans mon cœur as rétabli la paix;   10
C'est par toi que j'espère une heureuse vieillesse,
Tu vas me devenir plus chère que jamais.

Ah ! de combien d'erreurs et de fausses idées
Détrompes-tu celui qui s'abandonne à toi !
De l'amour du repos les âmes possédées   15
Ne peuvent reconnaître et suivre une autre loi.

Tu fais régner le calme au milieu de l'orage,
Tu mets un juste frein aux plus folles ardeurs;
Tu peux même élever le plus ferme courage
Par le digne mépris que tu fais des grandeurs.   20

Le nom de ce Romain qui vainquit Mithridate
Par ses travaux guerriers a bien moins éclaté
Que par la volupté tranquille et délicate
Que lui fit savourer la molle oisiveté.

Rome eût toujours été la maîtresse du monde,   25
Si son sein n'eût produit que de pareils enfants,
Satisfaits de vieillir dans une paix profonde,
Après avoir été tant de fois triomphants.

Que Jule eût épargné de pleurs à sa patrie,
Si, vainqueur des Gaulois, par d'injustes projets   30
De ses rares vertus la gloire il n'eût flétrie,
Et qu'il eût aux travaux su préférer la paix !

De la tranquillité, compagne inséparable,
Paresse, nécessaire au bonheur des mortels,
Le besoin que l'Europe a d'un repos durable   35
Te devrait attirer un temple et des autels.

Ainsi l'on vit jadis le chantre d'Épicure
Demander à Vénus qu'avec tous ses appas
Elle amollît de Mars l'humeur farouche et dure,
Lorsqu'elle le tiendrait enchanté dans ses bras.   40

L'ardeur des vains désirs n'est jamais satisfaite,
Leur vol rapide et prompt ne se peut arrêter:
Celui qui dans son sein porte une âme inquiète
Au milieu des plaisirs ne saurait les goûter.

Ami, dont le cœur haut, les talents, l'espérance,   45
Le don d'imaginer avec facilité,
Pourraient encor, malgré ta propre expérience,
Rallumer les désirs et la vivacité,

Laisse-toi gouverner par cette enchanteresse
Qui seule peut du cœur calmer l'émotion;   50
Et préfère, crois-moi, les dons de la Paresse
Aux offres d'une vaine et folle ambition.

GUILLAUME AMFRYE DE CHAULIEU

STANCES

A LA SOLITUDE DE FONTENAY

DÉSERT, aimable solitude,
Séjour du calme et de la paix,
Asile où n'entrèrent jamais
Le tumulte et l'inquiétude.

Quoi! j'aurais tant de fois chanté   5
Aux tendres accords de ma lyre
Tout ce qu'on souffre sous l'empire
De l'amour et de la beauté!

Et, plein de la reconnaissance
De tous les biens que tu m'as faits,   10
Je laisserais dans le silence
Tes agréments et tes bienfaits!

C'est toi qui me rends à moi-même;
Tu calmes mon cœur agité;
Et de ma seule oisiveté   15
Tu me fais un bonheur extrême.

Parmi ces bois et ces hameaux
C'est là que je commence à vivre;
Et j'empêcherai de m'y suivre
Le souvenir de tous mes maux.   20

Emplois, grandeurs tant désirées,
J'ai connu vos illusions;
Je vis loin des préventions
Qui forgent vos chaînes dorées.

La cour ne peut plus m'éblouir;   25
Libre de son joug le plus rude,
J'ignore ici la servitude
De louer qui je dois haïr.

Fils des dieux, qui de flatteries
Repaissez votre vanité,   30
Apprenez que la vérité
Ne s'entend que dans nos prairies.

Grotte d'où sort ce clair ruisseau,
De mousse et de fleurs tapissée,
N'entretiens jamais ma pensée   35
Que du murmure de son eau.

Bannissons la flatteuse idée
Des honneurs que m'avaient promis
Mon savoir-faire et mes amis,
Tous deux maintenant en fumée.   40

Je trouve ici tous les plaisirs
D'une condition commune:
Avec l'éclat de ma fortune
Je mets de niveau mes désirs.

Ah! quelle riante peinture   45
Chaque jour se montre à mes yeux,
Des trésors dont la main des Dieux
Se plaît d'enrichir la nature!

Quel plaisir de voir les troupeaux,
Quand le midi brûle l'herbette,   50
Rangés autour de la houlette,
Chercher le frais sous ces ormeaux ;

Puis sur le soir, à nos musettes
Ouïr répondre les coteaux,
Et retentir tous nos hameaux   55
De hautbois et de chansonnettes !

Mais hélas ! ces paisibles jours
Coulent avec trop de vitesse ;
Mon indolence et ma paresse
N'en peuvent suspendre le cours.   60

Déjà la vieillesse s'avance ;
Et je verrai dans peu la mort
Exécuter l'arrêt du sort,
Qui m'y livre sans espérance.

Fontenay, lieu délicieux,   65
Où je vis d'abord la lumière,
Bientôt, au bout de ma carrière,
Chez toi je joindrai mes aïeux.

Muses, qui dans ce lieu champêtre
Avec soin me fîtes nourrir,   70
Beaux arbres, qui m'avez vu naître,
Bientôt vous me verrez mourir !

Cependant du frais de votre ombre
Il faut sagement profiter,
Sans regret, prêt à vous quitter   75
Pour ce manoir terrible et sombre,

Où de ces arbres, dont exprès
Pour un doux et plus long usage
Mes mains ornèrent ce bocage,
Nul ne me suivra qu'un cyprès.   80

Mais je vois revenir Lisette,
Qui, d'une coiffure de fleurs,
Avec son teint à leurs couleurs,
Fait une nuance parfaite.

Égayons ce reste de jours   85
Que la bonté des Dieux nous laisse;
Parlons de plaisirs et d'amours;
C'est le conseil de la sagesse.

Eighteenth Century Poets

JEAN-BAPTISTE ROUSSEAU

ODE

A PHILOMÈLE

Pourquoi, plaintive Philomèle,
Songer encore à vos malheurs,
Quand, pour apaiser vos douleurs,
Tout cherche à vous marquer son zèle ?
L'univers, à votre retour,   5
Semble renaître pour vous plaire;
Les Dryades à votre amour
Prêtent leur ombre solitaire.
Loin de vous l'aquilon fougueux
Souffle sa piquante froidure;   10
La terre reprend sa verdure;
Le ciel brille des plus beaux feux:
Pour vous l'amante de Céphale
Enrichit Flore de ses pleurs;
Le zéphyr cueille sur les fleurs   15
Les parfums que la terre exhale.

Pour entendre vos doux accents
Les oiseaux cessent leur ramage;
Et le chasseur le plus sauvage
Respecte vos jours innocents.   20
Cependant votre âme, attendrie
Par un douloureux souvenir,
Des malheurs d'une sœur chérie
Semble toujours s'entretenir.
Hélas ! que mes tristes pensées   25
M'offrent des maux bien plus cuisants !
Vous pleurez des peines passées;
Je pleure des ennuis présents;

Et quand la Nature attentive
Cherche à calmer vos déplaisirs,   30
Il faut même que je me prive
De la douceur de mes soupirs.

ÉPIGRAMME

CONTRE FONTENELLE

Depuis trente ans, un vieux berger normand
Aux beaux esprits s'est donné pour modèle,
Il leur enseigne à traiter galamment
Les grands sujets en style de ruelle.
Ce n'est le tout: chez l'espèce femelle   5
Il brille encor, malgré son poil grison,
Et n'est caillette en honnête maison
Qui ne se pâme à sa douce faconde.
En vérité, caillettes ont raison:
C'est le pédant le plus joli du monde.   10

FRANÇOIS-MARIE AROUET DE VOLTAIRE

SATIRE

LE MONDAIN

Regrettera qui veut le bon vieux temps,
Et l'âge d'or, et le règne d'Astrée,
Et les beaux jours de Saturne et de Rhée,
Et le jardin de nos premiers parents;
Moi je rends grâce à la nature sage   5
Qui, pour mon bien, m'a fait naître en cet âge
Tant décrié par nos tristes frondeurs:
Ce temps profane est tout fait pour mes mœurs;
J'aime le luxe, et même la mollesse,

Tous les plaisirs, les arts de toute espèce,   10
La propreté, le goût, les ornements:
Tout honnête homme a de tels sentiments.
Il est bien doux pour mon cœur très immonde
De voir ici l'abondance à la ronde,
Mère des arts et des heureux travaux,   15
Nous apporter, de sa source féconde,
Et des besoins et des plaisirs nouveaux.
L'or de la terre et les trésors de l'onde,
Leurs habitants et les peuples de l'air,
Tout sert au luxe, aux plaisirs de ce monde.   20
O le bon temps que ce siècle de fer !
Le superflu, chose très nécessaire,
A réuni l'un et l'autre hémisphère.
Voyez-vous pas ces agiles vaisseaux
Qui, du Texel, de Londres, de Bordeaux,   25
S'en vont chercher, par un heureux échange,
De nouveaux biens, nés aux sources du Gange,
Tandis qu'au loin, vainqueurs des musulmans,
Nos vins de France enivrent les sultans ?
Quand la nature était dans son enfance,   30
Nos bons aïeux vivaient dans l'ignorance,
Ne connaissant ni le *tien* ni le *mien*.
Qu'auraient-ils pu connaître ? ils n'avaient rien.
Ils étaient nus; et c'est chose très claire
Que qui n'a rien n'a nul partage à faire.   35
Sobres étaient. Ah ! je le crois encor:
Martialo n'est point du siècle d'or.
D'un bon vin frais ou la mousse ou la sève
Ne gratta point le triste gosier d'Eve;
La soie et l'or ne brillaient point chez eux.   40
Admirez-vous pour cela nos aïeux ?
Il leur manquait l'industrie et l'aisance:
Est-ce vertu ? c'était pure ignorance.
Quel idiot, s'il avait eu pour lors
Quelque bon lit, aurait couché dehors ?   45
Mon cher Adam, mon gourmand, mon bon père,
Que faisais-tu dans les jardins d'Éden ?
Travaillais-tu pour ce sot genre humain ?

Caressais-tu madame Ève ma mère ?
Avouez-moi que vous aviez tous deux   50
Les ongles longs, un peu noirs et crasseux,
La chevelure un peu mal ordonnée,
Le teint bruni, la peau bise et tannée.
Sans propreté l'amour le plus heureux
N'est plus amour, c'est un besoin honteux.   55
Bientôt lassés de leur belle aventure,
Dessous un chêne ils soupent galamment
Avec de l'eau, du millet, et du gland ;
Le repas fait, ils dorment sur la dure :
Voilà l'état de la pure nature.   60
    Or maintenant voulez-vous, mes amis,
Savoir un peu, dans nos jours tant maudits,
Soit à Paris, soit dans Londre, ou dans Rome,
Quel est le train des jours d'un honnête homme ?
Entrez chez lui : la foule des beaux-arts,   65
Enfants du goût, se montre à vos regards.
De mille mains l'éclatante industrie
De ces dehors orna la symétrie.
L'heureux pinceau, le superbe dessin
Du doux Corrège et du savant Poussin   70
Sont encadrés dans l'or d'une bordure ;
C'est Bouchardon qui fit cette figure,
Et cet argent fut poli par Germain.
Des Gobelins l'aiguille et la teinture
Dans ces tapis surpassent la peinture.   75
Tous ces objets sont vingt fois répétés
Dans des trumeaux tout brillants de clartés.
De ce salon je vois par la fenêtre,
Dans des jardins, des myrtes en berceaux ;
Je vois jaillir les bondissantes eaux.   80
Mais du logis j'entends sortir le maître :
Un char commode, avec grâces orné,
Par deux chevaux rapidement traîné,
Paraît aux yeux une maison roulante,
Moitié dorée, et moitié transparente :   85
Nonchalamment je l'y vois promené.
De deux ressorts la liante souplesse

Sur le pavé le porte avec mollesse.
Il court au bain; les parfums les plus doux
Rendent sa peau plus fraîche et plus polie.   90
Le plaisir presse; il vole au rendez-vous
Chez Camargo, chez Gaussin, chez Julie;
Il est comblé d'amour et de faveurs.
Il faut se rendre à ce palais magique
Où les beaux vers, la danse, la musique,   95
L'art de tromper les yeux par les couleurs,
L'art plus heureux de séduire les cœurs,
De cent plaisirs font un plaisir unique.
Il va siffler quelque opéra nouveau,
Ou, malgré lui, court admirer Rameau.   100
Allons souper. Que ces brillants services,
Que ces ragoûts ont pour moi de délices !
Qu'un cuisinier est un mortel divin !
Chloris, Eglé, me versent de leur main
D'un vin d'Aï dont la mousse pressée,   105
De la bouteille avec force élancée,
Comme un éclair fait voler le bouchon;
Il part, on rit, il frappe le plafond.
De ce vin frais l'écume pétillante
De nos Français est l'image brillante.   110
Le lendemain donne d'autres désirs,
D'autres soupers, et de nouveaux plaisirs.
    Or maintenant, monsieur du Télémaque,
Vantez-nous bien votre petite Ithaque,
Votre Salente, et vos murs malheureux,   115
Où vos Crétois, tristement vertueux,
Pauvres d'effets, et riches d'abstinence,
Manquent de tout pour avoir l'abondance:
J'admire fort votre style flatteur,
Et votre prose, encor qu'un peu traînante;   120
Mais, mon ami, je consens de grand cœur
D'être fessé dans vos murs de Salente,
Si je vais là pour chercher mon bonheur.
Et vous, jardin de ce premier bonhomme,
Jardin fameux par le diable et la pomme,   125
C'est bien en vain que, par l'orgueil séduits,

Huet, Calmet, dans leur savante audace,
Du paradis ont recherché la place:
Le paradis terrestre est où je suis.

ÉPIGRAMMES

Corneille et Racine

De Beausse et moi, criailleurs effrontés,
Dans un souper clabaudions à merveille,
Et tour à tour épluchions les beautés
Et les défauts de Racine et Corneille.
A piailler serions encor, je croi,   5
Si n'eussions vu sur la double colline
Le grand Corneille et le tendre Racine,
Qui se moquaient et de Beausse et de moi!

Des Oracles sacrés.

VERS POUR ÊTRE MIS AU BAS DU PORTRAIT
DE DOM CALMET

Des oracles sacrés que Dieu daigna nous rendre
Son travail assidu perça l'obscurité:
Il fit plus; il les crut avec simplicité,
Et fut, par ses vertus, digne de les entendre.

A Madame Lullin

EN LUI ENVOYANT UN BOUQUET LE 6 JANVIER, 1759,
JOUR AUQUEL ELLE AVAIT CENT ANS ACCOMPLIS

Nos grands-pères vous virent belle;
Par votre esprit vous plaisez à cent ans
Vous méritiez d'épouser Fontenelle
Et d'être sa veuve longtemps.

A Pompignan

Savez-vous pourquoi Jérémie
A tant pleuré pendant sa vie?
C'est qu'en prophète il prévoyait
Qu'un jour Le Franc le traduirait.

IMITÉE DE L'ANTHOLOGIE

L'AUTRE jour, au fond d'un vallon
Un serpent piqua Jean Fréron.
Que pensez-vous qu'il arriva ?
Ce fut le serpent qui creva.

IMPROMPTU

SUR L'AVENTURE TRAGIQUE D'UN JEUNE HOMME DE
LYONS QUI SE JETA DANS LE RHÔNE, EN 1762, POUR
UNE INFIDÈLE QUI N'EN VALAIT PAS LA PEINE

ÉGLÉ, je jure à vos genoux
Que s'il faut, pour votre inconstance,
Noyer ou votre amant ou vous,
Je vous donne la préférence.

SUR LE PORTRAIT DE VOLTAIRE MIS ENTRE CEUX DE LA BEAUMELLE ET DE FRÉRON

LE JAY vient de mettre Voltaire
Entre La Beaumelle et Fréron:
Ce serait vraiment un Calvaire,
S'il s'y trouvait un bon larron.

ÉPÎTRE

A MADAME LA MARQUISE DU CHATELET SUR LA PHILOSOPHIE DE NEWTON

TU m'appelles à toi, vaste et puissant génie,
Minerve de la France, immortelle Emilie;
Je m'éveille à ta voix, je marche à ta clarté,
Sur les pas des Vertus et de la Vérité.
Je quitte Melpomène et les jeux du théâtre,   5

Ces combats, ces lauriers, dont je fus idolâtre;
De ces triomphes vains mon cœur n'est plus touché.
Que le jaloux Rufus, à la terre attaché
Traîne au bord du tombeau la fureur insensée
D'enfermer dans un vers une fausse pensée;   10
Qu'il arme contre moi ses languissantes mains
Des traits qu'il destinait au reste des humains;
Que quatre fois par mois un ignorant zoïle
Elève, en frémissant, une voix imbécile:
Je n'entends point leurs cris, que la haine a formés;   15
Je ne vois point leurs pas, dans la fange imprimés.
  Le charme tout-puissant de la philosophie
Elève un esprit sage au-dessus de l'envie.
Tranquille au haut des cieux que Newton s'est soumis,
Il ignore en effet s'il a des ennemis: 20
Je ne les connais plus. Déjà de la carrière
L'auguste Vérité vient m'ouvrir la barrière;
Déjà ces tourbillons, l'un par l'autre pressés,
Se mouvant sans espace, et sans règle entassés,
Ces fantômes savants à mes yeux disparaissent.   25
Un jour plus pur me luit; les mouvements renaissent.
L'espace, qui de Dieu contient l'immensité,
Voit rouler dans son sein l'univers limité,
Cet univers si vaste à notre faible vue,
Et qui n'est qu'un atome, un point dans l'étendue.   30
Dieu parle, et le chaos se dissipe à sa voix:
Vers un centre commun tout gravite à la fois.
Ce ressort si puissant, l'âme de la nature,
Était enseveli dans une nuit obscure;
Le compas de Newton, mesurant l'univers,   35
Lève enfin ce grand voile, et les cieux sont ouverts.
Il déploie à mes yeux, par une main savante,
De l'astre des saisons la robe étincelante:
L'émeraude, l'azur, le pourpre, le rubis,
Sont l'immortel tissu dont brillent ses habits.   40
Chacun de ses rayons, dans sa substance pure,
Porte en soi les couleurs dont se peint la nature;
Et, confondus ensemble, ils éclairent nos yeux,
Ils animent le monde, ils emplissent les cieux.

Confidents du Très-Haut, substances éternelles,   45
Qui brûlez de ses feux, qui couvrez de vos ailes
Le trône où votre maître est assis parmi vous,
Parlez: du grand Newton n'étiez-vous point jaloux?
   La mer entend sa voix. Je vois l'humide empire
S'élever, s'avancer vers le ciel qui l'attire: 50
Mais un pouvoir central arrête ses efforts;
La mer tombe, s'affaisse, et roule vers ses bords.
   Comètes, que l'on craint à l'égal du tonnerre,
Cessez d'épouvanter les peuples de la terre:
Dans une ellipse immense achevez votre cours;   55
Remontez, descendez près de l'astre des jours;
Lancez vos feux, volez, et, revenant sans cesse,
Des mondes épuisés ranimez la vieillesse.
   Et toi, sœur du soleil, astre qui, dans les cieux,
Des sages éblouis trompais les faibles yeux,   60
Newton de ta carrière a marqué les limites;
Marche, éclaire les nuits, tes bornes sont prescrites.
   Terre, change de forme; et que la pesanteur,
En abaissant le pôle, élève l'équateur:
Pôle immobile aux yeux, si lent dans votre course,   65
Fuyez le char glacé des sept astres de l'Ourse:
Embrassez, dans le cours de vos longs mouvements,
Deux siècles entiers par delà six mille ans.
   Que ces objets sont beaux! que notre âme épurée
Vole à ces vérités dont elle est éclairée!   70
Oui, dans le sein de Dieu, loin de ce corps mortel,
L'esprit semble écouter la voix de l'Eternel.
   Vous à qui cette voix se fait si bien entendre,
Comment avez-vous pu, dans un âge encor tendre,
Malgré les vains plaisirs, ces écueils des beaux jours,   75
Prendre un vol si hardi, suivre un si vaste cours?
Marcher, après Newton, dans cette route obscure
Du labyrinthe immense où se perd la nature?
Puissé-je auprès de vous, dans ce temple écarté,
Aux regards des Français montrer la vérité!   80
Tandis qu'Algarotti, sûr d'instruire et de plaire,
Vers le Tibre étonné conduit cette étrangère,
Que de nouvelles fleurs il orne ses attraits,

Le compas à la main j'en tracerai les traits;
De mes crayons grossiers je peindrai l'immortelle.　　85
Cherchant à l'embellir, je la rendrais moins belle:
Elle est, ainsi que vous, noble, simple, et sans fard,
Au-dessus de l'éloge, au-dessus de mon art.

STANCES

A MADAME DU CHATELET

Si vous voulez que j'aime encore,
Rendez-moi l'âge des amours;
Au crépuscule de mes jours
Rejoignez, s'il se peut, l'aurore.

Des beaux lieux où le dieu du vin　　5
Avec l'Amour tient son empire,
Le Temps, qui me prend par la main,
M'avertit que je me retire.

De son inflexible rigueur
Tirons au moins quelque avantage.　　10
Qui n'a pas l'esprit de son âge
De son âge a tout le malheur.

Laissons à la belle jeunesse
Ses folâtres emportements:
Nous ne vivons que deux moments;　　15
Qu'il en soit un pour la sagesse.

Quoi! pour toujours vous me fuyez,
Tendresse, illusion, folie,
Dons du ciel, qui me consoliez
Des amertumes de la vie!　　20

On meurt deux fois, je le vois bien:
Cesser d'aimer et d'être aimable,
C'est une mort insupportable;
Cesser de vivre, ce n'est rien.

Ainsi je déplorais la perte 25
Des erreurs de mes premiers ans;
Et mon âme, aux désirs ouverte,
Regrettait ses égarements.

Du ciel alors daignant descendre,
L'Amitié vint à mon secours; 30
Elle était peut-être aussi tendre,
Mais moins vive que les Amours.

Touché de sa beauté nouvelle,
Et de sa lumière éclairé,
Je la suivis; mais je pleurai 35
De ne pouvoir plus suivre qu'elle.

STANCES

LES TORTS

NON, je n'ai point tort d'oser dire
Ce que pensent les gens de bien;
Et le sage qui ne craint rien
A le beau droit de tout écrire.

J'ai, quarante ans, bravé l'empire 5
Des lâches tyrans, des esprits;
Et, dans votre petit pays,
J'aurais grand tort de me dédire.

Je sais que souvent le Malin
A caché sa queue et sa griffe 10
Sous la tiare d'un pontife,
Et sous le manteau d'un Calvin.

Je n'ai point tort quand je déteste
Ces assassins religieux,
Employant le fer et les feux 15
Pour servir le Père céleste.

Oui, jusqu'au dernier de mes jours,
Mon âme sera fière et tendre;
J'oserai gémir sur la cendre
Et des Servets et des Dubourgs.   20

De cette horrible frénésie
A la fin le temps est passé:
Le fanatisme est terrassé;
Mais il reste l'hypocrisie.

Farceurs à manteaux étriqués,   25
Mauvaise musique d'église,
Mauvais vers, et sermons croqués,
Ai-je tort si je vous méprise ?

STANCES

A MADAME LULLIN, DE GENÈVE

HÉ QUOI ! vous êtes étonnée
Qu'au bout de quatre-vingts hivers
Ma muse faible et surannée
Puisse encor fredonner des vers ?

Quelquefois un peu de verdure   5
Rit sous les glaçons de nos champs;
Elle console la nature,
Mais elle sèche en peu de temps.

Un oiseau peut se faire entendre
Après la saison des beaux jours;   10
Mais sa voix n'a plus rien de tendre,
Il ne chante plus ses amours.

Ainsi je touche encor ma lyre,
Qui n'obéit plus à mes doigts;
Ainsi j'essaye encor ma voix   15
Au moment même qu'elle expire.

« Je veux dans mes derniers adieux,
Disait Tibulle à son amante,
Attacher mes yeux sur tes yeux,
Te presser de ma main mourante. »   20

Mais quand on sent qu'on va passer,
Quand l'âme fuit avec la vie,
A-t-on des yeux pour voir Délie,
Et des mains pour la caresser ?

Dans ce moment chacun oublie   25
Tout ce qu'il a fait en santé.
Quel mortel s'est jamais flatté
D'un rendez-vous à l'agonie ?

Délie elle-même à son tour
S'en va dans la nuit éternelle,   30
En oubliant qu'elle fut belle,
Et qu'elle a vécu pour l'amour.

Nous naissons, nous vivons, bergère,
Nous mourrons sans savoir comment.
Chacun est parti du néant: 35
Où va-t-il ?... Dieu le sait, ma chère.

VERS

ADIEUX À LA VIE

Adieu; je vais dans ce pays
D'où ne revint point feu mon père.
Pour jamais adieu, mes amis,
Qui ne me regretterez guère.
Vous en rirez, mes ennemis;   5
C'est le *requiem* ordinaire.
Vous en tâterez quelque jour;
Et lorsqu'aux ténébreux rivages
Vous irez trouver vos ouvrages,
Vous ferez rire à votre tour.   10
    Quand sur la scène de ce monde

Chaque homme a joué son rôlet,
En partant il est à la ronde
Reconduit à coups de sifflet.
Dans leur dernière maladie   15
J'ai vu des gens de tous états,
Vieux évêques, vieux magistrats,
Vieux courtisans à l'agonie:
Vainement en cérémonie
Avec sa clochette arrivait   20
L'attirail de la sacristie;
Le curé vainement oignait
Notre vieille âme à sa sortie;
Le public malin s'en moquait;
La satire un moment parlait   25
Des ridicules de sa vie;
Puis à jamais on l'oubliait;
Ainsi la farce était finie.
Le purgatoire ou le néant
Terminait cette comédie.   30
　　Petits papillons d'un moment,
Invisibles marionnettes,
Qui volez si rapidement
De Polichinelle au néant,
Dites-moi donc ce que vous êtes.   35
Au terme où je suis parvenu,
Quel mortel est le moins à plaindre ?
— C'est celui qui ne sait rien craindre,
Qui vit et qui meurt inconnu.

NICOLAS–JOSEPH GILBERT

ODE

IMITÉE DE PLUSIEURS PSAUMES
(ADIEUX À LA VIE)

J'AI révélé mon cœur au Dieu de l'innocence;
Il a vu mes pleurs pénitents:

Il guérit mes remords, il m'arme de constance;
    Les malheureux sont ses enfants.

Mes ennemis, riant, ont dit dans leur colère: 5
    Qu'il meure et sa gloire avec lui !
Mais à mon cœur calmé le Seigneur dit en père:
    Leur haine sera ton appui.

A tes plus chers amis ils ont prêté leur rage:
    Tout trompe ta simplicité: 10
Celui que tu nourris court vendre ton image
    Noire de sa méchanceté.

Mais Dieu t'entend gémir; Dieu, vers qui te ramène
    Un vrai remords né des douleurs;
Dieu qui pardonne, enfin, à la nature humaine 15
    D'être faible dans les malheurs.

« J'éveillerai pour toi la pitié, la justice
    De l'incorruptible avenir.
Eux-même épureront, par un long artifice,
    Ton honneur qu'ils pensent ternir. » 20

Soyez béni, mon Dieu, vous qui daignez me rendre
    L'innocence et son noble orgueil;
Vous qui, pour protéger le repos de ma cendre,
    Veillerez près de mon cercueil !

Au banquet de la vie, infortuné convive, 25
    J'apparus un jour, et je meurs !
Je meurs, et sur ma tombe, où lentement j'arrive,
    Nul ne viendra verser des pleurs.

Salut, champs que j'aimais, et vous, douce verdure,
    Et vous, riant exil des bois ! 30
Ciel, pavillon de l'homme, admirable nature,
    Salut pour la dernière fois !

Ah ! puissent voir longtemps votre beauté sacrée
    Tant d'amis sourds à mes adieux !
Qu'ils meurent pleins de jours, que leur mort soit pleurée, 35
    Qu'un ami leur ferme les yeux !

JEAN–PIERRE CLARIS DE FLORIAN

FABLE

LA CARPE ET LES CARPILLONS

« Prenez garde, mes fils, côtoyez moins le bord,
          Suivez le fond de la rivière;
          Craignez la ligne meurtrière,
     Ou l'épervier, plus dangereux encor. »
C'est ainsi que parlait une carpe de Seine   5
A de jeunes poissons qui l'écoutaient à peine.
C'était au mois d'avril: les neiges, les glaçons,
Fondus par les zéphyrs, descendaient des montagnes;
Le fleuve, enflé par eux, s'élève à gros bouillons,
          Et déborde dans les campagnes.   10
          « Ah ! ah ! criaient les carpillons,
          Qu'en dis-tu, carpe radoteuse ?
          Crains-tu pour nous les hameçons ?
Nous voilà citoyens de la mer orageuse:
Regarde; on ne voit plus que les eaux et le ciel;   15
          Les arbres sont cachés sous l'onde;
          Nous sommes les maîtres du monde,
          C'est le déluge universel. »
— « Ne croyez pas cela, répond la vieille mère;
Pour que l'eau se retire, il ne faut qu'un instant;   20
Ne vous éloignez point, et, de peur d'accident,
Suivez, suivez toujours le fond de la rivière. »
— « Bah ! disent les poissons, tu répètes toujours
          Même discours.
Adieu, nous allons voir notre nouveau domaine. »   25
          Parlant ainsi, nos étourdis
          Sortent tous du lit de la Seine,
Et s'en vont dans les eaux qui couvrent le pays.
          Qu'arriva-t-il ? Les eaux se retirèrent,
          Et les carpillons demeurèrent;   30
               Bientôt ils furent pris
               Et frits.

Pourquoi quittaient-ils la rivière ?
Pourquoi ? Je ne sais trop, hélas !
C'est qu'on se croit toujours plus sage que sa mère,   35
C'est qu'on veut sortir de sa sphère,
C'est que . . . c'est que . . . Je ne finirais pas.

FABLE

L'AVEUGLE ET LE PARALYTIQUE

AIDONS-nous mutuellement,
La charge des malheurs en sera plus légère;
Le bien que l'on fait à son frère
Pour le mal que l'on souffre est un soulagement.
Confucius l'a dit; suivons tous sa doctrine: 5
Pour la persuader aux peuples de la Chine,
Il leur contait le trait suivant:

Dans une ville de l'Asie
Il existait deux malheureux,
L'un perclus, l'autre aveugle, et pauvres tous les deux. 10
Ils demandaient au ciel de terminer leur vie;
Mais leurs cris étaient superflus,
Ils ne pouvaient mourir. Notre paralytique,
Couché sur un grabat dans la place publique,
Souffrait sans être plaint; il en souffrait bien plus. 15
L'aveugle, à qui tout pouvait nuire,
Était sans guide, sans soutien,
Sans avoir même un pauvre chien
Pour l'aimer et pour le conduire.
Un certain jour il arriva   20
Que l'aveugle, à tâtons, au détour d'une rue,
Près du malade se trouva;
Il entendit ses cris; son âme en fut émue.
Il n'est tel que les malheureux
Pour se plaindre les uns les autres.   25
« J'ai mes maux, lui dit-il, et vous avez les vôtres,
Unissons-les, mon frère; ils seront moins affreux.

—Hélas! dit le perclus, vous ignorez, mon frère,
　　　Que je ne puis faire un seul pas;
　　　Vous-même vous n'y voyez pas:　　　　　　30
A quoi nous servirait d'unir notre misère?
— A quoi? répond l'aveugle; écoutez: à nous deux
Nous possédons le bien à chacun nécessaire;
　　　J'ai des jambes et vous des yeux:
Moi, je vais vous porter: vous, vous serez mon guide; 35
Vos yeux dirigeront mes pas mal assurés;
Mes jambes, à leur tour, iront où vous voudrez.
Ainsi, sans que jamais notre amitié décide
Qui de nous deux remplit le plus utile emploi,
Je marcherai pour vous, vous y verrez pour moi. »　　　40

FABLE

LE GRILLON

　　　Un pauvre petit grillon,
　　　Caché dans l'herbe fleurie,
　　　Regardait un papillon
　　　Voltigeant dans la prairie.
L'insecte ailé brillait des plus vives couleurs,　　　5
L'azur, le pourpre et l'or éclataient sur ses ailes;
Jeune, beau, petit-maître, il court de fleurs en fleurs,
　　　Prenant et quittant les plus belles.
« Ah! disait le grillon, que son sort et le mien
　　　Sont différents! Dame nature　　　　　　10
　　　Pour lui fit tout, et pour moi rien.
Je n'ai point de talent, encor moins de figure;
Nul ne prend garde à moi, l'on m'ignore ici-bas;
　　　Autant vaudrait n'exister pas. »
　　　Comme il parlait, dans la prairie,　　　15
　　　Arrive une troupe d'enfants:
　　　Aussitôt les voilà courants
Après ce papillon dont ils ont tous envie.
Chapeaux, mouchoirs, bonnets, servent à l'attraper.

L'insecte vainement cherche à leur échapper.   20
      Il devient bientôt leur conquête.
L'un le saisit par l'aile, un autre par le corps;
Un troisième survient, et le prend par la tête.
      Il ne fallait pas tant d'efforts
      Pour déchirer la pauvre bête.   25
« Oh ! Oh ! dit le grillon, je ne suis plus fâché;
Il en coûte trop cher pour briller dans le monde.
Combien je vais aimer ma retraite profonde !
      Pour vivre heureux, vivons caché. »

FABLE

LE PARRICIDE

Un fils avait tué son père.
      Ce crime affreux n'arrive guère
Chez les tigres, les ours; mais l'homme le commet.
Ce parricide eut l'art de cacher son forfait;
Nul ne le soupçonna: farouche et solitaire,   5
Il fuyait les humains, il vivait dans les bois,
Espérant échapper aux remords comme aux lois.
Certain jour on le vit détruire à coups de pierre
      Un malheureux nid de moineaux.
      « Eh ! que vous ont fait ces oiseaux ?   10
Lui demande un passant: pourquoi tant de colère ?
   — Ce qu'ils m'ont fait ? répond le criminel:
Ces oisillons menteurs, que confonde le Ciel,
Me reprochent d'avoir assassiné mon père. »
Le passant le regarde: il se trouble, il pâlit;   15
      Sur son front son crime se lit:
Conduit devant le juge, il l'avoue et l'expie.

      O des vertus dernière amie,
Toi qu'on voudrait en vain éviter ou tromper,
Conscience terrible, on ne peut t'échapper !   20

FABLE

LE PHILOSOPHE ET LE CHAT-HUANT

Persécuté, proscrit, chassé de son asile,
Pour avoir appelé les choses par leur nom,
Un pauvre philosophe errait de ville en ville,
Emportant avec lui tous ses biens, sa raison.
Un jour qu'il méditait sur le fruit de ses veilles,   5
(C'était dans un grand bois,) il voit un chat-huant
       Entouré de geais, de corneilles,
       Qui le harcelaient en criant:
       « C'est un coquin ! c'est un impie,
       Un ennemi de la patrie !   10
Il faut le plumer vif: oui, oui, plumons, plumons !
       Ensuite nous le jugerons. »
Et tous fondaient sur lui: la malheureuse bête,
Tournant et retournant sa bonne et grosse tête,
Leur disait, mais en vain, d'excellentes raisons.   15
Touché de son malheur, car la philosophie
       Nous rend plus doux et plus humains,
Notre sage fait fuir la cohorte ennemie,
Puis dit au chat-huant: « Pourquoi ces assassins
       En voulaient-ils à votre vie ?   20
Que leur avez-vous fait ? L'oiseau lui répondit:
« Rien du tout. Mon seul crime est d'y voir clair la nuit. »

CHANSON

       Ah ! s'il est dans votre village
       Un berger sensible et charmant,
       Qu'on chérisse au premier moment,
       Qu'on aime ensuite davantage;
       C'est mon ami: rendez-le-moi;   5
       J'ai son amour, il a ma foi.

       Si, par sa voix tendre et plaintive,
       Il charme l'écho de vos bois;

Si les accents de son hautbois
Rendent la bergère plaintive;   10
C'est encor lui: rendez-le-moi;
J'ai son amour, il a ma foi.

Si, même en n'osant rien vous dire,
Son seul regard sait attendrir;
Si, sans jamais faire rougir,   15
Sa gaieté fait toujours sourire;
C'est encor lui: rendez-le-moi;
J'ai son amour, il a ma foi.

Si, passant près de sa chaumière,
Le pauvre, en voyant son troupeau,   20
Ose demander un agneau,
Et qu'il obtienne encor la mère;
Oh! c'est bien lui: rendez-le-moi;
J'ai son amour, il a ma foi.

ANTOINE DE BERTIN

ÉLÉGIE

A MONSIEUR LE COMTE DE P...

Tout s'anime dans la nature,
Doux Avril, tu descends des airs:
Vénus détache sa ceinture;
Les fleurs émaillent la verdure,
Et l'oiseau reprend ses concerts.   5
Quittez le brouillard de la ville
Et ses embarras indiscrets;
Paisible habitant du Marais,
Courez dans ce vallon fertile
Qu'ont embelli Flore et Cérès,   10
De la campagne renaissante
Respirer les douces odeurs,

Et sur l'épine blanchissante
Cueillir ses premières faveurs.
Aux champs le printemps vous appelle;　　　15
Ah ! profitez de ses beaux jours.
Heureux favori des Amours,
C'est pour vous qu'il se renouvelle:
Pour moi la peine est éternelle,
Et l'hiver durera toujours.　　　20

ÉVARISTE–DÉSIRÉ DE FORGES DE PARNY

ÉLÉGIE

PROJET DE SOLITUDE

Fuyons ces tristes lieux, ô maîtresse adorée !
Nous perdons en espoir la moitié de nos jours.
Et la crainte importune y trouble nos amours.
Non loin de ce rivage est une île ignorée,
Interdite aux vaisseaux et d'écueils entourée.　　　5
Un zéphir éternel y rafraîchit les airs.
Libre et nouvelle encor, la prodigue nature
Embellit de ses dons ce point de l'univers:
Des ruisseaux argentés roulent sur la verdure,
Et vont en serpentant se perdre au sein des mers;　　　10
Que nous faut-il de plus ? cette île fortunée
Semble par la nature aux amants destinée.
Une main secourable y reproduit sans cesse
L'ananas parfumé des plus douces odeurs;
Et l'oranger touffu, courbé sous sa richesse,　　　15
Se couvre en même temps et de fruits et de fleurs.
Que nous faut-il de plus ? Cette île fortunée
Semble par la nature aux amants destinée.
L'océan la resserre, et deux fois en un jour
De cet asile étroit on achève le tour.　　　20
Là je ne craindrai plus un père inexorable.

C'est là qu'en liberté tu pourras être aimable
Et couronner l'amant qui t'a donné son cœur.
Vous coulerez alors, mes paisibles journées,
Par les nœuds du plaisir l'une à l'autre enchaînées: 25
Laissez-moi peu de gloire et beaucoup de bonheur.
Viens; la nuit est obscure et le ciel sans nuage;
D'un éternel adieu saluons ce rivage
Où par toi seule encor mes pas sont retenus.
Je vois à l'horizon l'étoile de Vénus: 30
Vénus dirigera notre course incertaine.
Éole exprès pour nous vient d'enchaîner les vents;
Sur les flots aplanis Zéphyre souffle à peine;
Viens; l'Amour jusqu'au port conduira deux amants.

ÉLÉGIE

LE RACCOMMODEMENT

Nous renaissons, ma chère Éléonore;
Car c'est mourir que de cesser d'aimer.
Puisse le nœud qui vient de se former
Avec le temps se resserrer encore !
Devions-nous croire à ce bruit imposteur 5
Qui nous peignit l'un à l'autre infidèle ?
Notre imprudence a fait notre malheur.
Je te revois plus constante et plus belle.
Règne sur moi; mais règne pour toujours.
Jouis en paix de l'heureux don de plaire. 10
Que notre vie, obscure et solitaire,
Coule en secret sous l'aile des Amours;
Comme un ruisseau qui, murmurant à peine,
Et dans son lit resserrant tous ses flots,
Cherche avec soin l'ombre des arbrisseaux, 15
Et n'ose pas se montrer dans la plaine.
Du vrai bonheur les sentiers peu connus
Nous cacheront aux regards de l'Envie;
Et l'on dira, quand nous ne serons plus,
Ils ont aimé; voilà toute leur vie. 20

ÉLÉGIE

D'un long sommeil j'ai goûté la douceur,
Sous un ciel pur, qu'elle embellit encore,
A mon réveil j'ai vu briller l'aurore;
Le dieu du jour la suit avec lenteur.
Moment heureux! la nature est tranquille;　　　　5
Zéphyre dort sur la fleur immobile;
L'air plus serein a repris sa fraîcheur,
Et le silence habite mon asile.
Mais quoi! le calme est aussi dans mon cœur!
Je ne vois plus la triste et chère image　　　　10
Qui s'offrait seule à ce cœur tourmenté;
Et la raison, par sa douce clarté,
De mes ennuis dissipe le nuage.
Toi, que ma voix implorait chaque jour,
Tranquillité, si longtemps attendue,　　　　15
Des cieux enfin te voilà descendue,
Pour remplacer l'impitoyable amour.
J'allais périr; au milieu de l'orage
Un sûr abri me sauve du naufrage;
De l'aquilon j'ai trompé la fureur;　　　　20
Et je contemple, assis sur le rivage,
Des flots grondants la vaste profondeur.
Fatal objet, dont j'adorai les charmes,
A ton oubli je vais m'accoutumer.
Je t'obéis enfin; sois sans alarmes;　　　　25
Je sens pour toi mon âme se fermer.
Je pleure encor; mais j'ai cessé d'aimer.
Et mon bonheur fait seul couler mes larmes.

VERS

SUR LA MORT D'UNE JEUNE FILLE

Son âge échappait à l'enfance;
Riante comme l'innocence,
Elle avait les traits de l'Amour.

Quelques mois, quelques jours encore,
Dans ce cœur pur et sans détour   5
Le sentiment allait éclore.
Mais le ciel avait au trépas
Condamné ses jeunes appas;
Au ciel elle a rendu sa vie,
Et doucement s'est endormie,   10
Sans murmurer contre ses lois.
Ainsi le sourire s'efface;
Ainsi meurt sans laisser de trace
Le chant d'un oiseau dans les bois.

CLAUDE–JOSEPH DORAT

ÉLÉGIE

LES OMBRES

CROIS-MOI, jeune Thaïs, la mort n'est point à craindre.
Sa faux se brisera sur l'autel des Amours.
Va, nous brûlons d'un feu qu'elle ne peut éteindre.
Est-ce mourir, dis-moi, que de s'aimer toujours ?
Nos âmes survivront au terme de nos jours;   5
Pour s'élancer vers lui par des routes nouvelles,
Le dieu qui les forma leur prêtera des ailes ...
De ce globe échappés nous verrons ces jardins
Ouverts dans l'Élysée aux vertueux humains.
Là, tout naît sans culture; en cet aimable asile   10
La terre d'elle-même épanche ses présents;
D'un soleil tempéré, la lumière tranquille,
A ce qu'il faut d'ardeur pour fixer le printemps.
Ce sont de toutes parts des sources jaillissantes,
Dont le cristal retombe et fuit sous les lauriers; 15
Zéphir murmure et joue à travers les rosiers,
Fait ondoyer des fleurs les moissons odorantes,
Disperse leurs parfums, et dans ce beau séjour

Souffle avec un air pur les chaleurs de l'amour.
Là, des tendres amants les ombres se poursuivent;   20
Ces amants ne sont plus, et leurs flammes revivent:
Là, se joue en tout temps la douce illusion;
Didon y tend les bras au fugitif Énée:
La sensible Sapho n'y quitte plus Phaon;
L'ombre de Lycoris, de pampres couronnée,   25
Danse, rit et folâtre autour d'Anacréon.
Racine y soupirant aux accords de sa lyre,
Le front ceint d'un cyprès de fleurs entremêlé,
De l'amour et des vers sent le même délire,
Et baigne encor de pleurs le sein de Champmeslé.   30
Alcibiade y suit la volage Glycère;
César y va contant ses amoureux exploits;
L'ombre enfin de Henri, cette ombre auguste et chère,
De la nymphe d'Anet semble adorer les lois,
Dans ce bosquet riant et presque solitaire,   35
Où les ordres du ciel ont placé les bons rois.
Ces champs, à ton aspect, s'embelliront encore;
Le jour qui les éclaire en deviendra plus doux;
On n'aura jamais vu tant de myrtes éclore;
Le cercle des heureux s'ouvrira devant nous: 40
Nous leur demanderons le prix de la tendresse,
Amants, ainsi que nous, ils liront dans nos yeux;
Et, pleins du même amour, dont ils sentaient l'ivresse,
Le même sort nous garde une place auprès d'eux.

NICOLAS-GERMAIN LÉONARD

STANCES

L'ABSENCE

Des hameaux éloignés retiennent ma compagne.
Hélas! Dans ces forêts qui peut se plaire encor?
Flore même à présent déserte la campagne
Et loin de nos bergers l'amour a pris l'essor.

Doris vers ce coteau précipitait sa fuite, 5
Lorsque de ses attraits je me suis séparé:
Doux zéphyr! si tu sors du séjour qu'elle habite,
Viens! que je sente au moins l'air qu'elle a respiré.

Quel arbre, en ce moment, lui prête son ombrage?
Quel gazon s'embellit sous ses pieds caressants? 10
Quelle onde fortunée a reçu son image?
Quel bois mélodieux répète ses accents?

Que ne suis-je la fleur qui lui sert de parure,
Ou le nœud de ruban qui lui presse le sein,
Ou sa robe légère, ou sa molle chaussure, 15
Ou l'oiseau qu'elle baise et nourrit de sa main!

Rossignols, qui volez où l'amour vous appelle,
Que vous êtes heureux! que vos destins sont doux!
Que bientôt ma Doris me verrait auprès d'elle
Si j'avais le bonheur de voler comme vous! 20

Ah! Doris, que me font ces tapis de verdure,
Ces gazons émaillés qui m'ont vu dans tes bras,
Ce printemps, ce beau ciel, et toute la nature,
Et tous les lieux enfin où je ne te vois pas?

Mais toi, parmi les jeux et les bruyantes fêtes, 25
Ne va point oublier les plaisirs du hameau,
Les champêtres festons dont nous parions nos têtes,
Nos couplets ingénus, nos danses sous l'ormeau!

O ma chère Doris, que nos feux soient durables!
Il me faudrait mourir, si je perdais ta foi. 30
Ton séjour t'offrira des bergers plus aimables;
Mais tu n'en verras point de plus tendres que moi.

Que ton amant t'occupe au lever de l'aurore,
Et quand le jour t'éclaire, et quand il va finir;
Dans tes songes légers, qu'il se retrace encore, 35
Et qu'il soit, au réveil, ton premier souvenir.

Si mes jaloux rivaux te parlaient de leur flamme,
Rappelle à ton esprit mes timides aveux:
Je rougis, je tremblai; tu vis toute mon âme
Respirer sur ma bouche et passer dans mes yeux. 40

Et maintenant, grands dieux ! quelle est mon infortune !
De mes plus chers amis je méconnais la voix,
Tout ce qui me charmait m'afflige et m'importune;
Je demande Doris à tout ce que je vois.

Tu reposais ici; souvent dans ce bocage,   45
Penché sur tes genoux, je chantais mon amour:
Là, nos agneaux paissaient au même pâturage;
Ici, nous nous quittions vers le déclin du jour.

Revenez, revenez, heures délicieuses,
Où Doris habitait ces tranquilles déserts,   50
L'écho répétera mes chansons amoureuses,
Et sur ma flûte encor je veux former des airs.

ALEXIS PIRON

ÉPIGRAMMES

CONTRE VOLTAIRE

Son enseigne est *à l'Encyclopédie*.
Que vous plaît-il ? de l'anglais, du toscan ?
Vers, prose, algèbre, opéra, comédie ?
Poème épique, histoire, ode ou roman ?
Parlez ! C'est fait. Vous lui donnez un an ?   5
Vous l'insultez !... En dix ou douze veilles,
Sujets manqués par l'aîné des Corneilles,
Sujets remplis par le fier Crébillon,
Il refond tout... Peste ! voici merveilles !
Et la besogne est-elle bonne ?... Oh ! non !   10

SON ÉPITAPHE

Ci-gît Piron, qui ne fut rien,
Pas même académicien.

MA DERNIÈRE ÉPIGRAMME

J'ACHÈVE ici-bas ma route.
C'était un vrai casse-cou.
J'y vis clair, je n'y vis goutte;
J'y fus sage, j'y fus fou.
Pas à pas j'arrive au trou   5
Que n'échappent fou ni sage,
Pour aller je ne sais où:
Adieu, Piron; bon voyage.

PONCE–DENIS ÉCOUCHARD LEBRUN

ODE

ARION

QUEL est ce navire perfide
Où l'impitoyable Euménide
A soufflé d'horribles complots ?
J'entends les cris d'une victime
Que la main sanglante du crime   5
Va précipiter dans les flots.

Arrêtez, pirates avares !
Durs nochers, que vos mains barbares
D'Arion respectent les jours !
Arrêtez ! écoutez sa lyre: 10
Il chante ! et du liquide empire
Un dauphin vole à son secours.

Il chante ! et sa lyre fidèle
Du glaive qui brille autour d'elle
Charme les coups impétueux,   15
Tandis que le monstre en silence
Sous le demi-dieu qui s'élance
Courbe son flanc respectueux.

Le voilà, tel qu'un char docile,
Qui l'emporte d'un cours agile   20
Sur la plaine immense des mers !
Et du fond des grottes humides
Arion voit les Néréides
Courir en foule à ses concerts.

O merveilles de l'harmonie !   25
L'onde orageuse est aplanie,
Le ciel devient riant et pur,
Un doux calme enchaîne Borée,
Les palais flottants de Nérée
Brillent d'un immobile azur.   30

Jeune Arion, bannis la crainte;
Aborde aux rives de Corinthe:
Périandre est digne de toi.
Minerve aime ce doux rivage;
Et tes yeux y verront un sage   35
Assis sur le trône d'un roi.

ÉPIGRAMMES

SUR UNE DAME POÈTE

ÉGLÉ, belle et poète, a deux petits travers:
Elle fait son visage, et ne fait pas ses vers.

DIALOGUE ENTRE UN PAUVRE POÈTE ET L'AUTEUR

ON vient de me voler ! — Que je plains ton malheur !
— Tous mes vers manuscrits ! — Que je plains le voleur !

SUR LES FÂCHEUX

O LA maudite compagnie
Que celle de certains fâcheux
Dont la nullité vous ennuie !
On n'est pas seul, on n'est pas deux.

SUR FLORIAN

Dans ton beau roman pastoral
Avec tes moutons pêle-mêle,
Sur un ton bien doux, bien moral,
Berger, bergère, auteur, tout bêle.
Puis berger, auteur, lecteur, chien,   5
S'endorment de moutonnerie.
Pour réveiller ta bergerie,
Oh ! qu'un petit loup viendrait bien !

SUR UNE FEMME LAIDE ET SOTTE

Cléis, bien laide, avec peine se mire,
Car, des miroirs, sa laideur elle apprit;
Cléis, bien sotte, en babillant s'admire.
Ah ! que n'est-il des miroirs pour l'esprit !

ANDRÉ CHÉNIER

ÉPIGRAMME

LA LEÇON DE FLÛTE

Toujours ce souvenir m'attendrit et me touche,
Quand lui-même, appliquant la flûte sur ma bouche,
Riant et m'asseyant sur lui, près de son cœur,
M'appelait son rival et déjà son vainqueur.
Il façonnait ma lèvre inhabile et peu sûre   5
A souffler une haleine harmonieuse et pure;
Et ses savantes mains prenaient mes jeunes doigts,
Les levaient, les baissaient, recommençaient vingt fois,
Leur enseignant ainsi, quoique faibles encore,
A fermer tour à tour les trous du buis sonore.   10

IDYLLE MARINE

LA JEUNE TARENTINE

PLEUREZ, doux alcyons ! ô vous oiseaux sacrés,
Oiseaux chers à Thétis, doux alcyons, pleurez !
Elle a vécu, Myrto, la jeune Tarentine !
Un vaisseau la portait aux bords de Camarine:
Là, l'hymen, les chansons, les flûtes, lentement   5
Devaient la reconduire au seuil de son amant.
Une clef vigilante a, pour cette journée,
Dans le cèdre enfermé sa robe d'hyménée,
Et l'or dont au festin ses bras seraient parés,
Et pour ses blonds cheveux les parfums préparés.   10
Mais, seule sur la proue, invoquant les étoiles,
Le vent impétueux qui soufflait dans les voiles
L'enveloppe: étonnée et loin des matelots,
Elle crie, elle tombe, elle est au sein des flots.

Elle est au sein des flots, la jeune Tarentine !   15
Son beau corps a roulé sous la vague marine.
Thétis, les yeux en pleurs, dans le creux d'un rocher,
Aux monstres dévorants eut soin de le cacher.
Par ses ordres bientôt les belles Néréides
L'élèvent au-dessus des demeures humides.   20
Le portent au rivage, et dans ce monument
L'ont au cap du Zéphir déposé mollement;
Puis de loin, à grands cris appelant leurs compagnes,
Et les nymphes des bois, des sources, des montagnes,
Toutes, frappant leur sein et traînant un long deuil,   25
Répétèrent, hélas ! autour de son cercueil:

« Hélas ! chez ton amant tu n'es point ramenée;
Tu n'as point revêtu ta robe d'hyménée;
L'or autour de tes bras n'a point serré de nœuds;
Les doux parfums n'ont point coulé sur tes cheveux. »   30

ÉLÉGIE

Jeune fille, ton cœur avec nous veut se taire.
Tu fuis, tu ne ris plus; rien ne saurait te plaire.
La soie à tes travaux offre en vain des couleurs;
L'aiguille sous tes doigts n'anime plus des fleurs.
Tu n'aimes qu'à rêver, muette, seule, errante,   5
Et la rose pâlit sur ta bouche expirante.
Ah! mon œil est savant et depuis plus d'un jour;
Et ce n'est pas à moi qu'on peut cacher l'amour.

Les belles font aimer; elles aiment. Les belles
Nous charment tous. Heureux qui peut être aimé d'elles! 10
Sois tendre, même faible; on doit l'être un moment;
Fidèle, si tu peux. Mais conte-moi comment,
Quel jeune homme aux yeux bleus, empressé, sans audace,
Aux cheveux noirs, au front plein de charme et de grâce...
Tu rougis? On dirait que je t'ai dit son nom.   15
Je le connais pourtant. Autour de ta maison
C'est lui qui va, qui vient; et laissant ton ouvrage,
Tu vas, sans te montrer, épier son passage.
Il fuit vite; et ton œil, sur sa trace accouru,
Le suit encor longtemps quand il a disparu.   20
Certe, en ce bois voisin où trois fêtes brillantes
Font courir au printemps nos nymphes triomphantes,
Nul n'a sa noble aisance et son habile main
A soumettre un coursier aux volontés du frein.

ODE

A CHARLOTTE DE CORDAY

Quoi! tandis que partout, ou sincères ou feintes,
Des lâches, des pervers, les larmes et les plaintes
Consacrent leur Marat parmi les immortels,
Et que, prêtre orgueilleux de cette idole vile,
Des fanges du Parnasse un impudent reptile   5
Vomit un hymne infâme au pied de ses autels,

La vérité se tait ! Dans sa bouche glacée,
Des liens de la peur sa langue embarrassée
Dérobe un juste hommage aux exploits glorieux !
Vivre est-il donc si doux ? De quel prix est la vie,   10
Quand, sous un joug honteux, la pensée asservie,
Tremblante, au fond du cœur se cache à tous les yeux ?

Non, non. Je ne veux point t'honorer en silence,
Toi qui crus par ta mort ressusciter la France
Et dévouas tes jours à punir des forfaits.   15
Le glaive arma ton bras, fille grande et sublime,
Pour faire honte aux dieux, pour réparer leur crime,
Quand d'un homme à ce monstre ils donnèrent les traits.

Le noir serpent, sorti de sa caverne impure,
A donc vu rompre enfin sous ta main ferme et sûre   20
Le venimeux tissu de ses jours abhorrés !
Aux entrailles du tigre, à ses dents homicides,
Tu vins redemander et les membres livides
Et le sang des humains qu'il avait dévorés !

Son œil mourant t'a vue, en ta superbe joie,   25
Féliciter ton bras et contempler ta proie.
Ton regard lui disait: « Va, tyran furieux,
Va, cours frayer la route aux tyrans tes complices,
Te baigner dans le sang fut tes seules délices,
Baigne-toi dans le tien et reconnais des dieux. »   30

La Grèce, ô fille illustre, admirant ton courage,
Épuiserait Paros pour placer ton image
Auprès d'Harmodius, auprès de son ami;
Et des chœurs sur ta tombe, en une sainte ivresse,
Chanteraient Némésis, la tardive déesse,   35
Qui frappe le méchant sur son trône endormi.

Mais la France à la hache abandonne ta tête.
C'est au monstre égorgé qu'on prépare une fête
Parmi ses compagnons, tous dignes de son sort.
Oh ! quel noble dédain fit sourire ta bouche   40
Quand un brigand, vengeur de ce brigand farouche,
Crut te faire pâlir aux menaces de mort !

C'est lui qui dut pâlir, et tes juges sinistres,
Et notre affreux sénat et ses affreux ministres,
Quand, à leur tribunal, sans crainte et sans appui,　45
Ta douceur, ton langage et simple et magnanime
Leur apprit qu'en effet, tout puissant qu'est le crime,
Qui renonce à la vie est plus puissant que lui.

Longtemps, sous les dehors d'une allégresse aimable,
Dans ses détours profonds ton âme impénétrable　50
Avait tenu cachés les destins du pervers.
Ainsi, dans le secret amassant la tempête,
Rit un beau ciel d'azur, qui cependant s'apprête
A foudroyer les monts, à soulever les mers.

Belle, jeune, brillante, aux bourreaux amenée,　55
Tu semblais t'avancer sur le char d'hyménée;
Ton front resta paisible et ton regard serein.
Calme sur l'échafaud, tu méprisas la rage
D'un peuple abject, servile et fécond en outrage,
Et qui se croit encore et libre et souverain.　60

La vertu seule est libre.　Honneur de notre histoire,
Notre immortel opprobre y vit avec ta gloire;
Seule, tu fus un homme et vengeas les humains !
Et nous, eunuques vils, troupeau lâche et sans âme,
Nous savons répéter quelques plaintes de femme;　65
Mais le fer pèserait à nos débiles mains.

Non, tu ne pensais pas qu'aux mânes de la France
Un seul traître immolé suffît à ta vengeance,
Ou tirât du chaos ses débris dispersés.
Tu voulais, enflammant les courages timides,　70
Réveiller les poignards sur tous ces parricides,
De rapines, de sang, d'infamie engraissés.

Un scélérat de moins rampe dans cette fange.
La Vertu t'applaudit; de sa mâle louange
Entends, belle héroïne, entends l'auguste voix.　75
O Vertu, le poignard, seul espoir de la terre,
Est ton arme sacrée, alors que le tonnerre
Laisse régner le crime et te vend à ses lois.

ODE

LA JEUNE CAPTIVE

« L'épi naissant mûrit de la faux respecté;
    Sans crainte du pressoir, le pampre tout l'été
        Boit les doux présents de l'aurore;
Et moi, comme lui belle, et jeune comme lui,
Quoi que l'heure présente ait de trouble et d'ennui,   5
        Je ne veux pas mourir encore.

« Qu'un stoïque aux yeux secs vole embrasser la mort,
    Moi je pleure et j'espère; au noir souffle du nord
        Je plie et relève ma tête.
S'il est des jours amers, il en est de si doux!   10
Hélas! quel miel jamais n'a laissé de dégoûts?
        Quelle mer n'a point de tempête?

« L'illusion féconde habite dans mon sein:
    D'une prison sur moi les murs pèsent en vain,
        J'ai les ailes de l'espérance.   15
Echappée aux réseaux de l'oiseleur cruel,
Plus vive, plus heureuse, aux campagnes du ciel
        Philomèle chante et s'élance.

« Est-ce à moi de mourir? Tranquille je m'endors
    Et tranquille je veille, et ma veille aux remords   20
        Ni mon sommeil ne sont en proie.
Ma bienvenue au jour me rit dans tous les yeux;
Sur des fronts abattus mon aspect dans ces lieux
        Ranime presque de la joie.

« Mon beau voyage encore est si loin de sa fin!   25
    Je pars, et des ormeaux qui bordent le chemin
        J'ai passé les premiers à peine.
Au banquet de la vie à peine commencé,
Un instant seulement mes lèvres ont pressé
        La coupe en mes mains encor pleine.   30

« Je ne suis qu'au printemps, je veux voir la moisson;
Et, comme le soleil, de saison en saison
    Je veux achever mon année.
Brillante sur ma tige et l'honneur du jardin,
Je n'ai vu luire encor que les feux du matin,   35
    Je veux achever ma journée.

« O mort! tu peux attendre: éloigne, éloigne-toi;
Va consoler les cœurs que la honte, l'effroi,
    Le pâle désespoir dévore.
Pour moi Palès encore a des asiles verts,   40
Les Amours des baisers, les Muses des concerts;
    Je ne veux pas mourir encore. »

Ainsi, triste et captif, ma lyre toutefois
S'éveillait, écoutant ces plaintes, cette voix,
    Ces vœux d'une jeune captive;   45
Et secouant le joug de mes jours languissants,
Aux douces lois des vers je pliais les accents
    De sa bouche aimable et naïve.

Ces chants, de ma prison témoins harmonieux,
Feront à quelque amant des loisirs studieux   50
    Chercher quelle fut cette belle:
La grâce décorait son front et ses discours,
Et, comme elle, craindront de voir finir leurs jours
    Ceux qui les passeront près d'elle.

IAMBES

SAINT-LAZARE, 1794

QUAND au mouton bêlant la sombre boucherie
    Ouvre ses cavernes de mort;
Pâtre, chiens et moutons, toute la bergerie
    Ne s'informe plus de son sort!
Les enfants qui suivaient ses ébats dans la plaine,   5
    Les vierges aux belles couleurs

Qui le baisaient en foule, et sur sa blanche laine
      Entrelaçaient rubans et fleurs,
Sans plus penser à lui, le mangent s'il est tendre.
      Dans cet abîme enseveli,   10
J'ai le même destin. Je m'y devais attendre.
      Accoutumons-nous à l'oubli.
Oubliés comme moi dans cet affreux repaire,
      Mille autres moutons, comme moi
Pendus aux crocs sanglants du charnier populaire,   15
      Seront servis au peuple-roi.
Que pouvaient mes amis ? Oui, de leur main chérie
      Un mot, à travers ces barreaux,
A versé quelque baume en mon âme flétrie;
      De l'or peut-être à mes bourreaux. . . .   20
Mais tout est précipice. Ils ont eu droit de vivre.
      Vivez, amis, vivez contents !
En dépit de Bavus, soyez lents à me suivre;
      Peut-être en de plus heureux temps
J'ai moi-même, à l'aspect des pleurs de l'infortune, 25
      Détourné mes regards distraits;
A mon tour, aujourd'hui, mon malheur importune;
      Vivez, amis, vivez en paix.

IAMBES

SAINT-LAZARE, 1794

Comme un dernier rayon, comme un dernier zéphyre
      Animent la fin d'un beau jour,
Au pied de l'échafaud j'essaye encor ma lyre.
      Peut-être est-ce bientôt mon tour.
Peut-être avant que l'heure en cercle promenée   5
      Ait posé sur l'émail brillant,
Dans les soixante pas où sa route est bornée
      Son pied sonore et vigilant;
Le sommeil du tombeau pressera ma paupière.
      Avant que de ses deux moitiés   10

Ce vers que je commence ait atteint la dernière,
  Peut-être en ces murs effrayés
Le messager de mort, noir recruteur des ombres,
  Escorté d'infâmes soldats,
Ébranlant de mon nom ces longs corridors sombres,   15
  Où seul, dans la foule à grands pas
J'erre, aiguisant ces dards persécuteurs du crime,
  Du juste trop faibles soutiens,
Sur mes lèvres soudain va suspendre la rime;
  Et chargeant mes bras de liens,   20
Me traîner, amassant en foule à mon passage
  Mes tristes compagnons reclus
Qui me connaissaient tous avant l'affreux message,
  Mais qui ne me connaissent plus.
Eh bien! j'ai trop vécu. Quelle franchise auguste,   25
  De mâle constance et d'honneur,
Quels exemples sacrés doux à l'âme du juste,
  Pour lui quelle ombre de bonheur,
Quelle Thémis terrible aux têtes criminelles,
  Quels pleurs d'une noble pitié,   ·30
Des antiques bienfaits quels souvenirs fidèles,
  Quels beaux échanges d'amitié,
Font dignes de regrets l'habitacle des hommes?
  La peur fugitive est leur Dieu,
La bassesse, la feinte . . . Ah! lâches que nous sommes! 35
  Tous, oui, tous. Adieu, terre, adieu,
Vienne, vienne la mort! que la mort me délivre!...
  Ainsi donc, mon cœur abattu
Cède au poids de ses maux? Non, non, puissé-je vivre.
  Ma vie importe à la vertu.   40
Car l'honnête homme enfin, victime de l'outrage,
  Dans les cachots, près du cercueil,
Relève plus altiers son front et son langage,
  Brillant d'un généreux orgueil.
S'il est écrit aux cieux que jamais une épée   45
  N'étincellera dans mes mains
Dans l'encre et l'amertume une autre arme trempée
  Peut encor servir les humains.
Justice, Vérité, si ma main, si ma bouche,

    Si mes pensers les plus secrets   50
Ne froncèrent jamais votre sourcil farouche:
    Et si les infâmes progrès,
Si la risée atroce, ou, plus atroce injure,
    L'encens de hideux scélérats
Ont pénétré vos cœurs d'une large blessure;   55
    Sauvez-moi. Conservez un bras
Qui lance votre foudre, un amant qui vous venge.
    Mourir sans vider mon carquois!
Sans percer, sans fouler, sans pétrir dans leur fange
    Ces bourreaux barbouilleurs de lois!   60
Ces vers cadavéreux de la France asservie,
    Egorgée! ô mon cher trésor,
O ma plume, fiel, bile, horreur, Dieux de ma vie!
    Par vous seuls je respire encor:
Comme la poix brûlante agitée en ses veines   65
    Ressuscite un flambeau mourant,
Je souffre; mais je vis. Par vous, loin de mes peines,
    D'espérance un vaste torrent
Me transporte. Sans vous, comme un poison livide,
    L'invisible dent du chagrin,   70
Mes amis opprimés, du menteur homicide
    Les succès, le sceptre d'airain,
Des bons proscrits par lui la mort ou la ruine,
    L'opprobre de subir sa loi,
Tout eût tari ma vie, ou contre ma poitrine   75
    Dirigé mon poignard. Mais quoi!
Nul ne resterait donc pour attendrir l'histoire
    Sur tant de justes massacrés?
Pour consoler leurs fils, leurs veuves, leur mémoire?
    Pour que des brigands abhorrés   80
Frémissent aux portraits noirs de leur ressemblance,
    Pour descendre jusqu'aux enfers
Nouer le triple fouet, le fouet de la vengeance
    Déjà levé sur ces pervers?
Pour cracher sur leurs noms, pour chanter leur supplice?   85
    Allons, étouffe tes clameurs;
Souffre, ô cœur gros de haine, affamé de justice.
    Toi, vertu, pleure si je meurs.

Nineteenth and Twentieth Century Poets

ANTOINE-VINCENT ARNAULT

LA FEUILLE

« De ta tige détachée,
Pauvre feuille desséchée,
Où vas-tu ? » — Je n'en sais rien.
L'orage a brisé le chêne
Qui seul était mon soutien ;   5
De son inconstante haleine
Le zéphyr ou l'aquilon
Depuis ce jour me promène
De la forêt à la plaine,
De la montagne au vallon.   10
Je vais où le vent me mène,
Sans me plaindre ou m'effrayer ;
Je vais où va toute chose,
Où va la feuille de rose
Et la feuille de laurier !   15

FRANÇOIS-RENÉ DE CHATEAUBRIAND

LE MONTAGNARD EXILÉ

Combien j'ai douce souvenance
Du joli lieu de ma naissance !
Ma sœur, qu'ils étaient beaux les jours
    De France !
O mon pays, sois mes amours   5
    Toujours !

Te souvient-il que notre mère
Au foyer de notre chaumière
Nous pressait sur son cœur joyeux,
    Ma chère !   10
Et nous baisions ses blancs cheveux
    Tous deux.

Ma sœur, te souvient-il encore
Du château que baignait la Dore ?
Et de cette tant vieille tour   15
    Du Maure,
Où l'airain sonnait le retour
    Du jour ?

Te souvient-il du lac tranquille
Qu'effleurait l'hirondelle agile;   20
Du vent qui courbait le roseau
    Mobile,
Et du soleil couchant sur l'eau
    Si beau ?

Oh ! qui me rendra mon Hélène   25
Et ma montagne et le grand chêne !
Leur souvenir fait tous les jours
    Ma peine:
Mon pays sera mes amours
    Toujours !   30

CHARLES-HUBERT MILLEVOYE

LA CHUTE DES FEUILLES

De la dépouille de nos bois
L'automne avait jonché la terre;
Le bocage était sans mystère,
Le rossignol était sans voix.
Triste et mourant à son aurore   5

Un jeune malade, à pas lents,
Parcourait une fois encore
Le bois cher à ses premiers ans.

« Bois que j'aime, adieu ! je succombe:
Votre deuil me prédit mon sort,   10
Et dans chaque feuille qui tombe
Je lis un présage de mort !
Fatal oracle d'Épidaure,
Tu m'as dit: ‹ Les feuilles des bois
A tes yeux jauniront encore,   15
Et c'est pour la dernière fois.
La nuit du trépas t'environne;
Plus pâle que la pâle automne,
Tu t'inclines vers le tombeau.
Ta jeunesse sera flétrie   20
Avant l'herbe de la prairie,
Avant le pampre du coteau.›
Et je meurs ! De sa froide haleine
Un vent funeste m'a touché,
Et mon hiver s'est approché   25
Quand mon printemps s'écoule à peine.
Arbuste en un seul jour détruit,
Quelques fleurs faisaient ma parure;
Mais ma languissante verdure
Ne laisse après elle aucun fruit.   30
Tombe, tombe, feuille éphémère,
Voile aux yeux ce triste chemin,
Cache au désespoir de ma mère
La place où je serai demain !
Mais vers la solitaire allée   35
Si mon amante désolée
Venait pleurer quand le jour fuit,
Éveille par un léger bruit
Mon ombre un moment consolée. »

Il dit, s'éloigne . . . et sans retour !   40
La dernière feuille qui tombe
A signalé son dernier jour.
Sous le chêne on creusa sa tombe.

Mais son amante ne vint pas
Visiter la pierre isolée;   45
Et le pâtre de la vallée
Troubla seul du bruit de ses pas
Le silence du mausolée.

LE POÈTE MOURANT

Le poète chantait: de sa lampe fidèle
S'éteignait par degrés les rayons pâlissants;
        Et lui, prêt à mourir comme elle,
        Exhalait ces tristes accents:

        « La fleur de ma vie est fanée;   5
        Il fut rapide, mon destin !
        De mon orageuse journée
        Le soir toucha presque au matin.

        « Il est sur un lointain rivage
Un arbre où le Plaisir habite avec la Mort,   10
Sous ces rameaux trompeurs, malheureux qui s'endort !
Volupté des amours ! cet arbre est ton image,
Et moi j'ai reposé sous le mortel ombrage;
Voyageur imprudent, j'ai mérité mon sort.

        « Brise-toi, lyre tant aimée !   15
Tu ne survivras point à mon dernier sommeil;
        Et tes hymnes sans renommée
Sous la tombe avec moi dormiront sans réveil.
Je ne paraîtrai pas devant le trône austère
Où la postérité, d'une inflexible voix,   20
        Juge les gloires de la terre,
Comme l'Égypte au bord de son lac solitaire,
        Jugeait les ombres de ses rois.

« Compagnons dispersés de mon triste voyage,
O mes amis ! ô vous qui me fûtes si chers !   25
De mes chants imparfaits recueillez l'héritage,
Et sauvez de l'oubli quelques-uns de mes vers.
Et vous par qui je meurs, vous à qui je pardonne,

Femmes! vos traits encore à mon œil incertain
    S'offrent comme un rayon d'automne,   30
    Ou comme un songe du matin.
Doux fantômes! venez, mon ombre vous demande
Un dernier souvenir de douleur et d'amour:
Au pied de mon cyprès effeuillez pour offrande
    Les roses qui vivent un jour. »   35

Le poète chantait: quand la lyre fidèle
S'échappa tout à coup de sa débile main:
    Sa lampe mourut, et comme elle
    Il s'éteignit le lendemain.

CHARLES LIOULT DE CHÊNEDOLLÉ

LE CLAIR DE LUNE DE MAI

Au bout de sa longue carrière,
Déjà le soleil moins ardent
Plonge, et dérobe sa lumière
Dans la pourpre de l'occident.

La terre n'est plus embrasée   5
Du souffle brûlant des chaleurs,
Et le Soir aux pieds de rosée
S'avance, en ranimant les fleurs.

Sous l'ombre par dégrés naissante,
Le coteau devient plus obscur,   10
Et la lumière décroissante
Rembrunit le céleste azur.

Parais, ô Lune désirée!
Monte doucement dans les cieux:
Guide la paisible Soirée   15
Sur son trône silencieux.

Amène la brise légère
Qui, dans l'air, précède tes pas,
Douce haleine, à nos champs si chère,
Qu'aux cités on ne connaît pas.   20

A travers la cime agitée
Du saule incliné sur les eaux,
Verse ta lueur argentée
Flottante en mobiles réseaux.

Que ton image réfléchie   25
Tombe sur le ruisseau brillant,
Et que la vague au loin blanchie
Roule ton disque vacillant !

Descends, comme une faible aurore,
Sur des objets trop éclatants;   30
En l'adoucissant, pare encore
La jeune pompe du Printemps.

Aux fleurs nouvellement écloses
Prête un demi-jour enchanté,
Et blanchis ces vermeilles roses   35
De ta pâle et molle clarté.

Et toi, sommeil, de ma paupière
Écarte tes pesants pavots.
Phoebé, j'aime mieux ta lumière
Que tous les charmes du repos.   40

Je veux, dans sa marche insensible,
Ivre d'un poétique amour,
Contempler ton astre paisible
Jusqu'au réveil brillant du jour.

CHARLES NODIER

LA JEUNE FILLE

ELLE était bien jolie, au matin, sans atours,
De son jardin naissant visitant les merveilles,

Dans leur nid d'ambroisie épiant ses abeilles,
Et du parterre en fleurs suivant les longs détours.

Elle était bien jolie, au bal de la soirée,   5
Quand l'éclat des flambeaux illuminait son front,
Et que de bleus saphirs ou de roses parée
De la danse folâtre elle menait le rond.

Elle était bien jolie, à l'abri de son voile
Qu'elle livrait, flottant, au souffle de la nuit,   10
Quand pour la voir de loin, nous étions là sans bruit,
Heureux de la connaître au reflet d'une étoile.

Elle était bien jolie; et de pensers touchants,
D'un espoir vague et doux chaque jour embellie,
L'amour lui manquait seul pour être plus jolie !...   15
Paix !... voilà son convoi qui passe dans les champs !...

CASIMIR DELAVIGNE

LA BRIGANTINE

LA brigantine
Qui va tourner
Roule et s'incline
Pour m'entraîner.
O Vierge Marie,   5
Pour moi priez Dieu !
Adieu, patrie !
Provence, adieu !

Mon pauvre père
Verra souvent   10
Pâlir ma mère
Au bruit du vent.
O Vierge Marie,
Pour moi priez Dieu !
Adieu, patrie !   15
Mon père, adieu !

La vieille Hélène
Se confira
Dans sa neuvaine,
Et dormira.   20
O Vierge Marie,
Pour moi priez Dieu !
Adieu, patrie !
Hélène, adieu !

Ma sœur se lève,   25
Et dit déjà:
« J'ai fait un rêve;
Il reviendra. »
O Vierge Marie,
Pour moi priez Dieu !   30
Adieu, patrie !
Ma sœur, adieu !

De mon Isaure
Le mouchoir blanc
S'agite encore   35
En m'appellant.
O Vierge Marie,
Pour moi priez Dieu !
Adieu, patrie !
Isaure, adieu !   40

Brise ennemie,
Pourquoi souffler,
Quand mon amie
Veut me parler ?
O Vierge Marie,   45
Pour moi priez Dieu !
Adieu, patrie !
Bonheur, adieu !

PIERRE-JEAN DE BÉRANGER

LE ROI D'YVETOT

Il était un roi d'Yvetot
    Peu connu dans l'histoire,
Se levant tard, se couchant tôt,
    Dormant fort bien sans gloire,
Et couronné par Jeanneton   5
D'un simple bonnet de coton,
    Dit-on.
Oh ! oh ! oh ! oh ! ah ! ah ! ah ! ah !
Quel bon petit roi c'était là !
    La, la.   10

Il faisait ses quatre repas
    Dans son palais de chaume,
Et sur un âne, pas à pas,
    Parcourait son royaume.
Joyeux, simple et croyant le bien,   15
Pour toute garde il n'avait rien
    Qu'un chien.
Oh ! oh ! oh ! oh ! ah ! ah ! ah ! ah !
Quel bon petit roi c'était là !
    La, la.   20

Il n'avait de goût onéreux
    Qu'une soif un peu vive;
Mais, en rendant son peuple heureux,
    Il faut bien qu'un roi vive.
Lui-même, à table et sans suppôt,   25
Sur chaque muid levait un pot
    D'impôt.
Oh ! oh ! oh ! oh ! ah ! ah ! ah ! ah !
Quel bon petit roi c'était là !
    La, la.   30

Aux filles de bonnes maisons
    Comme il avait su plaire,
Ses sujets avaient cent raisons
    De le nommer leur père.
D'ailleurs il ne levait de ban   35
Que pour tirer, quatre fois l'an,
    Au blanc.
Oh ! oh ! oh ! oh ! ah ! ah ! ah ! ah !
Quel bon petit roi c'était là !
    La, la.   40

Il n'agrandit point ses États,
    Fut un voisin commode,
Et, modèle des potentats,
    Prit le plaisir pour code.
Ce n'est que lorsqu'il expira   45
Que le peuple, qui l'enterra,
    Pleura.
Oh ! oh ! oh ! oh ! ah ! ah ! ah ! ah !
Quel bon petit roi c'était là !
    La, la.   50

On conserve encor le portrait
    De ce digne et bon prince:
C'est l'enseigne d'un cabaret
    Fameux dans la province.
Les jours de fête, bien souvent,   55
La foule s'écrie en buvant
    Devant:
Oh ! oh ! oh ! oh ! ah ! ah ! ah ! ah !
Quel bon petit roi c'était là !
    La, la.   60

LE MARQUIS DE CARABAS

Voyez ce vieux marquis
Nous traiter en peuple conquis;
    Son coursier décharné
De loin chez nous l'a ramené.

Vers son vieux castel 5
Ce noble mortel
Marche en brandissant
Un sabre innocent.
Chapeau bas ! chapeau bas !
Gloire au marquis de Carabas ! 10

Aumôniers, châtelains,
Vassaux, vavassaux et vilains,
C'est moi, dit-il, c'est moi
Qui seul ai rétabli mon roi.
Mais s'il ne me rend 15
Les droits de mon rang
Avec moi, corbleu !
Il verra beau jeu.
Chapeau bas ! chapeau bas !
Gloire au marquis de Carabas ! 20

Pour me calomnier,
Bien qu'on ait parlé d'un meunier,
Ma famille eut pour chef
Un des fils de Pépin le Bref.
D'après mon blason, 25
Je crois ma maison
Plus noble, ma foi,
Que celle du roi.
Chapeau bas ! chapeau bas !
Gloire au marquis de Carabas ! 30

Qui me résisterait ?
La marquise a le tabouret.
Pour être évêque un jour
Mon dernier fils suivra la cour.
Mon fils le baron, 35
Quoique un peu poltron,
Veut avoir des croix:
Il en aura trois.
Chapeau bas ! chapeau bas !
Gloire au marquis de Carabas ! 40

Vivons donc en repos.
Mais l'on m'ose parler d'impôts !
A l'État, pour son bien,
Un gentilhomme ne doit rien.
   Grâce à mes créneaux,   45
   A mes arsenaux,
   Je puis au préfet
   Dire un peu son fait.
Chapeau bas ! chapeau bas !
Gloire au marquis de Carabas !   50

   Prêtres que nous vengeons,
Levez la dîme, et partageons;
   Et toi, peuple animal,
Porte encor le bât féodal.
   Seuls nous chasserons,   55
   Et tous vos tendrons
   Subiront l'honneur
   Du droit du seigneur.
Chapeau bas ! chapeau bas !
Gloire au marquis de Carabas !   60

   Curé, fais ton devoir,
Remplis pour moi ton encensoir.
   Vous, pages et varlets,
Guerre aux vilains, et rossez-les !
   Que de mes aïeux   65
   Ces droits glorieux
   Passent tout entiers
   A mes héritiers.
Chapeau bas, chapeau bas !
Gloire au marquis de Carabas !   70

LE VILAIN

Hé quoi ! j'apprends que l'on critique
   Le *de* qui précède mon nom.
   Êtes-vous de noblesse antique ?
Moi, noble ? oh ! vraiment, messieurs, non.

Non, d'aucune chevalerie   5
Je n'ai le brevet sur velin.
Je ne sais qu'aimer ma patrie . . .
Je suis vilain et très vilain . . .
     Je suis vilain,
     Vilain, vilain.   10

Ah ! sans un *de* j'aurais dû naître;
Car, dans mon sang si j'ai bien lu,
Jadis mes aïeux ont d'un maître
Maudit le pouvoir absolu.
Ce pouvoir, sur sa vieille base,   15
Étant la meule du moulin,
Ils étaient le grain qu'elle écrase.
Je suis vilain et très vilain,
     Je suis vilain,
     Vilain, vilain.   20

Jamais aux discordes civiles
Mes braves aïeux n'ont pris part;
De l'Anglais aucun dans nos villes
N'introduisit le léopard;
Et quand l'Église, par sa brigue,   25
Poussait l'État vers son déclin,
Aucun d'eux n'a signé la Ligue.
Je suis vilain et très vilain,
     Je suis vilain,
     Vilain, vilain.   30

Laissez-moi donc sous ma bannière,
Vous, messieurs, qui, le nez au vent,
Nobles par votre boutonnière,
Encensez tout soleil levant.
J'honore une race commune,   35
Car, sensible, quoique malin,
Je n'ai flatté que l'infortune.
Je suis vilain et très vilain,
     Je suis vilain,
     Vilain, vilain.   40

LES SOUVENIRS DU PEUPLE

On parlera de sa gloire
Sous le chaume bien longtemps,
L'humble toit, dans cinquante ans,
Ne connaîtra plus d'autre histoire.
Là viendront les villageois   5
Dire alors à quelque vieille:
Par des récits d'autrefois,
Mère, abrégez notre veille.
Bien, dit-on, qu'il nous ait nui,
Le peuple encor le révère,   10
    Oui, le révère.
Parlez-nous de lui, grand'mère,
    Parlez-nous de lui.

Mes enfants, dans ce village,
Suivi de rois, il passa.   15
Voilà bien longtemps de ça:
Je venais d'entrer en ménage.
A pied grimpant le coteau
Où pour voir je m'étais mise,
Il avait petit chapeau   20
Avec redingote grise.
Près de lui je me troublai;
Il me dit: Bonjour, ma chère,
    Bonjour, ma chère.
— Il vous a parlé, grand'mère!   25
    Il vous a parlé!

L'an d'après, moi, pauvre femme,
A Paris étant un jour,
Je le vis avec sa cour:
Il se rendait à Notre-Dame.   30
Tous les cœurs étaient contents;
On admirait son cortège.
Chacun disait: Quel beau temps!
Le ciel toujours le protège.
Son sourire était bien doux;   35

D'un fils Dieu le rendait père,
    Le rendait père.
— Quel beau jour pour vous, grand'mère !
    Quel beau jour pour vous !

Mais quand la pauvre Champagne   40
Fut en proie aux étrangers,
Lui, bravant tous les dangers,
Semblait seul tenir la campagne.
Un soir, tout comme aujourd'hui,
J'entends frapper à la porte;   45
J'ouvre. Bon Dieu ! c'était lui,
Suivi d'une faible escorte.
Il s'assoit où me voilà,
S'écriant: Oh ! quelle guerre !
    Oh ! quelle guerre !   50
— Il s'est assis là, grand'mère !
    Il s'est assis là !

J'ai faim, dit-il; et bien vite
Je sers piquette et pain bis;
Puis il sèche ses habits,   55
Même à dormir le feu l'invite.
Au réveil, voyant mes pleurs,
Il me dit: Bonne espérance !
Je cours de tous ses malheurs
Sous Paris venger la France.   60
Il part; et, comme un trésor,
J'ai depuis gardé son verre,
    Gardé son verre.
— Vous l'avez encor, grand'mère !
    Vous l'avez encor !   65

Le voici. Mais à sa perte
Le héros fut entraîné.
Lui, qu'un pape a couronné,
Est mort dans une île déserte.
Longtemps aucun ne l'a cru;   70
On disait: Il va paraître.
Par mer il est accouru;

L'étranger va voir son maître.
Quand d'erreur on nous tira,
Ma douleur fut bien amère !   75
    Fut bien amère !
— Dieu vous bénira, grand'mère,
    Dieu vous bénira.

LES ÉTOILES QUI FILENT

BERGER, tu dis que notre étoile
Règle nos jours et brille aux cieux.
— Oui, mon enfant; mais dans son voile
La nuit la dérobe à nos yeux.
— Berger, sur cet azur tranquille   5
De lire on te croit le secret:
Quelle est cette étoile qui file,
Qui file, file, et disparaît ?

— Mon enfant, un mortel expire,
Son étoile tombe à l'instant.   10
Entre amis que la joie inspire,
Celui-ci buvait en chantant.
Heureux, il s'endort immobile
Auprès du vin qu'il célébrait.
— Encore une étoile qui file,   15
Qui file, file, et disparaît.

— Mon enfant, qu'elle est pure et belle.
C'est celle d'un objet charmant:
Fille heureuse, amante fidèle,
On l'accorde au plus tendre amant.   20
Des fleurs ceignent son front nubile,
Et de l'hymen l'autel est prêt . . .
— Encore une étoile qui file,
Qui file, file, et disparaît.

— Mon enfant, quel éclair sinistre !   25
C'était l'astre d'un favori
Qui se croyait un grand ministre
Quand de nos maux il avait ri.

Ceux qui servaient ce dieu fragile
Ont déjà caché son portrait...   30
— Encore une étoile qui file,
Qui file, file, et disparaît.

— Mon fils, quels pleurs seront les nôtres !
D'un riche nous perdons l'appui:
L'indigence plane chez d'autres,   35
Mais elle moissonnait chez lui.
Ce soir même, sûr d'un asile,
A son toit le pauvre accourait...
— Encore une étoile qui file,
Qui file, file, et disparaît.   40

— C'est celle d'un puissant monarque !...
Va, mon fils, garde ta candeur,
Et que ton étoile ne marque
Par l'éclat ni par la grandeur.
Si tu brillais sans être utile,   45
A ton dernier jour on dirait:
Ce n'est qu'une étoile qui file,
Qui file, file, et disparaît.

ADIEUX DE MARIE STUART À LA FRANCE

Adieu, charmant pays de France,
    Que je dois tant chérir !
Berceau de mon heureuse enfance,
Adieu ! te quitter, c'est mourir.

Toi que j'adoptai pour patrie,   5
Et d'où je crois me voir bannir,
Entends les adieux de Marie,
France, et garde son souvenir.
Le vent souffle, on quitte la plage,
Et, peu touché de mes sanglots,   10
Dieu, pour me rendre à ton rivage,
Dieu n'a point soulevé les flots !

Adieu, charmant pays de France,
    Que je dois tant chérir !
Berceau de mon heureuse enfance,   15
Adieu ! te quitter, c'est mourir.

Lorsqu'aux yeux de peuple que j'aime
Je ceignis les lis éclatants,
Il applaudit au rang suprême
Moins qu'aux charmes de mon printemps.   20
En vain la grandeur souveraine
M'attend chez le sombre Ecossais;
Je n'ai désiré d'être reine
Que pour régner sur des Français.

Adieu, charmant pays de France,   25
    Que je dois tant chérir !
Berceau de mon heureuse enfance,
Adieu ! te quitter, c'est mourir.

L'amour, la gloire, le génie,
Ont trop enivré mes beaux jours;   30
Dans l'inculte Calédonie
De mon sort va changer le cours.
Hélas ! un présage terrible
Doit livrer mon cœur à l'effroi !
J'ai cru voir, dans un songe horrible,   35
Un échafaud dressé pour moi.

Adieu, charmant pays de France,
    Que je dois tant chérir !
Berceau de mon heureuse enfance,
Adieu ! te quitter, c'est mourir.   40

France, du milieu des alarmes,
La noble fille des Stuarts,
Comme en ce jour qui voit ses larmes,
Vers toi tournera ses regards.
Mais, Dieu ! le vaisseau trop rapide   45
Déjà vogue sous d'autres cieux,
Et la nuit, dans son voile humide,
Dérobe tes bords à mes yeux !

Adieu, charmant pays de France,
   Que je dois tant chérir !   50
Berceau de mon heureuse enfance,
Adieu ! te quitter, c'est mourir.

MARCELINE DESBORDES–VALMORE

ÉLÉGIE

J'ÉTAIS à toi peut-être avant de t'avoir vu.
Ma vie, en se formant, fut promise à la tienne;
Ton nom m'en avertit par un trouble imprévu,
Ton âme s'y cachait pour éveiller la mienne.
Je l'entendis un jour et je perdis la voix;   5
Je l'écoutai longtemps, j'oubliai de répondre.
Mon être avec le tien venait de se confondre,
Je crus qu'on m'appelait pour la première fois.

Savais-tu ce prodige ? Eh bien, sans te connaître
J'ai deviné par lui mon amant et mon maître;   10
Et je le reconnus dans tes premiers accents,
Quand tu vins éclairer mes beaux jours languissants.
Ta voix me fit pâlir, et mes yeux se baissèrent;
Dans un regard muet nos âmes s'embrassèrent;
Au fond de ce regard ton nom se révéla,   15
Et sans le demander j'avais dit: Le voilà !

Dès lors il ressaisit mon oreille étonnée;
Elle y devint soumise, elle y fut enchaînée.
Comme un timbre vivant, l'écho du souvenir
Appelait par ton nom l'écho de l'avenir.   20
Je le lisais partout, ce nom rempli de charmes,
Et je le relisais, et je versais des larmes.
D'un éloge enchanteur toujours environné,
A mes yeux éblouis il s'offrait couronné.
Je l'écrivais . . . bientôt je n'osai plus l'écrire,   25
Et mon timide amour le changeait en sourire.

Il me cherchait la nuit, il berçait mon sommeil;
Il résonnait encore autour de mon réveil;
Il errait dans mon souffle, et lorsque je soupire
C'est lui qui me caresse et que mon cœur respire.   30

Nom chéri ! nom charmant ! oracle de mon sort !
Hélas ! que tu me plais, que ta grâce me touche !
Tu m'annonças la vie; et, mêlé dans la mort,
Comme un dernier baiser tu fermeras ma bouche.

SOUVENIR

Quand il pâlit un soir, et que sa voix tremblante
S'éteignit tout à coup dans un mot commencé;
Quand ses yeux, soulevant leur paupière brûlante,
Me blessèrent d'un mal dont je le crus blessé;
Quand ses traits plus touchants, éclairés d'une flamme   5
     Qui ne s'éteint jamais,
S'imprimèrent vivants dans le fond de mon âme:
     Il ne m'aimait pas, j'aimais !

S'IL L'AVAIT SU

S'il avait su quelle âme il a blessée,
Larmes du cœur, s'il avait pu vous voir,
Ah ! si ce cœur, trop plein de sa pensée,
De l'exprimer eût gardé le pouvoir,
Changer ainsi n'eût pas été possible;   5
Fier de nourrir l'espoir qu'il a déçu,
A tant d'amour il eût été sensible,
     S'il l'avait su.

S'il avait su tout ce qu'on peut attendre
D'une âme simple, ardente et sans détour,   10
Il eût voulu la mienne pour l'entendre.
Comme il l'inspire, il eût connu l'amour.
Mes yeux baissés recélaient cette flamme;
Dans leur pudeur n'a-t-il rien aperçu ?
Un tel secret valait toute son âme,   15
     S'il l'avait su.

Si j'avais su, moi-même, à quel empire
On s'abandonne en regardant ses yeux,
Sans le chercher comme l'air qu'on respire
J'aurais porté mes jours sous d'autres cieux   20
Il est trop tard pour renouer ma vie;
Ma vie était un doux espoir déçu:
Diras-tu pas, toi qui me l'as ravie,
      Si j'avais su ?

L'ATTENTE

QUAND je ne te vois pas, le temps m'accable, et l'heure
À je ne sais quel poids impossible à porter;
Je sens languir mon cœur, qui cherche à me quitter,
Et ma tête se penche, et je souffre et je pleure.

Quand ta voix saisissante atteint mon souvenir,   5
Je tressaille, j'écoute . . . et j'espère, immobile;
Et l'on dirait que Dieu touche un roseau débile;
Et moi, tout moi répond: « Dieu ! faites-le venir ! »

Quand sur tes traits charmants j'arrête ma pensée,
Tous mes traits sont empreints de crainte et de bonheur;   10
J'ai froid dans mes cheveux; ma vie est oppressée,
Et ton nom, tout à coup, s'échappe de mon cœur.

Quand c'est toi-même, enfin ! quand j'ai cessé d'attendre,
Tremblante, je me sauve en te tendant les bras:
Je n'ose te parler, et j'ai peur de t'entendre,   15
Mais tu cherches mon âme, et toi seul l'obtiendras !

Suis-je une sœur tardive à tes vœux accordée ?
Es-tu l'ombre promise à mes timides pas ?
Mais je me sens frémir: moi, ta sœur ! quelle idée !
Toi, mon frère ! . . . ô terreur ! Dis que tu ne l'es pas !   20

LES ROSES DE SAADI

J'AI voulu ce matin te rapporter des roses;
Mais j'en avais tant pris dans mes ceintures closes
Que les nœuds trop serrés n'ont pu les contenir.

Les nœuds ont éclaté. Les roses, envolées
Dans le vent, à la mer s'en sont toutes allées.   5
Elles ont suivi l'eau pour ne plus revenir.

La vague en a paru rouge et comme enflammée.
Ce soir, ma robe encore en est tout embaumée...
Respires-en sur moi l'odorant souvenir !

LA COURONNE EFFEUILLÉE

J'IRAI, j'irai porter ma couronne effeuillée
Au jardin de mon père où revit toute fleur;
J'y répandrai longtemps mon âme agenouillée:
Mon père a des secrets pour vaincre la douleur.

J'irai, j'irai lui dire, au moins avec mes larmes: 5
« Regardez, j'ai souffert... » Il me regardera,
Et sous mes jours changés, sous mes pâleurs sans charmes,
Parce qu'il est mon père il me reconnaîtra.

Il dira: « C'est donc vous, chère âme désolée !
La terre manque-t-elle à vos pas égarés ?   10
Chère âme, je suis Dieu; ne soyez plus troublée;
Voici votre maison, voici mon cœur, entrez. »

O clémence ! ô douceur ! ô saint refuge, ô Père !
Votre enfant qui pleurait vous l'avez entendu !
Je vous obtiens déjà puisque je vous espère   15
Et que vous possédez tout ce que j'ai perdu.

Vous ne rejetez pas la fleur qui n'est plus belle;
Ce crime de la terre au ciel est pardonné.
Vous ne maudirez pas votre enfant infidèle,
Non d'avoir rien vendu, mais d'avoir tout donné.   20

ALPHONSE DE LAMARTINE

L'ISOLEMENT

SOUVENT sur la montagne, à l'ombre du vieux chêne,
Au coucher du soleil, tristement je m'assieds;
Je promène au hasard mes regards sur la plaine,
Dont le tableau changeant se déroule à mes pieds.

Ici gronde le fleuve aux vagues écumantes;   5
Il serpente, et s'enfonce en un lointain obscur;
Là le lac immobile étend ses eaux dormantes
Où l'étoile du soir se lève dans l'azur.

Au sommet de ces monts couronnés de bois sombres,
Le crépuscule encor jette un dernier rayon: 10
Et le char vaporeux de la reine des ombres
Monte, et blanchit déjà les bords de l'horizon.

Cependant, s'élançant de la flèche gothique,
Un son religieux se répand dans les airs:
Le voyageur s'arrête, et la cloche rustique   15
Aux derniers bruits du jour mêle de saints concerts.

Mais à ces doux tableaux mon âme indifférente
N'éprouve devant eux ni charme ni transports;
Je contemple la terre ainsi qu'une ombre errante:
Le soleil des vivants n'échauffe plus les morts.   20

De colline en colline en vain portant ma vue,
Du sud à l'aquilon, de l'aurore au couchant,
Je parcours tous les points de l'immense étendue,
Et je dis: « Nulle part le bonheur ne m'attend. »

Que me font ces vallons, ces palais, ces chaumières,   25
Vains objets dont pour moi le charme est envolé ?
Fleuves, rochers, forêts, solitudes si chères,
Un seul être vous manque, et tout est dépeuplé !

Que le tour du soleil ou commence ou s'achève,
D'un œil indifférent je le suis dans son cours;   30
En un ciel sombre ou pur qu'il se couche ou se lève,
Qu'importe le soleil ? je n'attends rien des jours.

Quand je pourrais le suivre en sa vaste carrière,
Mes yeux verraient partout le vide et les déserts:
Je ne désire rien de tout ce qu'il éclaire;   35
Je ne demande rien à l'immense univers.

Mais peut-être au delà des bornes de sa sphère,
Lieux où le vrai soleil éclaire d'autres cieux,
Si je pouvais laisser ma dépouille à la terre,
Ce que j'ai tant rêvé paraîtrait à mes yeux !   40

Là, je m'enivrerais à la source où j'aspire;
Là, je retrouverais et l'espoir et l'amour,
Et ce bien idéal que toute âme désire,
Et qui n'a pas de nom au terrestre séjour !

Que ne puis-je, porté sur le char de l'Aurore,   45
Vague objet de mes vœux, m'élancer jusqu'à toi !
Sur la terre d'exil pourquoi resté-je encore ?
Il n'est rien de commun entre la terre et moi.

Quand la feuille des bois tombe dans la prairie,
Le vent du soir s'élève et l'arrache aux vallons;   50
Et moi, je suis semblable à la feuille flétrie:
Emportez-moi comme elle, orageux aquilons !

LE VALLON

Mon cœur, lassé de tout, même de l'espérance,
N'ira plus de ses vœux importuner le sort;
Prêtez-moi seulement, vallon de mon enfance,
Un asile d'un jour pour attendre la mort.

Voici l'étroit sentier de l'obscure vallée: 5
Du flanc de ces coteaux pendent des bois épais
Qui, courbant sur mon front leur ombre entremêlée,
Me couvrent tout entier de silence et de paix.

Là, deux ruisseaux cachés sous des ponts de verdure
Tracent en serpentant les contours du vallon;   10
Ils mêlent un moment leur onde et leur murmure,
Et non loin de leur source ils se perdent sans nom.

La source de mes jours comme eux s'est écoulée;
Elle a passé sans bruit, sans nom et sans retour:
Mais leur onde est limpide, et mon âme troublée   15
N'aura pas réfléchi les clartés d'un beau jour.

La fraîcheur de leurs lits, l'ombre qui les couronne,
M'enchaînent tout le jour sur les bords des ruisseaux;
Comme un enfant bercé par un chant monotone,
Mon âme s'assoupit au murmure des eaux.   20

Ah! c'est là qu'entouré d'un rempart de verdure,
D'un horizon borné qui suffit à mes yeux,
J'aime à fixer mes pas, et, seul dans la nature,
A n'entendre que l'onde, à ne voir que les cieux.

J'ai trop vu, trop senti, trop aimé dans ma vie;   25
Je viens chercher vivant le calme du Léthé.
Beaux lieux, soyez pour moi ces bords où l'on oublie:
L'oubli seul désormais est ma félicité.

Mon cœur est en repos, mon âme est en silence;
Le bruit lointain du monde expire en arrivant,   30
Comme un son éloigné qu'affaiblit la distance,
A l'oreille incertaine apporté par le vent.

D'ici je vois la vie, à travers un nuage,
S'évanouir pour moi dans l'ombre du passé;
L'amour seul est resté, comme une grande image   35
Survit seule au réveil dans un songe effacé.

Repose-toi, mon âme, en ce dernier asile,
Ainsi qu'un voyageur qui, le cœur plein d'espoir,
S'assied, avant d'entrer, aux portes de la ville,
Et respire un moment l'air embaumé du soir.   40

Comme lui, de nos pieds secouons la poussière;
L'homme par ce chemin ne repasse jamais:
Comme lui, respirons au bout de la carrière
Ce calme avant-coureur de l'éternelle paix.

Tes jours, sombres et courts comme les jours d'automne, 45
Déclinent comme l'ombre au penchant des coteaux;
L'amitié te trahit, la pitié t'abandonne,
Et, seule, tu descends le sentier des tombeaux.

Mais la nature est là qui t'invite et qui t'aime;
Plonge-toi dans son sein qu'elle t'ouvre toujours: 50
Quand tout change pour toi, la nature est la même,
Et le même soleil se lève sur tes jours.

De lumière et d'ombrage elle t'entoure encore;
Détache ton amour des faux biens que tu perds;
Adore ici l'écho qu'adorait Pythagore,   55
Prête avec lui l'oreille aux célestes concerts.

Suis le jour dans le ciel, suis l'ombre sur la terre;
Dans les plaines de l'air vole avec l'aquilon;
Avec le doux rayon de l'astre du mystère
Glisse à travers les bois dans l'ombre du vallon.   60

Dieu, pour le concevoir, a fait l'intelligence:
Sous la nature enfin découvre son auteur !
Une voix à l'esprit parle dans son silence:
Qui n'a pas entendu cette voix dans son cœur ?

LE LAC

Ainsi, toujours poussés vers de nouveaux rivages,
Dans la nuit éternelle emportés sans retour,
Ne pourrons-nous jamais sur l'océan des âges
    Jeter l'ancre un seul jour ?

O lac ! l'année à peine a fini sa carrière,   5
Et près des flots chéris qu'elle devait revoir,
Regarde ! je viens seul m'asseoir sur cette pierre
    Où tu la vis s'asseoir !

Tu mugissais ainsi sous ces roches profondes;
Ainsi tu te brisais sur leurs flancs déchirés;   10
Ainsi le vent jetait l'écume de tes ondes
    Sur ses pieds adorés.

Un soir, t'en souvient-il ? nous voguions en silence,
On n'entendait au loin, sur l'onde et sous les cieux,
Que le bruit des rameurs qui frappaient en cadence 15
    Tes flots harmonieux.

Tout à coup des accents inconnus à la terre
Du rivage charmé frappèrent les échos;
Le flot fut attentif, et la voix qui m'est chère
    Laissa tomber ces mots: 20

« O temps, suspends ton vol ! et vous, heures propices
    Suspendez votre cours !
Laissez-nous savourer les rapides délices
    Des plus beaux de nos jours !

« Assez de malheureux ici-bas vous implorent: 25
    Coulez, coulez pour eux;
Prenez avec leurs jours les soins qui les dévorent;
    Oubliez les heureux.

« Mais je demande en vain quelques moments encore,
    Le temps m'échappe et fuit; 30
Je dis à cette nuit: Sois plus lente; et l'aurore
    Va dissiper la nuit.

« Aimons donc, aimons donc ! de l'heure fugitive,
    Hâtons-nous, jouissons !
L'homme n'a point de port, le temps n'a point de rive; 35
    Il coule, et nous passons ! »

Temps jaloux, se peut-il que ces moments d'ivresse,
Où l'amour à longs flots nous verse le bonheur,
S'envolent loin de nous de la même vitesse
    Que les jours de malheur ? 40

Eh quoi ! n'en pourrons-nous fixer au moins la trace ?
Quoi ! passés pour jamais ? quoi ! tout entiers perdus ?
Ce temps qui les donna, ce temps qui les efface,
    Ne nous les rendra plus ?

Éternité, néant, passé, sombres abîmes, 45
Que faites-vous des jours que vous engloutissez ?
Parlez: nous rendrez-vous ces extases sublimes
    Que vous nous ravissez ?

O lac! rochers muets! grottes! forêt obscure!
Vous que le temps épargne ou qu'il peut rajeunir,   50
Gardez de cette nuit, gardez, belle nature,
    Au moins le souvenir!

Qu'il soit dans ton repos, qu'il soit dans tes orages,
Beau lac, et dans l'aspect de tes riants coteaux,
Et dans ces noirs sapins, et dans ces rocs sauvages   55
    Qui pendent sur tes eaux!

Qu'il soit dans le zéphyr qui frémit et qui passe,
Dans les bruits de tes bords par tes bords répétés,
Dans l'astre au front d'argent qui blanchit ta surface
    De ses molles clartés!   60

Que le vent qui gémit, le roseau qui soupire,
Que les parfums légers de ton air embaumé,
Que tout ce qu'on entend, l'on voit ou l'on respire,
    Tout dise: « Ils ont aimé! »

L'AUTOMNE

SALUT, bois couronnés d'un reste de verdure!
Feuillages jaunissants sur les gazons épars!
Salut, derniers beaux jours! Le deuil de la nature
Convient à la douleur et plaît à mes regards.

Je suis d'un pas rêveur le sentier solitaire;   5
J'aime à revoir encor, pour la dernière fois,
Ce soleil pâlissant, dont la faible lumière
Perce à peine à mes pieds l'obscurité des bois.

Oui, dans ces jours d'automne où la nature expire,
A ses regards voilés je trouve plus d'attraits: 10
C'est l'adieu d'un ami, c'est le dernier sourire
Des lèvres que la mort va fermer pour jamais.

Ainsi, prêt à quitter l'horizon de la vie,
Pleurant de mes longs jours l'espoir évanoui,
Je me retourne encore et d'un regard d'envie   15
Je contemple ces biens dont je n'ai pas joui.

Terre, soleil, vallons, belle et douce nature,
Je vous dois une larme au bord de mon tombeau,
L'air est si parfumé ! la lumière est si pure !
Aux regards d'un mourant le soleil est si beau !   20

Je voudrais maintenant vider jusqu'à la lie
Ce calice mêlé de nectar et de fiel:
Au fond de cette coupe où je buvais la vie,
Peut-être restait-il une goutte de miel !

Peut-être l'avenir me gardait-il encore   25
Un retour de bonheur dont l'espoir est perdu !
Peut-être, dans la foule, une âme que j'ignore
Aurait compris mon âme, et m'aurait répondu ? . . .

La fleur tombe en livrant ses parfums au zéphirs;
A la vie, au soleil, ce sont là ses adieux;   30
Moi, je meurs; et mon âme, au moment qu'elle expire,
S'exhale comme un son triste et mélodieux.

LE CRUCIFIX

Toi que j'ai recueilli sur sa bouche expirante
Avec son dernier souffle et son dernier adieu,
Symbole deux fois saint, don d'une main mourante,
        Image de mon Dieu;

Que de pleurs ont coulé sur tes pieds que j'adore,   5
Depuis l'heure sacrée où, du sein d'un martyr,
Dans mes tremblantes mains tu passas, tiède encore
        De son dernier soupir !

Les saints flambeaux jetaient une dernière flamme;
Le prêtre murmurait ces doux chants de la mort,   10
Pareils aux chants plaintifs que murmure une femme
        A l'enfant qui s'endort.

De son pieux espoir son front gardait la trace,
Et sur ses traits, frappés d'une auguste beauté,
La douleur fugitive avait empreint sa grâce,   15
        La mort sa majesté.

Le vent qui caressait sa tête échevelée
Me montrait tour à tour ou me voilait ses traits,
Comme l'on voit flotter sur un blanc mausolée
   L'ombre des noirs cyprès.   20

Un de ses bras pendait de la funèbre couche;
L'autre, languissamment replié sur son cœur,
Semblait chercher encore et presser sur sa bouche
   L'image du Sauveur.

Ses lèvres s'entr'ouvraient pour l'embrasser encore, 25
Mais son âme avait fui dans ce divin baiser,
Comme un léger parfum que la flamme dévore
   Avant de l'embraser.

Maintenant tout dormait sur sa bouche glacée,
Le souffle se taisait dans son sein endormi,   30
Et sur l'œil sans regard la paupière affaissée
   Retombait à demi.

Et moi, debout, saisi d'une terreur secrète,
Je n'osais m'approcher de ce reste adoré,
Comme si du trépas la majesté muette   35
   L'eût déjà consacré.

Je n'osais!... Mais le prêtre entendit mon silence,
Et, de ses doigts glacés prenant le crucifix:
« Voilà le souvenir, et voilà l'espérance:
   Emportez-les, mon fils! »   40

Oui, tu me resteras, ô funèbre héritage!
Sept fois, depuis ce jour, l'arbre que j'ai planté
Sur sa tombe sans nom a changé de feuillage:
   Tu ne m'as pas quitté.

Placé près de ce cœur, hélas! où tout s'efface, 45
Tu l'as contre le temps défendu de l'oubli,
Et mes yeux goutte à goutte ont imprimé leur trace
   Sur l'ivoire amolli.

O dernier confident de l'âme qui s'envole,
Viens, reste sur mon cœur! parle encore, et dis-moi 50
Ce qu'elle te disait quand sa faible parole
   N'arrivait plus qu'à toi;

A cette heure douteuse où l'âme recueillie,
Se cachant sous le voile épaissi sur nos yeux,
Hors de nos sens glacés pas à pas se replie,   55
    Sourde aux derniers adieux;

Alors qu'entre la vie et la mort incertaine,
Comme un fruit par son poids détaché du rameau,
Notre âme est suspendue et tremble à chaque haleine
    Sur la nuit du tombeau;   60

Quand des chants, des sanglots la confuse harmonie
N'éveille déjà plus notre esprit endormi,
Aux lèvres du mourant collé dans l'agonie,
    Comme un dernier ami:

Pour éclairer l'horreur de cet étroit passage,   65
Pour relever vers Dieu son regard abattu,
Divin consolateur, dont nous baisons l'image,
    Réponds, que lui dis-tu?

Tu sais, tu sais mourir! et tes larmes divines,
Dans cette nuit terrible où tu prias en vain,   70
De l'olivier sacré baignèrent les racines
    Du soir jusqu'au matin.

De la croix, où ton œil sonda ce grand mystère
Tu vis ta mère en pleurs et la nature en deuil;
Tu laissas comme nous tes amis sur la terre,   75
    Et ton corps au cercueil!

Au nom de cette mort, que ma faiblesse obtienne
De rendre sur ton sein ce douloureux soupir:
Quand mon heure viendra, souviens-toi de la tienne,
    O toi qui sais mourir!   80

Je chercherai la place où sa bouche expirante
Exhala sur tes pieds l'irrévocable adieu,
Et son âme viendra guider mon âme errante
    Au sein du même Dieu.

Ah! puisse, puisse alors sur ma funèbre couche,   85
Triste et calme à la fois, comme un ange éploré,
Une figure en deuil recueillir sur ma bouche
    L'héritage sacré!

Soutiens ses derniers pas, charme sa dernière heure;
Et, gage consacré d'espérance et d'amour,   90
De celui qui s'éloigne à celui qui demeure
  Passe ainsi tour à tour,

Jusqu'au jour où, des morts perçant la voûte sombre
Une voix dans le ciel, les appelant sept fois,
Ensemble éveillera ceux qui dorment à l'ombre   95
  De l'éternelle croix !

L'OCCIDENT

Et la mer s'apaisait comme une urne écumante
Qui s'abaisse au moment où le foyer pâlit,
Et, retirant du bord sa vague encor fumante,
Comme pour s'endormir, rentrait dans son grand lit;

Et l'astre qui tombait de nuage en nuage   5
Suspendait sur les flots un orbe sans rayon,
Puis plongeait la moitié de sa sanglante image,
Comme un navire en feu qui sombre à l'horizon;

Et la moitié du ciel pâlissait, et la brise
Défaillait dans la voile, immobile et sans voix,   10
Et les ombres couraient, et sous leur teinte grise
Tout sur le ciel et l'eau s'effaçait à la fois;

Et dans mon âme, aussi pâlissant à mesure,
Tous les bruits d'ici-bas tombaient avec le jour,
Et quelque chose en moi, comme dans la nature,   15
Pleurait, priait, souffrait, bénissait tour à tour.

Et, vers l'occident seul, une porte éclatante
Laissait voir la lumière à flots d'or ondoyer,
Et la nue empourprée imitait une tente
Qui voile sans l'éteindre un immense foyer;   20

Et les ombres, les vents, et les flots de l'abîme,
Vers cette arche de feu tout paraissait courir
Comme si la nature et tout ce qui l'anime
En perdant la lumière avait craint de mourir.

La poussière du soir y volait de la terre,   25
L'écume à blancs flocons sur la vague y flottait;
Et mon regard long, triste, errant, involontaire,
Les suivait, et de pleurs sans chagrin s'humectait.

Et tout disparaissait; et mon âme oppressée
Restait vide et pareille à l'horizon couvert;   30
Et puis il s'élevait une seule pensée,
Comme une pyramide au milieu du désert:

O lumière! où vas-tu? Globe épuisé de flamme,
Nuages, aquilons, vagues, où courez-vous?
Poussière, écume, nuit; vous, mes yeux; toi, mon âme, 35
Dites, si vous savez, où donc allons-nous tous?

A toi, grand Tout, dont l'astre est la pâle étincelle
En qui la nuit, le jour, l'esprit, vont aboutir!
Flux et reflux divin de vie universelle,
Vaste océan de l'Être où tout va s'engloutir!...   40

AU ROSSIGNOL

Quand ta voix céleste prélude
Aux silences des belles nuits,
Barde ailé de ma solitude,
Tu ne sais pas que je te suis!

Tu ne sais pas que mon oreille,   5
Suspendue à ta douce voix,
De l'harmonieuse merveille
S'enivre longtemps sous les bois!

Tu ne sais pas que mon haleine
Sur mes lèvres n'ose passer,   10
Que mon pied muet foule à peine
La feuille qu'il craint de froisser!

Et qu'enfin un autre poète,
Dont la lyre a moins de secrets,
Dans son âme envie et répète   15
Ton hymne nocturne aux forêts!

Mais si l'astre des nuits se penche
Aux bords des monts pour t'écouter,
Tu te caches de branche en branche
Au rayon qui vient y flotter;   20

Et si la source qui repousse
L'humble caillou qui l'arrêtait
Élève une voix sous la mousse,
La tienne se trouble et se tait.

Ah! ta voix touchante ou sublime   25
Est trop pure pour ce bas lieu:
Cette musique qui t'anime
Est un instinct qui monte à Dieu!

Tes gazouillements, ton murmure,
Sont un mélange harmonieux   30
Des plus doux bruits de la nature,
Des plus vagues soupirs des cieux.

Ta voix, qui peut-être s'ignore,
Est la voix du bleu firmament,
De l'arbre, de l'antre sonore,   35
Du vallon sous l'ombre dormant.

Tu prends les sons que tu recueilles
Dans les gazouillements des flots,
Dans les frémissements des feuilles,
Dans les bruits mourants des échos,   40

Dans l'eau qui filtre goutte à goutte
Du rocher nu dans le bassin,
Et qui résonne sous sa voûte
En ridant l'azur de son sein,

Dans les voluptueuses plaintes   45
Qui sortent la nuit des rameaux,
Dans les voix des vagues éteintes
Sur le sable ou dans les roseaux;

Et de ces doux sons, où se mêle
L'instinct céleste qui t'instruit,   50
Dieu fit ta voix, ô Philomèle,
Et tu fais ton hymne à la nuit.

Ah ! ces douces scènes nocturnes,
Ces pieux mystères du soir,
Et ces fleurs qui penchent leurs urnes   55
Comme l'urne d'un encensoir,

Ces feuilles où tremblent des larmes,
Ces fraîches haleines des bois,
O nature, avaient trop de charmes
Pour n'avoir pas aussi leur voix !   60

Et cette voix mystérieuse
Qu'écoutent les anges et moi,
Ce soupir de la nuit pieuse,
Oiseau mélodieux, c'est toi !

Oh ! mêle ta voix à la mienne !   65
La même oreille nous entend;
Mais ta prière aérienne
Monte mieux au ciel qui l'attend.

Elle est l'écho d'une nature
Qui n'est qu'amour et pureté,   70
Le brûlant et divin murmure,
L'hymne flottant des nuits d'été.

Et nous, dans cette voix sans charmes
Qui gémit en sortant du cœur,
On sent toujours trembler des larmes   75
Ou retentir une douleur !

ALFRED DE VIGNY

MOÏSE

LE soleil prolongeait sur la cime des tentes
Ces obliques rayons, ces flammes éclatantes,
Ces larges traces d'or qu'il laisse dans les airs,
Lorsqu'en un lit de sable il se couche aux déserts.
La pourpre et l'or semblaient revêtir la campagne.   5

Du stérile Nébo gravissant la montagne,
Moïse, homme de Dieu, s'arrête, et, sans orgueil,
Sur le vaste horizon promène un long coup d'œil.
Il voit d'abord Phasga, que des figuiers entourent;
Puis, au delà des monts que ses regards parcourent,   10
S'étend tout Galaad, Éphraïm, Manassé,
Dont le pays fertile à sa droite est placé;
Vers le Midi, Juda, grand et stérile, étale
Ses sables où s'endort la mer occidentale;
Plus loin, dans un vallon que le soir a pâli,   15
Couronné d'oliviers, se montre Nephtali;
Dans des plaines de fleurs magnifiques et calmes,
Jéricho s'aperçoit: c'est la ville des palmes;
Et, prolongeant ses bois, des plaines de Phogor,
Le lentisque touffu s'étend jusqu'à Ségor.   20
Il voit tout Chanaan, et la terre promise,
Où sa tombe, il le sait, ne sera point admise.
Il voit; sur les Hébreux étend sa grande main,
Puis vers le haut du mont il reprend son chemin.

Or, des champs de Moab couvrant la vaste enceinte, 25
Pressés au large pied de la montagne sainte,
Les enfants d'Israël s'agitaient au vallon
Comme les blés épais qu'agite l'aquilon.
Dès l'heure où la rosée humecte l'or des sables
Et balance sa perle au sommet des érables,   30
Prophète centenaire, environné d'honneur,
Moïse était parti pour trouver le Seigneur.
On le suivait des yeux aux flammes de sa tête,
Et, lorsque du grand mont il atteignit le faîte,
Lorsque son front perça le nuage de Dieu   35
Qui couronnait d'éclairs la cime du haut lieu,
L'encens brûla partout sur les autels de pierre.
Et six cent mille Hébreux, courbés dans la poussière,
A l'ombre du parfum par le soleil doré,
Chantèrent d'une voix le cantique sacré;   ·   40
Et les fils de Lévi, s'élevant sur la foule,
Tels qu'un bois de cyprès sur le sable qui roule,
Du peuple avec la harpe accompagnant les voix,

Dirigeaient vers le ciel l'hymne du Roi des Rois.

Et, debout devant Dieu, Moïse ayant pris place,   45
Dans le nuage obscur lui parlait face à face.

Il disait au Seigneur: « Ne finirai-je pas ?
Où voulez-vous encor que je porte mes pas ?
Je vivrai donc toujours puissant et solitaire ?
Laissez-moi m'endormir du sommeil de la terre. — 50
Que vous ai-je donc fait pour être votre élu ?
J'ai conduit votre peuple où vous avez voulu.
Voilà que son pied touche à la terre promise.
De vous à lui qu'un autre accepte l'entremise,
Au coursier d'Israël qu'il attache le frein;   55
Je lui lègue mon livre et la verge d'airain.

« Pourquoi vous fallut-il tarir mes espérances,
Ne pas me laisser homme avec mes ignorances,
Puisque du mont Horeb jusques au mont Nébo
Je n'ai pas pu trouver le lieu de mon tombeau ?   60
Hélas ! vous m'avez fait sage parmi les sages !
Mon doigt du peuple errant a guidé les passages.
J'ai fait pleuvoir le feu sur la tête des rois;
L'avenir à genoux adorera mes lois;
Des tombes des humains j'ouvre la plus antique,   65
La mort trouve à ma voix une voix prophétique,
Je suis très grand, mes pieds sont sur les nations,
Ma main fait et défait les générations. —
Hélas ! je suis, Seigneur, puissant et solitaire,
Laissez-moi m'endormir du sommeil de la terre !   70

« Hélas ! je sais aussi tous les secrets des cieux,
Et vous m'avez prêté la force de vos yeux.
Je commande à la nuit de déchirer ses voiles;
Ma bouche par leur nom a compté les étoiles,
Et, dès qu'au firmament mon geste l'appela,   75
Chacune s'est hâtée en disant: « Me voilà. »
J'impose mes deux mains sur le front des nuages
Pour tarir dans leurs flancs la source des orages;
J'engloutis les cités sous les sables mouvants;

Je renverse les monts sous les ailes des vents;   80
Mon pied infatigable est plus fort que l'espace;
Le fleuve aux grandes eaux se range quand je passe,
Et la voix de la mer se tait devant ma voix.
Lorsque mon peuple souffre, ou qu'il lui faut des lois,
J'élève mes regards, votre esprit me visite;   85
La terre alors chancelle et le soleil hésite,
Vos anges sont jaloux et m'admirent entre eux. —
Et cependant, Seigneur, je ne suis pas heureux;
Vous m'avez fait vieillir puissant et solitaire,
Laissez-moi m'endormir du sommeil de la terre!   90

« Sitôt que votre souffle a rempli le berger,
Les hommes se sont dit: « Il nous est étranger »;
Et les yeux se baissaient devant mes yeux de flamme,
Car ils venaient, hélas! d'y voir plus que mon âme.
J'ai vu l'amour s'éteindre et l'amitié tarir;   95
Les vierges se voilaient et craignaient de mourir.
M'enveloppant alors de la colonne noire,
J'ai marché devant tous, triste et seul dans ma gloire,
Et j'ai dit dans mon cœur: « Que vouloir à présent? »
Pour dormir sur un sein mon front est trop pesant,   100
Ma main laisse l'effroi sur la main qu'elle touche,
L'orage est dans ma voix, l'éclair est sur ma bouche;
Aussi, loin de m'aimer, voilà qu'ils tremblent tous,
Et, quand j'ouvre les bras, on tombe à mes genoux.
O Seigneur! j'ai vécu puissant et solitaire,   105
Laissez-moi m'endormir du sommeil de la terre! »

Or, le peuple attendait, et, craignant son courroux,
Priait sans regarder le mont du Dieu jaloux;
Car, s'il levait les yeux, les flancs noirs du nuage
Roulaient et redoublaient les foudres de l'orage,   110
Et le feu des éclairs, aveuglant les regards,
Enchaînait tous les fronts courbés de toutes parts.
Bientôt le haut du mont reparut sans Moïse. —
Il fut pleuré. — Marchant vers la terre promise,
Josué s'avançait pensif, et pâlissant,   115
Car il était déjà l'élu du Tout-Puissant.

LE COR

J'AIME le son du cor, le soir, au fond des bois,
Soit qu'il chante les pleurs de la biche aux abois,
Ou l'adieu du chasseur que l'écho faible accueille
Et que le vent du nord porte de feuille en feuille.

Que de fois, seul, dans l'ombre à minuit demeuré,   5
J'ai souri de l'entendre, et plus souvent pleuré !
Car je croyais ouïr de ces bruits prophétiques
Qui précédaient la mort des paladins antiques.

O montagnes d'azur ! ô pays adoré,
Rocs de la Frazona, cirque du Marboré,   10
Cascades qui tombez des neiges entraînées,
Sources, gaves, ruisseaux, torrents des Pyrénées;

Monts gelés et fleuris, trônes des deux saisons,
Dont le front est de glace et le pied de gazons !
C'est là qu'il faut s'asseoir, c'est là qu'il faut entendre 15
Les airs lointains d'un cor mélancolique et tendre.

Souvent un voyageur, lorsque l'air est sans bruit,
De cette voix d'airain fait retentir la nuit;
A ses chants cadencés autour de lui se mêle
L'harmonieux grelot du jeune agneau qui bêle.   20

Une biche attentive, au lieu de se cacher,
Se suspend immobile au sommet du rocher,
Et la cascade unit, dans une chute immense,
Son éternelle plainte aux chants de la romance.

Ames des chevaliers, revenez-vous encor ?   25
Est-ce vous qui parlez avec la voix du cor ?
Roncevaux ! Roncevaux ! dans ta sombre vallée
L'ombre du grand Roland n'est donc pas consolée ?

II

Tous les preux étaient morts, mais aucun n'avait fui.
Il reste seul debout, Olivier près de lui;   30
L'Afrique sur le mont l'entoure et tremble encore.
« Roland, tu vas mourir, rends-toi, criait le More;

« Tous tes pairs sont couchés dans les eaux des torrents. »
Il rugit comme un tigre, et dit: « Si je me rends,
Africain, ce sera lorsque les Pyrénées   35
Sur l'onde avec leurs corps rouleront entraînées.

— Rends-toi donc, répond-il, ou meurs, car les voilà; »
Et du plus haut des monts un grand rocher roula.
Il bondit, il roula jusqu'au fond de l'abîme,
Et de ses pins, dans l'onde, il vint briser la cime.   40

« Merci ! cria Roland; tu m'as fait un chemin. »
Et, jusqu'au pied des monts le roulant d'une main,
Sur le roc affermi comme un géant s'élance;
Et, prête à fuir, l'armée à ce seul pas balance.

III

Tranquilles cependant, Charlemagne et ses preux   45
Descendaient la montagne et se parlaient entre eux.
A l'horizon déjà, par leurs eaux signalées,
De Luz et d'Argelès se montraient les vallées.

L'armée applaudissait. Le luth du troubadour
S'accordait pour chanter les saules de l'Adour;   50
Le vin français coulait dans la coupe étrangère;
Le soldat, en riant, parlait à la bergère.

Roland gardait les monts: tous passaient sans effroi.
Assis nonchalamment sur un noir palefroi
Qui marchait revêtu de housses violettes,   55
Turpin disait, tenant les saintes amulettes:

« Sire, on voit dans le ciel des nuages de feu;
Suspendez votre marche; il ne faut tenter Dieu.
Par monsieur saint Denis ! certes ce sont des âmes
Qui passent dans les airs sur ces vapeurs de flammes.   60

« Deux éclairs ont relui, puis deux autres encor. »
Ici l'on entendit le son lointain du cor.
L'empereur étonné, se jetant en arrière,
Suspend du destrier la marche aventurière.

« Entendez-vous ? dit-il. — Oui, ce sont des pasteurs   65
Rappelant les troupeaux épars sur les hauteurs,
Répondit l'archevêque, ou la voix étouffée
Du nain vert Obéron, qui parle avec sa fée. »

Et l'empereur poursuit; mais son front soucieux
Est plus sombre et plus noir que l'orage des cieux;   70
Il craint la trahison, et, tandis qu'il y songe,
Le cor éclate et meurt, renaît et se prolonge.

« Malheur ! c'est mon neveu ! malheur ! car, si Roland
Appelle à son secours, ce doit être en mourant.
Arrière, chevaliers, repassons la montagne !   75
Tremble encor sous nos pieds, sol trompeur de l'Espagne ! »

IV

Sur le plus haut des monts s'arrêtent les chevaux;
L'écume les blanchit; sous leurs pieds, Roncevaux
Des feux mourants du jour à peine se colore.
A l'horizon lointain fuit l'étendard du More.   80

« Turpin, n'as-tu rien vu dans le fond du torrent ?
— J'y vois deux chevaliers: l'un mort, l'autre expirant.
Tous deux sont écrasés sous une roche noire;
Le plus fort, dans sa main, élève un cor d'ivoire,
Son âme en s'exhalant nous appela deux fois. »   85

Dieu ! que le son du cor est triste au fond des bois !

LA MORT DU LOUP

I

Les nuages couraient sur la lune enflammée
Comme sur l'incendie on voit fuir la fumée,
Et les bois étaient noirs jusques à l'horizon.
Nous marchions, sans parler, dans l'humide gazon,
Dans la bruyère épaisse et dans les hautes brandes,   5
Lorsque, sous des sapins pareils à ceux des Landes,

Nous avons aperçu les grands ongles marqués
Par les loups voyageurs que nous avions traqués.
Nous avons écouté, retenant notre haleine
Et le pas suspendu. — Ni le bois ni la plaine   10
Ne poussaient un soupir dans les airs; seulement
La girouette en deuil criait au firmament;
Car le vent, élevé bien au-dessus des terres,
N'effleurait de ses pieds que les tours solitaires,
Et les chênes d'en bas, contre les rocs penchés,   15
Sur leurs coudes semblaient endormis et couchés.
Rien ne bruissait donc, lorsque, baissant la tête,
Le plus vieux des chasseurs qui s'étaient mis en quête
A regardé le sable en s'y couchant; bientôt,
Lui que jamais ici l'on ne vit en défaut,   20
A déclaré tout bas que ces marques récentes
Annonçaient la démarche et les griffes puissantes
De deux grands loups-cerviers et de deux louveteaux.
Nous avons tous alors préparé nos couteaux,
Et, cachant nos fusils et leurs lueurs trop blanches, 25
Nous allions pas à pas en écartant les branches.
Trois s'arrêtent, et moi, cherchant ce qu'ils voyaient,
J'aperçois tout à coup deux yeux qui flamboyaient,
Et je vois au delà quatre formes légères
Qui dansaient sous la lune au milieu des bruyères,   30
Comme font chaque jour, à grand bruit sous nos yeux,
Quand le maître revient, les lévriers joyeux.
Leur forme était semblable et semblable la danse;
Mais les enfants du Loup se jouaient en silence,
Sachant bien qu'à deux pas, ne dormant qu'à demi,   35
Se couche dans ses murs l'homme, leur ennemi.
Le père était debout, et plus loin, contre un arbre,
Sa louve reposait comme celle de marbre
Qu'adoraient les Romains, et dont les flancs velus
Couvaient les demi-dieux Rémus et Romulus.   40
Le Loup vient et s'assied, les deux jambes dressées,
Par leurs ongles crochus dans le sable enfoncées.
Il s'est jugé perdu, puisqu'il était surpris,
Sa retraite coupée et tous ses chemins pris;
Alors il a saisi, dans sa gueule brûlante,   45

Du chien le plus hardi la gorge pantelante,
Et n'a pas desserré ses mâchoires de fer,
Malgré nos coups de feu, qui traversaient sa chair,
Et nos couteaux aigus qui, comme des tenailles,
Se croisaient en plongeant dans ses larges entrailles,   50
Jusqu'au dernier moment où le chien étranglé,
Mort longtemps avant lui, sous ses pieds a roulé.
Le Loup le quitte alors et puis il nous regarde.
Les couteaux lui restaient au flanc jusqu'à la garde,
Le clouaient au gazon tout baigné dans son sang;   55
Nos fusils l'entouraient en sinistre croissant.
Il nous regarde encore, ensuite il se recouche,
Tout en léchant le sang répandu sur sa bouche,
Et, sans daigner savoir comment il a péri,
Refermant ses grands yeux, meurt sans jeter un cri.   60

II

J'ai reposé mon front sur mon fusil sans poudre,
Me prenant à penser, et n'ai pu me résoudre
A poursuivre sa Louve et ses fils, qui, tous trois,
Avaient voulu l'attendre, et, comme je le crois,
Sans ses deux louveteaux, la belle et sombre veuve   65
Ne l'eût pas laissé seul subir la grande épreuve;
Mais son devoir était de les sauver, afin
De pouvoir leur apprendre à bien souffrir la faim,
A ne jamais entrer dans le pacte des villes
Que l'homme a fait avec les animaux serviles   70
Qui chassent devant lui, pour avoir le coucher,
Les premiers possesseurs du bois et du rocher.

III

Hélas! ai-je pensé, malgré ce grand nom d'Hommes,
Que j'ai honte de nous, débiles que nous sommes!
Comment on doit quitter la vie et tous ses maux,   75
C'est vous qui le savez, sublimes animaux!
A voir ce que l'on fut sur terre et ce qu'on laisse,
Seul le silence est grand; tout le reste est faiblesse.
— Ah! je t'ai bien compris, sauvage voyageur,

Et ton dernier regard m'est allé jusqu'au cœur !   80
Il disait: « Si tu peux, fais que ton âme arrive,
A force de rester studieuse et pensive,
Jusqu'à ce haut degré de stoïque fierté
Où, naissant dans les bois, j'ai tout d'abord monté.
Gémir, pleurer, prier, est également lâche.   85
Fais énergiquement ta longue et lourde tâche
Dans la voie où le sort a voulu t'appeler,
Puis, après, comme moi, souffre et meurs sans parler. »

LE MONT DES OLIVIERS

I

ALORS il était nuit, et Jésus marchait seul,
Vêtu de blanc ainsi qu'un mort de son linceul;
Les disciples dormaient au pied de la colline,
Parmi les oliviers, qu'un vent sinistre incline;
Jésus marche à grands pas en frissonnant comme eux;   5
Triste jusqu'à la mort, l'œil sombre et ténébreux,
Le front baissé, croisant les deux bras sur sa robe
Comme un voleur de nuit cachant ce qu'il dérobe,
Connaissant les rochers mieux qu'un sentier uni,
Il s'arrête en un lieu nommé Gethsémani.   10
Il se courbe, à genoux, le front contre la terre;
Puis regarde le ciel en appelant: « Mon père ! »
— Mais le ciel reste noir, et Dieu ne répond pas.
Il se lève étonné, marche encore à grands pas,
Froissant les oliviers qui tremblent.   Froide et lente   15
Découle de sa tête une sueur sanglante.
Il recule, il descend, il crie avec effroi:
« Ne pourriez-vous prier et veiller avec moi ? »
Mais un sommeil de mort accable les apôtres.
Pierre à la voix du maître est sourd comme les autres.   20
Le Fils de l'Homme alors remonte lentement;
Comme un pasteur d'Égypte, il cherche au firmament
Si l'Ange ne luit pas au fond de quelque étoile.
Mais un nuage en deuil s'étend comme le voile

D'une veuve, et ses plis entourent le désert. 25
Jésus, se rappelant ce qu'il avait souffert
Depuis trente-trois ans, devint homme, et la crainte
Serra son cœur mortel d'une invincible étreinte.
Il eut froid. Vainement il appela trois fois:
« Mon père ! » Le vent seul répondit à sa voix. 30
Il tomba sur le sable assis, et, dans sa peine,
Eut sur le monde et l'homme une pensée humaine.
— Et la terre trembla, sentant la pesanteur
Du Sauveur qui tombait aux pieds du Créateur.

II

Jésus disait: « O Père, encor laisse-moi vivre ! 35
Avant le dernier mot ne ferme pas mon livre !
Ne sens-tu pas le monde et tout le genre humain
Qui souffre avec ma chair et frémit dans ta main ?
C'est que la Terre a peur de rester seule et veuve,
Quand meurt celui qui dit une parole neuve; 40
Et que tu n'as laissé dans son sein desséché
Tomber qu'un mot du ciel par ma bouche épanché.
Mais ce mot est si pur, et sa douceur est telle,
Qu'il a comme enivré la famille mortelle
D'une goutte de vie et de divinité, 45
Lorsqu'en ouvrant les bras j'ai dit: « Fraternité. »

« Père, oh ! si j'ai rempli mon douloureux message,
Si j'ai caché le Dieu sous la face du sage,
Du sacrifice humain si j'ai changé le prix,
Pour l'offrande des corps recevant les esprits, 50
Substituant partout aux choses le symbole,
La parole au combat, comme au trésor l'obole,
Aux flots rouges du sang les flots vermeils du vin,
Aux membres de la chair le pain blanc sans levain;
Si j'ai coupé les temps en deux parts, l'une esclave 55
Et l'autre libre; — au nom du passé que je lave,
Par le sang de mon corps qui souffre et va finir,
Versons-en la moitié pour laver l'avenir !
Père libérateur ! jette aujourd'hui, d'avance,
La moitié de ce sang d'amour et d'innocence 60

Sur la tête de ceux qui viendront en disant:
« Il est permis pour tous de tuer l'innocent. »
Nous savons qu'il naîtra, dans le lointain des âges,
Des dominateurs durs escortés de faux sages
Qui troubleront l'esprit de chaque nation   65
En donnant un faux sens à ma rédemption.
— Hélas ! je parle encor, que déjà ma parole
Est tournée en poison dans chaque parabole;
Éloigne ce calice impur et plus amer
Que le fiel, ou l'absinthe, ou les eaux de la mer.   70
Les verges qui viendront, la couronne d'épine,
Les clous des mains, la lance au fond de ma poitrine,
Enfin toute la croix qui se dresse et m'attend,
N'ont rien, mon Père, oh ! rien qui m'épouvante autant !
Quand les Dieux veulent bien s'abattre sur les mondes,   75
Ils n'y doivent laisser que des traces profondes;
Et, si j'ai mis le pied sur ce globe incomplet,
Dont le gémissement sans repos m'appelait,
C'était pour y laisser deux Anges à ma place
De qui la race humaine aurait baisé la trace,   80
La Certitude heureuse et l'Espoir confiant,
Qui, dans le paradis, marchent en souriant.
Mais je vais la quitter, cette indigente terre,
N'ayant que soulevé ce manteau de misère
Qui l'entoure à grands plis, drap lugubre et fatal,   85
Que d'un bout tient le Doute et de l'autre le Mal.

« Mal et Doute ! En un mot je puis les mettre en poudre.
Vous les aviez prévus, laissez-moi vous absoudre
De les avoir permis. — C'est l'accusation
Qui pèse de partout sur la création ! —   90
Sur son tombeau désert faisons monter Lazare.
Du grand secret des morts qu'il ne soit plus avare,
Et de ce qu'il a vu donnons-lui souvenir;
Qu'il parle. — Ce qui dure et ce qui doit finir,
Ce qu'a mis le Seigneur au cœur de la Nature,   95
Ce qu'elle prend et donne à toute créature,
Quels sont avec le ciel ses muets entretiens,
Son amour ineffable et ses chastes liens;

Comment tout s'y détruit et tout s'y renouvelle,
Pourquoi ce qui s'y cache et ce qui s'y révèle;   100
Si les astres des cieux tour à tour éprouvés
Sont comme celui-ci coupables et sauvés;
Si la terre est pour eux ou s'ils sont pour la terre;
Ce qu'a de vrai la fable et de clair le mystère,
D'ignorant le savoir et de faux la raison;   105
Pourquoi l'âme est liée en sa faible prison,
Et pourquoi nul sentier entre deux larges voies,
Entre l'ennui du calme et des paisibles joies
Et la rage sans fin de vagues passions,
Entre la léthargie et les convulsions;   110
Et pourquoi pend la Mort comme une sombre épée
Attristant la Nature à tout moment frappée;
Si le juste et le bien, si l'injuste et le mal
Sont de vils accidents en un cercle fatal,
Ou si de l'univers ils sont les deux grands pôles,   115
Soutenant terre et cieux sur leurs vastes épaules;
Et pourquoi les Esprits du mal sont triomphants
Des maux immérités, de la mort des enfants;
Et si les Nations sont des femmes guidées
Par les étoiles d'or des divines idées,   120
Ou de folles enfants sans lampes dans la nuit,
Se heurtant et pleurant, et que rien ne conduit;
Et si, lorsque des temps l'horloge périssable
Aura jusqu'au dernier versé ses grains de sable,
Un regard de vos yeux, un cri de votre voix,   125
Un soupir de mon cœur, un signe de ma croix,
Pourra faire ouvrir l'ongle aux Peines éternelles,
Lâcher leur proie humaine et reployer leurs ailes.
— Tout sera révélé dès que l'homme saura
De quels lieux il arrive et dans quels il ira. »   130

III

Ainsi le divin Fils parlait au divin Père.
Il se prosterne encore, il attend, il espère,
Mais il renonce et dit: « Que votre volonté
Soit faite et non la mienne, et pour l'éternité ! »

Une terreur profonde, une angoisse infinie   135
Redoublent sa torture et sa lente agonie.
Il regarde longtemps, longtemps cherche sans voir.
Comme un marbre de deuil tout le ciel était noir;
La Terre, sans clartés, sans astre et sans aurore,
Et sans clartés de l'âme ainsi qu'elle est encore,   140
Frémissait. — Dans le bois il entendit des pas,
Et puis il vit rôder la torche de Judas.

LE SILENCE

S'il est vrai qu'au Jardin sacré des Écritures,
Le Fils de l'Homme ait dit ce qu'on voit rapporté;
Muet, aveugle et sourd au cri des créatures,   145
Si le Ciel nous laissa comme un monde avorté,
Le juste opposera le dédain à l'absence,
Et ne répondra plus que par un froid silence
Au silence éternel de la Divinité.

LA BOUTEILLE À LA MER

COURAGE, ô faible enfant de qui ma solitude
Reçoit ces chants plaintifs, sans nom, que vous jetez
Sous mes yeux ombragés du camail de l'étude.
Oubliez les enfants par la mort arrêtés;
Oubliez Chatterton, Gilbert et Malfilâtre;   5
De l'œuvre d'avenir saintement idolâtre,
Enfin, oubliez l'homme en vous-même. — Écoutez:

Quand un grave marin voit que le vent l'emporte
Et que les mâts brisés pendent tous sur le pont,
Que dans son grand duel la mer est la plus forte   10
Et que par des calculs l'esprit en vain répond;
Que le courant l'écrase et le roule en sa course,
Qu'il est sans gouvernail et, partant, sans ressource,
Il se croise les bras dans un calme profond.

Il voit les masses d'eau, les toise et les mesure,   15
Les méprise en sachant qu'il en est écrasé,

Soumet son âme au poids de la matière impure
Et se sent mort ainsi que son vaisseau rasé.
— A de certains moments, l'âme est sans résistance;
Mais le penseur s'isole et n'attend d'assistance   20
Que de la forte foi dont il est embrasé.

Dans les heures du soir, le jeune Capitaine
A fait ce qu'il a pu pour le salut des siens.
Nul vaisseau n'apparaît sur la vague lointaine,
La nuit tombe, et le brick court aux rocs indiens.   25
— Il se résigne, il prie; il se recueille, il pense
A celui qui soutient les pôles et balance
L'équateur hérissé des longs méridiens.

Son sacrifice est fait; mais il faut que la terre
Recueille du travail le pieux monument.   30
C'est le journal savant, le calcul solitaire,
Plus rare que la perle et que le diamant;
C'est la carte des flots faite dans la tempête,
La carte de l'écueil qui va briser sa tête:
Aux voyageurs futurs sublime testament.   35

Il écrit: « Aujourd'hui, le courant nous entraîne,
Désemparés, perdus, sur la Terre-de-Feu.
Le courant porte à l'est. Notre mort est certaine:
Il faut cingler au nord pour bien passer ce lieu.
— Ci-joint est mon journal, portant quelques études   40
Des constellations des hautes latitudes.
Qu'il aborde, si c'est la volonté de Dieu ! »

Puis, immobile et froid, comme le cap des brumes
Qui sert de sentinelle au détroit Magellan,
Sombre comme ces rocs au front chargé d'écumes,   45
Ces pics noirs dont chacun porte un deuil castillan,
Il ouvre une Bouteille et la choisit très forte,
Tandis que son vaisseau que le courant emporte
Tourne en un cercle étroit comme un vol de milan.

Il tient dans une main cette vieille compagne,   50
Ferme, de l'autre main, son flanc noir et terni.
Le cachet porte encor le blason de Champagne,

De la mousse de Reims son col vert est jauni.
D'un regard, le marin en soi-même rappelle
Quel jour il assembla l'équipage autour d'elle,   55
Pour porter un grand toste au pavillon béni.

On avait mis en panne, et c'était grande fête;
Chaque homme sur son mât tenait le verre en main;
Chacun à son signal se découvrit la tête,
Et répondit d'en haut par un hourra soudain.   60
Le soleil souriant dorait les voiles blanches;
L'air ému répétait ces voix mâles et franches,
Ce noble appel de l'homme à son pays lointain.

Après le cri de tous, chacun rêve en silence.
Dans la mousse d'Aï luit l'éclair d'un bonheur;   65
Tout au fond de son verre il aperçoit la France.
La France est pour chacun ce qu'y laissa son cœur:
L'un y voit son vieux père assis au coin de l'âtre,
Comptant ses jours d'absence; à la table du pâtre,
Il voit sa chaise vide à côté de sa sœur.   70

Un autre y voit Paris, où sa fille penchée
Marque avec les compas tous les souffles de l'air,
Ternit de pleurs la glace où l'aiguille est cachée,
Et cherche à ramener l'aimant avec le fer.
Un autre y voit Marseille. Une femme se lève,   75
Court au port et lui tend un mouchoir de la grève,
Et ne sent pas ses pieds enfoncés dans la mer.

O superstition des amours ineffables,
Murmures de nos cœurs qui nous semblez des voix,
Calculs de la science, ô décevantes fables!   80
Pourquoi nous apparaître en un jour tant de fois?
Pourquoi vers l'horizon nous tendre ainsi des pièges?
Espérances roulant comme roulent les neiges;
Globes toujours pétris et fondus sous nos doigts!

Où sont-ils à présent? où sont ces trois cents braves? 85
Renversés par le vent dans les courants maudits,
Aux harpons indiens ils portent pour épaves
Leurs habits déchirés sur leurs corps refroidis.

Les savants officiers, la hache à la ceinture,
Ont péri les premiers en coupant la mâture: 90
Ainsi, de ces trois cents, il n'en reste que dix!

Le capitaine encor jette un regard au pôle
Dont il vient d'explorer les détroits inconnus.
L'eau monte à ses genoux et frappe son épaule;
Il peut lever au ciel l'un de ses deux bras nus.   95
Son navire est coulé, sa vie est révolue:
Il lance la Bouteille à la mer, et salue
Les jours de l'avenir qui pour lui sont venus.

Il sourit en songeant que ce fragile verre
Portera sa pensée et son nom jusqu'au port;   100
Que d'une île inconnue il agrandit la terre;
Qu'il marque un nouvel astre et le confie au sort;
Que Dieu peut bien permettre à des eaux insensées
De perdre des vaisseaux, mais non pas des pensées;
Et qu'avec un flacon il a vaincu la mort.   105

Tout est dit! A présent, que Dieu lui soit en aide!
Sur le brick englouti l'onde a pris son niveau.
Au large flot de l'est le flot de l'ouest succède,
Et la Bouteille y roule en son vaste berceau.
Seule dans l'Océan la frêle passagère   110
N'a pas pour se guider une brise légère;
Mais elle vient de l'arche et porte le rameau.

Les courants l'emportaient, les glaçons la retiennent
Et la couvrent des plis d'un épais manteau blanc.
Les noirs chevaux de mer la heurtent, puis reviennent 115
La flairer avec crainte, et passent en soufflant.
Elle attend que l'été, changeant ses destinées,
Vienne ouvrir le rempart des glaces obstinées,
Et vers la ligne ardente elle monte en roulant.

Un jour tout était calme et la mer Pacifique,   120
Par ses vagues d'azur, d'or et de diamant,
Renvoyait ses splendeurs au soleil du tropique.
Un navire y passait majestueusement;
Il a vu la Bouteille aux gens de mer sacrée:

Il couvre de signaux sa flamme diaprée,   125
Lance un canot en mer et s'arrête un moment.

Mais on entend au loin le canon des Corsaires;
Le Négrier va fuir s'il peut prendre le vent.
Alerte! et coulez bas ces sombres adversaires!
Noyez or et bourreaux du couchant au levant!   130
La Frégate reprend ses canots et les jette
En son sein, comme fait la sarigue inquiète,
Et par voile et vapeur vole et roule en avant.

Seule dans l'Océan, seule toujours! — Perdue
Comme un point invisible en un mouvant désert,   135
L'aventurière passe errant dans l'étendue,
Et voit tel cap secret qui n'est pas découvert.
Tremblante voyageuse à flotter condamnée,
Elle sent sur son col que depuis une année
L'algue et les goëmons lui font un manteau vert.   140

Un soir enfin, les vents qui soufflent des Florides
L'entraînent vers la France et ses bords pluvieux.
Un pêcheur accroupi sous des rochers arides
Tire dans ses filets le flacon précieux.
Il court, cherche un savant et lui montre sa prise,   145
Et, sans l'oser ouvrir, demande qu'on lui dise
Quel est cet élixir noir et mystérieux.

Quel est cet élixir? Pêcheur, c'est la science,
C'est l'élixir divin que boivent les esprits,
Trésor de la pensée et de l'expérience;   150
Et, si tes lourds filets, ô pêcheur, avaient pris
L'or qui toujours serpente aux veines du Mexique,
Les diamants de l'Inde et les perles d'Afrique,
Ton labeur de ce jour aurait eu moins de prix.

Regarde. — Quelle joie ardente et sérieuse!   155
Une gloire de plus luit dans la nation.
Le canon tout-puissant et la cloche pieuse
Font sur les toits tremblants bondir l'émotion.
Aux héros du savoir plus qu'à ceux des batailles
On va faire aujourd'hui de grandes funérailles.   160
Lis ce mot sur les murs: « Commémoration! »

Souvenir éternel ! gloire à la découverte
Dans l'homme ou la nature égaux en profondeur,
Dans le Juste et le Bien, source à peine entr'ouverte,
Dans l'Art inépuisable, abîme de splendeur !   165
Qu'importe oubli, morsure, injustice insensée,
Glaces et tourbillons de notre traversée ?
Sur la pierre des morts croît l'arbre de grandeur.

Cet arbre est le plus beau de la terre promise,
C'est votre phare à tous, Penseurs laborieux !   170
Voguez sans jamais craindre ou les flots ou la brise
Pour tout trésor scellé du cachet précieux.
L'or pur doit surnager, et sa gloire est certaine;
Dites en souriant comme ce capitaine:
« Qu'il aborde, si c'est la volonté des dieux ! »   175

Le vrai Dieu, le Dieu fort est le Dieu des idées.
Sur nos fronts où le germe est jeté par le sort,
Répandons le Savoir en fécondes ondées;
Puis, recueillant le fruit tel que de l'âme il sort,
Tout empreint des parfums des saintes solitudes,   180
Jetons l'œuvre à la mer, la mer des multitudes:
— Dieu la prendra du doigt pour la conduire au port.

VICTOR HUGO

LES DJINNS

Et come i gru van cantando lor lai
Facendo in aer di se lunga riga,
Cosi vid' io venir, traendo guai,
Ombre portate dalla detta briga. — DANTE.

Et comme les grues qui font dans l'air de longues files vont chantant leur plainte, ainsi je vis venir traînant des gémissements des
ombres emportées par cette tempête.

MURS, ville,
Et port,
Asile
De mort,

Mer grise   5
Où brise
La brise,
Tout dort.

Dans la plaine
Naît un bruit.   10
C'est l'haleine
De la nuit.
Elle brame
Comme une âme
Qu'une flamme   15
Toujours suit.

La voix plus haute
Semble un grelot.
D'un nain qui saute
C'est le galop.   20
Il fuit, s'élance,
Puis en cadence
Sur un pied danse
Au bout d'un flot.

La rumeur approche,   25
L'écho la redit.
C'est comme la cloche
D'un couvent maudit,
Comme un bruit de foule
Qui tonne et qui roule,   30
Et tantôt s'écroule,
Et tantôt grandit.

Dieu! la voix sépulcrale
Des Djinns! Quel bruit ils font!
Fuyons sous la spirale   35
De l'escalier profond!
Déjà s'éteint ma lampe,
Et l'ombre de la rampe,
Qui le long du mur rampe,
Monte jusqu'au plafond.   40

C'est l'essaim des Djinns qui passe
Et tourbillonne en sifflant.
Les ifs, que leur vol fracasse,
Craquent comme un pin brûlant.
Leur troupeau lourd et rapide,   45
Volant dans l'espace vide,
Semble un nuage livide
Qui porte un éclair au flanc.

Ils sont tout près ! — Tenons fermée
Cette salle où nous les narguons.   50
Quel bruit dehors ! Hideuse armée
De vampires et de dragons !
La poutre du toit descellée
Ploie ainsi qu'une herbe mouillée,
Et la vieille porte rouillée   55
Tremble à déraciner ses gonds.

Cris de l'enfer ! voix qui hurle et qui pleure !
L'horrible essaim, poussé par l'aquilon,
Sans doute, ô ciel ! s'abat sur ma demeure.
Le mur fléchit sous le noir bataillon.   60
La maison crie et chancelle penchée,
Et l'on dirait que, du sol arrachée,
Ainsi qu'il chasse une feuille séchée,
Le vent la roule avec leur tourbillon !

Prophète ! si ta main me sauve   65
De ces impurs démons des soirs,
J'irai prosterner mon front chauve
Devant tes sacrés encensoirs !
Fais que sur ces portes fidèles
Meure leur souffle d'étincelles,   70
Et qu'en vain l'ongle de leurs ailes
Grince et crie à ces vitraux noirs !

Ils sont passés ! — Leur cohorte
S'envole et fuit, et leurs pieds
Cessent de battre ma porte   75
De leurs coups multipliés.

L'air est plein d'un bruit de chaînes,
Et dans les forêts prochaines
Frissonnent tous les grands chênes,
Sous leur vol de feu pliés !   80

De leurs ailes lointaines
Le battement décroît,
Si confus dans les plaines,
Si faible, que l'on croit
Ouïr la sauterelle   85
Crier d'une voix grêle
Ou pétiller la grêle
Sur le plomb d'un vieux toit.

D'étranges syllabes
Nous viennent encor: 90
Ainsi, des arabes
Quand sonne le cor,
Un chant sur la grève
Par instants s'élève,
Et l'enfant qui rêve   95
Fait des rêves d'or.

Les Djinns funèbres,
Fils du trépas,
Dans les ténèbres
Pressent leurs pas;   100
Leur essaim gronde:
Ainsi, profonde,
Murmure une onde
Qu'on ne voit pas.

Ce bruit vague   105
Qui s'endort,
C'est la vague
Sur le bord;
C'est la plainte
Presque éteinte   110
D'une sainte
Pour un mort.

                    On doute
                    La nuit...
                    J'écoute: —   115
                    Tout fuit.
                    Tout passe;
                    L'espace
                    Efface
                    Le bruit.

                    EXTASE

          Et j'entendis une grande voix. *Apocalypse.*

J'ÉTAIS seul près des flots, par une nuit d'étoiles.
Pas un nuage aux cieux, sur les mers pas de voiles.
Mes yeux plongeaient plus loin que le monde réel.
Et les bois, et les monts, et toute la nature,
Semblaient interroger dans un confus murmure   5
          Les flots des mers, les feux du ciel.

Et les étoiles d'or, légions infinies,
A voix haute, à voix basse, avec mille harmonies,
Disaient, en inclinant leurs couronnes de feu;
Et les flots bleus, que rien ne gouverne et n'arrête,   10
Disaient, en recourbant l'écume de leur crête:
          — C'est le Seigneur, le Seigneur Dieu !

          LORSQUE L'ENFANT PARAÎT...

LORSQUE l'enfant paraît, le cercle de famille
Applaudit à grands cris. Son doux regard qui brille
          Fait briller tous les yeux,
Et les plus tristes fronts, les plus souillés peut-être,
Se dérident soudain à voir l'enfant paraître,   5
          Innocent et joyeux.

Soit que juin ait verdi mon seuil, ou que novembre
Fasse autour d'un grand feu vacillant dans la chambre
          Les chaises se toucher,

Quand l'enfant vient, la joie arrive et nous éclaire.   10
On rit, on se récrie, on l'appelle, et sa mère
      Tremble à le voir marcher.

Quelquefois nous parlons, en remuant la flamme,
De patrie et de Dieu, des poètes, de l'âme
      Qui s'élève en priant;   15
L'enfant paraît, adieu le ciel et la patrie
Et les poètes saints ! la grave causerie
      S'arrête en souriant.

La nuit, quand l'homme dort, quand l'esprit rêve, à l'heure
Où l'on entend gémir, comme une voix qui pleure,   20
      L'onde entre les roseaux,
Si l'aube tout à coup là-bas luit comme un phare,
Sa clarté dans les champs éveille une fanfare
      De cloches et d'oiseaux.

Enfant, vous êtes l'aube et mon âme est la plaine   25
Qui des plus douces fleurs embaume son haleine
      Quand vous la respirez;
Mon âme est la forêt dont les sombres ramures
S'emplissent pour vous seul de suaves murmures
      Et de rayons dorés.   30

Car vos beaux yeux sont pleins de douceurs infinies,
Car vos petites mains, joyeuses et bénies,
      N'ont point mal fait encor;
Jamais vos jeunes pas n'ont touché notre fange,
Tête sacrée ! enfant aux cheveux blonds ! bel ange   35
      A l'auréole d'or !

Vous êtes parmi nous la colombe de l'arche.
Vos pieds tendres et purs n'ont point l'âge où l'on marche,
      Vos ailes sont d'azur.
Sans le comprendre encor vous regardez le monde.   40
Double virginité ! corps où rien n'est immonde,
      Ame où rien n'est impur !

Il est si beau, l'enfant, avec son doux sourire,
Sa douce bonne foi, sa voix qui veut tout dire,
      Ses pleurs vite apaisés,   45

Laissant errer sa vue étonnée et ravie,
Offrant de toutes parts sa jeune âme à la vie
         Et sa bouche aux baisers.

Seigneur ! préservez-moi, préservez ceux que j'aime,
Frères, parents, amis, et mes ennemis même   50
         Dans le mal triomphants,
De jamais voir, Seigneur, l'été sans fleurs vermeilles,
La cage sans oiseaux, la ruche sans abeilles,
         La maison sans enfants.

LA TOMBE DIT À LA ROSE...

         LA tombe dit à la rose:
         — Des plèurs dont l'aube t'arrose
         Que fais-tu, fleur des amours ?
         La rose dit à la tombe:
         — Que fais-tu de ce qui tombe   5
         Dans ton gouffre ouvert toujours ?

         La rose dit: — Tombeau sombre,
         De ces pleurs je fais dans l'ombre
         Un parfum d'ambre et de miel.
         La tombe dit: — Fleur plaintive,   10
         De chaque âme qui m'arrive
         Je fais un ange du ciel.

TRISTESSE D'OLYMPIO

LES champs n'étaient point noirs, les cieux n'étaient pas
         mornes;
Non, le jour rayonnait dans un azur sans bornes
         Sur la terre étendu,
L'air était plein d'encens et les prés de verdures,
Quand il revit ces lieux où par tant de blessures   5
         Son cœur s'est répandu.

L'automne souriait; les coteaux vers la plaine
Penchaient leurs bois charmants qui jaunissaient à peine,
         Le ciel était doré;

Et les oiseaux, tournés vers celui que tout nomme,   10
Disant peut-être à Dieu quelque chose de l'homme,
  Chantaient leur chant sacré.

Il voulut tout revoir, l'étang près de la source,
La masure où l'aumône avait vidé leur bourse,
  Le vieux frêne plié,   15
Les retraites d'amour au fond des bois perdues,
L'arbre où dans les baisers leurs âmes confondues
  Avaient tout oublié.

Il chercha le jardin, la maison isolée,
La grille d'où l'œil plonge en une oblique allée,   20
  Les vergers en talus.
Pâle, il marchait. — Au bruit de son pas grave et sombre
Il voyait à chaque arbre, hélas ! se dresser l'ombre
  Des jours qui ne sont plus.

Il entendait frémir dans la forêt qu'il aime   25
Ce doux vent qui, faisant tout vibrer en nous-même,
  Y réveille l'amour,
Et, remuant le chêne ou balançant la rose,
Semble l'âme de tout qui va sur chaque chose
  Se poser tour à tour.   30

Les feuilles qui gisaient dans le bois solitaire,
S'efforçant sous ses pas de s'élever de terre,
  Couraient dans le jardin;
Ainsi, parfois, quand l'âme est triste, nos pensées
S'envolent un moment sur leurs ailes blessées,   35
  Puis retombent soudain.

Il contempla longtemps les formes magnifiques
Que la nature prend dans les champs pacifiques;
  Il rêva jusqu'au soir;
Tout le jour il erra le long de la ravine,   40
Admirant tour à tour le ciel, face divine,
  Le lac, divin miroir.

Hélas ! se rappelant ses douces aventures,
Regardant, sans entrer, par-dessus les clôtures,
  Ainsi qu'un paria,   45

Il erra tout le jour. Vers l'heure où la nuit tombe,
Il se sentit le cœur triste comme une tombe,
    Alors il s'écria:

— « O douleur ! j'ai voulu, moi dont l'âme est troublée,
Savoir si l'urne encor conservait la liqueur,   50
Et voir ce qu'avait fait cette heureuse vallée
De tout ce que j'avais laissé là de mon cœur !

« Que peu de temps suffit pour changer toutes choses !
Nature au front serein, comme vous oubliez !
Et comme vous brisez dans vos métamorphoses   55
Les fils mystérieux où nos cœurs sont liés !

« Nos chambres de feuillage en halliers sont changées;
L'arbre où fut notre chiffre est mort ou renversé;
Nos roses dans l'enclos ont été ravagées
Par les petits enfants qui sautent le fossé.   60

« Un mur clôt la fontaine où, par l'heure échauffée,
Folâtre, elle buvait en descendant des bois;
Elle prenait de l'eau dans sa main, douce fée,
Et laissait retomber des perles de ses doigts !

« On a pavé la route âpre et mal aplanie,   65
Où, dans le sable pur se dessinant si bien,
Et de sa petitesse étalant l'ironie,
Son pied charmant semblait rire à côté du mien.

« La borne du chemin, qui vit des jours sans nombre,
Où jadis pour m'attendre elle aimait à s'asseoir,   70
S'est usée en heurtant, lorsque la route est sombre,
Les grands chars gémissants qui reviennent le soir.

« La forêt ici manque et là s'est agrandie ...
De tout ce qui fut nous presque rien n'est vivant:
Et, comme un tas de cendre éteinte et refroidie,   75
L'amas des souvenirs se disperse à tout vent !

« N'existons-nous donc plus ? Avons-nous eu notre heure ?
Rien ne la rendra-t-il à nos cris superflus ?
L'air joue avec la branche au moment où je pleure;
Ma maison me regarde et ne me connaît plus.   80

« D'autres vont maintenant passer où nous passâmes.
Nous y sommes venus, d'autres vont y venir:
Et le songe qu'avaient ébauché nos deux âmes,
Ils le continueront sans pouvoir le finir !

« Car personne ici-bas ne termine et n'achève;   85
Les pires des humains sont comme les meilleurs !
Nous nous réveillons tous au même endroit du rêve.
Tout commence en ce monde et tout finit ailleurs.

« Oui, d'autres à leur tour viendront, couples sans tache,
Puiser dans cet asile heureux, calme, enchanté,   90
Tout ce que la nature à l'amour qui se cache
Mêle de rêverie et de solennité !

« D'autres auront nos champs, nos sentiers, nos retraites.
Ton bois, ma bien-aimée, est à des inconnus.
D'autres femmes viendront, baigneuses indiscrètes,   95
Troubler le flot sacré qu'ont touché tes pieds nus.

« Quoi donc ! c'est vainement qu'ici nous nous aimâmes !
Rien ne nous restera de ces coteaux fleuris
Où nous fondions notre être en y mêlant nos flammes !
L'impassible nature a déjà tout repris.   100

« Oh ! dites-moi, ravins, frais ruisseaux, treilles mûres,
Rameaux chargés de nids, grottes, forêts, buissons,
Est-ce que vous ferez pour d'autres vos murmures ?
Est-ce que vous direz à d'autres vos chansons ?

« Nous vous comprenions tant ! doux, attentifs, austères,   105
Tous nos échos s'ouvraient si bien à votre voix !
Et nous prêtions si bien, sans troubler vos mystères,
L'oreille aux mots profonds que vous dites parfois !

« Répondez, vallon pur, répondez, solitude,
O nature abritée en ce désert si beau,   110
Lorsque nous dormirons tous deux dans l'attitude
Que donne aux morts pensifs la forme du tombeau;

« Est-ce que vous serez à ce point insensible
De nous savoir couchés, morts avec nos amours,
Et de continuer votre fête paisible,   115
Et de toujours sourire et de chanter toujours ?

« Est-ce que, nous sentant errer dans vos retraites,
Fantômes reconnus par vos monts et vos bois,
Vous ne nous direz pas de ces choses secrètes
Qu'on dit en revoyant des amis d'autrefois ?   120

« Est-ce que vous pourrez, sans tristesse et sans plainte,
Voir nos ombres flotter où marchèrent nos pas,
Et la voir m'entraîner, dans une morne étreinte,
Vers quelque source en pleurs qui sanglote tout bas ?

« Et s'il est quelque part, dans l'ombre où rien ne veille,   125
Deux amants sous vos fleurs abritant leurs transports,
Ne leur irez-vous pas murmurer à l'oreille:
— Vous qui vivez, donnez une pensée aux morts ?

« Dieu nous prête un moment les prés et les fontaines,
Les grands bois frissonnants, les rocs profonds et sourds,   130
Et les cieux azurés et les lacs et les plaines,
Pour y mettre nos cœurs, nos rêves, nos amours;

« Puis il nous les retire.   Il souffle notre flamme.
Il plonge dans la nuit l'antre où nous rayonnons,
Et dit à la vallée, où s'imprima notre âme,   135
D'effacer notre trace et d'oublier nos noms.

« Eh bien ! oubliez-nous, maison, jardin, ombrages;
Herbe, use notre seuil ! ronce, cache nos pas !
Chantez, oiseaux ! ruisseaux, coulez ! croissez, feuillages !
Ceux que vous oubliez ne vous oublieront pas.   140

« Car vous êtes pour nous l'ombre de l'amour même,
Vous êtes l'oasis qu'on rencontre en chemin !
Vous êtes, ô vallon, la retraite suprême
Où nous avons pleuré nous tenant par la main !

« Toutes les passions s'éloignent avec l'âge,   145
L'une emportant son masque et l'autre son couteau,
Comme un essaim chantant d'histrions en voyage
Dont le groupe décroît derrière le coteau.

« Mais toi, rien ne t'efface, Amour ! toi qui nous charmes !
Toi qui, torche ou flambeau, luis dans notre brouillard !   150
Tu nous tiens par la joie, et surtout par les larmes;
Jeune homme on te maudit, on t'adore vieillard.

« Dans ces jours où la tête au poids des ans s'incline,
Où l'homme, sans projets, sans but, sans visions,
Sent qu'il n'est déjà plus qu'une tombe en ruine   155
Où gisent ses vertus et ses illusions;

« Quand notre âme en rêvant descend dans nos entrailles,
Comptant dans notre cœur, qu'enfin la glace atteint,
Comme on compte les morts sur un champ de batailles,
Chaque douleur tombée et chaque songe éteint,   160

« Comme quelqu'un qui cherche en tenant une lampe,
Loin des objets réels, loin du monde rieur,
Elle arrive à pas lents par une obscure rampe
Jusqu'au fond désolé du gouffre intérieur;

« Et là, dans cette nuit qu'aucun rayon n'étoile,   165
L'âme, en un repli sombre où tout semble finir,
Sent quelque chose encor palpiter sous un voile... —
C'est toi qui dors dans l'ombre, ô sacré souvenir ! »

OCEANO NOX

Oh ! combien de marins, combien de capitaines
Qui sont partis joyeux pour des courses lointaines,
Dans ce morne horizon se sont évanouis !
Combien ont disparu, dure et triste fortune !
Dans une mer sans fond, par une nuit sans lune,   5
Sous l'aveugle océan à jamais enfouis !

Combien de patrons morts avec leurs équipages !
L'ouragan de leur vie a pris toutes les pages,
Et d'un souffle il a tout dispersé sur les flots !
Nul ne saura leur fin dans l'abîme plongée.   10
Chaque vague en passant d'un butin s'est chargée;
L'une a saisi l'esquif, l'autre les matelots !

Nul ne sait votre sort, pauvres têtes perdues !
Vous roulez à travers les sombres étendues,
Heurtant de vos fronts morts des écueils inconnus.   15
Oh ! que de vieux parents, qui n'avaient plus qu'un rêve,
Sont morts en attendant tous les jours sur la grève
                    Ceux qui ne sont pas revenus !

On s'entretient de vous parfois dans les veillées.
Maint joyeux cercle, assis sur des ancres rouillées,   20
Mêle encor quelque temps vos noms d'ombre couverts
Aux rires, aux refrains, aux récits d'aventures,
Aux baisers qu'on dérobe à vos belles futures,
Tandis que vous dormez dans les goëmons verts !

On demande :—Où sont-ils ? sont-ils rois dans quelque île ? 25
Nous ont-ils délaissés pour un bord plus fertile ? —
Puis votre souvenir même est enseveli.
Le corps se perd dans l'eau, le nom dans la mémoire.
Le temps, qui sur toute ombre en verse une plus noire,
Sur le sombre océan jette le sombre oubli.   30

Bientôt des yeux de tous votre ombre est disparue.
L'un n'a-t-il pas sa barque et l'autre sa charrue ?
Seules, durant ces nuits où l'orage est vainqueur,
Vos veuves aux fronts blancs, lasses de vous attendre,
Parlent encor de vous en remuant la cendre   35
     De leur foyer et de leur cœur !

Et quand la tombe enfin a fermé leur paupière,
Rien ne sait plus vos noms, pas même une humble pierre
Dans l'étroit cimetière où l'écho nous répond,
Pas même un saule vert qui s'effeuille à l'automne,   40
Pas même la chanson naïve et monotone
Que chante un mendiant à l'angle d'un vieux pont !

Où sont-ils, les marins sombrés dans les nuits noires ?
O flots, que vous savez de lugubres histoires !
Flots profonds redoutés des mères à genoux !   45
Vous vous les racontez en montant les marées,
Et c'est ce qui vous fait ces voix désespérées
Que vous avez le soir quand vous venez vers nous !

L'EXPIATION

I

IL neigeait. On était vaincu par sa conquête.
Pour la première fois l'aigle baissait la tête.

Sombres jours ! l'empereur revenait lentement,
Laissant derrière lui brûler Moscou fumant.
Il neigeait. L'âpre hiver fondait en avalanche.   5
Après la plaine blanche une autre plaine blanche.
On ne connaissait plus les chefs ni le drapeau.
Hier la grande armée, et maintenant troupeau.
On ne distinguait plus les ailes ni le centre.
Il neigeait. Les blessés s'abritaient dans le ventre   10
Des chevaux morts; au seuil des bivouacs désolés
On voyait des clairons à leur poste gelés,
Restés debout, en selle et muets, blancs de givre,
Collant leur bouche en pierre aux trompettes de cuivre.
Boulets, mitraille, obus, mêlés aux flocons blancs,   15
Pleuvaient; les grenadiers, surpris d'être tremblants,
Marchaient pensifs, la glace à leur moustache grise.
Il neigeait, il neigeait toujours ! La froide bise
Sifflait; sur le verglas, dans des lieux inconnus,
On n'avait pas de pain et l'on allait pieds nus.   20
Ce n'étaient plus des cœurs vivants, des gens de guerre:
C'était un rêve errant dans la brume, un mystère,
Une procession d'ombres sous le ciel noir.
La solitude vaste, épouvantable à voir,
Partout apparaissait, muette vengeresse.   25
Le ciel faisait sans bruit avec la neige épaisse
Pour cette immense armée un immense linceul.
Et chacun se sentant mourir, on était seul.
— Sortira-t-on jamais de ce funeste empire ?
Deux ennemis ! le czar, le nord. Le nord est pire.   30
On jetait les canons pour brûler les affûts.
Qui se couchait, mourait. Groupe morne et confus
Ils fuyaient; le désert dévorait le cortège.
On pouvait, à des plis qui soulevaient la neige,
Voir que des régiments s'étaient endormis là.   35
O chûtes d'Annibal ! lendemains d'Attila !
Fuyards, blessés, mourants, caissons, brancards, civières,
On s'écrasait aux ponts pour passer les rivières,
On s'endormait dix mille, on se réveillait cent.
Ney, que suivait naguère une armée, à présent   40
S'évadait, disputant sa montre à trois cosaques.

Toutes les nuits, qui vive ! alerte, assauts ! attaques !
Ces fantômes prenaient leurs fusils, et sur eux
Ils voyaient se ruer, effrayants, ténébreux,
Avec des cris pareils aux voix des vautours chauves,   45
D'horribles escadrons, tourbillons d'hommes fauves.
Toute une armée ainsi dans la nuit se perdait.
L'empereur était là, debout, qui regardait.
Il était comme un arbre en proie à la cognée.
Sur ce géant, grandeur jusqu'alors épargnée,   50
Le malheur, bûcheron sinistre, était monté;
Et lui, chêne vivant, par la hache insulté,
Tressaillant sous le spectre aux lugubres revanches,
Il regardait tomber autour de lui ses branches.
Chefs, soldats, tous mouraient.   Chacun avait son tour. 55
Tandis qu'environnant sa tente avec amour,
Voyant son ombre aller et venir sur la toile,
Ceux qui restaient, croyant toujours à son étoile,
Accusaient le destin de lèse-majesté,
Lui se sentit soudain dans l'âme épouvanté.   60
Stupéfait du désastre et ne sachant que croire,
L'empereur se tourna vers Dieu; l'homme de gloire
Trembla; Napoléon comprit qu'il expiait
Quelque chose peut-être, et, livide, inquiet,
Devant ses légions sur la neige semées: 65
« Est-ce le châtiment, dit-il, Dieu des armées ? »
Alors il s'entendit appeler par son nom
Et quelqu'un qui parlait dans l'ombre lui dit: Non.

II

Waterloo ! Waterloo ! Waterloo ! morne plaine !
Comme une onde qui bout dans une urne trop pleine,   70
Dans ton cirque de bois, de coteaux, de vallons,
La pâle mort mêlait les sombres bataillons.
D'un côté c'est l'Europe et de l'autre la France.
Choc sanglant ! des héros Dieu trompait l'espérance;
Tu désertais, victoire, et le sort était las.   75
O Waterloo ! je pleure et je m'arrête, hélas !
Car ces derniers soldats de la dernière guerre

Furent grands; ils avaient vaincu toute la terre,
Chassé vingt rois, passé les Alpes et le Rhin,
Et leur âme chantait dans les clairons d'airain !   80

Le soir tombait; la lutte était ardente et noire.
Il avait l'offensive et presque la victoire;
Il tenait Wellington acculé sur un bois.
Sa lunette à la main, il observait parfois
Le centre du combat, point obscur où tressaille   85
La mêlée, effroyable et vivante broussaille,
Et parfois l'horizon, sombre comme la mer.
Soudain, joyeux, il dit: Grouchy ! — C'était Blücher.
L'espoir changea de camp, le combat changea d'âme,
La mêlée en hurlant grandit comme une flamme.   90
La batterie anglaise écrasa nos carrés.
La plaine, où frissonnaient les drapeaux déchirés,
Ne fut plus, dans les cris des mourants qu'on égorge,
Qu'un gouffre flamboyant, rouge comme une forge;
Gouffre où les régiments comme des pans de murs   95
Tombaient, où se couchaient comme des épis mûrs
Les hauts tambours-majors aux panaches énormes,
Où l'on entrevoyait des blessures difformes !
Carnage affreux ! moment fatal ! L'homme inquiet
Sentit que la bataille entre ses mains pliait.   100
Derrière un mamelon la garde était massée.
La garde, espoir suprême et suprême pensée !
« Allons ! faites donner la garde ! » cria-t-il.
Et, lanciers, grenadiers aux guêtres de coutil,
Dragons que Rome eût pris pour des légionnaires,   105
Cuirassiers, canonniers qui traînaient des tonnerres,
Portant le noir colback ou le casque poli,
Tous, ceux de Friedland et ceux et Rivoli,
Comprenant qu'ils allaient mourir dans cette fête,
Saluèrent leur dieu, debout dans la tempête.   110
Leur bouche, d'un seul cri, dit: vive l'empereur !
Puis, à pas lents, musique en tête, sans fureur,
Tranquille, souriant à la mitraille anglaise,
La garde impériale entra dans la fournaise.
Hélas ! Napoléon, sur sa garde penché,   115

Regardait, et, sitôt qu'ils avaient débouché
Sous les sombres canons crachant des jets de soufre,
Voyait, l'un après l'autre, en cet horrible gouffre,
Fondre ces régiments de granit et d'acier
Comme fond une cire au souffle d'un brasier.   120
Ils allaient, l'arme au bras, front haut, graves, stoïques.
Pas un ne recula.   Dormez, morts héroïques !
Le reste de l'armée hésitait sur leurs corps
Et regardait mourir la garde. — C'est alors
Qu'élevant tout à coup sa voix désespérée,   125
La Déroute, géante à la face effarée,
Qui, pâle, épouvantant les plus fiers bataillons,
Changeant subitement les drapeaux en haillons,
A de certains moments, spectre fait de fumées,
Se lève grandissante au milieu des armées,   130
La Déroute apparut au soldat qui s'émeut,
Et, se tordant les bras, cria: Sauve qui peut !
Sauve qui peut ! — affront ! horreur ! — toutes les bouches
Criaient; à travers champs, fous, éperdus, farouches,
Comme si quelque souffle avait passé sur eux,   135
Parmi les lourds caissons et les fourgons poudreux,
Roulant dans les fossés, se cachant dans les seigles,
Jetant shakos, manteaux, fusils, jetant les aigles,
Sous les sabres prussiens, ces vétérans, ô deuil !
Tremblaient, hurlaient, pleuraient, couraient ! — En un
   clin d'œil,   140
Comme s'envole au vent une paille enflammée,
S'évanouit ce bruit qui fut la grande armée,
Et cette plaine, hélas, où l'on rêve aujourd'hui,
Vit fuir ceux devant qui l'univers avait fui !
Quarante ans sont passés, et ce coin de la terre,   145
Waterloo, ce plateau funèbre et solitaire,
Ce champ sinistre où Dieu mêla tant de néants,
Tremble encor d'avoir vu la fuite des géants !

Napoléon les vit s'écouler comme un fleuve;
Hommes, chevaux, tambours, drapeaux; — et dans
   l'épreuve   150
Sentant confusément revenir son remords,

Levant les mains au ciel, il dit: « Mes soldats morts,
Moi vaincu ! mon empire est brisé comme verre.
Est-ce le châtiment cette fois, Dieu sévère ? »
Alors parmi les cris, les rumeurs, le canon,   155
Il entendit la voix qui lui répondait: Non !

                                III

Il croula.   Dieu changea la chaîne de l'Europe.

Il est, au fond des mers que la brume enveloppe,
Un roc hideux, débris des antiques volcans.
Le Destin prit des clous, un marteau, des carcans,   160
Saisit, pâle et vivant, ce voleur du tonnerre,
Et, joyeux, s'en alla sur le pic centenaire
Le clouer, excitant par son rire moqueur
Le vautour Angleterre à lui ronger le cœur.

Évanouissement d'une splendeur immense !   165
Du soleil qui se lève à la nuit qui commence,
Toujours l'isolement, l'abandon, la prison,
Un soldat rouge au seuil, la mer à l'horizon,
Des rochers nus, des bois affreux, l'ennui, l'espace,
Des voiles s'enfuyant comme l'espoir qui passe,   170
Toujours le bruit des flots, toujours le bruit des vents !
Adieu, tente de pourpre aux panaches mouvants,
Adieu, le cheval blanc que César éperonne !
Plus de tambours battant aux champs, plus de couronne,
Plus de rois prosternés dans l'ombre avec terreur,   175
Plus de manteau traînant sur eux, plus d'empereur !
Napoléon était retombé Bonaparte.
Comme un Romain blessé par la flèche du Parthe,
Saignant, morne, il songeait à Moscou qui brûla.
Un caporal anglais lui disait: halte-là !   180
Son fils aux mains des rois ! sa femme aux bras d'un autre !
Plus vil que le pourceau qui dans l'égout se vautre,
Son sénat qui l'avait adoré l'insultait.
Au bord des mers, à l'heure où la bise se tait,
Sur les escarpements croulant en noirs décombres,   185
Il marchait, seul, rêveur, captif des vagues sombres.

Sur les monts, sur les flots, sur les cieux, triste et fier,
L'œil encore ébloui des batailles d'hier,
Il laissait sa pensée errer à l'aventure.
Grandeur, gloire, ô néant ! calme de la nature !   190
Les aigles qui passaient ne le connaissaient pas.
Les rois, ses guichetiers, avaient pris un compas
Et l'avaient enfermé dans un cercle inflexible.
Il expirait. La mort de plus en plus visible
Se levait dans sa nuit et croissait à ses yeux   195
Comme le froid matin d'un jour mystérieux.
Son âme palpitait, déjà presque échappée.
Un jour enfin il mit sur son lit son épée,
Et se coucha près d'elle, et dit : c'est aujourd'hui !
On jeta le manteau de Marengo sur lui.   200
Ses batailles du Nil, du Danube, du Tibre,
Se penchaient sur son front, il dit : « Me voici libre !
Je suis vainqueur ! je vois mes aigles accourir ! »
Et, comme il retournait sa tête pour mourir,
Il aperçut, un pied dans la maison déserte,   205
Hudson Lowe guettant par la porte entr'ouverte.
Alors, géant broyé sous le talon des rois,
Il cria : « La mesure est comble cette fois !
Seigneur ! c'est maintenant fini ! Dieu que j'implore,
Vous m'avez châtié ! » La voix dit : Pas encore !   210

                              IV

O noirs événements, vous fuyez dans la nuit !
L'empereur mort tomba sur l'empire détruit.
Napoléon alla s'endormir sous le saule.
Et les peuples alors, de l'un à l'autre pôle,
Oubliant le tyran, s'éprirent du héros.   215
Les poètes, marquant au front les rois bourreaux,
Consolèrent, pensifs, cette gloire abattue.
A la colonne veuve on rendit sa statue.
Quand on levait les yeux, on le voyait debout
Au-dessus de Paris, serein, dominant tout,   220
Seul, le jour dans l'azur et la nuit dans les astres.
Panthéons, on grava son nom sur vos pilastres !

On ne regarda plus qu'un seul côté du temps,
On ne se se souvint plus que des jours éclatants;
Cet homme étrange avait comme enivré l'histoire;   225
La justice à l'œil froid disparut sous sa gloire;
On ne vit plus qu'Essling, Ulm, Arcole, Austerlitz;
Comme dans les tombeaux des Romains abolis,
On se mit à fouiller dans ces grandes années;
Et vous applaudissiez, nations inclinées,   230
Chaque fois qu'on tirait de ce sol souverain
Ou le consul de marbre ou l'empereur d'airain !

                         v

     Le nom grandit quand l'homme tombe;
     Jamais rien de tel n'avait lui.
     Calme, il écoutait dans sa tombe   235
     La terre qui parlait de lui.

     La terre disait: « — La victoire
     A suivi cet homme en tous lieux.
     Jamais tu n'as vu, sombre histoire,
     Un passant plus prodigieux !   240

     « Gloire au maître qui dort sous l'herbe !
     Gloire à ce grand audacieux !
     Nous l'avons vu gravir, superbe,
     Les premiers échelons des cieux !

     « Il envoyait, âme acharnée,   245
     Prenant Moscou, prenant Madrid,
     Lutter contre la destinée
     Tous les rêves de son esprit.

     « A chaque instant, rentrant en lice,
     Cet homme aux gigantesques pas   250
     Proposait quelque grand caprice
     A Dieu, qui n'y consentait pas.

     « Il n'était presque plus un homme.
     Il disait, grave et rayonnant,
     En regardant fixement Rome: 255
     C'est moi qui règne maintenant !

« Il voulait, héros et symbole,
Pontife et roi, phare et volcan,
Faire du Louvre un Capitole
Et de Saint-Cloud un Vatican.   260

« César, il eût dit à Pompée:
Sois fier d'être mon lieutenant !
On voyait luire son épée
Au fond d'un nuage tonnant.

« Il voulait, dans les frénésies   265
De ses vastes ambitions,
Faire devant ses fantaisies
Agenouiller les nations.

« Ainsi qu'en une urne profonde,
Mêler races, langues, esprits,   270
Répandre Paris sur le monde,
Enfermer le monde en Paris !

« Comme Cyrus dans Babylone,
Il voulait sous sa large main
Ne faire du monde qu'un trône   275
Et qu'un peuple du genre humain.

« Et bâtir, malgré les huées,
Un tel empire sous son nom,
Que Jéhovah dans les nuées
Fût jaloux de Napoléon ! »   280

VI

Enfin, mort triomphant, il vit sa délivrance,
Et l'océan rendit son cercueil à la France.
L'homme, depuis douze ans, sous le dôme doré
Reposait, par l'exil et par la mort sacré.
En paix ! — Quand on passait près du monument
    sombre,   285
On se le figurait, couronne au front, dans l'ombre,
Dans son manteau semé d'abeilles d'or, muet,
Couché sous cette voûte où rien ne remuait,
Lui, l'homme qui trouvait la terre trop étroite,

Le sceptre en sa main gauche et l'épée en sa droite,   290
A ses pieds son grand aigle ouvrant l'œil à demi,
Et l'on disait: C'est là qu'est César endormi !

Laissant dans la clarté marcher l'immense ville,
Il dormait; il dormait confiant et tranquille.

VII

Une nuit, — c'est toujours la nuit dans le tombeau, — 295
Il s'éveilla.   Luisant comme un hideux flambeau,
D'étranges visions emplissaient sa paupière;
Des rires éclataient sous son plafond de pierre;
Livide, il se dressa; la vision grandit;
O terreur ! une voix qu'il reconnut, lui dit: 300

— Réveille-toi.   Moscou, Waterloo, Sainte-Hélène,
L'exil, les rois geôliers, l'Angleterre hautaine
Sur ton lit accoudée à ton dernier moment,
Sire, cela n'est rien.   Voici le châtiment:

La voix alors devint âpre, amère, stridente,   305
Comme le noir sarcasme et l'ironie ardente;
C'était le rire amer mordant un demi-dieu.
— Sire ! on t'a retiré de ton Panthéon bleu !
Sire ! on t'a descendu de ta haute colonne !
Regarde.   Des brigands, dont l'essaim tourbillonne, 310
D'affreux bohémiens, des vainqueurs de charnier
Te tiennent dans leurs mains et t'ont fait prisonnier.
A ton orteil d'airain leur patte infâme touche.
Ils t'ont pris.   Tu mourus, comme un astre se couche,
Napoléon le Grand, empereur; tu renais   315
Bonaparte, écuyer du cirque Beauharnais.
Te voilà dans leurs rangs, on t'a, l'on te harnache.
Ils t'appellent tout haut grand homme, entre eux, ganache.
Ils traînent, sur Paris qui les voit s'étaler,
Des sabres qu'au besoin ils sauraient avaler.   320
Aux passants attroupés devant leur habitacle,
Ils disent, entends-les: — Empire à grand spectacle !
Le pape est engagé dans la troupe; c'est bien,
Nous avons mieux; le czar en est; mais ce n'est rien,

Le czar n'est qu'un sergent, le pape n'est qu'un bonze. 325
Nous avons avec nous le bonhomme de bronze !
Nous sommes les neveux du grand Napoléon ! —
Et Fould, Magnan, Rouher, Parieu caméléon,
Font rage. Ils vont montrant un sénat d'automates.
Ils ont pris de la paille au fond des casemates 330
Pour empailler ton aigle, ô vainqueur d'Iéna !
Il est là, mort, gisant, lui qui si haut plana,
Et du champ de bataille il tombe au champ de foire.
Sire, de ton vieux trône ils recousent la moire.
Ayant dévalisé la France au coin d'un bois, 335
Ils ont à leurs haillons du sang, comme tu vois,
Et dans son bénitier Sibour lave leur linge.
Toi, lion, tu les suis; leur maître, c'est le singe.
Ton nom leur sert de lit, Napoléon premier.
On voit sur Austerlitz un peu de leur fumier. 340
Ta gloire est un gros vin dont leur honte se grise.
Cartouche essaie et met ta redingote grise,
On quête des liards dans le petit chapeau;
Pour tapis sur la table ils ont mis ton drapeau;
A cette table immonde où le grec devient riche, 345
Avec le paysan on boit, on joue, on triche;
Tu te mêles, compère, à ce tripot hardi,
Et ta main qui tenait l'étendard de Lodi,
Cette main qui portait la foudre, ô Bonaparte,
Aide à piper les dés et fait sauter la carte. 350
Ils te forcent à boire avec eux, et Carlier
Pousse amicalement d'un coude familier
Votre majesté, sire, et Piétri dans son antre
Vous tutoie, et Maupas vous tape sur le ventre.
Faussaires, meurtriers, escrocs, forbans, voleurs, 355
Ils savent qu'ils auront, comme toi, des malheurs;
Leur soif en attendant vide la coupe pleine
A ta santé; Poissy trinque avec Sainte Hélène.
Regarde ! bals, sabbats, fêtes matin et soir.
La foule au bruit qu'ils font se culbute pour voir; 360
Debout sur le tréteau qu'assiège une cohue
Qui rit, bâille, applaudit, tempête, siffle, hue,
Entouré de pasquins agitant leur grelot,

— Commencer par Homère et finir par Callot !
Épopée ! épopée ! oh ! quel dernier chapitre ! —   365
Entre Troplong paillasse et Chaix-d'Est-Ange pitre,
Devant cette baraque, abject et vil bazar
Où Mandrin mal lavé se déguise en César,
Riant, l'affreux bandit, dans sa moustache épaisse,
Toi, spectre impérial, tu bats la grosse caisse ! —   370

L'horrible vision s'éteignit. L'empereur,
Désespéré, poussa dans l'ombre un cri d'horreur,
Baissant les yeux, dressant ses mains épouvantées.
Les Victoires de marbre à la porte sculptées,
Fantômes blancs debout hors du sépulcre obscur,   375
Se faisaient du doigt signe, et, s'appuyant au mur,
Écoutaient le titan pleurer dans les ténèbres.
Et lui, cria: « Démon aux visions funèbres,
Toi qui me suis partout, que jamais je ne vois,
Qui donc es-tu ? — Je suis ton crime », dit la voix.   380
La tombe alors s'emplit d'une lumière étrange
Semblable à la clarté de Dieu quand il se venge;
Pareils aux mots que vit resplendir Balthazar,
Deux mots dans l'ombre écrits flamboyaient sur César;
Bonaparte, tremblant comme un enfant sans mère,   385
Leva sa face pâle et lut: — Dix-huit Brumaire !

MES VERS FUIRAIENT...

Mes vers fuiraient, doux et frêles,
    Vers votre jardin si beau,
Si mes vers avaient des ailes,
    Des ailes comme l'oiseau.

Ils voleraient, étincelles,   5
    Vers votre foyer qui rit,
Si mes vers avaient des ailes,
    Des ailes comme l'esprit.

Près de vous, purs et fidèles,
    Ils accourraient nuit et jour,   10
Si mes vers avaient des ailes,
    Des ailes comme l'amour.

ÉCRIT AU BAS D'UN CRUCIFIX

Vous qui pleurez, venez à ce Dieu, car il pleure.
Vous qui souffrez, venez à lui, car il guérit.
Vous qui tremblez, venez à lui, car il sourit.
Vous qui passez, venez à lui, car il demeure.

OH! JE FUS COMME FOU ...

Oh! je fus comme fou dans le premier moment,
Hélas! et je pleurai trois jours amèrement.
Vous tous à qui Dieu prit votre chère espérance,
Pères, mères, dont l'âme a souffert ma souffrance,
Tout ce que j'éprouvais, l'avez-vous éprouvé?   5
Je voulais me briser le front sur le pavé;
Puis je me révoltais, et, par moments, terrible,
Je fixais mes regards sur cette chose horrible,
Et je n'y croyais pas, et je m'écriais: Non!
— Est-ce que Dieu permet de ces malheurs sans nom   10
Qui font que dans le cœur le désespoir se lève? —
Il me semblait que tout n'était qu'un affreux rêve,
Qu'elle ne pouvait pas m'avoir ainsi quitté,
Que je l'entendais rire en la chambre à côté,
Que c'était impossible enfin qu'elle fût morte,   15
Et que j'allais la voir entrer par cette porte!

Oh! que de fois j'ai dit: Silence! elle a parlé!
Tenez! voici le bruit de sa main sur la clé!
Attendez! elle vient! Laissez-moi, que j'écoute!
Car elle est quelque part dans la maison sans doute! 20

ELLE AVAIT PRIS CE PLI ...

Elle avait pris ce pli dans son âge enfantin
De venir dans ma chambre un peu chaque matin;
Je l'attendais ainsi qu'un rayon qu'on espère;
Elle entrait, et disait: « Bonjour, mon petit père; »

Prenait ma plume, ouvrait mes livres, s'asseyait   5
Sur mon lit, dérangeait mes papiers, et riait,
Puis soudain s'en allait comme un oiseau qui passe.
Alors, je reprenais, la tête un peu moins lasse,
Mon œuvre interrompue, et, tout en écrivant,
Parmi mes manuscrits je rencontrais souvent   10
Quelque arabesque folle et qu'elle avait tracée,
Et mainte page blanche entre ses mains froissée
Où, je ne sais comment, venaient mes plus doux vers.
Elle aimait Dieu, les fleurs, les astres, les prés verts,
Et c'était un esprit avant d'être une femme.   15
Son regard reflétait la clarté de son âme.
Elle me consultait sur tout à tous moments.
Oh ! que de soirs d'hiver radieux et charmants,
Passés à raisonner langue, histoire et grammaire,
Mes quatre enfants groupés sur mes genoux, leur mère   20
Tout près, quelques amis causant au coin du feu !
J'appelais cette vie être content de peu !
Et dire qu'elle est morte ! hélas ! que Dieu m'assiste !
Je n'étais jamais gai quand je la sentais triste ;
J'étais morne au milieu du bal le plus joyeux   25
Si j'avais, en partant, vu quelque ombre en ses yeux.

A VILLEQUIER

Maintenant que Paris, ses pavés et ses marbres,
Et sa brume et ses toits sont bien loin de mes yeux ;
Maintenant que je suis sous les branches des arbres,
Et que je puis songer à la beauté des cieux ;

Maintenant que du deuil qui m'a fait l'âme obscure   5
    Je sors, pâle, et vainqueur,
Et que je sens la paix de la grande nature
    Qui m'entre dans le cœur ;

Maintenant que je puis, assis au bord des ondes,
Ému par ce superbe et tranquille horizon,   10
Examiner en moi les vérités profondes
Et regarder les fleurs qui sont dans le gazon ;

Maintenant, ô mon Dieu ! que j'ai ce calme sombre
    De pouvoir désormais
Voir de mes yeux la pierre où je sais que dans l'ombre 15
    Elle dort pour jamais;

Maintenant qu'attendri par ces divins spectacles,
Plaines, forêts, rochers, vallons, fleuve argenté,
Voyant ma petitesse et voyant vos miracles,
Je reprends ma raison devant l'immensité;   20

Je viens à vous, Seigneur, père auquel il faut croire;
    Je vous porte, apaisé,
Les morceaux de ce cœur tout plein de votre gloire
    Que vous avez brisé;

Je viens à vous, Seigneur ! confessant que vous êtes 25
Bon, clément, indulgent et doux, ô Dieu vivant !
Je conviens que vous seul savez ce que vous faites,
Et que l'homme n'est rien qu'un jonc qui tremble au
  vent;

Je dis que le tombeau qui sur les morts se ferme
    Ouvre le firmament;   30
Et que ce qu'ici-bas nous prenons pour le terme
    Est le commencement;

Je conviens à genoux que vous seul, père auguste,
Possédez l'infini, le réel, l'absolu;
Je conviens qu'il est bon, je conviens qu'il est juste 35
Que mon cœur ait saigné, puisque Dieu l'a voulu !

Je ne résiste plus à tout ce qui m'arrive
    Par votre volonté.
L'âme de deuils en deuils, l'homme de rive en rive
    Roule à l'éternité.   40

Nous ne voyons jamais qu'un seul côté des choses;
L'autre plonge en la nuit d'un mystère effrayant.
L'homme subit le joug sans connaître les causes.
Tout ce qu'il voit est court, inutile et fuyant.

Vous faites revenir toujours la solitude   45
    Autour de tous ses pas.

Vous n'avez pas voulu qu'il eût la certitude
    Ni la joie ici-bas !

Dès qu'il possède un bien, le sort le lui retire.
Rien ne lui fut donné, dans ses rapides jours,   50
Pour qu'il s'en puisse faire une demeure, et dire:
C'est ici ma maison, mon champ et mes amours !

Il doit voir peu de temps tout ce que ses yeux voient;
    Il vieillit sans soutiens.
Puisque ces choses sont, c'est qu'il faut qu'elles soient; 55
    J'en conviens, j'en conviens !

Le monde est sombre, ô Dieu ! l'immuable harmonie
Se compose des pleurs aussi bien que des chants;
L'homme n'est qu'un atome en cette ombre infinie,
Nuit où montent les bons, où tombent les méchants.   60

Je sais que vous avez bien autre chose à faire
    Que de nous plaindre tous,
Et qu'un enfant qui meurt, désespoir de sa mère,
    Ne vous fait rien, à vous !

Je sais que le fruit tombe au vent qui le secoue;   65
Que l'oiseau perd sa plume et la fleur son parfum;
Que la création est une grande roue
Qui ne peut se mouvoir sans écraser quelqu'un;

Les mois, les jours, les flots des mers, les yeux qui pleurent,
    Passent sous le ciel bleu;   70
Il faut que l'herbe pousse et que les enfants meurent;
    Je le sais, ô mon Dieu !

Dans vos cieux, au delà de la sphère des nues,
Au fond de cet azur immobile et dormant,
Peut-être faites-vous des choses inconnues   75
Où la douleur de l'homme entre comme élément.

Peut-être est-il utile à vos desseins sans nombre
    Que des êtres charmants
S'en aillent, emportés par le tourbillon sombre
    Des noirs événements.   80

Nos destins ténébreux vont sous des lois immenses
Que rien ne déconcerte et que rien n'attendrit.
Vous ne pouvez avoir de subites clémences
Qui dérangent le monde, ô Dieu, tranquille esprit !

Je vous supplie, ô Dieu, de regarder mon âme,   85
   Et de considérer
Qu'humble comme un enfant et doux comme une femme,
   Je viens vous adorer !

Considérez encor que j'avais, dès l'aurore,
Travaillé, combattu, pensé, marché, lutté,   90
Expliquant la nature à l'homme qui l'ignore,
Éclairant toute chose avec votre clarté;

Que j'avais, affrontant la haine et la colère,
   Fait ma tache ici-bas,
Que je ne pouvais pas m'attendre à ce salaire,   95
   Que je ne pouvais pas

Prévoir que, vous aussi, sur ma tête qui ploie,
Vous appesantiriez votre bras triomphant,
Et que, vous qui voyiez comme j'ai peu de joie,
Vous me reprendriez si vite mon enfant !   100

Qu'une âme ainsi frappée à se plaindre est sujette,
   Que j'ai pu blasphémer,
Et vous jeter mes cris comme un enfant qui jette
   Une pierre à la mer !

Considérez qu'on doute, ô mon Dieu ! quand on souffre,   105
Que l'œil qui pleure trop finit par s'aveugler,
Qu'un être que son deuil plonge au plus noir du gouffre,
Quand il ne vous voit plus, ne peut vous contempler,

Et qu'il ne se peut que l'homme, lorsqu'il sombre
   Dans les afflictions,   110
Ait présente à l'esprit la sérénité sombre
   Des constellations !

Aujourd'hui, moi qui fus faible comme une mère,
Je me courbe à vos pieds devant vos cieux ouverts.
Je me sens éclairé dans ma douleur amère   115
Par un meilleur regard jeté sur l'univers.

Seigneur, je reconnais que l'homme est en délire,
  S'il ose murmurer;
Je cesse d'accuser, je cesse de maudire,
  Mais laissez-moi pleurer !   120

Hélas ! laissez les pleurs couler de ma paupière,
Puisque vous avez fait les hommes pour cela !
Laissez-moi me pencher sur cette froide pierre
Et dire à mon enfant: Sens-tu que je suis là ?

Laissez-moi lui parler, incliné sur ses restes, 125
  Le soir, quand tout se tait,
Comme si, dans sa nuit rouvrant ses yeux célestes,
  Cet ange m'écoutait !

Hélas ! vers le passé tournant un œil d'envie,
Sans que rien ici-bas puisse m'en consoler, 130
Je regarde toujours ce moment de ma vie
Où je l'ai vue ouvrir son aile et s'envoler !

Je verrai cet instant jusqu'à ce que je meure,
  L'instant, pleurs superflus !
Où je criai: l'enfant que j'avais tout à l'heure, 135
  Quoi donc ! je ne l'ai plus !

Ne vous irritez pas que je sois de la sorte,
O mon Dieu ! cette plaie a si longtemps saigné !
L'angoisse dans mon âme est toujours la plus forte,
Et mon cœur est soumis, mais n'est pas résigné. 140

Ne vous irritez pas ! fronts que le deuil réclame,
  Mortels sujets aux pleurs,
Il nous est malaisé de retirer notre âme
  De ces grandes douleurs.

Voyez-vous, nos enfants nous sont bien nécessaires, 145
Seigneur; quand on a vu dans sa vie, un matin,
Au milieu des ennuis, des peines, des misères,
Et de l'ombre que fait sur nous notre destin,

Apparaître un enfant, tête chère et sacrée,
  Petit être joyeux,   150
Si beau, qu'on a cru voir s'ouvrir à son entrée
  Une porte des cieux;

Quand on a vu, seize ans, de cet autre soi-même
Croître la grâce aimable et la douce raison,
Lorsqu'on a reconnu que cet enfant qu'on aime   155
Fait le jour dans notre âme et dans notre maison,

Que c'est la seule joie ici-bas qui persiste
    De tout ce qu'on rêva,
Considérez que c'est une chose bien triste
    De le voir qui s'en va !   160

LA CONSCIENCE

LORSQUE avec ses enfants vêtus de peaux de bêtes,
Échevelé, livide au milieu des tempêtes,
Caïn se fut enfui de devant Jéhovah,
Comme le soir tombait, l'homme sombre arriva
Au bas d'une montagne en une grande plaine;   5
Sa femme fatiguée et ses fils hors d'haleine
Lui dirent: « Couchons-nous sur la terre, et dormons. »
Caïn, ne dormant pas, songeait au pied des monts.
Ayant levé la tête, au fond des cieux funèbres,
Il vit un œil, tout grand ouvert dans les ténèbres,   10
Et qui le regardait dans l'ombre fixement.
« Je suis trop près », dit-il avec un tremblement.
Il réveilla ses fils dormant, sa femme lasse,
Et se remit à fuir sinistre dans l'espace.
Il marcha trente jours, il marcha trente nuits.   15
Il allait, muet, pâle et frémissant aux bruits,
Furtif, sans regarder derrière lui, sans trêve,
Sans repos, sans sommeil; il atteignit la grève
Des mers dans le pays qui fut depuis Assur.
« Arrêtons-nous, dit-il, car cet asile est sûr.   20
Restons-y. Nous avons du monde atteint les bornes. »
Et, comme il s'asseyait, il vit dans les cieux mornes
L'œil à la même place au fond de l'horizon.
Alors il tressaillit en proie au noir frisson.
« Cachez-moi ! » cria-t-il; et, le doigt sur la bouche,   25
Tous ses fils regardaient trembler l'aïeul farouche.
Caïn dit à Jabel, père de ceux qui vont

Sous des tentes de poil dans le désert profond:
« Étends de ce côté la toile de la tente. »
Et l'on développa la muraille flottante;   30
Et, quand on l'eut fixée avec des poids de plomb:
« Vous ne voyez plus rien ? » dit Tsilla, l'enfant blond,
La fille de ses fils, douce comme l'aurore;
Et Caïn répondit: « Je vois cet œil encore ! »
Jubal, père de ceux qui passent dans les bourgs   35
Soufflant dans des clairons et frappant des tambours,
Cria: « Je saurai bien construire une barrière. »
Il fit un mur de bronze et mit Caïn derrière.
Et Caïn dit: « Cet œil me regarde toujours ! »
Hénoch dit: « Il faut faire une enceinte de tours   40
Si terrible, que rien ne puisse approcher d'elle.
Bâtissons une ville avec sa citadelle,
Bâtissons une ville, et nous la fermerons. »
Alors Tubalcaïn, père des forgerons,
Construisit une ville énorme et surhumaine.   45
Pendant qu'il travaillait, ses frères, dans la plaine,
Chassaient les fils d'Énos et les enfants de Seth;
Et l'on crevait les yeux à quiconque passait;
Et, le soir, on lançait des flèches aux étoiles.
Le granit remplaça la tente aux murs de toiles,   50
On lia chaque bloc avec des nœuds de fer,
Et la ville semblait une ville d'enfer;
L'ombre des tours faisait la nuit dans les campagnes;
Ils donnèrent aux murs l'épaisseur des montagnes;
Sur la porte on grava: « Défense à Dieu d'entrer. »   55
Quand ils eurent fini de clore et de murer,
On mit l'aïeul au centre en une tour de pierre;
Et lui restait lugubre et hagard.   « O mon père !
L'œil a-t-il disparu ? » dit en tremblant Tsilla.
Et Caïn répondit: « Non, il est toujours là. »   60
Alors il dit: « Je veux habiter sous la terre
Comme dans son sépulcre un homme solitaire;
Rien ne me verra plus, je ne verrai plus rien. »
On fit donc une fosse, et Caïn dit: « C'est bien ! »
Puis il descendit seul sous cette voûte sombre.   65
Quand il se fut assis sur sa chaise dans l'ombre

Et qu'on eut sur son front fermé le souterrain,
L'œil était dans la tombe et regardait Caïn.

BOOZ ENDORMI

Booz s'était couché de fatigue accablé;
Il avait tout le jour travaillé dans son aire;
Puis avait fait son lit à sa place ordinaire;
Booz dormait auprès des boisseaux pleins de blé.

Ce vieillard possédait des champs de blés et d'orge;   5
Il était, quoique riche, à la justice enclin;
Il n'avait pas de fange en l'eau de son moulin;
Il n'avait pas d'enfer dans le feu de sa forge.

Sa barbe était d'argent comme un ruisseau d'avril.
Sa gerbe n'était point avare ni haineuse;   10
Quand il voyait passer quelque pauvre glaneuse:
« Laissez tomber exprès des épis », disait-il.

Cet homme marchait pur loin des sentiers obliques,
Vêtu de probité candide et de lin blanc;
Et, toujours du côté des pauvres ruisselant,   15
Ses sacs de grains semblaient des fontaines publiques.

Booz était bon maître et fidèle parent;
Il était généreux, quoiqu'il fût économe;
Les femmes regardaient Booz plus qu'un jeune homme,
Car le jeune homme est beau, mais le vieillard est grand.   20

Le vieillard, qui revient vers la source première,
Entre aux jours éternels et sort des jours changeants;
Et l'on voit de la flamme aux yeux des jeunes gens,
Mais dans l'œil du vieillard on voit de la lumière.

*

Donc, Booz dans la nuit dormait parmi les siens.   25
Près des meules, qu'on eût prises pour des décombres,
Les moissonneurs couchés faisaient des groupes sombres;
Et ceci se passait dans des temps très anciens.

Les tribus d'Israël avaient pour chef un juge;
La terre, où l'homme errait sous la tente, inquiet   30
Des empreintes de pieds de géants qu'il voyait,
Était mouillée encor et molle du déluge.

*

Comme dormait Jacob, comme dormait Judith,
Booz, les yeux fermés, gisait sous la feuillée;
Or, la porte du ciel s'étant entre-bâillée   35
Au-dessus de sa tête, un songe en descendit.

Et ce songe était tel, que Booz vit un chêne
Qui, sorti de son ventre, allait jusqu'au ciel bleu;
Une race y montait comme une longue chaîne;
Un roi chantait en bas, en haut mourait un Dieu.   40

Et Booz murmurait avec la voix de l'âme:
« Comment se pourrait-il que de moi ceci vînt?
Le chiffre de mes ans a passé quatrevingt,
Et je n'ai pas de fils, et je n'ai plus de femme.

Voilà longtemps que celle avec qui j'ai dormi,   45
O Seigneur! a quitté ma couche pour la vôtre;
Et nous sommes encor tout mêlés l'un à l'autre,
Elle à demi vivante et moi mort à demi.

Une race naîtrait de moi! Comment le croire?
Comment se pourrait-il que j'eusse des enfants?   50
Quand on est jeune, on a des matins triomphants;
Le jour sort de la nuit comme d'une victoire;

Mais vieux, on tremble ainsi qu'à l'hiver le bouleau;
Je suis veuf, je suis seul, et sur moi le soir tombe,
Et je courbe, ô mon Dieu! mon âme vers la tombe,   55
Comme un bœuf ayant soif penche son front vers l'eau. »

Ainsi parlait Booz dans le rêve et l'extase,
Tournant vers Dieu ses yeux par le sommeil noyés;
Le cèdre ne sent pas une rose à sa base,
Et lui ne sentait pas une femme à ses pieds.   60

*

Pendant qu'il sommeillait, Ruth, une Moabite,
S'était couchée aux pieds de Booz, le sein nu,
Espérant on ne sait quel rayon inconnu
Quand viendrait du réveil la lumière subite.

Booz ne savait point qu'une femme était là, 65
Et Ruth ne savait point ce que Dieu voulait d'elle.
Un frais parfum sortait des touffes d'asphodèle;
Les souffles de la nuit flottaient sur Galgala.

L'ombre était nuptiale, auguste et solennelle;
Les anges y volaient sans doute obscurément, 70
Car on voyait passer dans la nuit, par moment,
Quelque chose de bleu qui paraissait une aile.

La respiration de Booz qui dormait
Se mêlait au bruit sourd des ruisseaux sur la mousse.
On était dans le mois où la nature est douce, 75
Les collines ayant des lys sur leur sommet.

Ruth songeait et Booz dormait; l'herbe était noire;
Les grelots des troupeaux palpitaient vaguement;
Une immense bonté tombait du firmament;
C'était l'heure tranquille où les lions vont boire. 80

Tout reposait dans Ur et dans Jérimadeth;
Les astres émaillaient le ciel profond et sombre;
Le croissant fin et clair parmi ces fleurs de l'ombre
Brillait à l'occident, et Ruth se demandait,

Immobile, ouvrant l'œil à moitié sous ses voiles, 85
Quel dieu, quel moissonneur de l'éternel été,
Avait, en s'en allant, négligemment jeté
Cette faucille d'or dans le champ des étoiles.

SAISON DES SEMAILLES

LE SOIR

C'EST le moment crépusculaire.
J'admire, assis sous un portail,
Ce reste de jour dont s'éclaire
La dernière heure du travail.

Dans les terres, de nuit baignées,   5
Je contemple, ému, les haillons
D'un vieillard qui jette à poignées
La moisson future aux sillons.

Sa haute silhouette noire
Domine les profonds labours.   10
On sent à quel point il doit croire
A la fuite utile des jours.

Il marche dans la plaine immense,
Va, vient, lance la graine au loin,
Rouvre sa main et recommence,   15
Et je médite, obscur témoin,

Pendant que, déployant ses voiles,
L'ombre, où se mêle une rumeur,
Semble élargir jusqu'aux étoiles
Le geste auguste du semeur.   20

JEANNE ÉTAIT AU PAIN SEC...

JEANNE était au pain sec dans le cabinet noir,
Pour un crime quelconque, et, manquant au devoir,
J'allai voir la proscrite en pleine forfaiture,
Et lui glissai dans l'ombre un pot de confiture
Contraire aux lois. Tous ceux sur qui, dans ma cité,   5
Repose le salut de la société,
S'indignèrent, et Jeanne a dit d'une voix douce:
— Je ne toucherai plus mon nez avec mon pouce;
Je ne me ferai plus griffer par le minet.
Mais on s'est récrié: — Cette enfant vous connaît;   10
Elle sait à quel point vous êtes faible et lâche.
Elle vous voit toujours rire quand on se fâche.
Pas de gouvernement possible. A chaque instant
L'ordre est troublé par vous; le pouvoir se détend;
Plus de règle. L'enfant n'a plus rien qui l'arrête.   15
Vous démolissez tout. — Et j'ai baissé la tête,

Et j'ai dit: — Je n'ai rien à répondre à cela,
J'ai tort. Oui, c'est avec ces indulgences-là
Qu'on a toujours conduit les peuples à leur perte.
Qu'on me mette au pain sec. — Vous le méritez, certe. 20
On vous y mettra. — Jeanne alors, dans son coin noir,
M'a dit tout bas, levant ses yeux si beaux à voir,
Pleins de l'autorité des douces créatures;
— Eh bien, moi, je t'irai porter des confitures.

PROMENADES DANS LES ROCHERS

Un tourbillon d'écume, au centre de la baie,
Formé par de secrets et profonds entonnoirs,
Se berce mollement sur l'onde qu'il égaie,
Vasque immense d'albâtre au milieu des flots noirs.

Seigneur, que faites-vous de cette urne de neige ? 5
Qu'y versez-vous dès l'aube et qu'en sort-il la nuit ?
La mer lui jette en vain sa vague qui l'assiège,
Le nuage sa brume et l'ouragan son bruit.

L'orage avec son bruit, le flot avec sa fange,
Passent; le tourbillon, vénéré du pêcheur, 10
Reparaît, conservant, dans l'abîme où tout change,
Toujours la même place et la même blancheur.

Le pêcheur dit: « C'est là qu'en une onde bénie,
Les petits enfants morts, chaque nuit de Noël,
Viennent blanchir leur aile au souffle humain ternie, 15
Avant de s'envoler pour être anges au ciel. »

Moi, je dis: « Dieu mit là cette coupe si pure,
Blanche en dépit des flots et des rochers penchants,
Pour être dans le sein de la grande nature,
La figure du juste au milieu des méchants. » 20

II

La mer donne l'écume et la terre le sable.
L'or se mêle à l'argent dans les plis du flot vert.
J'entends le bruit que fait l'éther infranchissable,
Bruit immense et lointain, de silence couvert.

Un enfant chante auprès de la mer qui murmure.   25
Rien n'est grand, ni petit. Vous avez mis, mon Dieu,
Sur la création et sur la créature
Les mêmes astres d'or et le même ciel bleu.

Notre sort est chétif; nos visions sont belles.
L'esprit saisit le corps et l'enlève au grand jour.   30
L'homme est un point qui vole avec deux grandes ailes,
Dont l'une est la pensée et dont l'autre est l'amour.

Sérénité de tout ! majesté ! force et grâce !
La voile rentre au port et les oiseaux aux nids.
Tout va se reposer, et j'entends dans l'espace   35
Palpiter vaguement des baisers infinis.

Le vent courbe les joncs sur le rocher superbe,
Et de l'enfant qui chante il emporte la voix.
O vent ! que vous courbez à la fois de brins d'herbe
Et que vous emportez de chansons à la fois !   40

Qu'importe ! Ici tout berce, et rassure, et caresse.
Plus d'ombre dans le cœur ! plus de soucis amers !
Une ineffable paix monte et descend sans cesse
Du bleu profond de l'âme au bleu profond des mers.

III

Le soleil déclinait; le soir prompt à le suivre   45
Brunissait l'horizon; sur la pierre d'un champ,
Un vieillard, qui n'a plus que peu de temps à vivre,
S'était assis pensif, tourné vers le couchant.

C'était un vieux pasteur, berger dans la montagne,
Qui jadis, jeune et pauvre, heureux, libre et sans lois, 50
A l'heure où le mont fuit sous l'ombre qui le gagne,
Faisait gaîment chanter sa flûte dans les bois.

Maintenant riche et vieux, l'âme du passé pleine,
D'une grande famille aïeul laborieux,
Tandis que ses troupeaux revenaient dans la plaine, 55
Détaché de la terre, il contemplait les cieux.

Le jour qui va finir vaut le jour qui commence.
Le vieux penseur rêvait sous cet azur si beau.
L'Océan devant lui se prolongeait, immense,
Comme l'espoir du juste aux portes du tombeau. 60

O moment solennel! les monts, la mer farouche,
Les vents faisaient silence et cessaient leur clameur.
Le vieillard regardait le soleil qui se couche;
Le soleil regardait le vieillard qui se meurt.

IV

Dieu! que les monts sont beaux avec ces taches d'ombre! 65
Que la mer a de grâce et le ciel de clarté!
De mes jours passagers que m'importe le nombre!
Je touche l'infini, je vois l'éternité.

Orages! passions! taisez-vous dans mon âme!
Jamais si près de Dieu mon cœur n'a pénétré. 70
Le couchant me regarde avec ses yeux de flamme,
La vaste mer me parle, et je me sens sacré.

Béni soit qui me hait et béni soit qui m'aime!
A l'amour, à l'esprit donnons tous nos instants.
Fou qui poursuit la gloire ou qui creuse un problème! 75
Moi, je ne veux qu'aimer, car j'ai si peu de temps!

L'étoile sort des flots où le soleil se noie;
Le nid chante; la vague à mes pieds retentit;
Dans toute sa splendeur le soleil se déploie.
Mon Dieu, que l'âme est grande et que l'homme est petit! 80

Tous les objets créés, feu qui luit, mer qui tremble,
Ne savent qu'à demi le grand nom du Très-Haut.
Ils jettent vaguement des sons que seul j'assemble;
Chacun dit sa syllabe, et moi je dis le mot.

Ma voix s'élève aux cieux, comme la tienne, abîme !   85
Mer, je rêve avec toi ! Monts, je prie avec vous !
La nature est l'encens, pur, éternel, sublime;
Moi je suis l'encensoir intelligent et doux.

ALFRED DE MUSSET

BALLADE A LA LUNE

C'ÉTAIT dans la nuit brune,
Sur le clocher jauni,
    La lune,
Comme un point sur un i.

Lune, quel esprit sombre   5
Promène au bout d'un fil,
    Dans l'ombre,
Ta face et ton profil ?

Est-tu l'œil du ciel borgne ?
Quel chérubin cafard   10
    Nous lorgne
Sous ton masque blafard ?

N'es-tu rien qu'une boule ?
Qu'un grand faucheux bien gras
    Qui roule   15
Sans pattes et sans bras ?

Es-tu, je t'en soupçonne,
Le vieux cadran de fer
    Qui sonne
L'heure aux damnés d'enfer ?   20

Sur ton front qui voyage,
Ce soir ont-ils compté
    Quel âge
A leur éternité ?

Est-ce un ver qui te ronge,   25
Quand ton disque noirci
          S'allonge
En croissant rétréci ?

Qui t'avait éborgnée
L'autre nuit ? T'étais-tu   30
          Cognée
A quelque arbre pointu ?

Car tu vins, pâle et morne,
Coller sur mes carreaux
          Ta corne,   35
A travers les barreaux.

Va, lune moribonde,
Le beau corps de Phœbé
          La blonde
Dans la mer est tombé,   40

Tu n'en es que la face,
Et déjà, tout ridé,
          S'efface
Ton front dépossédé.

Rends-nous la chasseresse,   45
Blanche, au sein virginal,
          Qui presse
Quelque cerf matinal !

Oh ! sous le vert platane,
Sous les frais coudriers,   50
          Diane
Et ses grands lévriers !

Le chevreau noir qui doute,
Pendu sur un rocher,
          L'écoute,   55
L'écoute s'approcher.

Et, suivant leurs curées,
Par les vaux, par les blés,
          Les prées,
Ses chiens s'en sont allés.   60

Oh ! le soir, dans la brise,
Phœbé, sœur d'Apollo,
    Surprise
A l'ombre, un pied dans l'eau !

Phœbé qui, la nuit close,   65
Aux lèvres d'un berger
    Se pose,
Comme un oiseau léger.

Lune, en notre mémoire,
De tes belles amours   70
    L'histoire
T'embellira toujours.

Et toujours rajeunie,
Tu seras du passant
    Bénie,   75
Pleine lune ou croissant.

T'aimera le vieux pâtre,
Seul, tandis qu'à ton front
    D'albâtre
Ses dogues aboieront.   80

T'aimera le pilote
Dans son grand bâtiment,
    Qui flotte,
Sous le clair firmament,

Et la fillette preste   85
Qui passe le buisson,
    Pied leste,
En chantant sa chanson.

Comme un ours à la chaine,
Toujours sous tes yeux bleus   90
    Se traîne
L'Océan montueux.

Et qu'il vente ou qu'il neige,
Moi-même, chaque soir,
    Que fais-je,   95
Venant ici m'asseoir ?

Je viens voir à la brune,
Sur le clocher jauni,
La lune
Comme un point sur un i. 100

LA NUIT DE MAI

LA MUSE

POÈTE, prends ton luth et me donne un baiser;
La fleur de l'églantier sent ses bourgeons éclore.
Le printemps naît ce soir; les vents vont s'embraser;
Et la bergeronnette, en attendant l'aurore,
Aux premiers buissons verts commence à se poser. 5
Poète, prends ton luth, et me donne un baiser.

LE POÈTE

Comme il fait noir dans la vallée!
J'ai cru qu'une forme voilée
Flottait là-bas sur la forêt.
Elle sortait de la prairie; 10
Son pied rasait l'herbe fleurie;
C'est une étrange rêverie;
Elle s'efface et disparaît.

LA MUSE

Poète, prends ton luth; la nuit, sur la pelouse,
Balance le zéphyr dans son voile odorant. 15
La rose, vierge encor, se referme jalouse
Sur le frelon nacré qu'elle enivre en mourant.
Écoute! tout se tait; songe à ta bien-aimée.
Ce soir, sous les tilleuls, à la sombre ramée
Le rayon du couchant laisse un adieu plus doux. 20
Ce soir, tout va fleurir: l'immortelle nature
Se remplit de parfums, d'amour et de murmure
Comme le lit joyeux de deux jeunes époux.

LE POÈTE

Pourquoi mon cœur bat-il si vite?
Qu'ai-je donc en moi qui s'agite 25

Dont je me sens épouvanté ?
Ne frappe-t-on pas à ma porte ?
Pourquoi ma lampe à demi morte
M'éblouit-elle de clarté ?
Dieu puissant ! tout mon corps frissonne.   30
Qui vient ? qui m'appelle ? — Personne.
Je suis seul; c'est l'heure qui sonne;
O solitude ! ô pauvreté !

LA MUSE

Poète, prends ton luth; le vin de la jeunesse
Fermente cette nuit dans les veines de Dieu.   35
Mon sein est inquiet; la volupté l'oppresse,
Et les vents altérés m'ont mis la lèvre en feu.
O paresseux enfant ! regarde, je suis belle.
Notre premier baiser, ne t'en souviens-tu pas,
Quand je te vis si pâle au toucher de mon aile,   40
Et que, les yeux en pleurs, tu tombas dans mes bras ?
Ah ! je t'ai consolé d'une amère souffrance !
Hélas ! bien jeune encor, tu te mourais d'amour.
Console-moi ce soir, je me meurs d'espérance;
J'ai besoin de prier pour vivre jusqu'au jour.   45

LE POÈTE

Est-ce toi dont la voix m'appelle,
O ma pauvre Muse ! est-ce toi ?
O ma fleur ! ô mon immortelle !
Seul être pudique et fidèle
Où vive encor l'amour de moi !   50
Oui, te voilà, c'est toi, ma blonde,
C'est toi, ma maîtresse et ma sœur !
Et je sens, dans la nuit profonde,
De ta robe d'or qui m'inonde
Les rayons glisser dans mon cœur.   55

LA MUSE

Poète, prends ton luth; c'est moi, ton immortelle,
Qui t'ai vu cette nuit triste et silencieux,
Et qui, comme un oiseau que sa couvée appelle,
Pour pleurer avec toi descends du haut des cieux.

Viens, tu souffres, ami. Quelque ennui solitaire   60
Te ronge, quelque chose a gémi dans ton cœur;
Quelque amour t'est venu, comme on en voit sur terre,
Une ombre de plaisir, un semblant de bonheur.
Viens, chantons devant Dieu; chantons dans tes pensées;
Dans tes plaisirs perdus, dans tes peines passées;   65
Partons, dans un baiser, pour un monde inconnu.
Éveillons au hasard les échos de ta vie,
Parlons-nous de bonheur, de gloire et de folie,
Et que ce soit un rêve, et le premier venu.
Inventons quelque part des lieux où l'on oublie;   70
Partons, nous sommes seuls, l'univers est à nous.
Voici la verte Écosse et la brune Italie,
Et la Grèce, ma mère, où le miel est si doux,
Argos, et Ptéléon, ville des hécatombes,
Et Messa la divine, agréable aux colombes;   75
Et le front chevelu du Pélion changeant;
Et le bleu Titarèse, et le golfe d'argent
Qui montre dans ses eaux, où le cygne se mire,
La blanche Oloossone à la blanche Camyre.
Dis-moi, quel songe d'or nos chants vont-ils bercer?   80
D'où vont venir les pleurs que nous allons verser?
Ce matin, quand le jour a frappé ta paupière,
Quel séraphin pensif, courbé sur ton chevet,
Secouait des lilas dans sa robe légère,
Et te contait tout bas les amours qu'il rêvait?   85
Chanterons-nous l'espoir, la tristesse ou la joie?
Tremperons-nous de sang les bataillons d'acier?
Suspendrons-nous l'amant sur l'échelle de soie?
Jetterons-nous au vent l'écume du coursier?
Dirons-nous quelle main, dans les lampes sans nombre 90
De la maison céleste, allume nuit et jour
L'huile sainte de vie et d'éternel amour?
Crierons-nous à Tarquin: « Il est temps, voici l'ombre! »
Descendrons-nous cueillir la perle au fond des mers?
Mènerons-nous la chèvre aux ébéniers amers?   95
Montrerons-nous le ciel à la Mélancolie?
Suivrons-nous le chasseur sur les monts escarpés?
La biche le regarde; elle pleure et supplie;

Sa bruyère l'attend; ses faons sont nouveau-nés;
Il se baisse, il l'égorge, il jette à la curée   100
Sur les chiens en sueur son cœur encor vivant.
Peindrons-nous une vierge à la joue empourprée,
S'en allant à la messe, un page la suivant,
Et d'un regard distrait, à côté de sa mère,
Sur sa lèvre entr'ouverte oubliant sa prière ?   105
Elle écoute en tremblant, dans l'écho du pilier,
Résonner l'éperon d'un hardi cavalier.
Dirons-nous aux héros des vieux temps de la France
De monter tout armés aux créneaux de leurs tours,
Et de ressusciter la naïve romance   110
Que leur gloire oubliée apprit aux troubadours ?
Vêtirons-nous de blanc une molle élégie ?
L'homme de Waterloo nous dira-t-il sa vie,
Et ce qu'il a fauché du troupeau des humains
Avant que l'envoyé de la nuit éternelle   115
Vînt sur son tertre vert l'abattre d'un coup d'aile,
Et sur son cœur de fer lui croiser les deux mains ?
Clouerons-nous au poteau d'une satire altière
Le nom sept fois vendu d'un pâle pamphlétaire,
Qui, poussé par la faim, du fond de son oubli,   ·   120
S'en vient, tout grelottant d'envie et d'impuissance,
Sur le front du génie insulter l'espérance,
Et mordre le laurier que son souffle a sali ?
Prends ton luth ! prends ton luth ! je ne peux plus me taire;
Mon aile me soulève au souffle du printemps.   125
Le vent va m'emporter; je vais quitter la terre.
Une larme de toi ! Dieu m'écoute; il est temps.

LE POÈTE

S'il ne te faut, ma sœur chérie,
Qu'un baiser d'une lèvre amie
Et qu'une larme de mes yeux,   130
Je te les donnerai sans peine;
De nos amours qu'il te souvienne,
Si tu remontes dans les cieux.
Je ne chante ni l'espérance,
Ni la gloire, ni le bonheur,   135

Hélas ! pas même la souffrance.
La bouche garde le silence
Pour écouter parler le cœur.

LA MUSE

Crois-tu donc que je sois comme le vent d'automne,
Qui se nourrit de pleurs jusque sur un tombeau,   140
Et pour qui la douleur n'est qu'une goutte d'eau ?
O poète ! un baiser, c'est moi qui te le donne.
L'herbe que je voulais arracher de ce lieu,
C'est ton oisiveté; ta douleur est à Dieu.
Quel que soit le souci que ta jeunesse endure,   145
Laisse-la s'élargir, cette sainte blessure
Que les noirs séraphins t'ont faite au fond du cœur;
Rien ne nous rend si grands qu'une grande douleur.
Mais, pour en être atteint, ne crois pas, ô poète,
Que ta voix ici-bas doive rester muette.   150
Les plus désespérés sont les chants les plus beaux,
Et j'en sais d'immortels qui sont de purs sanglots.
Lorsque le pélican, lassé d'un long voyage,
Dans les brouillards du soir retourne à ses roseaux,
Ses petits affamés courent sur le rivage   155
En le voyant au loin s'abattre sur les eaux.
Déjà, croyant saisir et partager leur proie,
Ils courent à leur père avec des cris de joie
En secouant leurs becs sur leurs goîtres hideux.
Lui, gagnant à pas lents une roche élevée,   160
De son aile pendante abritant sa couvée,
Pêcheur mélancolique, il regarde les cieux.
Le sang coule à longs flots de sa poitrine ouverte;
En vain il a des mers fouillé la profondeur:
L'Océan était vide et la plage déserte;   165
Pour toute nourriture il apporte son cœur.
Sombre et silencieux, étendu sur la pierre,
Partageant à ses fils ses entrailles de père,
Dans son amour sublime il berce sa douleur,
Et, regardant couler sa sanglante mamelle,   170
Sur son festin de mort il s'affaisse et chancelle,
Ivre de volupté, de tendresse et d'horreur.

Mais parfois, au milieu du divin sacrifice,
Fatigué de mourir dans un trop long supplice,
Il craint que ses enfants ne le laissent vivant;   175
Alors il se soulève, ouvre son aile au vent,
Et se frappant le cœur avec un cri sauvage,
Il pousse dans la nuit un si funèbre adieu,
Que les oiseaux de mer désertent le rivage,
Et que le voyageur attardé sur la plage,   180
Sentant passer la mort, se recommande à Dieu.
Poète, c'est ainsi que font les grands poètes.
Ils laissent s'égayer ceux qui vivent un temps;
Mais les festins humains qu'ils servent à leurs fêtes
Ressemblent la plupart à ceux des pélicans.   185
Quand ils parlent ainsi d'espérances trompées,
De tristesse et d'oubli, d'amour et de malheur,
Ce n'est pas un concert à dilater le cœur.
Leurs déclamations sont comme des épées:
Elles tracent dans l'air un cercle éblouissant,   190
Mais il y pend toujours quelque goutte de sang.

LE POÈTE

O Muse! spectre insatiable,
Ne m'en demande pas si long.
L'homme n'écrit rien sur le sable
A l'heure où passe l'aquilon.   195
J'ai vu le temps où ma jeunesse
Sur mes lèvres était sans cesse
Prête à chanter comme un oiseau;
Mais j'ai souffert un dur martyre,
Et le moins que j'en pourrais dire,   200
Si je l'essayais sur ma lyre,
La briserait comme un roseau.

TRISTESSE

J'ai perdu ma force et ma vie,
Et mes amis et ma gaîté;
J'ai perdu jusqu'à la fierté
Qui faisait croire à mon génie.

    Quand j'ai connu la Vérité,   5
    J'ai cru que c'était une amie;
    Quand je l'ai comprise et sentie,
    J'en étais déjà dégoûté.

    Et pourtant elle est éternelle,
    Et ceux qui se sont passés d'elle   10
    Ici-bas ont tout ignoré.

    Dieu parle, il faut qu'on lui réponde;
    Le seul bien qui me reste au monde
    Est d'avoir quelquefois pleuré.

SOUVENIR

J'espérais bien pleurer, mais je croyais souffrir
En osant te revoir, place à jamais sacrée,
O la plus chère tombe et la plus ignorée
        Où dorme un souvenir !

Que redoutiez-vous donc de cette solitude,   5
Et pourquoi, mes amis, me preniez-vous la main ?
Alors qu'une si douce et si vieille habitude
        Me montrait ce chemin ?

Les voilà, ces coteaux, ces bruyères fleuries,
Et ces pas argentins sur le sable muet,   10
Ces sentiers amoureux, remplis de causeries,
        Où son bras m'enlaçait.

Les voilà, ces sapins à la sombre verdure,
Cette gorge profonde aux nonchalants détours,
Ces sauvages amis, dont l'antique murmure   15
        A bercé mes beaux jours.

Les voilà, ces buissons où toute ma jeunesse,
Comme un essaim d'oiseaux, chante au bruit de mes pas.
Lieux charmants, beau désert où passa ma maîtresse,
        Ne m'attendiez-vous pas ?   20

Ah ! laissez-les couler, elles me sont bien chères,
Ces larmes que soulève un cœur encor blessé !
Ne les essuyez pas, laissez sur mes paupières
       Ce voile du passé !

Je ne viens point jeter un regret inutile   25
Dans l'écho de ces bois témoins de mon bonheur.
Fière est cette forêt dans sa beauté tranquille,
       Et fier aussi mon cœur.

Que celui-là se livre à des plaintes amères,
Qui s'agenouille et prie au tombeau d'un ami.   30
Tout respire en ces lieux; les fleurs des cimetières
       Ne poussent point ici.

Voyez ! la lune monte à travers ces ombrages.
Ton regard tremble encor, belle reine des nuits;
Mais du sombre horizon déjà tu te dégages,   35
       Et tu t'épanouis.

Ainsi de cette terre, humide encor de pluie,
Sortent, sous tes rayons, tous les parfums du jour;
Aussi calme, aussi pur, de mon âme attendrie
       Sort mon ancien amour.   40

Que sont-ils devenus, les chagrins de ma vie ?
Tout ce qui m'a fait vieux est bien loin maintenant;
Et rien qu'en regardant cette vallée amie,
       Je redeviens enfant.

O puissance du temps ! ô légères années !   45
Vous emportez nos pleurs, nos cris et nos regrets;
Mais la pitié vous prend, et sur nos fleurs fanées
       Vous ne marchez jamais.

Tout mon cœur te bénit, bonté consolatrice !
Je n'aurais jamais cru que l'on pût tant souffrir   50
D'une telle blessure, et que sa cicatrice
       Fût si douce à sentir.

Loin de moi les vains mots, les frivoles pensées,
Des vulgaires douleurs linceul accoutumé,
Que viennent étaler sur leurs amours passées   55
       Ceux qui n'ont point aimé !

Dante, pourquoi dis-tu qu'il n'est pire misère
Qu'un souvenir heureux dans les jours de douleur ?
Quel chagrin t'a dicté cette parole amère,
      Cette offense au malheur ?   60

En est-il donc moins vrai que la lumière existe,
Et faut-il l'oublier du moment qu'il fait nuit ?
Est-ce bien toi, grande âme immortellement triste,
      Est-ce toi qui l'as dit ?

Non, par ce pur flambeau dont la splendeur m'éclaire, 65
Ce blasphème vanté ne vient pas de ton cœur.
Un souvenir heureux est peut-être sur terre
      Plus vrai que le bonheur.

Eh quoi ! l'infortuné qui trouve une étincelle
Dans la cendre brûlante où dorment ses ennuis,   70
Qui saisit cette flamme et qui fixe sur elle
      Ses regards éblouis;

Dans ce passé perdu quand son âme se noie,
Sur ce miroir brisé lorsqu'il rêve en pleurant,
Tu lui dis qu'il se trompe, et que sa faible joie   75
      N'est qu'un affreux tourment !

Et c'est à ta Françoise, à ton ange de gloire,
Que tu pouvais donner ces mots à prononcer,
Elle qui s'interrompt, pour conter son histoire,
      D'un éternel baiser !   80

Qu'est-ce donc, juste Dieu, que la pensée humaine,
Et qui pourra jamais aimer la vérité,
S'il n'est joie ou douleur si juste et si certaine
      Dont quelqu'un n'ait douté ?

Comment vivez-vous donc, étranges créatures ?   85
Vous riez, vous chantez, vous marchez à grands pas;
Le ciel et sa beauté, le monde et ses souillures
      Ne vous dérangent pas;

Mais, lorsque par hasard le destin vous ramène
Vers quelque monument d'un amour oublié,   90
Ce caillou vous arrête, et cela vous fait peine
      Qu'il vous heurte le pié.

Et vous criez alors que la vie est un songe;
Vous vous tordez les bras comme en vous réveillant,
Et vous trouvez fâcheux qu'un si joyeux mensonge   95
      Ne dure qu'un instant.

Malheureux! cet instant où votre âme engourdie
A secoué les fers qu'elle traîne ici-bas,
Ce fugitif instant fut toute votre vie;
      Ne le regrettez pas!   100

Regrettez la torpeur qui vous cloue à la terre,
Vos agitations dans la fange et le sang,
Vos nuits sans espérance et vos jours sans lumière:
      C'est là qu'est le néant!

Mais que vous revient-il de vos froides doctrines?   105
Que demandent au ciel ces regrets inconstants
Que vous allez semant sur vos propres ruines,
      A chaque pas du Temps?

Oui, sans doute, tout meurt; ce monde est un grand rêve,
Et le peu de bonheur qui nous vient en chemin,   110
Nous n'avons pas plus tôt ce roseau dans la main,
      Que le vent nous l'enlève.

Oui, les premiers baisers, oui, les premiers serments
Que deux êtres mortels échangèrent sur terre,
Ce fut au pied d'un arbre effeuillé par les vents,   115
      Sur un roc en poussière.

Ils prirent à témoin de leur joie éphémère
Un ciel toujours voilé qui change à tout moment,
Et des astres sans nom que leur propre lumière
      Dévore incessamment.   120

Tout mourait autour d'eux, l'oiseau dans le feuillage,
La fleur entre leurs mains, l'insecte sous leurs piés,
La source desséchée où vacillait l'image
      De leurs traits oubliés;

Et sur tous ces débris joignant leurs mains d'argile,   125
Étourdis des éclairs d'un instant de plaisir,
Ils croyaient échapper à cet Être immobile
      Qui regarde mourir!

— Insensés ! dit le sage. — Heureux ! dit le poète.
Et quels tristes amours as-tu donc dans le cœur,   130
Si le bruit du torrent te trouble et t'inquiète,
          Si le vent te fait peur ?

J'ai vu sous le soleil tomber bien d'autres choses
Que les feuilles des bois et l'écume des eaux,
Bien d'autres s'en aller que le parfum des roses   135
          Et le chant des oiseaux.

Mes yeux ont contemplé des objets plus funèbres
Que Juliette morte au fond de son tombeau,
Plus affreux que le toast à l'ange des ténèbres
          Porté par Roméo.   140

J'ai vu ma seule amie, à jamais la plus chère,
Devenue elle-même un sépulcre blanchi,
Une tombe vivante où flottait la poussière
          De notre mort chéri,

De notre pauvre amour, que, dans la nuit profonde,   145
Nous avions sur nos cœurs si doucement bercé !
C'était plus qu'une vie, hélas ! c'était un monde
          Qui s'était effacé !

Oui, jeune et belle encor, plus belle, osait-on dire,
Je l'ai vue, et ses yeux brillaient comme autrefois.   150
Ses lèvres s'entr'ouvraient, et c'était un sourire,
          Et c'était une voix;

Mais non plus cette voix, non plus ce doux langage,
Ces regards adorés dans les miens confondus;
Mon cœur, encor plein d'elle, errait sur son visage,   155
          Et ne la trouvait plus.

Et pourtant j'aurais pu marcher alors vers elle;
Entourer de mes bras ce sein vide et glacé,
Et j'aurais pu crier: « Qu'as-tu fait, infidèle,
          Qu'as-tu fait du passé ? »   160

Mais non: il me semblait qu'une femme inconnue
Avait pris par hasard cette voix et ces yeux;
Et je laissai passer cette froide statue
          En regardant les cieux.

Eh bien ! ce fut sans doute une horrible misère   165
Que ce riant adieu d'un être inanimé.
Eh bien ! qu'importe encore ?   O nature ! ô ma mère !
              En ai-je moins aimé ?

La foudre maintenant peut tomber sur ma tête;
Jamais ce souvenir ne peut m'être arraché !   170
Comme le matelot brisé par la tempête,
              Je m'y tiens attaché.

Je ne veux rien savoir, ni si les champs fleurissent,
Ni ce qu'il adviendra du simulacre humain,
Ni si ces vastes cieux éclaireront demain   175
              Ce qu'ils ensevelissent.

Je me dis seulement: « A cette heure, en ce lieu,
Un jour, je fus aimé, j'aimais, elle était belle.
J'enfouis ce trésor dans mon âme immortelle,
              Et je l'emporte à Dieu ! »   180

RAPPELLE-TOI . . .

(Vergiss mein nicht.)

PAROLES FAITES SUR LA MUSIQUE DE MOZART.

RAPPELLE-TOI, quand l'Aurore craintive
Ouvre au Soleil son palais enchanté;
Rappelle-toi, lorsque la nuit pensive
Passe en rêvant sous son voile argenté;
A l'appel du plaisir lorsque ton sein palpite,   5
Aux doux songes du soir lorsque l'ombre t'invite.
          Écoute au fond des bois
          Murmurer une voix:
              Rappelle-toi.

Rappelle toi, lorsque les destinées   10
M'auront de toi pour jamais séparé,
Quand le chagrin, l'exil et les années
Auront flétri ce cœur désespéré;
Songe à mon triste amour, songe à l'adieu suprême !

Et, tout rêvant ainsi, pauvre rêveur, voilà
Que soudain, loin, bien loin, mon âme s'envola,   30
Et d'objets en objets, dans sa course inconstante,
Se prit aux longs discours que feu ma bonne tante
Me tenait, tout enfant, durant nos soirs d'hiver,
Dans ma ville natale, à Boulogne-sur-Mer.
Elle m'y racontait souvent, pour me distraire,   35
Son enfance, et les jeux de mon père, son frère,
Que je n'ai pas connu, car je naquis en deuil,
Et mon berceau d'abord posa sur un cercueil.
Elle me parlait donc et de mon père, et d'elle;
Et ce qu'aimait surtout sa mémoire fidèle,   40
C'était de me conter leurs destins entraînés
Loin du bourg paternel où tous deux étaient nés.
De mon antique aïeul je savais le ménage,
Le manoir, son aspect et tout le voisinage;
La rivière coulait à cent pas près du seuil: 45
Douze enfants (tous sont morts !) entouraient le fauteuil;
Et je disais les noms de chaque jeune fille,
Du curé, du notaire, amis de la famille,
Pieux hommes de bien, dont j'ai rêvé les traits,
Morts pourtant sans savoir que jamais je naîtrais.   50

   Et tout cela revint en mon âme mobile,
Ce jour que je passais le long du quai dans l'île.

   Et bientôt, au sortir de ces songes flottants,
Je me sentis pleurer, et j'admirai longtemps
Que de ces hommes morts, de ces choses vieillies,   55
De ces traditions par hasard recueillies,
Moi, si jeune et d'hier, inconnu des aïeux,
Qui n'ai vu qu'en récits les images des lieux,
Je susse ces détails, seul peut-être sur terre,
Que j'en gardasse un culte en mon cœur solitaire,   60
Et qu'à propos de rien, un jour d'été, si loin
Des lieux et des objets, ainsi j'en prisse soin.
Hélas ! pensai-je alors, la tristesse dans l'âme,
Humbles hommes, l'oubli sans pitié nous réclame,
Et, sitôt que la mort nous a remis à Dieu,   65
Le souvenir de nous ici nous survit peu;

Notre trace est légère et bien vite effacée;
Et moi qui de ces morts garde encor la pensée,
Quand je m'endormirai comme eux, du temps vaincu,
Sais-je, hélas! si quelqu'un saura que j'ai vécu?   70
Et, poursuivant toujours, je disais qu'en la gloire,
En la mémoire humaine, il est peu sûr de croire,
Que les cœurs sont ingrats, et que bien mieux il vaut
De bonne heure aspirer et se fonder plus haut,
Et croire en Celui seul qui, dès qu'on le supplie,   75
Ne nous fait jamais faute, et qui jamais n'oublie.

SONNET

Si quelque blâme, hélas! se glisse à l'origine
En ces amours trop chers où deux cœurs ont failli,
Où deux êtres, perdus par un baiser cueilli,
Sur le sein l'un de l'autre ont béni la ruine;

Si le monde, raillant tout bonheur qu'il devine,   5
N'y voit que sens émus et que fragile oubli;
Si l'Ange, tout d'abord se voilant d'un long pli
Refuse d'écouter le couple qui s'incline;

Approche, ô ma Délie, approche encor ton front,
Serrons plus fort nos mains pour les ans qui viendront: 10
La faute disparaît dans sa constance même.

Quand la fidélité, triomphant jusqu'au bout,
Luit sur des cheveux blancs et des rides qu'on aime,
Le Temps, vieillard divin, honore et blanchit tout.

AUGUSTE BARBIER

L'IDOLE

O corse à cheveux plats! que ta France était belle
    Au grand soleil de messidor!

C'était une cavale indomptable et rebelle,
    Sans freins d'acier ni rênes d'or;
Une jument sauvage à la croupe rustique, 5
    Fumante encor du sang des rois,
Mais fière, et d'un pied fort heurtant le sol antique,
    Libre pour la première fois.
Jamais aucune main n'avait passé sur elle
    Pour la flétrir et l'outrager; 10
Jamais ses larges flancs n'avaient porté la selle
    Et le harnais de l'étranger;
Tout son poil était vierge, et, belle vagabonde,
    L'œil haut, la croupe en mouvement,
Sur ses jarrets dressée, elle effrayait le monde 15
    Du bruit de son hennissement.
Tu parus, et sitôt que tu vis son allure,
    Ses reins si souples et dispos,
Centaure impétueux, tu pris sa chevelure,
    Tu montas botté sur son dos. 20
Alors, comme elle aimait les rumeurs de la guerre,
    La poudre, les tambours battants,
Pour champ de course, alors, tu lui donnas la terre
    Et des combats pour passe-temps:
Alors, plus de repos, plus de nuits, plus de sommes; 25
    Toujours l'air, toujours le travail,
Toujours comme du sable écraser des corps d'hommes,
    Toujours du sang jusqu'au poitrail;
Quinze ans son dur sabot, dans sa course rapide,
    Broya les générations; 30
Quinze ans elle passa, fumante, à toute bride,
    Sur le ventre des nations;
Enfin, lasse d'aller sans finir sa carrière,
    D'aller sans user son chemin,
De pétrir l'univers, et comme une poussière 35
    De soulever le genre humain;
Les jarrets épuisés, haletante et sans force,
    Près de fléchir à chaque pas,
Elle demanda grâce à son cavalier corse;
    Mais, bourreau, tu n'écoutas pas ! 40
Tu la pressas plus fort de ta cuisse nerveuse;

> Pour étouffer ses cris ardents,
> Tu retournas le mors dans sa bouche baveuse,
> De fureur tu brisas ses dents;
> Elle se releva: mais un jour de bataille,   45
> Ne pouvant plus mordre ses freins,
> Mourante, elle tomba sur un lit de mitraille
> Et du coup te cassa les reins.

JULIEN-AUGUSTE BRIZEUX

MARIE

LE PONT KERLÔ

Un jour que nous étions assis au pont Kerlô,
Laissant pendre, en riant, nos pieds au fil de l'eau,
Joyeux de la troubler, ou bien, à son passage,
D'arrêter un rameau, quelque flottant herbage,
Ou sous les saules verts d'effrayer le poisson   5
Qui venait au soleil dormir près du gazon;
Seuls en ce lieu sauvage, et nul bruit, nulle haleine
N'éveillant la vallée immobile et sereine,
Hors nos ris enfantins, et l'écho de nos voix
Qui partait par volée et courait dans les bois,   10
Car entre deux forêts la rivière encaissée
Coulait jusqu'à la mer, lente, claire et glacée;
Seuls, dis-je, en ce désert, et libres tout le jour,
Nous sentions en jouant nos cœurs remplis d'amour.
C'était plaisir de voir sous l'eau limpide et bleue   15
Mille petits poissons faisant frémir leur queue,
Se mordre, se poursuivre, ou, par bandes nageant,
Ouvrir et refermer leurs nageoires d'argent;
Puis les saumons bruyants; et, sous son lit de pierre,
L'anguille qui se cache au bord de la rivière;   20
Des insectes sans nombre, ailés ou transparents,
Occupés tout le jour à monter les courants,
Abeilles, moucherons, alertes demoiselles,

Se sauvant sous les joncs du bec des hirondelles. —
Sur la main de Marie une vint se poser,   25
Si bizarre d'aspect qu'afin de l'écraser
J'accourus; mais déjà ma jeune paysanne
Par l'aile avait saisi la mouche diaphane,
Et voyant la pauvrette en ses doigts remuer:
« Mon Dieu, comme elle tremble ! oh ! pourquoi la tuer ? » 30
Dit-elle. Et dans les airs sa bouche ronde et pure
Souffla légèrement la frêle créature,
Qui, déployant soudain ses deux ailes de feu,
Partit, et s'éleva joyeuse et louant Dieu.

Bien des jours ont passé depuis cette journée,   35
Hélas ! et bien des ans ! Dans ma quinzième année,
Enfant, j'entrais alors; mais les jours et les ans
Ont passé sans ternir ces souvenirs d'enfants;
Et d'autres jours viendront et des amours nouvelles;

Et mes jeunes amours, mes amours les plus belles,   40
Dans l'ombre de mon cœur mes plus fraîches amours,
Mes amours de quinze ans refleuriront toujours.

VICTOR DE LAPRADE

A UN GRAND ARBRE

L'ESPRIT calme des dieux habite dans les plantes.
Heureux est le grand arbre aux feuillages épais;
Dans son corps large et sain la sève coule en paix,
Mais le sang se consume en nos veines brûlantes.

A la croupe du mont tu sièges comme un roi;   5
Sur ce trône abrité, je t'aime et je t'envie;
Je voudrais échanger ton être avec ma vie,
Et me dresser tranquille et sage comme toi.

Le vent n'effleure pas le sol où tu m'accueilles;
L'orage y descendrait sans pouvoir t'ébranler;   10

Sur tes plus hauts rameaux, que seuls on voit trembler,
Comme une eau lente, à peine il fait gémir tes feuilles.

L'aube, un instant, les touche avec son doigt vermeil;
Sur tes obscurs réseaux semant sa lueur blanche,
La lune aux pieds d'argent descend de branche en
    branche,   15
Et midi baigne en plein ton front dans le soleil.

L'éternelle Cybèle embrasse tes pieds fermes;
Les secrets de son sein, tu les sens, tu les vois;
Au commun réservoir en silence tu bois,
Enlacé dans ces flancs où dorment tous les germes.   20

Salut, toi qu'en naissant l'homme aurait adoré!
Notre âge, qui se rue aux luttes convulsives,
Te voyant immobile, a douté que tu vives,
Et ne reconnaît plus en toi d'hôte sacré.

Ah! moi je sens qu'une âme est là sous ton écorce: 25
Tu n'as pas nos transports et nos désirs de feu,
Mais tu rêves, profond et serein comme un dieu;
Ton immobilité repose sur ta force.

Salut! Un charme agit et s'échange entre nous.
Arbre, je suis peu fier de l'humaine nature;   30
Un esprit revêtu d'écorce et de verdure
Me semble aussi puissant que le nôtre, et plus doux.

Verse à flots sur mon front ton ombre qui m'apaise;
Puisse mon sang dormir et mon corps s'affaisser;
Que j'existe un moment sans vouloir ni penser: 35
La volonté me trouble, et la raison me pèse.

Je souffre du désir, orage intérieur;
Mais tu ne connais, toi, ni l'espoir, ni le doute,
Et tu n'as su jamais ce que le plaisir coûte;
Tu ne l'achètes pas au prix de la douleur.   40

Quand un beau jour commence et quand le mal fait trêve,
Les promesses du ciel ne valent pas l'oubli;
Dieu même ne peut rien sur le temps accompli;
Nul songe n'est si doux qu'un long sommeil sans rêve.

Le chêne a le repos, l'homme a la liberté . . .   45
Que ne puis-je en ce lieu prendre avec toi racines !
Obéir, sans penser, à des forces divines,
C'est être dieu soi-même, et c'est ta volupté.

Verse, ah ! verse dans moi tes fraîcheurs printanières,
Les bruits mélodieux des essaims et des nids,   50
Et le frissonnement des songes infinis;
Pour ta sérénité je t'aime entre nos frères.

Si j'avais, comme toi, tout un mont pour soutien,
Si mes deux pieds trempaient dans la source des choses,
Si l'Aurore humectait mes cheveux de ses roses,   55
Si mon cœur recélait toute la paix du tien;

Si j'étais un grand chêne avec ta sève pure,
Pour tous, ainsi que toi, bon, riche, hospitalier,
J'abriterais l'abeille et l'oiseau familier
Qui sur ton front touffu répandent le murmure;   60

Mes feuilles verseraient l'oubli sacré du mal,
Le sommeil, à mes pieds, monterait de la mousse
Et là viendraient tous ceux que la cité repousse
Écouter ce silence où parle l'idéal.

Nourri par la nature, au destin résignée,   65
Des esprits qu'elle aspire et qui la font rêver,
Sans trembler devant lui, comme sans le braver,
Du bûcheron divin j'attendrais la cognée.

GÉRARD LABRUNIE DE NERVAL

LE ROI DE THULÉ

LE SOIR, — MARGUERITE CHANTE DANS SA CHAMBRE

Il était un roi de Thulé,
A qui son amante fidèle
Légua, comme souvenir d'elle,
Une coupe d'or ciselé.

C'était un trésor plein de charmes 5
Où son amour se conservait:
A chaque fois qu'il y buvait
Ses yeux se remplissaient de larmes.

Voyant ses derniers jours venir,
Il divisa son héritage, 10
Mais il excepta du partage
La coupe, son cher souvenir.

Il fit à la table royale
Asseoir les barons dans sa tour;
Debout et rangée alentour, 15
Brillait sa noblesse loyale.

Sous le balcon grondait la mer.
Le vieux roi se lève en silence.
Il boit, — frissonne, et sa main lance
La coupe d'or au flot amer ! 20

Il la vit tourner dans l'eau noire,
La vague en s'ouvrant fit un pli,
Le roi pencha son front pâli . . .
Jamais on ne le vit plus boire.

FANTAISIE

Il est un air pour qui je donnerais
Tout Rossini, tout Mozart, tout Weber,
Un air très vieux, languissant et funèbre,
Qui pour moi seul a des charmes secrets.

Or, chaque fois que je viens à l'entendre, 5
De deux cents ans mon âme rajeunit;
C'est sous Louis treize . . . et je crois voir s'étendre
Un coteau vert que le couchant jaunit.

Puis un château de brique à coins de pierres,
Aux vitraux teints de rougeâtres couleurs, 10
Ceint de grands parcs, avec une rivière
Baignant ses pieds, qui coule entre les fleurs.

Puis une dame à sa haute fenêtre,
Blonde, aux yeux noirs, en ses habits anciens ...
Que dans une autre existence, peut-être,   15
J'ai déjà vue ! ... et dont je me souviens.

LES CYDALISES

Où sont nos amoureuses ?
Elles sont au tombeau !
Elles sont plus heureuses
Dans un séjour plus beau !

Elles sont près des anges,   5
Dans le fond du ciel bleu,
Et chantent les louanges
De la mère de Dieu !

O blanche fiancée !
O jeune vierge en fleur !   10
Amante délaissée,
Que flétrit la douleur !

L'éternité profonde
Souriait dans vos yeux ...
Flambeaux éteints du monde,   15
Rallumez-vous aux cieux !

VERS DORÉS

Homme, libre penseur ! te crois-tu seul pensant
Dans ce monde où la vie éclate en toute chose ?
Des forces que tu tiens ta liberté dispose,
Mais de tous tes conseils l'univers est absent.

Respecte dans la bête un esprit agissant.   5
Chaque fleur est une âme à la nature éclose;
Un mystère d'amour dans le métal repose.
« Tout est sensible ! » et tout sur ton être est puissant.

Crains, dans le mur aveugle, un regard qui t'épie;
A la matière même un verbe est attaché ...   10
Ne le fais pas servir à quelque usage impie !

Souvent, dans l'être obscur habite un Dieu caché;
Et comme un œil naissant couvert par ses paupières,
Un pur esprit s'accroît sous l'écorce des pierres.

ÉPITAPHE

Il a vécu, tantôt gai comme un sansonnet,
Tour à tour amoureux, insoucieux et tendre,
Tantôt sombre et rêveur, comme un triste Clitandre.
Un jour, il entendit qu'à sa porte on sonnait:

C'était la mort. Alors, il la pria d'attendre   5
Qu'il eût posé le point à son dernier sonnet;
Et puis, sans s'émouvoir, il s'en alla s'étendre
Au fond du coffre froid où son corps frissonnait.

Il était paresseux, à ce que dit l'histoire;
Il laissait trop sécher l'encre dans l'écritoire;   10
Il voulut tout savoir, mais il n'a rien connu;

Et quand vint le moment où, las de cette vie,
Un soir d'hiver, enfin, l'âme lui fut ravie,
Il s'en alla, disant: « Pourquoi suis-je venu ? »

THÉOPHILE GAUTIER

PASTEL

J'aime à vous voir en vos cadres ovales,
Portraits jaunis des belles du vieux temps,
Tenant en main des roses un peu pâles,
Comme il convient à des fleurs de cent ans.

Le vent d'hiver, en vous touchant la joue,   5
A fait mourir vos œillets et vos lis,
Vous n'avez plus que des mouches de boue
Et sur les quais vous gisez tout salis.

Il est passé, le doux règne des belles;
La Parabère avec la Pompadour   10
Ne trouveraient que des sujets rebelles,
Et sous leur tombe est enterré l'amour.

Vous, cependant, vieux portraits qu'on oublie,
Vous respirez vos bouquets sans parfums,
Et souriez avec mélancolie   15
Au souvenir de vos galants défunts.

LE POT DE FLEURS

PARFOIS un enfant trouve une petite graine,
Et tout d'abord, charmé de ses vives couleurs,
Pour la planter, il prend un pot de porcelaine
Orné de dragons bleus et de bizarres fleurs.

Il s'en va. La racine en couleuvres s'allonge,   5
Sort de terre, fleurit et devient arbrisseau;
Chaque jour, plus avant son pied chevelu plonge
Tant qu'il fasse éclater le ventre du vaisseau.

L'enfant revient; surpris, il voit la plante grasse
Sur les débris du pot brandir ses verts poignards; 10
Il la veut arracher, mais sa tige est tenace;
Il s'obstine, et ses doigts s'ensanglantent aux dards.

Ainsi germa l'amour dans mon âme surprise:
Je croyais ne semer qu'une fleur de printemps;
C'est un grand aloès dont la racine brise   15
Le pot de porcelaine aux dessins éclatants.

DANS LA SIERRA

J'aime d'un fol amour les monts fiers et sublimes!
Les plantes n'aiment pas poser leurs pieds frileux
Sur le linceul d'argent qui recouvre leurs cimes;
Le soc s'émousserait à leurs pics anguleux;

Ni vigne aux bras lascifs, ni blés dorés, ni seigles;   5
Rien qui rappelle l'homme et le travail maudit.
Dans leur air libre et pur nagent des essaims d'aigles,
Et l'écho du rocher siffle l'air du bandit.

Ils ne rapportent rien et ne sont pas utiles;
Ils n'ont que leur beauté, je le sais, c'est bien peu;   10
Mais, moi, je les préfère aux champs gras et fertiles,
Qui sont si loin du ciel qu'on n'y voit jamais Dieu!

A ZURBARAN

Moines de Zurbaran, blancs chartreux qui, dans l'ombre,
Glissez silencieux sur les dalles des morts,
Murmurant des *Pater* et des *Ave* sans nombre,

Quel crime expiez-vous par de si grands remords?
Fantômes tonsurés, bourreaux à face blême,   5
Pour le traiter ainsi, qu'a donc fait votre corps?

Votre corps, modelé par le doigt de Dieu même,
Que Jésus-Christ, son fils, a daigné revêtir,
Vous n'avez pas le droit de lui dire: « Anathème! »

Je conçois les tourments et la foi du martyr,   10
Les jets de plomb fondu, les bains de poix liquide,
La gueule des lions prête à vous engloutir,

Sur un rouet de fer les boyaux qu'on dévide,
Toutes les cruautés des empereurs romains;
Mais je ne comprends pas ce morne suicide!   15

Pourquoi donc, chaque nuit, pour vous seuls inhumains,
Déchirer votre épaule à coups de discipline,
Jusqu'à ce que le sang ruisselle sur vos reins?

Pourquoi ceindre toujours la couronne d'épine,
Que Jésus sur son front ne mit que pour mourir,   20
Et frapper à plein poing votre maigre poitrine ?

Croyez-vous donc que Dieu s'amuse à voir souffrir,
Et que ce meurtre lent, cette froide agonie,
Fassent pour vous le ciel plus facile à s'ouvrir ?

Cette tête de mort entre vos doigts jaunie,   25
Pour ne plus en sortir, qu'elle rentre au charnier !
Que votre fosse soit par un autre finie !

L'esprit est immortel, on ne peut le nier;
Mais dire, comme vous, que la chair est infâme,
Statuaire divin, c'est te calomnier !   30

Pourtant quelle énergie et quelle force d'âme
Ils avaient, ces chartreux, sous leur pâle linceul,
Pour vivre, sans amis, sans famille et sans femme,

Tout jeunes, et déjà plus glacés qu'un aïeul,
N'ayant pour horizon qu'un long cloître en arcades,   35
Avec une pensée, en face de Dieu seul !

Tes moines, Lesueur, près de ceux-là sont fades:
Zurbaran de Séville a mieux rendu que toi
Leurs yeux plombés d'extase et leurs têtes malades,

Le vertige divin, l'enivrement de foi   40
Qui les fait rayonner d'une clarté fiévreuse,
Et leur aspect étrange, à vous donner l'effroi.

Comme son dur pinceau les laboure et les creuse !
Aux pleurs du repentir comme il ouvre des lits
Dans les rides sans fond de leur face terreuse !   45

Comme du froc sinistre il allonge les plis;
Comme il sait lui donner les pâleurs du suaire,
Si bien que l'on dirait des morts ensevelis !

Qu'il vous peigne en extase au fond du sanctuaire,
Du cadavre divin baisant les pieds sanglants,   50
Fouettant votre dos bleu comme un fléau bat l'aire,

Vous promenant rêveurs le long des cloîtres blancs,
Par file assis à table au frugal réfectoire,
Toujours il fait de vous des portraits ressemblants.

Deux teintes seulement, clair livide, ombre noire;   55
Deux poses, l'une droite et l'autre à deux genoux,
A l'artiste ont suffi pour peindre votre histoire.

Forme, rayon, couleur, rien n'existe pour vous;
A tout objet réel vous êtes insensibles,
Car le ciel vous enivre et la croix vous rend fous,   60

Et vous vivez muets, inclinés sur vos bibles,
Croyant toujours entendre aux plafonds entr'ouverts
Éclater brusquement les trompettes terribles !

O moines ! maintenant, en tapis frais et verts,
Sur les fosses par vous à vous-mêmes creusées,   65
L'herbe s'étend. — Eh bien ! que dites-vous aux vers ?

Quels rêves faites-vous ? quelles sont vos pensées ?
Ne regrettez-vous pas d'avoir usé vos jours
Entre ces murs étroits, sous ces voûtes glacées ?

Ce que vous avez fait, le feriez-vous toujours ?   70

LES AFFRES DE LA MORT

SUR LES MURS D'UNE CHARTREUSE

O TOI qui passes par ce cloître,
Songe à la mort ! — Tu n'es pas sûr
De voir s'allonger et décroître,
Une autre fois, ton ombre au mur.

Frère, peut-être cette dalle   5
Qu'aujourd'hui, sans songer aux morts,
Tu soufflettes de ta sandale,
Demain pèsera sur ton corps !

La vie est un plancher qui couvre
L'abîme de l'éternité: 10
Une trappe soudain s'entr'ouvre
Sous le pécheur épouvanté;

Le pied lui manque, il tombe, il glisse !
Que va-t-il trouver ? le ciel bleu,
Ou l'enfer rouge ? le supplice, 15
Ou la palme ? Satan, ou Dieu ?...

Souvent sur cette idée affreuse
Fixe ton esprit éperdu:
Le teint jaune et la peau terreuse,
Vois-toi sur un lit étendu; 20

Vois-toi brûlé, transi de fièvre,
Tordu comme un bois vert au feu,
Le fiel crevé, l'âme à la lèvre,
Sanglotant le suprême adieu,

Entre deux draps, dont l'un doit être 25
Le linceul où l'on te coudra,
Triste habit que nul ne veut mettre,
Et que pourtant chacun mettra.

Représente-toi bien l'angoisse
De ta chair flairant le tombeau, 30
Tes pieds crispés, ta main qui froisse
Tes couvertures en lambeau.

En pensée, écoute le râle,
Bramant comme un cerf aux abois,
Pousser sa note sépulcrale 35
Par ton gosier rauque et sans voix.

Le sang quitte tes jambes roides,
Les ombres gagnent ton cerveau,
Et sur ton front les perles froides
Coulent comme aux murs d'un caveau. 40

Les prêtres à soutane noire,
Toujours en deuil de nos péchés,
Apportent l'huile et le ciboire,
Autour de ton grabat penchés.

Tes enfants, ta femme et tes proches 45
Pleurent en se tordant les bras,
Et déjà le sonneur aux cloches
Se suspend pour sonner ton glas.

Le fossoyeur a pris sa bêche
Pour te creuser ton dernier lit,   50
Et d'une terre brune et fraîche
Bientôt ta fosse se remplit.

Ta chair délicate et superbe
Va servir de pâture aux vers,
Et tu feras pousser de l'herbe   55
Plus drue avec des brins plus verts.

Donc, pour n'être pas surpris, frère,
Aux transes du dernier moment,
Réfléchis ! — La mort est amère
A qui vécut trop doucement.   60

Sur ce, frère, que Dieu t'accorde
De trépasser en bon chrétien,
Et te fasse miséricorde ;
Ici-bas, nul ne peut plus rien !

PREMIER SOURIRE DU PRINTEMPS

TANDIS qu'à leurs œuvres perverses
Les hommes courent haletants,
Mars qui rit, malgré les averses,
Prépare en secret le printemps.

Pour les petites pâquerettes,   5
Sournoisement lorsque tout dort,
Il repasse des collerettes
Et cisèle des boutons d'or.

Dans le verger et dans la vigne,
Il s'en va, furtif perruquier,   10
Avec une houppe de cygne,
Poudrer à frimas l'amandier.

La nature au lit se repose ;
Lui, descend au jardin désert
Et lace les boutons de rose   15
Dans leur corset de velours vert.

Tout en composant des solfèges,
Qu'aux merles il siffle à mi-voix,
Il sème aux prés les perce-neiges
Et les violettes aux bois.   20

Sur le cresson de la fontaine
Où le cerf boit, l'oreille au guet,
De sa main cachée il égrène
Les grelots d'argent du muguet.

Sous l'herbe, pour que tu la cueilles,   25
Il met la fraise au teint vermeil,
Et te tresse un chapeau de feuilles
Pour te garantir du soleil.

Puis, lorsque sa besogne est faite,
Et que son règne va finir,   30
Au seuil d'avril tournant la tête,
Il dit: « Printemps, tu peux venir ! »

L'ART

Oui, l'œuvre sort plus belle
D'une forme au travail
    Rebelle,
Vers, marbre, onyx, émail.

Point de contraintes fausses !   5
Mais que, pour marcher droit,
    Tu chausses,
Muse, un cothurne étroit.

Fi du rhythme commode,
Comme un soulier trop grand,   10
    Du mode
Que tout pied quitte et prend !

Statuaire, repousse
L'argile que pétrit
    Le pouce   15
Quand flotte ailleurs l'esprit.

Lutte avec le carrare,
Avec le paros dur
  Et rare,
Gardiens du contour pur;   20

Emprunte à Syracuse
Son bronze où fermement
  S'accuse
Le trait fier et charmant;

D'une main délicate   25
Poursuis dans un filon
  D'agate
Le profil d'Apollon.

Peintre, fuis l'aquarelle,
Et fixe la couleur   30
  Trop frêle
Au four de l'émailleur.

Fais les sirènes bleues,
Tordant de cent façons
  Leurs queues,   35
Les monstres des blasons;

Dans son nimbe trilobe
La Vierge et son Jésus,
  Le globe
Avec la croix dessus.   40

Tout passe. — L'art robuste
Seul a l'éternité.
  Le buste
Survit à la cité.

Et la médaille austère   45
Que trouve un laboureur
  Sous terre
Révèle un empereur.

Les dieux eux-mêmes meurent.
Mais les vers souverains   50
  Demeurent
Plus forts que les airains.

Sculpte, lime, cisèle;
Que ton rêve flottant
  Se scelle   55
Dans le bloc résistant !

NOËL

Le ciel est noir, la terre est blanche;
— Cloches, carillonnez gaîment ! —
Jésus est né; — la Vierge penche
Sur lui son visage charmant.

Pas de courtines festonnées   5
Pour préserver l'enfant du froid;
Rien que les toiles d'araignées
Qui pendent des poutres du toit.

Il tremble sur la paille fraîche,
Ce cher petit enfant Jésus,   10
Et pour l'échauffer dans sa crèche
L'âne et le bœuf soufflent dessus.

La neige au chaume coud ses franges,
Mais sur le toit s'ouvre le ciel
Et, tout en blanc, le chœur des anges   15
Chante aux bergers: « *Noël ! Noël !* »

THÉODORE DE BANVILLE

LE SAUT DU TREMPLIN

Clown admirable, en vérité !
Je crois que la postérité,
Dont sans cesse l'horizon bouge,
Le reverra, sa plaie au flanc.
Il était barbouillé de blanc,   5
De jaune, de vert et de rouge.

Même jusqu'à Madagascar
Son nom était parvenu, car
C'était selon tous les principes
Qu'après les cercles de papier,   10
Sans jamais les estropier
Il traversait le rond des pipes.

De la pesanteur affranchi,
Sans y voir clair il eût franchi
Les escaliers de Piranèse.   15
La lumière qui le frappait
Faisait resplendir son toupet
Comme un brasier dans la fournaise.

Il s'élevait à des hauteurs
Telles, que les autres sauteurs   20
Se consumaient en luttes vaines.
Ils le trouvaient décourageant,
Et murmuraient: « Quel vif-argent
Ce démon a-t-il dans les veines ? »

Tout le peuple criait: « Bravo ! »   25
Mais lui, par un effort nouveau,
Semblait roidir sa jambe nue,
Et, sans que l'on sût avec qui
Cet émule de la Saqui
Parlait bas en langue inconnue.   30

C'était avec son cher tremplin.
Il lui disait: « Théâtre, plein
D'inspiration fantastique,
Tremplin qui tressailles d'émoi
Quand je prends un élan, fais-moi   35
Bondir plus haut, planche élastique !

« Frêle machine aux reins puissants,
Fais-moi bondir, moi qui me sens
Plus agile que les panthères,
Si haut que je ne puisse voir   40
Avec leur cruel habit noir
Ces épiciers et ces notaires !

« Par quelque prodige pompeux,
Fais-moi monter, si tu le peux,
Jusqu'à ces sommets où, sans règles,   45
Embrouillant les cheveux vermeils
Des planètes et des soleils,
Se croisent la foudre et les aigles.

« Jusqu'à ces éthers pleins de bruit,
Où, mêlant dans l'affreuse nuit   50
Leurs haleines exténuées,
Les autans ivres de courroux
Dorment, échevelés et fous,
Sur les seins pâles des nuées.

« Plus haut encor, jusqu'au ciel pur !   55
Jusqu'à ce lapis dont l'azur
Couvre notre prison mouvante !
Jusqu'à ces rouges Orients
Où marchent des Dieux flamboyants,
Fous de colère et d'épouvante.   60

« Plus loin ! plus haut ! je vois encor
Des boursiers à lunettes d'or,
Des critiques, des demoiselles
Et des réalistes en feu.
Plus haut, plus loin ! de l'air, du bleu !   65
Des ailes, des ailes, des ailes ! »

Enfin, de son vil échafaud,
Le clown sauta si haut, si haut,
Qu'il creva le plafond de toiles
Au son du cor et du tambour,   70
Et, le cœur dévoré d'amour,
Alla rouler dans les étoiles.

BALLADE DES PENDUS

Sur ses larges bras étendus,
La forêt où s'éveille Flore,
A des chapelets de pendus

Que le matin caresse et dore.
Ce bois sombre, où le chêne arbore   5
Des grappes de fruits inouïs
Même chez le Turc et le More,
C'est le verger du roi Louis.

Tous ces pauvres gens morfondus,
Roulant des pensers qu'on ignore,   10
Dans les tourbillons éperdus
Voltigent, palpitants encore.
Le soleil levant les dévore.
Regardez-les, cieux éblouis,
Danser dans les feux de l'aurore.   15
C'est le verger du roi Louis.

Ces pendus, du diable entendus,
Appellent des pendus encore.
Tandis qu'aux cieux, d'azur tendus,
Où semble luire un météore,   20
La rosée en l'air s'évapore,
Un essaim d'oiseaux réjouis
Par dessus leur tête picore.
C'est le verger du roi Louis.

« Prince, il est un bois que décore   25
Un tas de pendus enfouis
Dans le doux feuillage sonore.
C'est le verger du roi Louis. »

LA LUNE

Avec ses caprices, la Lune
Est comme une frivole amante
Elle sourit et se lamente,
Elle fuit et vous importune.

La nuit, suivez-la sur la dune,   5
Elle vous raille et vous tourmente;
Avec ses caprices, la Lune
Est comme une frivole amante.

Et souvent elle se met une
Nuée en manière de mante;   10
Elle est absurde, elle est charmante;
Il faut adorer sans rancune,
Avec ses caprices, la Lune.

LE THÉ

Miss Ellen, versez-moi le Thé
Dans la belle tasse chinoise,
Où des poissons d'or cherchent noise
Au monstre rose épouvanté.

J'aime la folle cruauté   5
Des chimères qu'on apprivoise:
Miss Ellen, versez-moi le Thé
Dans la belle tasse chinoise.

Là sous un ciel rouge irrité,
Une dame fière et sournoise   10
Montre en ses longs yeux de turquoise
L'extase et la naïveté:
Miss Ellen, versez-moi le Thé.

LAPINS

Les petits lapins, dans le bois,
Folâtrent sur l'herbe arrosée
Et, comme nous le vin d'Arbois,
Ils boivent la douce rosée.

Gris foncé, gris clair, soupe au lait,   5
Ces vagabonds, dont se dégage
Comme une odeur de serpolet,
Tiennent à peu près ce langage:

« Nous sommes les petits lapins,
Gens étrangers à l'écriture,   10
Et chaussés des seuls escarpins
Que nous a donnés la nature.

N'ayant pas lu Dostoïewski,
Nous conservons des airs peu rogues,
Et certes, ce n'est pas nous qui   15
Nous piquons d'être psychologues.

Nous sommes les petits lapins.
C'est le poil qui forme nos bottes,
Et, n'ayant pas de calepins,
Nous ne prenons jamais de notes.   20

Nous ne cultivons pas le Kant;
Son idéale turlutaine
Rarement nous attire. Quant
Au fabuliste La Fontaine,

Il faut qu'on l'adore à genoux;   25
Mais nous préférons qu'on se taise,
Lorsque méchamment on veut nous
Raconter une pièce à thèse.

En dépit de Schopenhauer,
Ce cruel malade qui tousse,   30
Vivre et savourer le doux air
Nous semble une chose fort douce,

Et dans la bonne odeur des pins
Qu'on voit ombrageant ces clairières,
Nous sommes les petits lapins   35
Assis sur leurs petits derrières. »

CHARLES LECONTE DE LISLE

HYPATIE

Au déclin des grandeurs qui dominent la terre,
Quand les cultes divins, sous les siècles ployés,
Reprenant de l'oubli le sentier solitaire,
Regardent s'écrouler leurs autels foudroyés;

Quand du chêne d'Hellas la feuille vagabonde 5
Des parvis désertés efface le chemin,
Et qu'au delà des mers, où l'ombre épaisse abonde,
Vers un jeune soleil flotte l'esprit humain;

Toujours des Dieux vaincus embrassant la fortune,
Un grand cœur les défend du sort injurieux: 10
L'aube des jours nouveaux le blesse et l'importune,
Il suit à l'horizon l'astre de ses aïeux.

Pour un destin meilleur qu'un autre siècle naisse
Et d'un monde épuisé s'éloigne sans remords:
Fidèle au songe heureux où fleurit sa jeunesse, 15
Il entend tressaillir la poussière des morts.

Les sages, les héros s'élèvent pleins de vie!
Les poètes en chœur murmurent leurs beaux noms;
Et l'Olympe idéal, qu'un chant sacré convie,
Sur l'ivoire s'assied dans les blancs Parthénons. 20

O vierge, qui, d'un pan de ta robe pieuse,
Couvris la tombe auguste où s'endormaient tes Dieux,
De leur culte éclipsé prêtresse harmonieuse,
Chaste et dernier rayon détaché de leurs cieux!

Je t'aime et te salue, ô vierge magnanime! 25
Quand l'orage ébranla le monde paternel,
Tu suivis dans l'exil cet Oedipe sublime,
Et tu l'enveloppas d'un amour éternel.

Debout, dans ta pâleur, sous les sacrés portiques
Que des peuples ingrats abandonnait l'essaim, 30
Pythonisse enchaînée aux trépieds prophétiques,
Les Immortels trahis palpitaient dans ton sein.

Tu les voyais passer dans la nue enflammée!
De science et d'amour ils t'abreuvaient encor;
Et la terre écoutait, de ton rêve charmée, 35
Chanter l'abeille attique entre tes lèvres d'or.

Comme un jeune lotos croissant sous l'œil des sages,
Fleur de leur éloquence et de leur équité,
Tu faisais, sur la nuit moins sombre des vieux âges,
Resplendir ton génie à travers ta beauté! 40

Le grave enseignement des vertus éternelles
S'épanchait de ta lèvre au fond des cœur charmés;
Et les Galiléens qui te rêvaient des ailes
Oubliaient leur Dieu mort pour tes Dieux bien aimés.

Mais le siècle emportait ces âmes insoumises   45
Qu'un lien trop fragile enchaînait à tes pas;
Et tu les voyais fuir vers les terres promises;
Mais toi, qui savais tout, tu ne les suivis pas !

Que t'importait, ô vierge, un semblable délire ?
Ne possédais-tu pas cet idéal cherché ?   50
Va ! dans ces cœurs troublés tes regards savaient lire,
Et les Dieux bienveillants ne t'avaient rien caché.

O sage enfant, si pure entre tes sœurs mortelles !
O noble front, sans tache entre les fronts sacrés !
Quelle âme avait chanté sur des lèvres plus belles,   55
Et brûlé plus limpide en des yeux inspirés ?

Sans effleurer jamais ta robe immaculée,
Les souillures du siècle ont respecté tes mains:
Tu marchais, l'œil tournée vers la Vie étoilée,
Ignorante des maux et des crimes humains.   60

Le vil Galiléen t'a frappée et maudite,
Mais tu tombas plus grande ! et maintenant, hélas !
Le souffle de Platon et le corps d'Aphrodite
Sont partis à jamais pour les beaux cieux d'Hellas !

Dors, ô blanche victime, en notre âme profonde,   65
Dans ton linceul de vierge et ceinte de lotos;
Dors ! L'impure laideur est la reine du monde,
Et nous avons perdu le chemin de Paros.

Les Dieux sont en poussière et la terre est muette;
Rien ne parlera plus dans ton ciel déserté.   70
Dors ! mais vivante en lui, chante au cœur du poète
L'hymne mélodieux de la sainte Beauté !

Elle seule survit, immuable, éternelle.
La mort peut disperser les univers tremblants,
Mais la Beauté flamboie, et tout renaît en elle,   75
Et les mondes encor roulent sous ses pieds blancs !

VÉNUS DE MILO

MARBRE sacré, vêtu de force et de génie,
Déesse irrésistible au port victorieux,
Pure comme un éclair et comme une harmonie,
O Vénus, ô beauté, blanche mère des Dieux !

Du bonheur impassible ô symbole adorable,   5
Calme comme la Mer en sa sérénité,
Nul sanglot n'a brisé ton sein inaltérable,
Jamais les pleurs humains n'ont terni ta beauté.

Salut ! A ton aspect le cœur se précipite.
Un flot marmoréen inonde tes pieds blancs;   10
Tu marches, fière et nue, et le monde palpite,
Et le monde est à toi, Déesse aux larges flancs !

Iles, séjour des Dieux ! Hellas, mère sacrée !
Oh ! que ne suis-je né dans le saint Archipel,
Aux siècles glorieux où la Terre inspirée   15
Voyait le Ciel descendre à son premier appel !

Si mon berceau, flottant sur la Thétis antique,
Ne fut point caressé de son tiède cristal;
Si je n'ai point prié sous le fronton attique,
Beauté victorieuse, à ton autel natal;   20

Allume dans mon sein la sublime étincelle,
N'enferme point ma gloire au tombeau soucieux;
Et fais que ma pensée en rhythmes d'or ruisselle,
Comme un divin métal au moule harmonieux.

MIDI

MIDI, roi des étés, épandu sur la plaine,
Tombe en nappes d'argent des hauteurs du ciel bleu.
Tout se tait. L'air flamboie et brûle sans haleine;
La terre est assoupie en sa robe de feu.

L'étendue est immense, et les champs n'ont pas d'ombre 5
Et la source est tarie où buvaient les troupeaux;
La lointaine forêt, dont la lisière est sombre,
Dort là-bas, immobile, en un pesant repos.

Seuls, les grands blés mûris, tels qu'une mer dorée.
Se déroulent au loin, dédaigneux du sommeil;   10
Pacifiques enfants de la terre sacrée,
Ils épuisent sans peur la coupe du soleil.

Parfois, comme un soupir de leur âme brûlante,
Du sein des épis lourds qui murmurent entre eux,
Une ondulation majestueuse et lente   15
S'éveille, et va mourir à l'horizon poudreux.

Non loin, quelques bœufs blancs, couchés parmi les herbes,
Bavent avec lenteur sur leurs fanons épais,
Et suivent de leurs yeux languissants et superbes
Le songe intérieur qu'ils n'achèvent jamais.   20

Homme, si, le cœur plein de joie ou d'amertume,
Tu passais vers midi dans les champs radieux,
Fuis! la nature est vide et le soleil consume:
Rien n'est vivant ici, rien n'est triste ou joyeux.

Mais si, désabusé des larmes et du rire,   25
Altéré de l'oubli de ce monde agité,
Tu veux, ne sachant plus pardonner ou maudire,
Goûter une suprême et morne volupté,

Viens! Le soleil te parle en paroles sublimes;
Dans sa flamme implacable absorbe-toi sans fin;   30
Et retourne à pas lents vers les cités infimes,
Le cœur trempé sept fois dans le néant divin.

NOX

Sur la pente des monts les brises apaisées
Inclinent au sommeil les arbres onduleux;
L'oiseau silencieux s'endort dans les rosées,
Et l'étoile a doré l'écume des flots bleus.

Au contour des ravins, sur les hauteurs sauvages,   5
Une molle vapeur efface les chemins;
La lune tristement baigne les noirs feuillages;
L'oreille n'entend plus les murmures humains.

Mais sur le sable au loin chante la mer divine,
Et des hautes forêts gémit la grande voix,   10
Et l'air sonore, aux cieux que la nuit illumine,
Porte le chant des mers et le soupir des bois.

Montez, saintes rumeurs, paroles surhumaines,
Entretien lent et doux de la terre et du ciel!
Montez, et demandez aux étoiles sereines   15
S'il est pour les atteindre un chemin éternel.

O mers, ô bois songeurs, voix pieuses du monde,
Vous m'avez répondu durant mes jours mauvais,
Vous avez apaisé ma tristesse inféconde,
Et dans mon cœur aussi vous chantez à jamais!   20

L'ECCLÉSIASTE

L'ECCLÉSIASTE a dit: Un chien vivant vaut mieux
Qu'un lion mort. Hormis, certes, manger et boire,
Tout n'est qu'ombre et fumée. Et le monde est très vieux,
Et le néant de vivre emplit la tombe noire.

Par les antiques nuits, à la face des cieux,   5
Du sommet de sa tour comme d'un promontoire,
Dans le silence, au loin laissant planer ses yeux,
Sombre, tel il songeait sur son siège d'ivoire.

Vieil amant du soleil, qui gémissais ainsi,
L'irrévocable mort est un mensonge aussi.   10
Heureux qui d'un seul bond s'engloutirait en elle.

Moi, toujours, à jamais, j'écoute, épouvanté,
Dans l'ivresse et l'horreur de l'immortalité,
Le long rugissement de la Vie éternelle.

LES ELFES

Couronnés de thym et de marjolaine,
Les Elfes joyeux dansent sur la plaine.

Du sentier des bois aux daims familier,
Sur un noir cheval, sort un chevalier.
Son éperon d'or brille en la nuit brune;   5
Et, quand il traverse un rayon de lune,
On voit resplendir, d'un reflet changeant,
Sur sa chevelure un casque d'argent.

Couronnés de thym et de marjolaine,
Les Elfes joyeux dansent sur la plaine.   10

Ils l'entourent tous d'un essaim léger
Qui dans l'air muet semble voltiger.
— Hardi chevalier, par la nuit sereine,
Où vas-tu si tard ? dit la jeune Reine.
De mauvais esprits hantent les forêts;   15
Viens danser plutôt sur les gazons frais.

Couronnés de thym et de marjolaine,
Les Elfes joyeux dansent sur la plaine.

— Non ! ma fiancée aux yeux clairs et doux
M'attend, et demain nous serons époux.   20
Laissez-moi passer, Elfes des prairies,
Qui foulez en rond les mousses fleuries;
Ne m'attardez pas loin de mon amour,
Car voici déjà les lueurs du jour. —

Couronnés de thym et de marjolaine,   25
Les Elfes joyeux dansent sur la plaine.

— Reste, chevalier.   Je te donnerai
L'opale magique et l'anneau doré,
Et, ce qui vaut mieux que gloire et fortune,
Ma robe filée au clair de la lune.   30
— Non ! dit-il. — Va donc ! — Et de son doigt blanc
Elle touche au cœur le guerrier tremblant.

Couronnés de thym et de marjolaine,
Les Elfes joyeux dansent sur la plaine.

Et sous l'éperon le noir cheval part.   35
Il court, il bondit et va sans retard;
Mais le chevalier frissonne et se penche;
Il voit sur la route une forme blanche
Qui marche sans bruit et lui tend les bras:
— Elfe, esprit, démon, ne m'arrête pas ! —   40

Couronnés de thym et de marjolaine,
Les Elfes joyeux dansent sur la plaine.

— Ne m'arrête pas, fantôme odieux !
Je vais épouser ma belle aux doux yeux.
— O mon cher époux, la tombe éternelle   45
Sera notre lit de noce, dit-elle.
Je suis morte ! — Et lui, la voyant ainsi,
D'angoisse et d'amour tombe mort aussi.

Couronnés de thym et de marjolaine,
Les Elfes joyeux dansent sur la plaine.   50

LA VÉRANDAH

Au tintement de l'eau dans les porphyres roux
Les rosiers de l'Iran mêlent leurs frais murmures,
Et les ramiers rêveurs leurs roucoulements doux.
Tandis que l'oiseau grêle et le frelon jaloux,
Sifflant et bourdonnant, mordent les figues mûres,   5
Les rosiers de l'Iran mêlent leurs frais murmures
Au tintement de l'eau dans les porphyres roux.

Sous les treillis d'argent de la vérandah close,
Dans l'air tiède embaumé de l'odeur des jasmins,
Où la splendeur du jour darde une flèche rose,   10
La Persane royale, immobile, repose,
Derrière son col brun croisant ses belles mains,
Dans l'air tiède, embaumé de l'odeur des jasmins,
Sous les treillis d'argent de la vérandah close.

Jusqu'aux lèvres que l'ambre arrondi baise encor,   15
Du cristal d'où s'échappe une vapeur subtile
Qui monte en tourbillons légers et prend l'essor,
Sur les coussins de soie écarlate, aux fleurs d'or.
La branche du hûka rôde comme un reptile
Du cristal d'où s'échappe une vapeur subtile   20
Jusqu'aux lèvres que l'ambre arrondi baise encor.

Deux rayons noirs, chargés d'une muette ivresse,
Sortent de ses longs yeux entr'ouverts à demi;
Un songe l'enveloppe, un souffle la caresse;
Et parce que l'effluve invincible l'oppresse,   25
Parce que son beau sein qui se gonfle a frémi,
Sortent de ses longs yeux entr'ouverts à demi
Deux rayons noirs, chargés d'une muette ivresse.

Et l'eau vive s'endort dans les porphyres roux,
Les rosiers de l'Iran ont cessé leurs murmures,   30
Et les ramiers rêveurs leurs roucoulements doux.
Tout se tait. L'oiseau grêle et le frelon jaloux
Ne se querellent plus autour des figues mûres.
Les rosiers de l'Iran ont cessé leurs murmures,
Et l'eau vive s'endort dans les porphyres roux.   35

LES ÉLÉPHANTS

Le sable rouge est comme une mer sans limite,
Et qui flambe, muette, affaissée en son lit.
Une ondulation immobile remplit
L'horizon aux vapeurs de cuivre où l'homme habite.

Nulle vie et nul bruit. Tous les lions repus   5
Dorment au fond de l'antre éloigné de cent lieues,
Et la girafe boit dans les fontaines bleues,
Là-bas, sous les dattiers des panthères connus.

Pas un oiseau ne passe en fouettant de son aile
L'air épais, où circule un immense soleil.   10
Parfois quelque boa, chauffé dans son sommeil,
Fait onduler son dos dont l'écaille étincelle.

Tel l'espace enflammé brûle sous les cieux clairs.
Mais, tandis que tout dort aux mornes solitudes,
Les éléphants rugueux, voyageurs lents et rudes,   15
Vont au pays natal à travers les déserts.

D'un point de l'horizon, comme des masses brunes,
Ils viennent, soulevant la poussière, et l'on voit,
Pour ne pas dévier du chemin le plus droit,
Sous leur pied large et sûr crouler au loin les dunes.   20

Celui qui tient la tête est un vieux chef. Son corps
Est gercé comme un tronc que le temps ronge et mine;
Sa tête est comme un roc, et l'arc de son échine
Se voûte puissamment à ses moindres efforts.

Sans ralentir jamais et sans hâter sa marche,   25
Il guide au but certain ses compagnons poudreux;
Et, creusant par derrière un sillon sablonneux,
Les pèlerins massifs suivent leur patriarche.

L'oreille en éventail, la trompe entre les dents,
Ils cheminent, l'œil clos. Leur ventre bat et fume,   30
Et leur sueur dans l'air embrasé monte en brume;
Et bourdonnent autour mille insectes ardents.

Mais qu'importent la soif et la mouche vorace,
Et le soleil cuisant leur dos noir et plissé ?
Ils rêvent en marchant du pays délaissé,   35
Des forêts de figuiers où s'abrita leur race.

Ils reverront le fleuve échappé des grands monts,
Où nage en mugissant l'hippopotame énorme,
Où, blanchis par la lune et projetant leur forme,
Ils descendaient pour boire en écrasant les joncs.   40

Aussi, pleins de courage et de lenteur, ils passent
Comme une ligne noire, au sable illimité;
Et le désert reprend son immobilité
Quand les lourds voyageurs à l'horizon s'effacent.

LE MANCHY

Sous un nuage frais de claire mousseline,
  Tous les dimanches, au matin,
Tu venais à la ville en manchy de rotin,
  Par les rampes de la colline.

La cloche de l'église alertement tintait;   5
  Le vent de mer berçait les cannes:
Comme une grêle d'or, aux pointes des savanes,
  Le feu du soleil crépitait.

Le bracelet aux poings, l'anneau sur la cheville,
  Et le mouchoir jaune aux chignons,   10
Deux Telingas portaient, assidus compagnons,
  Ton lit aux nattes de Manille.

Ployant leur jarret maigre et nerveux, et chantant,
  Souples dans leurs tuniques blanches,
Les bambou sur l'épaule et les mains sur les hanches,   15
  Ils allaient le long de l'Étang.

Le long de la chaussée et des verangues basses
  Où les vieux créoles fumaient,
Par les groupes joyeux des noirs, ils s'animaient
  Au bruit des bobres Madécasses.   20

Dans l'air léger flottait l'odeur des tamarins;
  Sur les houles illuminées
Au large, les oiseaux, en d'immenses traînées,
  Plongeaient dans les brouillards marins.

Et, tandis que ton pied, sorti de la babouche,   25
  Pendait, rose, au bord du manchy,
A l'ombre des Bois-noirs touffus, et du Letchi
  Aux fruits moins pourprés que ta bouche;

Tandis qu'un papillon, les deux ailes en fleur,
  Teinté d'azur et d'écarlate,   30
Se posait par instants sur ta peau délicate
  En y laissant de sa couleur;

On voyait, au travers du rideau de batiste,
    Tes boucles dorer l'oreiller;
Et, sous leurs cils mi-clos, feignant de sommeiller,   35
    Tes beaux yeux de sombre améthyste.

Tu t'en venais ainsi, par ces matins si doux,
    De la montagne à la grand'messe,
Dans ta grace naïve et ta rose jeunesse,
    Au pas rhythmé de tes Hindous.   40

Maintenant, dans le sable aride de nos grèves,
    Sous les chiendents, au bruit des mers,
Tu reposes parmi les morts qui me sont chers,
    O charme de mes premiers rêves !

LE SOMMEIL DU CONDOR

Par delà l'escalier des roides Cordillères,
Par delà les brouillards hantés des aigles noirs,
Plus haut que les sommets creusés en entonnoirs
Où bout le flux sanglant des laves familières,
L'envergure pendante et rouge par endroits,   5
Le vaste Oiseau, tout plein d'une morne indolence,
Regarde l'Amérique et l'espace en silence,
Et le sombre soleil qui meurt dans ses yeux froids.
La nuit roule de l'Est, où les pampas sauvages
Sous les monts étagés s'élargissent sans fin;   10
Elle endort le Chili, les villes, les rivages,
Et la mer Pacifique et l'horizon divin;
Du continent muet elle s'est emparée:
Des sables aux coteaux, des gorges aux versants,
De cime en cime, elle enfle, en tourbillons croissants,   15
Le lourd débordement de sa haute marée.
Lui, comme un spectre, seul, au front du pic altier,
Baigné d'une lueur qui saigne sur la neige,
Il attend cette mer sinistre qui l'assiège:
Elle arrive, déferle et le couvre en entier.   20
Dans l'abîme sans fond la Croix australe allume
Sur les côtes du ciel son phare constellé.

Il râle de plaisir, il agite sa plume,
Il érige son cou musculeux et pelé,
Il s'enlève en fouettant l'âpre neige des Andes,   25
Dans un cri rauque il monte où n'atteint pas le vent,
Et, loin du globe noir, loin de l'astre vivant,
Il dort dans l'air glacé, les ailes toutes grandes.

LES MONTREURS

TEL qu'un morne animal, meurtri, plein de poussière,
La chaîne au cou, hurlant au chaud soleil d'été,
Promène qui voudra son cœur ensanglanté
Sur ton pavé cynique, ô plèbe carnassière !

Pour mettre un feu stérile en ton œil hébété,   5
Pour mendier ton rire ou ta pitié grossière,
Déchire qui voudra la robe de lumière
De la pudeur divine et de la volupté.

Dans mon orgueil muet, dans ma tombe sans gloire,
Dussé-je m'engloutir pour l'éternité noire,   10
Je ne te vendrai pas mon ivresse ou mon mal,

Je ne livrerai pas ma vie à tes huées,
Je ne danserai pas sur ton tréteau banal
Avec tes histrions et tes prostituées.

LE VENT FROID DE LA NUIT

LE vent froid de la nuit siffle à travers les branches
Et casse par moments les rameaux desséchés;
La neige, sur la plaine où les morts sont couchés,
Comme un suaire étend au loin ses nappes blanches.

En ligne noire, au bord de l'étroit horizon,   5
Un long vol de corbeaux passe en rasant la terre,
Et quelques chiens, creusant un tertre solitaire,
Entre-choquent les os dans le rude gazon.

J'entends gémir les morts sous les herbes froissées.
O pâles habitants de la nuit sans réveil,   10
Quel amer souvenir, troublant votre sommeil,
S'échappe en lourds sanglots de vos lèvres glacées ?

Oubliez, oubliez ! Vos cœurs sont consumés;
De sang et de chaleur vos artères sont vides.
O morts, morts bienheureux, en proie aux vers avides, 15
Souvenez-vous plutôt de la vie, et dormez !

Ah ! dans vos lits profonds quand je pourrai descendre,
Comme un forçat vieilli qui voit tomber ses fers,
Que j'aimerai sentir, libre des maux soufferts,
Ce qui fut moi rentrer dans la commune cendre !   20

Mais, ô songe, les morts se taisent dans leur nuit.
C'est le vent, c'est l'effort des chiens à leur pâture,
C'est ton morne soupir, implacable nature !
C'est mon cœur ulcéré qui pleure et qui gémit.

Tais-toi. Le ciel est sourd, la terre te dédaigne.   25
A quoi bon tant de pleurs si tu ne peux guérir ?
Sois comme un loup blessé qui se tait pour mourir,
Et qui mord le couteau, de sa gueule qui saigne.

Encore une torture, encore un battement.
Puis, rien. La fosse s'ouvre, un peu de chair y tombe; 30
Et l'herbe de l'oubli, cachant bientôt la tombe,
Sur tant de vanité croît éternellement.

LA MAYA

MAYA ! Maya ! torrent des mobiles chimères,
Tu fais jaillir du cœur de l'homme universel
Les brèves voluptés et les haines amères,
Le monde obscur des sens et la splendeur du ciel;
Mais qu'est-ce que le cœur des hommes éphémères,   5
O Maya ! sinon toi, le mirage immortel ?
Les siècles écoulés, les minutes prochaines,
S'abîment dans ton ombre, en un même moment,

Avec nos cris, nos pleurs et le sang de nos veines:
Éclair, rêve sinistre, éternité qui ment,   10
La Vie antique est faite inépuisablement
Du tourbillon sans fin des apparences vaines.

CHARLES BAUDELAIRE

PRÉFACE

La sottise, l'erreur, le péché, la lésine,
Occupent nos esprits et travaillent nos corps,
Et nous alimentons nos aimables remords,
Comme les mendiants nourrissent leur vermine.

Nos péchés sont têtus, nos repentirs sont lâches;   5
Nous nous faisons payer grassement nos aveux,
Et nous rentrons gaîment dans le chemin bourbeux,
Croyant par de vils pleurs laver toutes nos taches.

Sur l'oreiller du mal c'est Satan Trismégiste
Qui berce longuement notre esprit enchanté,   10
Et le riche métal de notre volonté
Est tout vaporisé par ce savant chimiste.

C'est le Diable qui tient les fils qui nous remuent!
Aux objets répugnants nous trouvons des appas;
Chaque jour vers l'Enfer nous descendons d'un pas,   15
Sans horreur, à travers des ténèbres qui puent.

Ainsi qu'un débauché pauvre qui baise et mange
Le sein martyrisé d'une antique catin,
Nous volons au passage un plaisir clandestin
Que nous pressons bien fort comme une vieille orange.   20

Serré, fourmillant, comme un million d'helminthes,
Dans nos cerveaux ribote un peuple de Démons,
Et, quand nous respirons, la Mort dans nos poumons
Descend, fleuve invisible, avec de sourdes plaintes.

Ou dans une maison déserte quelque armoire 5
Pleine de l'âcre odeur des temps, poudreuse et noire,
Parfois on trouve un vieux flacon qui se souvient,
D'où jaillit toute vive une âme qui revient.

Mille pensers dormaient, chrysalides funèbres,
Frémissant doucement dans les lourdes ténèbres, 10
Qui dégagent leur aile et prennent leur essor,
Teintés d'azur, glacés de rose, lamés d'or.

Voilà le souvenir enivrant qui voltige
Dans l'air troublé; les yeux se ferment; le Vertige
Saisit l'âme vaincue et la pousse à deux mains 15
Vers un gouffre obscurci de miasmes humains;

Il la terrasse au bord d'un gouffre séculaire,
Où, Lazare odorant déchirant son suaire,
Se meut dans son réveil le cadavre spectral
D'un vieil amour ranci, charmant et sépulcral. 20

Ainsi, quand je serai perdu dans la mémoire
Des hommes, dans le coin d'une sinistre armoire
Quand on m'aura jeté, vieux flacon désolé,
Décrépit, poudreux, sale, abject, visqueux, fêlé,

Je serai ton cercueil, aimable pestilence ! 25
Le témoin de ta force et de ta virulence,
Cher poison préparé par les anges ! liqueur
Qui me ronge, ô la vie et la mort de mon cœur !

LES CHATS

Les amoureux fervents et les savants austères
Aiment également, dans leur mûre saison,
Les chats puissants et doux, orgueil de la maison,
Qui comme eux sont frileux et comme eux sédentaires.

Amis de la science et de la volupté, 5
Ils cherchent le silence et l'horreur des ténèbres;
L'Érèbe les eût pris pour ses coursiers funèbres,
S'ils pouvaient au servage incliner leur fierté.

Ils prennent en songeant les nobles attitudes
Des grands sphinx allongés au fond des solitudes,   10
Qui semblent s'endormir dans un rêve sans fin;

Leurs reins féconds sont pleins d'étincelles magiques,
Et des parcelles d'or, ainsi qu'un sable fin,
Étoilent vaguement leurs prunelles mystiques.

LA CLOCHE FÊLÉE

Il est amer et doux, pendant les nuits d'hiver,
D'écouter, près du feu qui palpite et qui fume,
Les souvenirs lointains lentement s'élever
Au bruit des carillons qui chantent dans la brume.

Bienheureuse la cloche au gosier vigoureux   5
Qui, malgré sa vieillesse, alerte et bien portante,
Jette fidèlement son cri religieux,
Ainsi qu'un vieux soldat qui veille sous la tente !

Moi, mon âme est fêlée, et lorsqu'en ses ennuis
Elle veut de ses chants peupler l'air froid des nuits,   10
Il arrive souvent que sa voix affaiblie

Semble le râle épais d'un blessé qu'on oublie
Au bord d'un lac de sang, sous un grand tas de morts,
Et qui meurt, sans bouger, dans d'immenses efforts !

SPLEEN

J'ai plus de souvenirs que si j'avais mille ans.

Un gros meuble à tiroirs encombré de bilans,
De vers, de billets doux, de procès, de romances,
Avec de lourds cheveux roulés dans des quittances,
Cache moins de secrets que mon triste cerveau.   5
C'est une pyramide, un immense caveau,
Qui contient plus de morts que la fosse commune.

Quand de ton corps brisé la pesanteur horrible
Allongeait tes deux bras distendus, que ton sang
Et ta sueur coulaient de ton front pâlissant,
Quand tu fus devant tous posé comme une cible,   20

Rêvais-tu de ces jours si brillants et si beaux
Où tu vins pour remplir l'éternelle promesse,
Où tu foulais, monté sur une douce ânesse,
Des chemins tout jonchés de fleurs et de rameaux,

Où, le cœur tout gonflé d'espoir et de vaillance,   25
Tu fouettais tous ces vils marchands à tour de bras,
Où tu fus maître enfin ?   Le remords n'a-t-il pas
Pénétré dans ton flanc plus avant que la lance ?

— Certes, je sortirai, quant à moi, satisfait
D'un monde où l'action n'est pas la sœur du rêve;   30
Puissé-je user du glaive et périr par le glaive !
Saint Pierre a renié Jésus . . . il a bien fait !

LA MORT DES PAUVRES

C'EST la Mort qui console, hélas ! et qui fait vivre;
C'est le but de la vie, et c'est le seul espoir
Qui, comme un élixir, nous monte et nous enivre,
Et nous donne le cœur de marcher jusqu'au soir;

A travers la tempête, et la neige, et le givre,   5
C'est la clarté vibrante à notre horizon noir;
C'est l'auberge fameuse inscrite sur le livre,
Où l'on pourra manger, et dormir, et s'asseoir;

C'est un Ange qui tient dans ses doigts magnétiques
Le sommeil et le don des rêves extatiques,   10
Et qui refait le lit des gens pauvres et nus;

C'est la gloire des Dieux, c'est le grenier mystique,
C'est la bourse du pauvre et sa patrie antique,
C'est le portique ouvert sur les cieux inconnus !

LE VOYAGE

O Mort, vieux capitaine, il est temps ! levons l'ancre !
Ce pays nous ennuie, ô Mort ! Appareillons !
Si le ciel et la mer sont noirs comme de l'encre,
Nos cœurs que tu connais sont remplis de rayons !

Verse-nous ton poison pour qu'il nous réconforte !   5
Nous voulons, tant ce feu nous brûle le cerveau,
Plonger au fond du gouffre, Enfer ou Ciel, qu'importe ?
Au fond de l'Inconnu pour trouver du *nouveau !*

LE COUCHER DE SOLEIL ROMANTIQUE

Que le soleil est beau quand tout frais il se lève,
Comme une explosion nous lançant son bonjour !
— Bienheureux celui-là qui peut avec amour
Saluer son coucher plus glorieux qu'un rêve !

Je me souviens !... J'ai vu tout, fleur, source, sillon   5
Se pâmer sous son œil comme un cœur qui palpite...
Courons vers l'horizon, il est tard, courons vite,
Pour attraper au moins un oblique rayon !

Mais je poursuis en vain le Dieu qui se retire;
L'irrésistible Nuit établit son empire,   10
Noire, humide, funeste et pleine de frissons;

Une odeur de tombeau dans les ténèbres nage,
Et mon pied peureux froisse, au bord du marécage,
Des crapauds imprévus et de froids limaçons.

LÉON DIERX

LES FILAOS

Là-bas, au flanc d'un mont couronné par la brume,
Entre deux noirs ravins roulant leurs frais échos,

Sous l'ondulation de l'air chaud qui s'allume
Monte un bois toujours vert de sombres filaos.
Pareil au bruit lointain de la mer sur les sables,　　　　5
Là-bas, dressant d'un jet ses troncs roides et roux,
Cette étrange forêt aux douleurs ineffables
Pousse un gémissement lugubre, immense et doux.
Là-bas, bien loin d'ici, dans l'épaisseur de l'ombre,
Et tous pris d'un frisson extatique, à jamais,　　　　10
Ces filaos songeurs croisent leurs nefs sans nombre,
Et dardent vers le ciel leurs flexibles sommets.
Le vent frémit sans cesse à travers leurs branchages
Et prolonge en glissant sur leurs cheveux froissés,
Pareil au bruit lointain de la mer sur les plages,　　　　15
Un chant grave et houleux dans les taillis bercés.
Des profondeurs du bois, des rampes sur la plaine,
Du matin jusqu'au soir, sans relâche, on entend
Sous la ramure frêle une sonore haleine
Qui naît, accourt, s'emplit, se dérobe et s'étend　　　　20
Sourde ou retentissante, et d'arcade en arcade
Va se perdre aux confins noyés de brouillards froids,
Comme le bruit lointain de la mer dans la rade
S'allonge sous les nuits pleines de longs effrois.
Et derrière les fûts pointant leurs grêles branches　　　　25
Au rebord de la gorge où pendent les mouffias,
Par place, on aperçoit, semés de taches blanches,
Sous les nappes de feu qui pétillent en bas,
Les champs jaunes et verts descendus aux rivages,
Puis l'Océan qui brille et monte vers le ciel.　　　　30
Nulle rumeur humaine à ces hauteurs sauvages
N'arrive. Et ce soupir, ce murmure immortel,
Pareil au bruit lointain de la mer sur les côtes,
Épand seul le respect et l'horreur à la fois
Dans l'air religieux des solitudes hautes.　　　　35
C'est ton âme qui souffre, ô forêt! C'est ta voix
Qui gémit sans repos dans ces mornes savanes;
Et dans l'effarement de ton propre secret.
Exhalant ton arome aux éthers diaphanes,
Sur l'homme, ou sur l'enfant vierge encor de regret,　　　　40
Sur tous ses vils soucis, sur ses gaîtés naïves,

Tu fais chanter ton rêve, ô bois ! Et sur ton front,
Pareil au bruit lointain de la mer sur les rives,
Plane ton froissement solennel et profond.
Bien des jours sont passés et perdus dans l'abîme   45
Où tombent tour à tour désir, joie, et sanglot;
Bien des foyers éteints qu'aucun vent ne ranime
Gisent ensevelis dans nos cœurs, sous le flot
Sans pitié ni reflux de la cendre fatale,
Depuis qu'au vol joyeux de mes espoirs j'errais,   50
O bois éolien ! sous ta voûte natale,
Seul, écoutant venir de tes obscurs retraits,
Pareille au bruit lointain de la mer sur les grèves,
Ta respiration onduleuse et sans fin.
Dans le sévère ennui de nos vanités brèves,   55
Fatidiques chanteurs au douloureux destin,
Vous épanchiez sur moi votre austère pensée;
Et tu versais en moi, fils craintif et pieux,
Ta grande âme, ô Nature ! éternelle offensée !
Là-bas, bien loin d'ici, dans l'azur, près des cieux,   60
Vous bruissez toujours au revers des ravines,
Et par delà des flots, du fond des jours brûlants,
Vous m'emplissez encor de vos plaintes divines,
Filaos chevelus, bercés de souffles lents !
Et plus haut que les cris des villes périssables,   65
J'entends votre soupir immense et continu,
Pareil au bruit lointain de la mer sur les sables,
Qui passe sur ma tête et meurt dans l'inconnu !

LOUISE ACKERMANN

A UNE ARTISTE

Puisque les plus heureux ont des douleurs sans nombre,
Puisque le sol est froid, puisque les cieux sont lourds,
Puisque l'homme ici-bas promène son cœur sombre
Parmi les vains regrets et les courtes amours,

Que faire de la vie ? O notre âme immortelle ! 5
Où jeter tes désirs et tes élans secrets ?
Tu voudrais posséder, mais ici tout chancelle,
Tu veux aimer toujours, mais la tombe est si près !

Le meilleur est encore en quelque étude austère
De s'enfermer, ainsi qu'en un monde enchanté, 10
Et dans l'art bien-aimé de contempler sur terre,
Sous un de ces aspects, l'éternelle beauté.

Artiste au front serein, vous l'avez su comprendre,
Vous qu'entre tous les arts le plus doux captiva,
Qui l'entourez de foi, de culte, d'amour tendre, 15
Lorsque la foi, le culte et l'amour, tout s'en va.

Ah ! tandis que pour nous qui tombons de faiblesse,
Et manquons de flambeau dans l'ombre de nos jours,
Chaque pas a sa ronce où notre pied se blesse,
Dans votre frais sentier, marchez, marchez toujours. 20

Marchez ! pour que le ciel vous aime et vous sourie,
Pour y songer vous-même avec un saint plaisir,
Et tromper, le cœur plein de votre idolâtrie,
L'éternelle douleur et l'immense désir.

L'HOMME

Jeté par le hasard sur un vieux globe infime,
   A l'abandon, perdu comme en un océan,
Je surnage un moment et flotte à fleur d'abîme,
      Épave du néant.

Et pourtant, c'est à moi, quand sur des mers sans rives 5
   Un naufrage éternel semblait me menacer,
Qu'une voix a crié du fond de l'Être: « Arrive !
      Je t'attends pour penser. »

L'Inconscience encor sur la nature entière
   Étendait tristement son voile épais et lourd. 10
J'apparus; aussitôt à travers la matière
      L'Esprit se faisait jour.

Secouant ma torpeur et tout étonné d'être,
   J'ai surmonté mon trouble et mon premier émoi,
Plongé dans le grand Tout, j'ai su m'y reconnaître;   15
     Je m'affirme et dis: « Moi ! »

Bien que la chair impure encor m'assujettisse,
   Des aveugles instincts j'ai rompu le réseau;
J'ai créé la Pudeur, j'ai conçu la Justice;
     Mon cœur fut leur berceau.   20

Seul je m'enquiers des fins et je remonte aux causes.
   A mes yeux l'univers n'est qu'un spectacle vain.
Dussé-je m'abuser, au mirage des choses
     Je prête un sens divin.

Je défie à mon gré la mort et la souffrance.   25
   Nature impitoyable, en vain tu me démens,
Je n'en crois que mes vœux, et fais de l'espérance
     Même avec mes tourments.

Pour combler le néant, ce gouffre vide et morne,
   S'il suffit d'aspirer un instant, me voilà !   30
Fi de cet ici-bas ! Tout m'y cerne et m'y borne;
     Il me faut l'au-delà !

Je veux de l'éternel, moi qui suis l'éphémère.
   Quand le réel me presse, impérieux, brutal,
Pour refuge au besoin n'ai-je pas la chimère   35
     Qui s'appelle Idéal ?

Je puis avec orgueil, au sein des nuits profondes,
   De l'éther étoilé contempler la splendeur.
Gardez votre infini, cieux lointains, vastes mondes,
     J'ai le mien dans mon cœur !   40

FRANÇOIS COPPÉE

PROMENADE

Je suis un pâle enfant du vieux Paris, et j'ai
Le regret des rêveurs qui n'ont pas voyagé.

Au pays bleu mon âme en vain se réfugie,
Elle n'a jamais pu perdre la nostalgie
Des verts chemins qui vont là-bas, à l'horizon.   5
Comme un pauvre captif vieilli dans sa prison
Se cramponne aux barreaux étroits de sa fenêtre
Pour voir mourir le jour et pour le voir renaître,
Ou comme un exilé, promeneur assidu,
Regarde du coteau le pays défendu   10
Se dérouler au loin sous l'immensité bleue,
Ainsi je fuis la ville et cherche la banlieue.
Avec mon rêve heureux, j'aime partir, marcher
Dans la poussière, voir le soleil se coucher
Parmi la brume d'or, derrière les vieux ormes,   15
Contempler les couleurs splendides et les formes
Des nuages baignés dans l'occident vermeil;
Et, quand l'ombre succède à la mort du soleil,
M'éloigner encor plus par quelque agreste rue
Dont l'ornière rappelle un sillon de charrue,   20
Gagner les champs pierreux, sans songer au départ,
Et m'asseoir, les cheveux au vent, sur le rempart.

Au loin, dans la lueur blême du crépuscule,
L'amphithéâtre noir des collines recule,
Et, tout au fond du val profond et solennel,   25
Paris pousse à mes pieds son soupir éternel.
Le sombre azur du ciel s'épaissit. Je commence
A distinguer des bruits dans ce murmure immense,
Et je puis, écoutant, rêveur et plein d'émoi,
Le vent du soir froissant les herbes près de moi,   30
Et, parmi le chaos des ombres débordantes,
Le sifflet douloureux des machines stridentes,
Ou l'aboiement d'un chien, ou le cri d'un enfant,
Ou le sanglot d'un orgue au lointain s'étouffant,
Ou le tintement clair d'une tardive enclume,   35
Voir la nuit qui s'étoile et Paris qui s'allume.

LA PETITE MARCHANDE DE FLEURS

Le soleil froid donnait un ton rose au grésil,
Et le ciel de novembre avait des airs d'avril.

Nous voulions profiter de la belle gelée.
Moi chaudement vêtu, toi bien emmitouflée
Sous le manteau, sous la voilette et sous les gants,   5
Nous franchissions, parmi les couples élégants,
La porte de la blanche et joyeuse avenue,
Quand soudain jusqu'à nous une enfant presque nue
Et livide, tenant des fleurettes en main,
Accourut, se frayant à la hâte un chemin   10
Entre les beaux habits et les riches toilettes,
Nous offrir un petit bouquet de violettes.
Elle avait deviné que nous étions heureux
Sans doute, et s'était dit: « Ils seront généreux. »
Elle nous proposa ses fleurs d'une voix douce,   15
En souriant avec ce sourire qui tousse.
Et c'était monstrueux, cette enfant de sept ans
Qui mourait de l'hiver en offrant le printemps.
Ses pauvres petits doigts étaient pleins d'engelures.
Moi, je sentais le fin parfum de tes fourrures,   20
Je voyais ton cou rose et blanc sous la fanchon,
Et je touchais ta main chaude dans ton manchon.
Nous fîmes notre offrande, amie, et nous passâmes;
Mais la gaîté s'était envolée, et nos âmes
Gardèrent jusqu'au soir un souvenir amer.   25

Mignonne, nous ferons l'aumône cet hiver.

RENÉ–FRANÇOIS SULLY PRUDHOMME

LES CHAÎNES

J'AI voulu tout aimer et je suis malheureux,
Car j'ai de mes tourments multiplié les causes;
D'innombrables liens frêles et douloureux
Dans l'univers entier vont de mon âme aux choses.

Tout m'attire à la fois et d'un attrait pareil: 5
Le vrai par ses lueurs, l'inconnu par ses voiles;

Un trait d'or frémissant joint mon cœur au soleil
Et de longs fils soyeux l'unissent aux étoiles.

La cadence m'enchaîne à l'air mélodieux,
La douceur du velours aux roses que je touche; 10
D'un sourire j'ai fait la chaîne de mes yeux,
Et j'ai fait d'un baiser la chaîne de ma bouche.

Ma vie est suspendue à ces fragiles nœuds,
Et je suis le captif des mille êtres que j'aime:
Au moindre ébranlement qu'un souffle cause en eux 15
Je sens un peu de moi s'arracher de moi-même.

LE VASE BRISÉ

Le vase où meurt cette verveine
D'un coup d'éventail fut fêlé;
Le coup dut effleurer à peine.
Aucun bruit ne l'a révélé.

Mais la légère meurtrissure, 5
Mordant le cristal chaque jour,
D'une marche invisible et sûre
En a fait lentement le tour.

Son eau fraîche a fui goutte à goutte,
Le suc des fleurs s'est épuisé; 10
Personne encore ne s'en doute,
N'y touchez pas, il est brisé.

Souvent aussi la main qu'on aime,
Effleurant le cœur, le meurtrit;
Puis le cœur se fend de lui-même, 15
La fleur de son amour périt;

Toujours intact aux yeux du monde,
Il sent croître et pleurer tout bas
Sa blessure fine et profonde,
Il est brisé, n'y touchez pas. 20

INTUS

Deux voix s'élèvent tour à tour
Des profondeurs troubles de l'âme:
La raison blasphème, et l'amour
Rêve un Dieu juste et le proclame.

Panthéiste, athée, ou chrétien,   5
Tu connais leurs luttes obscures;
C'est mon martyre, et c'est le tien,
De vivre avec ces deux murmures.

L'intelligence dit au cœur:
— « Le monde n'a pas un bon père,   10
Vois, le mal est partout vainqueur. »
Le cœur dit: « Je crois et j'espère;

Espère, ô ma sœur, crois un peu,
C'est à force d'aimer qu'on trouve;
Je suis immortel, je sens Dieu. »   15
— L'intelligence lui dit: « Prouve. »

LE LEVER DU SOLEIL

Le grand soleil, plongé dans un royal ennui,
Brûle au désert des cieux. Sous les traits qu'en si-
        lence
Il disperse et rappelle incessamment à lui,
Le chœur grave et lointain des sphères se balance.

Suspendu dans l'abîme il n'est ni haut ni bas;   5
Il ne prend d'aucun feu le feu qu'il communique;
Son regard ne s'élève et ne s'abaisse pas;
Mais l'univers se dore à sa jeunesse antique.

Flamboyant, invisible à force de splendeur,
Il est père des blés, qui sont pères des races,   10
Mais il ne peuple pas son immense rondeur
D'un troupeau de mortels turbulents et voraces.

Parmi les globes noirs qu'il empourpre et conduit
Aux blêmes profondeurs que l'air léger fait bleues,
La terre lui soumet la courbe qu'elle suit, 15
Et cherche sa caresse à d'innombrables lieues.

Sur son axe qui vibre et tourne, elle offre au jour
Son épaisseur énorme et sa face vivante,
Et les champs et les mers y viennent tour à tour
Se teindre d'une aurore éternelle et mouvante. 20

Mais les hommes épars n'ont que des pas bornés,
Avec le sol natal ils émergent ou plongent:
Quand les uns du sommeil sortent illuminés,
Les autres dans la nuit s'enfoncent et s'allongent.

Ah! les fils de l'Hellade, avec des yeux nouveaux 25
Admirant cette gloire à l'Orient éclose,
Criaient: Salut au dieu dont les quatre chevaux
Frappent d'un pied d'argent le ciel solide et rose!

Nous autres nous crions: Salut à l'Infini!
Au grand Tout, à la fois idole, temple et prêtre, 30
Qui tient fatalement l'homme à la terre uni,
Et la terre au soleil, et chaque être à chaque être;

Il est tombé pour nous le rideau merveilleux
Où du vrai monde erraient les fausses apparences,
La science a vaincu l'imposture des yeux, 35
L'homme a répudié les vaines espérances;

Le ciel a fait l'aveu de son mensonge ancien,
Et depuis qu'on a mis ses piliers à l'épreuve,
Il apparaît plus stable affranchi de soutien,
Et l'univers entier vêt une beauté neuve. 40

LA PRIÈRE

JE voudrais bien prier, je suis plein de soupirs!
Ma cruelle raison veut que je les contienne.
Ni les vœux suppliants d'une mère chrétienne,
Ni l'exemple des saints, ni le sang des martyrs,

Ni mon besoin d'aimer, ni mes grands repentirs,   5
Ni mes pleurs, n'obtiendront que la foi me revienne.
C'est une angoisse impie et sainte que la mienne:
Mon doute insulte en moi le Dieu de mes désirs.

Pourtant je veux prier, je suis trop solitaire.
Voici que j'ai posé mes deux genoux à terre: 10
Je vous attends, Seigneur; Seigneur, êtes-vous là?

J'ai beau joindre les mains, et, le front sur la Bible,
Redire le Credo que ma bouche épela,
Je ne sens rien du tout devant moi. C'est horrible.

JOSÉ-MARIA DE HÉRÉDIA

ANDROMÈDE AU MONSTRE

La Vierge Céphéenne, hélas! encor vivante,
Liée, échevelée, au roc des noirs îlots,
Se lamente en tordant avec de vains sanglots
Sa chair royale où court un frisson d'épouvante.

L'Océan monstrueux que la tempête évente   5
Crache à ses pieds glacés l'âcre bave des flots,
Et partout elle voit, à travers ses cils clos,
Bâiller la gueule glauque, innombrable et mouvante.

Tel qu'un éclat de foudre en un ciel sans éclair,
Tout à coup, retentit un hennissement clair.   10
Ses yeux s'ouvrent. L'horreur les emplit, et l'extase;

Car elle a vu, d'un vol vertigineux et sûr,
Se cabrant sous le poids du fils de Zeus, Pégase
Allonger sur la mer sa grande ombre d'azur.

PERSÉE ET ANDROMÈDE

Au milieu de l'écume arrêtant son essor,
Le Cavalier vainqueur du monstre et de Méduse,
Ruisselant d'une bave horrible où le sang fuse,
Emporte entre ses bras la vierge aux cheveux d'or.

Sur l'étalon divin, frère de Chrysaor,   5
Qui piaffe dans la mer et hennit et refuse,
Il a posé l'Amante éperdue et confuse
Qui lui rit et l'étreint et qui sanglote encor.

Il l'embrasse. La houle enveloppe leur groupe.
Elle, d'un faible effort, ramène sur la croupe   10
Ses beaux pieds qu'en fuyant baise un flot vagabond;

Mais Pégase irrité par le fouet de la lame,
A l'appel du Héros s'enlevant d'un seul bond,
Bat le ciel ébloui de ses ailes de flamme.

LE RAVISSEMENT D'ANDROMÈDE

D'un vol silencieux, le grand Cheval ailé
Soufflant de ses naseaux élargis l'air qui fume,
Les emporte avec un frémissement de plume
A travers la nuit bleue et l'éther étoilé.

Ils vont. L'Afrique plonge au gouffre flagellé,   5
Puis l'Asie . . . un désert . . . le Liban ceint de brume . . .
Et voici qu'apparaît, toute blanche d'écume,
La mer mystérieuse où vint sombrer Hellé.

Et le vent gonfle ainsi que deux immenses voiles
Les ailes qui, volant d'étoiles en étoiles,   10
Aux amants enlacés font un tiède berceau;

Tandis que, l'œil au ciel où palpite leur ombre,
Ils voient, irradiant du Bélier au Verseau,
Leurs Constellations poindre dans l'azur sombre.

LE CYDNUS

Sous l'azur triomphal, au soleil qui flamboie,
La trirème d'argent blanchit le fleuve noir,
Et son sillage y laisse un parfum d'encensoir
Avec des sons de flûte et des frissons de soie.

A la proue éclatante où l'épervier s'éploie,   5
Hors de son dais royal se penchant pour mieux voir,
Cléopâtre, debout dans la splendeur du soir,
Semble un grand oiseau d'or qui guette au loin sa proie.

Voici Tarse, où l'attend le guerrier désarmé;
Et la brune Lagide ouvre dans l'air charmé   10
Ses bras d'ambre où la pourpre a mis des reflets roses;

Et ses yeux n'ont pas vu, présages de son sort,
Auprès d'elle, effeuillant sur l'eau sombre des roses,
Les deux Enfants divins, le Désir et la Mort.

SOIR DE BATAILLE

Le choc avait été très rude. Les tribuns
Et les centurions, ralliant les cohortes,
Humaient encor, dans l'air où vibraient leurs voix fortes,
La chaleur du carnage et ses âcres parfums.

D'un œil morne, comptant leurs compagnons défunts,   5
Les soldats regardaient, comme des feuilles mortes,
Au loin, tourbillonner les archers de Phraortes;
Et la sueur coulait de leurs visages bruns.

C'est alors qu'apparut, tout hérissé de flèches,
Rouge du flux vermeil de ses blessures fraîches,   10
Sous la pourpre flottante et l'airain rutilant,

Au fracas des buccins qui sonnaient leur fanfare,
Superbe, maîtrisant son cheval qui s'effare,
Sur le ciel enflammé, l'Imperator sanglant !

ANTOINE ET CLÉOPÂTRE

Tous deux, ils regardaient, de la haute terrasse,
L'Égypte s'endormir sous un ciel étouffant
Et le Fleuve, à travers le Delta noir qu'il fend,
Vers Bubaste ou Saïs rouler son onde grasse.

Et le Romain sentait sous la lourde cuirasse,   5
Soldat captif berçant le sommeil d'un enfant,
Ployer et défaillir sur son cœur triomphant
Le corps voluptueux que son étreinte embrasse.

Tournant sa tête pâle entre ses cheveux bruns,
Vers celui qu'enivraient d'invincibles parfums,   10
Elle tendit sa bouche et ses prunelles claires;

Et, sur elle courbé, l'ardent Imperator
Vit dans ses larges yeux étoilés de points d'or
Toute une mer immense où fuyaient des galères.

LE VITRAIL

Cette verrière a vu dames et hauts barons
Étincelants d'azur, d'or, de flamme et de nacre,
Incliner, sous la dextre auguste qui consacre,
L'orgueil de leurs cimiers et de leurs chaperons;

Lorsqu'ils allaient, au bruit du cor ou des clairons,   5
Ayant le glaive au poing, le gerfaut ou le sacre,
Vers la plaine ou le bois, Byzance ou Saint-Jean d'Acre,
Partir pour la croisade ou le vol des hérons.

Aujourd'hui, les seigneurs auprès des châtelaines,
Avec le lévrier à leurs longues poulaines,   10
S'allongent aux carreaux de marbre blanc et noir;

Ils gisent là sans voix, sans geste et sans ouïe,
Et de leurs yeux de pierre ils regardent sans voir
La rose du vitrail toujours épanouie.

LES CONQUÉRANTS

Comme un vol de gerfauts hors du charnier natal,
Fatigués de porter leurs misères hautaines,
De Palos de Moguer, routiers et capitaines
Partaient, ivres d'un rêve héroïque et brutal.

Ils allaient conquérir le fabuleux métal　　　　　　　5
Que Cipango mûrit dans ses mines lointaines,
Et les vents alizés inclinaient leurs antennes
Aux bords mystérieux du monde Occidental.

Chaque soir, espérant des lendemains épiques,
L'azur phosphorescent de la mer des Tropiques　　　10
Enchantait leur sommeil d'un mirage doré;

Ou, penchés à l'avant des blanches caravelles,
Ils regardaient monter en un ciel ignoré
Du fond de l'Océan des étoiles nouvelles.

LE RÉCIF DE CORAIL

Le soleil sous la mer, mystérieuse aurore,
Éclaire la forêt des coraux abyssins
Qui mêle, aux profondeurs de ses tièdes bassins,
La bête épanouie et la vivante flore.

Et tout ce que le sel ou l'iode colore,　　　　　　5
Mousse, algue chevelue, anémones, oursins,
Couvre de pourpre sombre, en somptueux dessins,
Le fond vermiculé du pâle madrépore.

De sa splendide écaille éteignant les émaux,
Un grand poisson navigue à travers les rameaux;　10
Dans l'ombre transparente indolemment il rôde;

Et, brusquement, d'un coup de sa nageoire en feu
Il fait, par le cristal morne, immobile et bleu,
Courir un frisson d'or, de nacre et d'émeraude.

LE BAIN

L'HOMME et la bête, tels que le beau monstre antique,
Sont entrés dans la mer, et nus, libres, sans frein,
Parmi la brume d'or de l'âcre pulvérin,
Sur le ciel embrasé font un groupe athlétique.

Et l'étalon sauvage et le dompteur rustique,   5
Humant à pleins poumons l'odeur du sel marin,
Se plaisent à laisser sur la chair et le crin
Frémir le flot glacé de la rude Atlantique.

La houle s'enfle, court, se dresse comme un mur
Et déferle. Lui crie. Il hennit, et sa queue   10
En jets éblouissants fait rejaillir l'eau bleue,

Et, les cheveux épars, s'effarant dans l'azur,
Ils opposent, cabrés, leur poitrail noir qui fume,
Au fouet échevelé de la fumante écume.

PAUL VERLAINE

CHANSON D'AUTOMNE

LES sanglots longs
Des violons
    De l'automne
Blessent mon cœur
D'une langueur   5
    Monotone.

Tout suffocant
Et blême, quand
    Sonne l'heure,
Je me souviens   10
Des jours anciens
    Et je pleure.

Et je m'en vais
Au vent mauvais
    Qui m'emporte   15
Decà, delà,
Pareil à la
    Feuille morte.

NOCTURNE PARISIEN

ROULE, roule ton flot indolent, morne Seine, —
Sous tes ponts qu'environne une vapeur malsaine
Bien des corps ont passé, morts, horribles, pourris,
Dont les âmes avaient pour meurtrier Paris.
Mais tu n'en traînes pas, en tes ondes glacées,   5
Autant que ton aspect m'inspire de pensées !

— Le Tibre a sur ses bords des ruines qui font
Monter le voyageur vers un passé profond,
Et qui, de lierre noir et de lichen couvertes,
Apparaissent, tas gris, parmi les herbes vertes.   10
Le gai Guadalquivir rit aux blonds orangers
Et reflète, le soir, les boléros légers.
Le Pactole a son or, le Bosphore a sa rive
Où vient faire son kief l'odalisque lascive.
Le Rhin est un burgrave, et c'est un troubadour   15
Que le Lignon, et c'est un ruffian que l'Adour.
Le Nil, au bruit plaintif de ses eaux endormies,
Berce de rêves doux le sommeil des momies.
Le grand Meschascébé, fier de ses joncs sacrés,
Charrie augustement ses îlots mordorés,   20
Et soudain, beau d'éclairs, de fracas et de fastes,
Splendidement s'écroule en Niagaras vastes.
L'Eurotas, où l'essaim des cygnes familiers
Mêle sa grâce blanche au vert mat des lauriers,
Sous son ciel clair que raie un vol de gypaète,   25
Rhythmique et caressant, chante ainsi qu'un poète.
Enfin, Ganga, parmi les hauts palmiers tremblants
Et les rouges padmas, marche à pas fiers et lents

En appareil royal, tandis qu'au loin la foule
Le long des temples va hurlant, vivante houle,   30
Au claquement massif des cymbales de bois,
Et qu'accroupi, filant ses notes de hautbois,
Du saut de l'antilope agile attendant l'heure,
Le tigre jaune au dos rayé s'étire et pleure.

— Toi, Seine, tu n'as rien. Deux quais, et voilà tout, 35
Deux quais crasseux, semés de l'un à l'autre bout
D'affreux bouquins moisis et d'une foule insigne
Qui fait dans l'eau des ronds et qui pêche à la ligne.
Oui, mais quand vient le soir, raréfiant enfin
Les passants alourdis de sommeil ou de faim,   40
Et que le couchant met au ciel des taches rouges,
Qu'il fait bon aux rêveurs descendre de leurs bouges,
Et, s'accoudant au pont de la Cité, devant
Notre-Dame, songer, cœur et cheveux au vent !
Les nuages, chassés par la brise nocturne,   45
Courent, cuivreux et roux, dans l'azur taciturne.
Sur la tête d'un roi du portail, le soleil,
Au moment de mourir, pose un baiser vermeil.
L'hirondelle s'enfuit à l'approche de l'ombre,
Et l'on voit voleter la chauve-souris sombre.   50
Tout bruit s'apaise autour. A peine un vague son
Dit que la ville est là qui chante sa chanson,
Qui lèche ses tyrans et qui mord ses victimes;
Et c'est l'aube des vols, des amours et des crimes.

— Puis, tout à coup, ainsi qu'un ténor effaré   55
Lançant dans l'air bruni son cri désespéré,
Son cri qui se lamente, et se prolonge, et crie,
Éclate en quelque coin l'orgue de Barbarie:
Il brame un de ces airs, romances ou polkas,
Qu'enfants nous tapotions sur nos harmonicas   60
Et qui font, lents ou vifs, réjouissants ou tristes,
Vibrer l'âme aux proscrits, aux femmes, aux artistes.
C'est écorché, c'est faux, c'est horrible, c'est dur,
Et donnerait la fièvre à Rossini, pour sûr;
Ces rires sont traînés, ces plaintes sont hachées;   65

Sur une clef de sol impossible juchées,
Les notes ont un rhume et les *do* sont des *la*,
Mais qu'importe ! l'on pleure en entendant cela !
Mais l'esprit, transporté dans le pays des rêves,
Sent à ces vieux accords couler en lui des sèves;   70
La pitié monte au cœur et les larmes aux yeux,
Et l'on voudrait pouvoir goûter la paix des cieux,
Et dans une harmonie étrange et fantastique
Qui tient de la musique et tient de la plastique,
L'âme, les inondant de lumière et de chant,   75
Mêle les sons de l'orgue aux rayons du couchant !

— Et puis l'orgue s'éloigne, et puis c'est le silence,
Et la nuit terne arrive et Vénus se balance
Sur une molle nue au fond des cieux obscurs:
On allume les becs de gaz le long des murs.   80
Et l'astre et les flambeaux font des zigzags fantasques
Dans le fleuve plus noir que le velours des masques;
Et le contemplateur sur le haut garde-fou
Par l'air et par les ans rouillé comme un vieux sou
Se penche, en proie aux vents néfastes de l'abîme.   85
Pensée, espoir serein, ambition sublime,
Tout, jusqu'au souvenir, tout s'envole, tout fuit,
Et l'on est seul avec Paris, l'Onde et la Nuit !

— Sinistre trinité ! De l'ombre dures portes !
Mané-Thécel-Pharès des illusions mortes !   90
Vous êtes toutes trois, ô Goules de malheur,
Si terribles, que l'Homme, ivre de la douleur
Que lui font en perçant sa chair vos doigts de spectre,
L'Homme, espèce d'Oreste à qui manque une Électre,
Sous la fatalité de votre regard creux   95
Ne peut rien et va droit au précipice affreux;
Et vous êtes aussi toutes trois si jalouses
De tuer et d'offrir au grand Ver des épouses
Qu'on ne sait que choisir entre vos trois horreurs,
Et si l'on craindrait moins périr par les terreurs   100
Des Ténèbres que sous l'Eau sourde, l'Eau profonde,
Ou dans tes bras fardés, Paris, reine du monde !

— Et tu coules toujours, Seine, et, tout en rampant,
Tu traînes dans Paris ton cours de vieux serpent,
De vieux serpent boueux, emportant vers tes havres 105
Tes cargaisons de bois, de houille et de cadavres !

CLAIR DE LUNE

VOTRE âme est un paysage choisi
Que vont charmant masques et bergamasques
Jouant du luth et dansant et quasi
Tristes sous leurs déguisements fantasques.

Tout en chantant sur le mode mineur   5
L'amour vainqueur et la vie opportune,
Ils n'ont pas l'air de croire à leur bonheur
Et leur chanson se mêle au clair de lune,

Au calme clair de lune triste et beau,
Qui fait rêver les oiseaux dans les arbres   10
Et sangloter d'extase les jets d'eau,
Les grands jets d'eau sveltes parmi les marbres.

MANDOLINE

LES donneurs de sérénades
Et les belles écouteuses
Échangent des propos fades
Sous les ramures chanteuses.

C'est Tircis et c'est Aminte,   5
Et c'est l'éternel Clitandre,
Et c'est Damis qui pour mainte
Cruelle fait maint vers tendre.

Leurs courtes vestes de soie,
Leurs longues robes à queues.   10
Leur élégance, leur joie
Et leurs molles ombres bleues

Tourbillonnent dans l'extase
D'une lune rose et grise,
Et la mandoline jase   15
Parmi les frissons de brise.

COLLOQUE SENTIMENTAL

DANS le vieux parc solitaire et glacé,
Deux formes ont tout à l'heure passé.

Leurs yeux sont morts et leurs lèvres sont molles,
Et l'on entend à peine leurs paroles.

Dans le vieux parc solitaire et glacé,   5
Deux spectres ont évoqué le passé.

— Te souvient-il de notre extase ancienne ?
— Pourquoi voulez-vous donc qu'il m'en souvienne ?

— Ton cœur bat-il toujours à mon seul nom ?
Toujours vois-tu mon âme en rêve ? — Non.   10

— Ah ! les beaux jours de bonheur indicible
Où nous joignions nos bouches ! — C'est possible.

— Qu'il était bleu, le ciel, et grand l'espoir !
— L'espoir a fui, vaincu, vers le ciel noir.

Tels ils marchaient dans les avoines folles,   15
Et la nuit seule entendit leurs paroles.

PUISQUE L'AUBE GRANDIT...

PUISQUE l'aube grandit, puisque voici l'aurore,
Puisque, après m'avoir fui longtemps, l'espoir veut bien
Revoler devers moi qui l'appelle et l'implore,
Puisque tout ce bonheur veut bien être le mien,

C'en est fait à présent des funestes pensées,   5
C'en est fait des mauvais rêves, ah ! c'en est fait
Surtout de l'ironie et des lèvres pincées
Et des mots où l'esprit sans l'âme triomphait.

Arrière aussi les poings crispés et la colère
A propos des méchants et des sots rencontrés;   10
Arrière la rancune abominable ! arrière
L'oubli qu'on cherche en des breuvages exécrés !

Car je veux, maintenant qu'un Être de lumière
A dans ma nuit profonde émis cette clarté
D'une amour à la fois immortelle et première,   15
De par la grâce, le sourire et la bonté,

Je veux, guidé par vous, beaux yeux aux flammes douces,
Par toi conduit, ô main où tremblera ma main,
Marcher droit, que ce soit par des sentiers de mousses
Ou que rocs et cailloux encombrent le chemin;   20

Oui, je veux marcher droit et calme dans la Vie,
Vers le but où le sort dirigera mes pas,
Sans violence, sans remords et sans envie:
Ce sera le devoir heureux aux gais combats.

Et comme, pour bercer les lenteurs de la route,   25
Je chanterai des airs ingénus, je me dis
Qu'elle m'écoutera sans déplaisir sans doute;
Et vraiment je ne veux pas d'autre Paradis.

LA LUNE BLANCHE . . .

La lune blanche
Luit dans les bois;
De chaque branche
Part une voix
Sous la ramée . . .   5

O bien-aimée.

L'étang reflète,
Profond miroir,
La silhouette
Du saule noir   10
Où le vent pleure . . .

Rêvons, c'est l'heure.

Un vaste et tendre
Apaisement
Semble descendre   15
Du firmament
Que l'astre irise . . .

C'est l'heure exquise.

C'EST L'EXTASE LANGOUREUSE . . .

C'EST l'extase langoureuse,
C'est la fatigue amoureuse,
C'est tous les frissons des bois
Parmi l'étreinte des brises,
C'est, vers les ramures grises,   5
Le chœur des petites voix.

O le frêle et frais murmure !
Cela gazouille et susurre,
Cela ressemble au cri doux
Que l'herbe agitée expire . . .   10
Tu dirais, sous l'eau qui vire,
Le roulis sourd des cailloux.

Cette âme qui se lamente
En cette plainte dormante,
C'est la nôtre, n'est-ce pas ?   15
La mienne, dis, et la tienne,
Dont s'exhale l'humble antienne
Par ce tiède soir, tout bas ?

IL PLEURE DANS MON CŒUR . . .

IL pleure dans mon cœur
Comme il pleut sur la ville,
Quelle est cette langueur
Qui pénètre mon cœur ?

O bruit doux de la pluie
Par terre et sur les toits !
Pour un cœur qui s'ennuie
O le chant de la pluie !

Il pleure sans raison
Dans ce cœur qui s'écœure. 10
Quoi ! nulle trahison ?
Ce deuil est sans raison.

C'est bien la pire peine
De ne savoir pourquoi,
Sans amour et sans haine, 15
Mon cœur a tant de peine.

ÉCOUTEZ LA CHANSON BIEN DOUCE . . .

ÉCOUTEZ la chanson bien douce
Qui ne pleure que pour vous plaire.
Elle est discrète, elle est légère:
Un frisson d'eau sur de la mousse !

La voix vous fut connue (et chère ?) 5
Mais à présent elle est voilée
Comme une veuve désolée,
Pourtant comme elle encore fière,

Et dans les longs plis de son voile
Qui palpite aux brises d'automne 10
Cache et montre au cœur qui s'étonne
La vérité comme une étoile.

Elle dit, la voix reconnue,
Que la bonté c'est notre vie,
Que de la haine et de l'envie 15
Rien ne reste, la mort venue.

Elle parle aussi de la gloire
D'être simple sans plus attendre,
Et de noces d'or et du tendre
Bonheur d'une paix sans victoire. 20

Accueillez la voix qui persiste
Dans son naïf épithalame.
Allez, rien n'est meilleur à l'âme
Que de faire une âme moins triste !

Elle est « en peine » et « de passage, »   25
L'âme qui souffre sans colère,
Et comme sa morale est claire !
Écoutez la chanson bien sage.

LITANIES

O mon Dieu, vous m'avez blessé d'amour
Et la blessure est encore vibrante,
O mon Dieu, vous m'avez blessé d'amour.

O mon Dieu, votre crainte m'a frappé
Et la brûlure est encor là qui tonne,   5
O mon Dieu, votre crainte m'a frappé.

O mon Dieu, j'ai connu que tout est vil
Et votre gloire en moi s'est installée,
O mon Dieu, j'ai connu que tout est vil.

Noyez mon âme aux flots de votre Vin,   10
Fondez ma vie au Pain de votre table,
Noyez mon âme aux flots de votre Vin.

Voici mon sang que je n'ai pas versé,
Voici ma chair indigne de souffrance,
Voici mon sang que je n'ai pas versé.   15

Voici mon front qui n'a pu que rougir,
Pour l'escabeau de vos pieds adorable,
Voici mon front qui n'a pu que rougir.

Voici mes mains qui n'ont pas travaillé,
Pour les charbons ardents et l'encens rare,   20
Voici mes mains qui n'ont pas travaillé.

Voici mon cœur qui n'a battu qu'en vain,
Pour palpiter aux ronces du Calvaire,
Voici mon cœur qui n'a battu qu'en vain.

Voici mes pieds, frivoles voyageurs, 25
Pour accourir au cri de votre grâce,
Voici mes pieds, frivoles voyageurs.

Voici ma voix, bruit maussade et menteur,
Pour les reproches de la Pénitence,
Voici ma voix, bruit maussade et menteur. 30

Voici mes yeux, luminaires d'erreur,
Pour être éteints aux pleurs de la prière,
Voici mes yeux, luminaires d'erreur.

Hélas ! Vous, Dieu d'offrande et de pardon,
Quel est le puits de mon ingratitude, 35
Hélas ! Vous, Dieu d'offrande et de pardon,

Dieu de terreur et Dieu de sainteté,
Hélas ! ce noir abîme de mon crime,
Dieu de terreur et Dieu de sainteté,

Vous, Dieu de paix, de joie et de bonheur, 40
Toutes mes peurs, toutes mes ignorances,
Vous, Dieu de paix, de joie et de bonheur,

Vous connaissez tout cela, tout cela,
Et que je suis plus pauvre que personne,
Vous connaissez tout cela, tout cela, 45

Mais ce que j'ai, mon Dieu, je vous le donne.

LE CIEL EST PAR-DESSUS LE TOIT...

Le ciel est, par-dessus le toit,
    Si bleu, si calme !
Un arbre, par-dessus le toit,
    Berce sa palme.

La cloche, dans le ciel qu'on voit, 5
    Doucement tinte.
Un oiseau sur l'arbre qu'on voit
    Chante sa plainte.

Mon Dieu, mon Dieu, la vie est là,
    Simple et tranquille.   10
Cette paisible rumeur-là
    Vient de la ville.

— Qu'as-tu fait, ô toi que voilà
    Pleurant sans cesse,
Dis, qu'as-tu fait, toi que voilà,   15
    De ta jeunesse ?

JE NE SAIS POURQUOI ...

    JE ne sais pourquoi
    Mon esprit amer
D'une aile inquiète et folle vole sur la mer.
    Tout ce qui m'est cher,
    D'une aile d'effroi   5
Mon amour le couve au ras des flots.   Pourquoi, pourquoi ?

    Mouette à l'essor mélancolique,
    Elle suit la vague, ma pensée,
    A tous les vents du ciel balancée
    Et biaisant quand la marée oblique,   10
    Mouette à l'essor mélancolique,

    Ivre de soleil
    Et de liberté,
Un instinct la guide à travers cette immensité.
    La brise d'été   15
    Sur le flot vermeil
Doucement la porte en un tiède demi-sommeil.

    Parfois si tristement elle crie
    Qu'elle alarme au lointain le pilote,
    Puis au gré du vent se livre et flotte   20
    Et plonge, et l'aile toute meurtrie
    Revole, et puis si tristement crie !

    Je ne sais pourquoi
    Mon esprit amer
D'une aile inquiète et folle vole sur la mer.   25

Tout ce qui m'est cher,
D'une aile d'effroi,
Mon amour le couve au ras des flots.   Pourquoi, pourquoi ?

VOUS VOILÀ, VOUS VOILÀ, PAUVRES BONNES PENSÉES . . .

Vous voilà, vous voilà, pauvres bonnes pensées !
L'espoir qu'il faut, regret des grâces dépensées,
Douceur de cœur avec sévérité d'esprit,
Et cette vigilance, et le calme prescrit,
Et toutes ! — Mais encor lentes, bien éveillées,   5
Bien d'aplomb, mais encor timides, débrouillées
A peine du lourd rêve et de la tiède nuit.
C'est à qui de vous va plus gauche, l'une suit
L'autre, et toutes ont peur du vaste clair de lune.
« Telles, quand des brebis sortent d'un clos.   C'est une,   10
Puis deux, puis trois.   Le reste est là, les yeux baissés,
La tête à terre, et l'air des plus embarrassés,
Faisant ce que fait leur chef de file : il s'arrête,
Elles s'arrêtent tour à tour, posant leur tête
Sur son dos simplement et sans savoir pourquoi. »   15
Votre pasteur, ô mes brebis, ce n'est pas moi,
C'est un meilleur, un bien meilleur, qui sait les causes,
Lui qui vous tint longtemps et si longtemps là closes
Mais qui vous délivra de sa main au temps vrai.
Suivez-le.   Sa houlette est bonne.
                                            Et je serai,   20
Sous sa voix toujours douce à votre ennui qui bêle,
Je serai, moi, par vos chemins, son chien fidèle.

ART POÉTIQUE

De la musique avant toute chose,
Et pour cela préfère l'Impair
Plus vague et plus soluble dans l'air,
Sans rien en lui qui pèse ou qui pose.

Il faut aussi que tu n'ailles point   5
Choisir tes mots sans quelque méprise:
Rien de plus cher que la chanson grise
Où l'Indécis au Précis se joint.

C'est des beaux yeux derrière des voiles,
C'est le grand jour tremblant de midi,   10
C'est par un ciel d'automne attiédi,
Le bleu fouillis des claires étoiles!

Car nous voulons la Nuance encor,
Pas la Couleur, rien que la nuance!
Oh! la nuance seule fiance   15
Le rêve au rêve et la flûte au cor!

Fuis du plus loin la Pointe assassine,
L'Esprit cruel et le Rire impur,
Qui font pleurer les yeux de l'Azur,
Et tout cet ail de basse cuisine!   20

Prends l'éloquence et tords-lui son cou!
Tu feras bien, en train d'énergie,
De rendre un peu la Rime assagie,
Si l'on n'y veille, elle ira jusqu'où?

Oh! qui dira les torts de la Rime?   25
Quel enfant sourd ou quel nègre fou
Nous a forgé ce bijou d'un sou
Qui sonne creux et faux sous la lime?

De la musique encore et toujours!
Que ton vers soit la chose envolée   30
Qu'on sent qui fuit d'une âme en allée
Vers d'autres cieux à d'autres amours.

Que ton vers soit la bonne aventure
Éparse au vent crispé du matin
Qui va fleurant la menthe et le thym...   35
Et tout le reste est littérature.

UN VEUF PARLE

Je vois un groupe sur la mer.
Quelle mer ? Celle de mes larmes.
Mes yeux mouillés du vent amer
Dans cette nuit d'ombre et d'alarmes
Sont deux étoiles sur la mer.   5

C'est une toute jeune femme
Et son enfant déjà tout grand
Dans une barque où nul ne rame,
Sans mât ni voile, en plein courant...
Un jeune garçon, une femme !   10

En plein courant dans l'ouragan !
L'enfant se cramponne à sa mère
Qui ne sait plus où, non plus qu'en...
Ni plus rien, et qui, folle, espère
En le courant, en l'ouragan.   15

Espérez en Dieu, pauvre folle,
Crois en notre Père, petit.
La tempête qui vous désole,
Mon cœur de là-haut vous prédit
Qu'elle va cesser, petit, folle !   20

Et paix au groupe sur la mer,
Sur cette mer de bonnes larmes !
Mes yeux joyeux dans le ciel clair,
Par cette nuit sans plus d'alarmes,
Sont deux bons anges sur la mer.   25

PARABOLES

Soyez béni, Seigneur, qui m'avez fait chrétien
Dans ces temps de féroce ignorance et de haine ;
Mais donnez-moi la force et l'audace sereine
De vous être à toujours fidèle comme un chien.

De vous être l'agneau destiné qui suit bien   5
Sa mère et ne sait faire au pâtre aucune peine,
Sentant qu'il doit sa vie encore, après sa laine,
Au maître, quand il veut utiliser ce bien,

Le poisson, pour servir au Fils de monogramme,
L'ânon obscur qu'un jour en triomphe il monta,   10
Et, dans ma chair, les porcs qu'à l'abîme il jeta.

Car l'animal, meilleur que l'homme et que la femme,
En ces temps de révolte et de duplicité,
Fait son humble devoir avec simplicité.

KYRIE ELEISON

Ayez pitié de nous, Seigneur !
Christ, ayez pitié de nous !

Donnez-nous la victoire et l'honneur
Sur l'Ennemi de nous tous.
Ayez pitié de nous, Seigneur.   5

Rendez-nous plus croyants et plus doux
Loin du Péché suborneur.
Christ, ayez pitié de nous.

Criblez-nous comme fait le vanneur
Du grain dont il est jaloux.   10
Ayez pitié de nous, Seigneur.

Nous vous en supplions à genoux,
Ouvrez-nous par la Foi le Bonheur.
Christ, ayez pitié de nous.

Ouvrez-nous par l'Amour le Bonheur,   15
Nous vous en prions à genoux.
Ayez pitié de nous, Seigneur.

Seigneur, par l'Espérance, ouvrez-nous,
Christ, ouvrez-nous le Bonheur.
Christ, ayez pitié de nous.   20

Ayez pitié de nous, Seigneur !

ARTHUR RIMBAUD

SENSATION

PAR les soirs d'été bleus j'irai dans les sentiers,
Picoté par les blés, fouler l'herbe menue:
Rêveur, j'en sentirai la fraîcheur à mes pieds,
Je laisserai le vent baigner ma tête nue !

Je ne parlerai pas, je ne penserai rien.   5
Mais l'amour infini me montera dans l'âme;
Et j'irai loin, bien loin, comme un bohémien,
Par la Nature, — heureux comme avec une femme.

TÊTE DE FAUNE

DANS la feuillée, écrin vert taché d'or,
Dans la feuillée incertaine et fleurie
De splendides fleurs où le baiser dort,
Vif et crevant l'exquise broderie,

Un faune effaré montre ses deux yeux   5
Et mord les fleurs rouges de ses dents blanches:
Brunie et sanglante ainsi qu'un vin vieux,
Sa lèvre éclate en rires sous les branches.

Et quand il a fui — tel qu'un écureuil, —
Son rire tremble encore à chaque feuille,   10
Et l'on voit épeuré par un bouvreuil
Le Baiser d'or du Bois, qui se recueille.

OPHÉLIE

I

SUR l'onde calme et noire où dorment les étoiles,
La blanche Ophélia flotte comme un grand lys,
Flotte très lentement, couchée en ses longs voiles.
On entend dans les bois lointains des hallalis.

Voici plus de mille ans que la triste Ophélie   5
Passe, fantôme blanc, sur le long fleuve noir;
Voici plus de mille ans que sa douce folie
Murmure sa romance à la brise du soir.

Le vent baise ses seins et déploie en corolle
Ses grands voiles bercés mollement par les eaux,   10
Les saules frissonnants pleurent sur son épaule.
Sur son grand front rêveur s'inclinent les roseaux.

Les nénuphars froissés soupirent autour d'elle.
Elle éveille parfois, dans un arbre qui dort,
Quelque nid d'où s'échappe un petit frisson d'aile.   15
Un chant mystérieux tombe des astres d'or.

II

O pâle Ophélia, belle comme la neige,
Oui, tu mourus, enfant, par un fleuve emporté !
C'est que les vents tombant des grands monts de Norvège
T'avaient parlé tout bas de l'âpre liberté.   20

C'est qu'un souffle inconnu, fouettant ta chevelure,
A ton esprit rêveur portait d'étranges bruits;
Que ton cœur entendait la voix de la nature
Dans les plaintes de l'arbre et les soupirs des nuits.

C'est que la voix des mers, comme un immense râle,   25
Brisait ton sein d'enfant trop humain et trop doux;
C'est qu'un matin d'avril un beau cavalier pâle,
Un pauvre fou, s'assit muet à tes genoux.

Ciel, Amour, Liberté, quel rêve, ô pauvre Folle !
Tu te fondais à lui comme une neige au feu.   30
Tes grandes visions étranglaient ta parole.
— Et l'Infini terrible effara ton œil bleu.

III

Et le poète dit qu'au rayon des étoiles
Tu viens chercher, la nuit, les fleurs que tu cueillis,
Et qu'il a vu sur l'eau, couchée en ses longs voiles,   35
La blanche Ophélia flotter, comme un grand lys !

Comme je descendais des Fleuves impassibles,
Je ne me sentis plus guidé par mes haleurs:
Des Peaux-Rouges criards les avaient pris pour cibles,
Les ayant cloués nus aux poteaux de couleurs.

J'étais insoucieux de tous les équipages,   5
Porteurs de blés flamands ou de cotons anglais.
Quand avec mes haleurs ont fini ces tapages,
Les Fleuves m'ont laissé descendre où je voulais.

Dans les clapotements furieux des marées,
Moi, l'autre hiver, plus sourd que les cerveaux d'enfants, 10
Je courus ! et les Péninsules démarrées
N'ont pas subi tohus-bohus plus triomphants.

La tempête a béni mes éveils maritimes.
Plus léger qu'un bouchon j'ai dansé sur les flots
Qu'on appelle rouleurs éternels de victimes,   15
Dix nuits, sans regretter l'œil niais des falots.

Plus douce qu'aux enfants la chair des pommes sures,
L'eau verte pénétra ma coque de sapin
Et des taches de vin bleu et des vomissures
Me lava, dispersant gouvernail et grappin.   20

Et dès lors je me suis baigné dans le poème
De la mer infusé d'astres et latescent,
Dévorant les azurs verts où, flottaison blême
Et ravie, un noyé pensif parfois descend,

Où, teignant tout à coup les bleuités, délires   25
Et rythmes lents sous les rutilements du jour,
Plus fortes que l'alcool, plus vastes que vos lyres,
Fermentent les rousseurs amères de l'amour !

J'ai vu le soleil bas taché d'horreurs mystiques,
Illuminant de longs figements violets;
Pareils à des acteurs de drames très antiques,   35
Les flots roulant au loin leurs frissons de volets.

J'ai rêvé la nuit verte aux neiges éblouies,
Baisers montant aux yeux des mers avec lenteur:
La circulation des sèves inouïes,
Et l'éveil jaune et bleu des phosphores chanteurs.   40

J'ai suivi des mois pleins, pareille aux vacheries
Hystériques, la houle à l'assaut des récifs,
Sans songer que les pieds lumineux des Maries
Pussent forcer le mufle aux Océans poussifs.

J'ai heurté, savez-vous, d'incroyables Florides   45
Mêlant aux fleurs des yeux de panthères, aux peaux
D'hommes des arcs-en-ciel tendus comme des brides,
Sous l'horizon des mers, à de glauques troupeaux.

J'ai vu fermenter les marais, énormes nasses
Où pourrit dans les joncs tout un Léviathan;   50
Des écroulements d'eaux au milieu des bonaces,
Et les lointains vers les gouffres cataractant,

Glaciers, soleils d'argent, flots nacreux, cieux de braises,
Échouages hideux au fond des golfes bruns
Où les serpents géants dévorés des punaises   55
Choient des arbres tordus avec de noirs parfums.

J'aurais voulu montrer aux enfants ces dorades
Du flot bleu, ces poissons d'or, ces poissons chantants.
Des écumes de fleurs ont béni mes dérades,
Et d'ineffables vents m'ont ailé par instants.   60

Parfois, martyr lassé des pôles et des zones,
La mer, dont le sanglot faisait mon roulis doux,
Montait vers moi ses fleurs d'ombre aux ventouses jaunes;
Et je restais ainsi qu'une femme à genoux,

Presqu'île ballottant sur mes bords les querelles   65
Et les fientes d'oiseaux clabaudeurs aux yeux blonds;
Et je voguais, lorsqu'à travers mes liens frêles
Des noyés descendaient dormir à reculons.

Or moi, bateau perdu sous les cheveux des anses,
Jeté par l'ouragan dans l'éther sans oiseau,   70
Moi dont les Monitors et les voiliers des Hanses
N'auraient pas repêché la carcasse ivre d'eau,

Libre, fumant, monté de brumes violettes,
Moi qui trouais le ciel rougeoyant comme un mur
Qui porte, confiture exquise aux bons poètes,   75
Des lichens de soleil et des morves d'azur,

Qui courais taché de lunules électriques,
Planche folle, escorté des hippocampes noirs,
Quand les Juillets faisaient crouler à coups de triques
Les cieux ultramarins aux ardents entonnoirs,   80

Moi qui tremblais, sentant geindre à cinquante lieues
Le rut des Béhémots et des Mælströms épais,
Fileur éternel des immobilités bleues,
Je regrette l'Europe aux anciens parapets.

J'ai vu des archipels sidéraux, et des îles   85
Dont les cieux délirants sont ouverts au vogueur:
Est-ce en ces nuits sans fond que tu dors et t'exiles,
Million d'oiseaux d'or, ô future Vigueur?

Mais, vrai, j'ai trop pleuré. Les aubes sont navrantes,
Toute lune est atroce et tout soleil amer.   90
L'âcre amour m'a gonflé de torpeurs enivrantes.
Oh, que ma quille éclate! oh, que j'aille à la mer!

Si je désire une eau d'Europe, c'est la flache
Noire et froide où, vers le crépuscule embaumé
Un enfant accroupi, plein de tristesse, lâche   95
Un bateau frêle comme un papillon de mai.

Je ne puis plus, baigné de vos langueurs, ô lames,
Enlever leur sillage aux porteurs de cotons,
Ni traverser l'orgueil des drapeaux et des flammes,
Ni nager sous les yeux horribles des pontons!   100

VOYELLES

A noir, E blanc, I rouge, U vert, O bleu, voyelles,
Je dirai quelque jour vos naissances latentes.
A, noir corset velu des mouches éclatantes
Qui bombillent autour des puanteurs cruelles,

Golfe d'ombre; E, candeur des vapeurs et des tentes,   5
Lance des glaciers fiers, rois blancs, frissons d'ombelles;
I, pourpre, sang craché, rire des lèvres belles
Dans la colère ou les ivresses pénitentes;

U, cycles, vibrements divins des mers virides,
Paix des pâtis semés d'animaux, paix des rides   10
Que l'alchimie imprime aux grands fronts studieux;

O, suprême clairon plein de strideurs étranges,
Silences traversés des Mondes et des Anges:
— O l'Oméga, rayon violet de Ses Yeux!

STÉPHANE MALLARMÉ

APPARITION

La lune s'attristait.   Des séraphins en pleurs
Rêvant, l'archet aux doigts, dans le calme des fleurs
Vaporeuses, tiraient de mourantes violes
De blancs sanglots glissant sur l'azur des corolles.
— C'était le jour béni de ton premier baiser.   5
Ma songerie aimant à me martyriser
S'enivrait savamment du parfum de tristesse
Que même sans regret et sans déboire laisse
La cueillaison d'un Rêve au cœur qui l'a cueilli.
J'errais donc, l'œil rivé sur le pavé vieilli,   10
Quand, avec du soleil aux cheveux, dans la rue
Et dans le soir tu m'es en riant apparue.
Et j'ai cru voir la fée au chapeau de clarté

Qui jadis sur mes beaux sommeils d'enfant gâté
Passait, laissant toujours de ses mains mal fermées   15
Neiger de blancs bouquets d'étoiles parfumées.

MON âme vers ton front où rêve, ô calme sœur,
Un automne jonché de taches de rousseur
Et vers le ciel errant de ton œil angélique
Monte, comme dans un jardin mélancolique,
Fidèle, un blanc jet d'eau soupire vers l'Azur !   5
— Vers l'Azur attendri d'Octobre pâle et pur
Qui mire aux grands bassins sa langueur infinie
Et laisse, sur l'eau morte où la fauve agonie
Des feuilles erre au vent et creuse un froid sillon,
Se traîner le soleil jaune d'un long rayon.   10

L'AZUR

DE l'éternel Azur la sereine ironie
Accable, belle indolemment comme les fleurs,
Le poète impuissant qui maudit son génie
A travers un désert stérile de Douleurs.

Fuyant, les yeux fermés, je le sens qui regarde   5
Avec l'intensité d'un remords atterrant,
Mon âme vide. Où fuir ? Et quelle nuit hagarde
Jeter, lambeaux, jeter sur ce mépris navrant ?

Brouillards, montez ! Versez vos cendres monotones,
Avec de longs haillons de brume dans les cieux   10
Que noiera le marais livide des automnes,
Et bâtissez un grand plafond silencieux !

Et toi, sors des étangs léthéens et ramasse,
En t'en venant, la vase et les pâles roseaux,
Cher Ennui, pour boucher d'une main jamais lasse   15
Les grands trous bleus que font méchamment les oiseaux.

Encor ! que sans répit les tristes cheminées
Fument, et que de nuit une errante prison
Éteigne dans l'horreur de ses noires traînées
Le soleil se mourant jaunâtre à l'horizon !   20

— Le Ciel est mort. — Vers toi, j'accours ! donne, ô
    matière,
L'oubli de l'Idéal cruel et du Péché
A ce martyr qui vient partager la litière
Où le bétail heureux des hommes est couché,

Car j'y veux, puisque enfin ma cervelle, vidée   25
Comme le pot de fard gisant au pied d'un mur,
N'a plus l'art d'attifer la sanglotante idée,
Lugubrement bâiller vers un trépas obscur . . .

En vain ! l'Azur triomphe, et je l'entends qui chante
Dans les cloches. Mon âme, il se fait voix pour plus 30
Nous faire peur avec sa victoire méchante,
Et du métal vivant sort en bleus angélus !

Il roule par la brume, ancien, et traverse
Ta native agonie ainsi qu'un glaive sûr;
Où fuir dans la révolte inutile et perverse ?   35
Je suis hanté. L'Azur ! L'Azur ! L'Azur ! L'Azur !

BRISE MARINE

LA chair est triste, hélas ! et j'ai lu tous les livres.
Fuir ! là-bas fuir ! Je sens que des oiseaux sont ivres
D'être parmi l'écume inconnue et les cieux !
Rien, ni les vieux jardins reflétés par les yeux
Ne retiendra ce cœur qui dans la mer se trempe   5
O nuits ! ni la clarté déserte de ma lampe
Sur le vide papier que la blancheur défend
Et ni la jeune femme allaitant son enfant.
Je partirai ! Steamer balançant ta mâture,
Lève l'ancre pour une exotique nature !   10
Un Ennui, désolé par les cruels espoirs,
Croit encore à l'adieu suprême des mouchoirs !

Et, peut-être, les mâts, invitant les orages,
Sont-ils de ceux qu'un vent penche sur les naufrages
Perdus, sans mâts, sans mâts, ni fertiles îlots ...   15
Mais, ô mon cœur, entends le chant des matelots !

L'APRÈS-MIDI D'UN FAUNE.   ÉGLOGUE

LE FAUNE

CES nymphes, je les veux perpétuer.
                              Si clair,
Leur incarnat léger, qu'il voltige dans l'air
Assoupi de sommeils touffus.
                              Aimai-je un rêve ?
Mon doute, amas de nuit ancienne, s'achève
En maint rameau subtil, qui, demeuré les vrais   5
Bois mêmes, prouve, hélas ! que bien seul je m'offrais
Pour triomphe la faute idéale de roses.
Réfléchissons ...
                    ou si les femmes dont tu gloses
Figurent un souhait de tes sens fabuleux !
Faune, l'illusion s'échappe des yeux bleus   10
Et froids, comme une source en pleurs, de la plus chaste:
Mais, l'autre tout soupirs, dis-tu qu'elle contraste
Comme brise du jour chaude dans ta toison !
Que non ! par l'immobile et lasse pâmoison
Suffoquant de chaleurs le matin frais s'il lutte,   15
Ne murmure point l'eau que ne verse ma flûte
Au bosquet arrosé d'accords; et le seul vent
Hors des deux tuyaux prompt à s'exhaler avant
Qu'il disperse le son dans une plaine aride,
C'est, à l'horizon pas remué d'une ride,   20
Le visible et serein souffle artificiel
De l'inspiration, qui regagne le ciel.

O bords siciliens d'un calme marécage
Qu'à l'envi des soleils ma vanité saccage,
Tacite sous les fleurs d'étincelles, CONTEZ   25

« *Que je coupais ici les creux roseaux domptés*
Par le talent; quand, sur l'or glauque de lointaines
Verdures dédiant leur vigne à des fontaines,
Ondoie une blancheur animale au repos:
Et qu'au prélude où naissent les pipeaux,   30
Ce vol de cygnes, non! de naïades se sauve
Ou plonge . . . »
                 Inerte, tout brûle dans l'heure fauve
Sans marquer par quel art ensemble détala
Trop d'hymen souhaité de qui cherche le *la:*
Alors m'éveillerai-je à la ferveur première,   35
Droit et seul, sous un flot antique de lumière,
Lys! et l'un de vous tous pour l'ingénuité.

Autre que ce doux rien par leur lèvre ébruité,
Le baiser, qui tout bas des perfides assure,
Mon sein, vierge de preuve, atteste une morsure   40
Mystérieuse, due à quelque auguste dent;
Mais, bast! arcane tel élut pour confident
Le jonc vaste et jumeau dont sous l'azur on joue:
Qui, détournant à soi le trouble de la joue
Rêve, dans un solo long, que nous amusions   45
La beauté d'alentour par des confusions
Fausses entre elle-même et notre chant crédule;
Et de faire aussi haut que l'amour se module
Évanouir du songe ordinaire de dos
Ou de flanc pur suivis avec mes regards clos,   50
Une sonore, vaine et monotone ligne.

Tâche donc, instrument des fuites, ô maligne
Syrinx, de refleurir aux lacs où tu m'attends!
Moi, de ma rumeur fier, je vais parler longtemps
Des déesses; et par d'idolâtres peintures,   55
A leur ombre enlever encore des ceintures:
Ainsi, quand des raisins j'ai sucé la clarté,
Pour bannir un regret par ma feinte écarté,
Rieur, j'élève au ciel d'été la grappe vide
Et, soufflant dans ses peaux lumineuses, avide   60
D'ivresse, jusqu'au soir je regarde au travers.
O nymphes, regonflons des SOUVENIRS divers.

« *Mon œil, trouant les joncs, dardait chaque encolure*
Immortelle, qui noie en l'onde sa brûlure
Avec un cri de rage au ciel de la forêt;   65
Et le splendide bain de cheveux disparaît
Dans les clartés et les frissons, ô pierreries!
J'accours; quand, à mes pieds, s'entrejoignent (meurtries
De la langueur goûtée à ce mal d'être deux)
Des dormeuses parmi leurs seuls bras hasardeux;   70
Je les ravis, sans les désenlacer, et vole
A ce massif, haï par l'ombrage frivole,
De roses tarissant tout parfum au soleil,
Où notre ébat au jour consumé soit pareil. »
Je t'adore, courroux des vierges, ô délice   75
Farouche du sacré fardeau nu qui se glisse
Pour fuir ma lèvre en feu buvant, comme un éclair
Tressaille! la frayeur secrète de la chair:
Des pieds de l'inhumaine au cœur de la timide
Que délaisse à la fois une innocence, humide   80
De larmes folles ou de moins tristes vapeurs.
« *Mon crime, c'est d'avoir, gai de vaincre ces peurs*
Traîtresses, divisé la touffe échevelée
De baisers que les dieux gardaient si bien mêlée;
Car, à peine j'allais cacher un rire ardent   85
Sous les replis heureux d'une seule (gardant
Par un doigt simple, afin que sa candeur de plume
Se teignît à l'émoi de sa sœur qui s'allume,
La petite, naïve et ne rougissant pas:)
Que de mes bras, défaits par de vagues trépas,   90
Cette proie, à jamais ingrate se délivre
Sans pitié du sanglot dont j'étais encore ivre. »

Tant pis! vers le bonheur d'autres m'entraîneront
Par leur tresse nouée aux cornes de mon front:
Tu sais, ma passion, que, pourpre et déjà mûre,   95
Chaque grenade éclate et d'abeilles murmure;
Et notre sang, épris de qui le va saisir,
Coule pour tout l'essaim éternel du désir.
A l'heure où ce bois d'or et de cendres se teinte
Une fête s'exalte en la feuillée éteinte: 100

Etna ! c'est parmi toi visité de Vénus
Sur ta lave posant ses talons ingénus,
Quand tonne un somme triste ou s'épuise la flamme.
Je tiens la reine !
        O sûr châtiment…
                Non, mais l'âme
De paroles vacante et ce corps alourdi   105
Tard succombent au fier silence de midi :
Sans plus il faut dormir en l'oubli du blasphème,
Sur le sable altéré gisant et comme j'aime
Ouvrir ma bouche à l'astre efficace des vins !

Couple, adieu ; je vais voir l'ombre que tu devins.   110

ÉVENTAIL DE MADEMOISELLE MALLARMÉ

O RÊVEUSE, pour que je plonge
Au pur délice sans chemin
Sache, par un subtil mensonge,
Garder mon aile dans ta main.

Une fraîcheur de crépuscule   5
Te vient à chaque battement
Dont le coup prisonnier recule
L'horizon délicatement.

Vertige ! voici que frissonne
L'espace comme un grand baiser   10
Qui, fou de naître pour personne,
Ne peut jaillir ni s'apaiser.

Sens-tu le paradis farouche
Ainsi qu'un rire enseveli
Se couler du coin de ta bouche   15
Au fond de l'unanime pli !

Le sceptre des rivages roses
Stagnants sur les soirs d'or, ce l'est,
Ce blanc vol fermé que tu poses
Contre le feu d'un bracelet.   20

ALBERT SAMAIN

L'INFANTE

MON âme est une infante en robe de parade,
Dont l'exil se reflète, éternel et royal,
Aux grands miroirs déserts d'un vieil Escurial,
Ainsi qu'une galère oubliée dans la rade.

Aux pieds de son fauteuil, allongés noblement,   5
Deux lévriers d'Écosse aux yeux mélancoliques
Chassent, quand il lui plaît, les bêtes symboliques
Dans la forêt du Rêve et de l'Enchantement.

Son page favori, qui s'appelle Naguère,
Lui lit d'ensorcelants poèmes à mi-voix,   10
Cependant qu'immobile, une tulipe aux doigts,
Elle écoute mourir en elle leur mystère . . .

Le parc alentour d'elle étend ses frondaisons,
Ses marbres, ses bassins, ses lampes à balustres;
Et, grave, elle s'enivre à ces songes illustres   15
Que recèlent pour nous les nobles horizons.

Elle est là, résignée et douce, et sans surprise,
Sachant trop pour lutter comme tout est fatal,
Et se sentant, malgré quelque dédain natal,
Sensible à la pitié comme l'onde à la brise.   20

Elle est là résignée, et douce en ses sanglots,
Plus sombre seulement quand elle évoque en songe
Quelque Armada sombrée à l'éternel mensonge,
Et tant de beaux espoirs endormis sous les flots.

Des soirs trop lourds de pourpre où sa fierté soupire, 25
Les portraits de Van Dyck aux beaux doigts longs et
     purs,
Pâles en velours noir sur l'or vieilli des murs,
En leurs grands airs défunts la font rêver d'empire.

Les vieux mirages d'or ont dissipé son deuil,
Et dans les visions où son ennui s'échappe,   30
Soudain — gloire ou soleil — un rayon qui la frappe
Allume en elle tous les rubis de l'orgueil.

Mais d'un sourire triste elle apaise ces fièvres;
Et, redoutant la foule aux tumultes de fer,
Elle écoute la vie — au loin — comme la mer . . .   35
Et le secret se fait plus profond sur ses lèvres.

Rien n'émeut d'un frisson l'eau pâle de ses yeux,
Où s'est assis l'esprit voilé des Villes mortes;
Et par les salles, où sans bruit tournent les portes,
Elle va, s'enchantant de mots mystérieux.   40

L'eau vaine des jets d'eau là-bas tombe en cascade,
Et, pâle, à la croisée, une tulipe aux doigts,
Elle est là, reflétée aux miroirs d'autrefois,
Ainsi qu'une galère oubliée en la rade.

Mon Ame est une infante en robe de parade.   45

                            ÉLÉGIE

L'HEURE comme nous rêve accoudée aux remparts,
Penchés vers l'occident, nous laissons nos regards
Sur le port et la ville, où le peuple circule,
Comme de grands oiseaux tourner au crépuscule.
Des bassins qu'en fuyant la mer a mis à sec   5
Monte humide et puissante une odeur de varech.
Derrière nous, au fond d'une antique poterne,
S'ouvre, nue et déserte, une cour de caserne
Immense avec de vieux boulets ronds dans un coin.
Grave et mélancolique un clairon sonne au loin . . .   10
Cependant par degrés le ciel qui se dégrade
D'ineffable lueurs illumine la rade.
Et mon âme, aux couleurs mêlée intimement,
Se perd dans les douceurs d'un long enchantement.
L'écharpe du couchant s'effile en lambeaux pâles.   15
Ce soir, ce soir qui meurt, s'imprègne dans nos moelles

Et, d'un cœur malgré moi toujours plus anxieux,
Je le suis maintenant qui sombre dans tes yeux
Comme un beau vaisseau d'or chargé de longs adieux !
Nul souffle sur la rade. Au loin une sirène   20
Mugit . . . La nuit descend insensible et sereine,
La nuit . . . Et tout devient, on dirait, éternel :
Les mâts, le lacis fin des vergues sur le ciel,
Les quais noirs encombrés de tonneaux et de grues,
Les grands vapeurs fumant des routes parcourues,   25
Les bras de la jetée allongés dans la mer,
Les entrepôts obscurs luisants de rails de fer,
Et, bizarre, étageant ses masses indistinctes,
Là-bas, la ville anglaise avec ses maisons peintes.
La nuit tombe . . . Les voix d'enfants se sont éteintes 30
Et ton cœur comme une urne est rempli jusqu'au bord
Quand brillent ça et là les premiers feux du port.

LE REPAS PRÉPARÉ

MA fille, laisse là ton aiguille et ta laine ;
Le maître va rentrer ; sur la table de chêne
Avec la nappe neuve aux plis étincelants
Mets la faïence claire et les verres brillants.
Dans la coupe arrondie à l'anse au col de cygne   5
Pose les fruits choisis sur les feuilles de vigne :
Les pêches que recouvre un velours vierge encor,
Et les lourds raisins bleus mêlés aux raisins d'or.
Que le pain bien coupé remplisse les corbeilles,
Et puis ferme la porte et chasse les abeilles . . .   10
Dehors le soleil brûle, et la muraille cuit.
Rapprochons les volets, faisons presque la nuit.
Afin qu'ainsi la salle, aux ténèbres plongée,
S'embaume toute aux fruits dont la table est chargée.
Maintenant, va puiser l'eau fraîche dans la cour ;   15
Et veille que surtout la cruche, à ton retour,
Garde longtemps, glacée et lentement fondue,
Une vapeur légère à ses flancs suspendue.

NOCTURNE PROVINCIAL

La petite ville sans bruit
Dort profondément dans la nuit.

Aux vieux réverbères à branches
Agonize un gaz indigent;
Mais soudain la lune émergeant   5
Fait tout au long des maisons blanches
Resplendir des vitres d'argent.

La nuit tiède s'évente au long des marroniers,
La nuit tardive, où flotte encor de la lumière.
Tout est noir et désert aux anciens quartiers;   10
Mon âme, accoude-toi sur le vieux pont de pierre,
Et respire la bonne odeur de la rivière.

Le silence est si grand que mon cœur en frissonne.
Seul, le bruit de mes pas sur le pavé résonne.
Le silence tressaille au cœur, et minuit sonne !   15

Au long des grands murs d'un couvent
Les feuilles bruissent au vent.
Pensionnaires . . . Orphelines . . .
Rubans bleus sur les pèlerines . . .
C'est le jardin des Ursulines.   20

Une brise à travers les grilles
Passe aussi douce qu'un soupir.
Et cette étoile aux feux tranquilles,
Là-bas, semble au fond des charmilles,
Une veilleuse de saphir.   25

Oh ! sous les toits d'ardoise à la lune pâlis,
Les vierges et leur pur sommeil aux chambres claires,
Et leurs petits cous ronds noués de scapulaires,
Et leurs corps sans péché dans la blancheur des lits ! . . .

D'une heure égale ici l'heure égale est suivie,   30
Et l'Innocence en paix dort au bord de la vie . . .

       Triste et déserte infiniment
       Sous le clair de lune électrique,
       Voici que la place historique
       Aligne solennellement   35
       Ses vieux hôtels du Parlement.

A l'angle, une fenêtre est éclairée encor.
Une lampe est là-haut, qui veille quand tout dort !
Sous le frêle tissu, qui tamise sa flamme,
Furtive par instants, glisse une ombre de femme.   40

       La fenêtre s'entr'ouvre un peu;
       Et la femme, poignant aveu,
       Tord ses beaux bras nus dans l'air bleu. . . .

O secrètes ardeurs des nuits provinciales !
Cœurs qui brûlent ! Cheveux en désordre épandus !   45
Beaux seins lourds de désirs, pétris par des mains pâles !
Grands appels suppliants, et jamais entendus !

Je vous évoque, ô vous, amantes ignorées,
Dont la chair se consume ainsi qu'un vain flambeau,
Et qui sur vos beaux corps pleurez, désespérées,   50
Et faites pour l'amour, et d'amour dévorées,
Vous coucherez, un soir, vierges dans le tombeau !

Et mon âme pensive, à l'angle de la place,
Fixe toujours là-bas la vitre où l'ombre passe.

       Le rideau frêle au vent frissonne . . .   55
       La lampe meurt . . . Une heure sonne.
       Personne, personne, personne.

JULES LAFORGUE

NOËL SCEPTIQUE

NOËL ! Noël ? j'entends les cloches dans la nuit . . .
Et j'ai, sur ces feuillets sans foi, posé ma plume:
O souvenirs, chantez ! tout mon orgueil s'enfuit,
Et je me sens repris de ma grande amertume.

Ah ! ces voix dans la nuit chantant Noël ! Noël !   5
M'apportant de la nef qui, là-bas, s'illumine,
Un si tendre, un si doux reproche maternel
Que mon cœur trop gonflé crève dans ma poitrine . . . ,

Et j'écoute longtemps les cloches, dans la nuit . . .
Je suis le paria de la famille humaine,   10
A qui le vent apporte en un sale réduit
La poignante rumeur d'une fête lointaine.

GEORGES RODENBACH

VIEUX QUAIS

Il est une heure exquise, à l'approche des soirs,
Quand le ciel est empli de processions roses,
Qui s'en vont effeuillant des âmes et des roses,
Et balançant dans l'air des parfums d'encensoirs.

Alors tout s'avivant sous les lueurs décrues   5
Du couchant dont s'éteint peu à peu la rougeur,
Un charme se révèle aux yeux las du songeur:
Le charme des vieux murs au fond des vieilles rues.

Façades en relief, vitraux coloriés,
Bandes d'Amours, captifs dans le deuil des cartouches, 10
Femmes dont la poussière a défleuri les bouches,
Fleurs de pierre égayant les murs historiés.

Le gothique noirci des pignons se décalque
En escaliers de crêpe au fil dormant de l'eau,
Et la lune se lève au milieu d'un halo   15
Comme une lampe d'or sur un grand catafalque.

Oh ! les vieux quais dormants dans le soir solennel,
Sentant passer soudain sur leurs faces de pierre
Les baisers et l'adieu glacé de la rivière
Qui s'en va tout là-bas sous les ponts en tunnel.   20

Oh ! les canaux bleuis à l'heure où l'on allume
Les lanternes, canaux regardés des amants
Qui devant l'eau qui passent échangent des serments
En entendant gémir des cloches dans la brume.

Tout agonise et tout se tait: on n'entend plus   25
Qu'un très mélancolique air de flûte qui pleure,
Seul, dans quelque invisible et noirâtre demeure
Où le joueur s'accoude aux chassis vermoulus !

Et l'on devine au loin le musicien sombre,
Pauvre, morne, qui joue au bord croulant des toits;   30
La tristesse du soir a passé dans ses doigts,
Et dans sa flûte à trous il fait chanter de l'ombre.

EN PROVINCE

En province, dans la langueur matutinale,
Tinte le carillon, tinte dans la douceur.
De l'aube qui regarde avec des yeux de sœur,
Tinte le carillon, — et sa musique pâle
S'effeuille fleur à fleur sur les toits d'alentour,   5
Et sur les escaliers des pignons noirs s'effeuille
Comme un bouquet de sons mouillés que le vent cueille,
Musique du matin qui tombe de la tour,
Qui tombe de très loin en guirlandes fanées,
Qui tombe de Naguère en invisibles lis,   10
En pétales si lents, si froids et si pâlis,
Qu'ils semblent s'effeuiller du front mort des années.

CHARLES VAN LERBERGHE

MA SŒUR LA PLUIE. . . .

Ma sœur la Pluie,
La belle et tiède pluie d'été,
Doucement vole, doucement fuit,
A travers les airs mouillés.

Tout son collier de blanches perles   5
Dans le ciel bleu s'est délié.
Chantez les merles,
Dansez les pies !
Parmi les branches qu'elle plie,
Dansez les fleurs, chantez les nids;   10
Tout ce qui vient du ciel est béni.

De ma bouche elle approche
Ses lèvres humides de fraises des bois,
Rit, et me touche,
Partout à la fois,   15
De ses milliers de petits doigts.

Sur des tapis de fleurs sonores,
De l'aurore jusqu'au soir,
Et du soir jusqu'à l'aurore,
Elle pleut et pleut encore,   20
Autant qu'elle peut pleuvoir.

Puis, vient le soleil qui essuie,
De ses cheveux d'or,
Les pieds de la Pluie.

MAURICE MAETERLINCK

REFLETS

Sous l'eau du songe qui s'élève,
Mon âme a peur, mon âme a peur !
Et la lune luit en mon cœur
Plongé dans les sources du rêve.

Sous l'ennui morne des roseaux,   5
Seuls les reflets profonds des choses,
Des lys, des palmes et des roses
Pleurent encore au fond des eaux.

Les fleurs s'effeuillent une à une
Sur le reflet du firmament, 10
Pour descendre éternellement
Dans l'eau du songe et dans la lune.

CHANSON

Et s'il revenait un jour
  Que faut-il lui dire ?
— Dites-lui qu'on l'attendit
  Jusqu'à s'en mourir . . .

Et s'il m'interroge encore 5
  Sans me reconnaître ?
— Parlez-lui comme une sœur.
  Il souffre peut-être . . .

Et s'il veut savoir pourquoi
  La salle est déserte ? 10
— Montrez-lui la lampe éteinte
  Et la porte ouverte . . .

Et s'il m'interroge alors
  Sur la dernière heure ?
— Dites-lui que j'ai souri 15
  De peur qu'il ne pleure . . .

ÉMILE VERHAEREN

LE MOULIN

Le moulin tourne au fond du soir, très lentement.
Sur un ciel de tristesse et de mélancolie,
Il tourne, et tourne, et sa voile, couleur de lie,
Est triste, et faible, et lourde, et lasse, infiniment.

Depuis l'aube, ses bras, comme des bras de plainte,   5
Se sont tendus et sont tombés; et les voici
Qui retombent encor, là-bas, dans l'air noirci
Et le silence entier de la nature éteinte.

Un jour souffrant d'hiver sur les hameaux s'endort,
Les nuages sont las de leurs voyages sombres,   10
Et le long des taillis, qui ramassent leurs ombres,
Les ornières s'en vont vers un horizon mort.

Autour d'un vieil étang, quelques huttes de hêtre
Très misérablement sont assises en rond;
Une lampe de cuivre éclaire leur plafond   15
Et glisse une lueur aux coins de leur fenêtre.

Et dans la plaine immense, au bord du flot dormeur,
Ces torpides maisons, sous le ciel bas, regardent,
Avec les yeux fendus de leurs vitres hagardes,
Le vieux moulin qui tourne, et las, qui tourne et meurt.   20

LES HORLOGES

La nuit, dans le silence en noir de nos demeures,
Béquilles et bâtons, qui se cognent, là-bas,
Montant et dévalant les escaliers des heures,
Les horloges, avec leurs pas;

Émaux naïfs derrière un verre, emblèmes   5
Et fleurs d'antan, chiffres et camaïeux,
Lunes des corridors vides et blêmes,
Les horloges, avec leurs yeux;

Sons morts, notes de plomb, marteaux et limes,
Boutique en bois de mots sournois   10
Et le babil des secondes minimes,
Les horloges avec leurs voix;

Gaines de chêne et bornes d'ombre,
Cercueils scellés dans le mur froid,
Vieux os du temps que grignotte le nombre,   15
Les horloges et leur effroi;

Les horloges
Volontaires et vigilantes,
Pareilles aux vieilles servantes
Tapant de leurs sabots ou glissant sur leurs bas,   20
Les horloges que j'interroge
Serrent ma peur en leur compas.

LE VENT

Sur la bruyère longue infiniment,
Voici le vent cornant Novembre;
Sur la bruyère, infiniment,
Voici le vent
Qui se déchire et se démembre   5
En souffles lourds battant les bourgs:
Voici le vent,
Le vent sauvage de Novembre.

Aux puits des fermes,
Les seaux de fer et les poulies   10
Grincent;
Aux citernes des fermes,
Les seaux et les poulies
Grincent et crient.

Le vent rafle, le long de l'eau,   15
Les feuilles mortes des bouleaux,
Le vent sauvage de Novembre;
Le vent mord, dans les branches,
Des nids d'oiseaux;
Le vent râpe du fer   20
Et précipite l'avalanche,
Rageusement, du vieil hiver,
Rageusement, le vent,
Le vent sauvage de Novembre.

Dans les étables lamentables,   25
Les lucarnes rapiécées
Ballottent leurs loques falotes
De vitres et de papier.
— Le vent sauvage de Novembre! —

Sur sa butte de gazon bistre,   30
De bas en haut, à travers airs,
De haut en bas, à coups d'éclairs,
Le moulin noir fauche, sinistre,
Le moulin noir fauche le vent,
Le vent,   35
Le vent sauvage de Novembre.

Les vieux chaumes, à cropetons,
Autour des vieux clochers d'église,
Sont ébranlés sur leurs bâtons;
Les vieux chaumes et les auvents   40
Claquent au vent,
Au vent sauvage de Novembre;
Les croix du cimetière étroit,
Les bras des morts que sont ces croix,
Tombent, comme un grand vol   45
Qui se rabat contre le sol.

Le vent sauvage de Novembre,
Le vent,
L'avez-vous rencontré, le vent,
Au carrefour des trois cents routes ?   50
L'avez-vous rencontré le vent,
Le vent des peurs et des déroutes,
L'avez-vous vu, cette nuit-là
Quand il jeta la lune à bas
Et que, n'en pouvant plus,   55
Tous les villages vermoulus
Criaient, comme des bêtes,
Sous la tempête ?

Sur la bruyère, infiniment,
Voici le vent hurlant,   60
Voici le vent cornant Novembre.

CHAQUE HEURE OÙ JE SONGE ...

CHAQUE heure où je songe à ta bonté
Si simplement profonde,
Je me confonds en prières vers toi.

Je suis venu si tard
Vers la douceur de ton regard,   5
Et de si loin vers tes deux mains tendues,
Tranquillement, par à travers les étendues !

J'avais en moi tant de rouille tenace
Qui me rongeait, à dents rapaces,
La confiance.   10

J'étais si lourd, j'étais si las,
J'étais si vieux de méfiance,
J'étais si lourd, j'étais si las
Du vain chemin de tous mes pas.

Je méritais si peu la merveilleuse joie   15
De voir tes pieds illuminer ma voie,
Que j'en reste tremblant encore et presque en pleurs
Et humble, à tout jamais, en face du bonheur.

JE T'APPORTE, CE SOIR . . .

JE t'apporte, ce soir, comme offrande, ma joie
D'avoir plongé mon corps dans l'or et dans la soie
Du vent joyeux et franc et du soleil superbe;
Mes pieds sont clairs d'avoir marché parmi les herbes,
Mes mains douces d'avoir touché le cœur des fleurs,   5
Mes yeux brillants d'avoir soudain senti les pleurs
Naître, sourdre et monter, autour de mes prunelles,
Devant la terre en fête et sa force éternelle.

L'espace entre ses bras de bougeante clarté,
Ivre et fervent et sanglotant, m'a emporté,   10
Et j'ai passé je ne sais où, très loin, là-bas,
Avec des cris captifs que délivraient mes pas.
Je t'apporte la vie et la beauté des plaines;
Respire-les sur moi à franche et bonne haleine,
Les origans ont caressé mes doigts, et l'air   15
Et sa lumière et ses parfums sont dans ma chair.

C'EST LA BONNE HEURE . . .

C'EST la bonne heure, où la lampe s'allume:
Tout est si calme et consolant, ce soir,
Et le silence est tel, que l'on entendrait choir
Des plumes.

C'est la bonne heure où, doucement,   5
S'en vient la bien-aimée,
Comme la brise ou la fumée,
Tout doucement, tout lentement.

Elle ne dit rien d'abord — et je l'écoute;
Et son âme, que j'entends toute,   10
Je la surprends luire et jaillir
Et je la baise sur ses yeux.

C'est la bonne heure, où la lampe s'allume,
Où les aveux
De s'être aimés le jour durant,   15
Du fond du cœur profond mais transparent,
S'exhument.

Et l'on se dit les simples choses:
Le fruit qu'on a cueilli dans le jardin;
La fleur qui s'est ouverte,   20
D'entre les mousses vertes;
Et la pensée éclose, en des émois soudains,
Au souvenir d'un mot de tendresse fanée
Surpris au fond d'un vieux tiroir,
Sur un billet de l'autre année.   25

AVEC LE MÊME AMOUR . . .

AVEC le même amour que tu me fus jadis
Un jardin de splendeur dont les mouvants taillis
Ombraient les longs gazons et les roses dociles,
Tu m'es en ces temps noirs un calme et sûr asile.

Tout s'y concentre et ta ferveur et ta clarté 5
Et tes gestes groupant les fleurs de ta bonté;
Mais tout y est serré dans une paix profonde
Contre les vents aigus trouant l'hiver du monde.

Mon bonheur s'y réchauffe en tes bras repliés;
Tes jolis mots naïfs, joyeux et familiers 10
Chantent toujours aussi charmants à mon oreille
Qu'aux temps des lilas blancs ou des rouges groseilles.

Ta bonne humeur allègre et claire, oh! je la sens
Triompher jour à jour de la douleur des ans,
Et tu souris toi-même aux fils d'argent qui glissent 15
Leur onduleux réseau parmi tes cheveux lisses.

Quand ta tête s'incline à mon baiser profond,
Que m'importe que des rides marquent ton front
Et que tes mains se sillonnent de veines dures
Alors que je les tiens entre mes deux mains sûres! 20

Tu ne te plains jamais et tu crois fermement
Que rien de vrai ne meurt quand on s'aime dûment,
Et que le feu vivant dont se nourrit notre âme
Consume jusqu'au deuil pour en grandir sa flamme.

L'EFFORT

Groupes de travailleurs, fiévreux et haletants,
Qui vous dressez et qui passez au long des temps
Avec le rêve au front des utiles victoires,
Torses carrés et durs, gestes précis et forts,
Marches, courses, arrêts, violences, efforts, 5
Quelles lignes fières de vaillance et de gloire
Vous inscrivez tragiquement dans ma mémoire!

Je vous aime, gars des pays blonds, beaux conducteurs
De hennissants et clairs et pesants attelages,
Et vous, bûcherons roux des bois pleins de senteurs, 10
Et toi, paysan fruste et vieux des blancs villages,

Qui n'aimes que les champs et leurs humbles chemins
Et qui jettes la semence d'une ample main
D'abord en l'air, droit devant toi, vers la lumiere,
Pour qu'elle en vive un peu, avant de choir en terre;   15

Et vous aussi, marins qui partez sur la mer
Avec un simple chant, la nuit, sous les étoiles,
Quand se gonflent, aux vents atlantiques, les voiles
Et que vibrent les mâts et les cordages clairs;
Et vous, lourds débardeurs dont les larges épaules   20
Chargent ou déchargent, au long des quais vermeils,
Les navires qui vont et vont sous les soleils
S'assujettir les flots jusqu'aux confins des pôles;

Et vous encor, chercheurs d'hallucinants métaux,
En des plaines de gel, sur des grèves de neige,   25
Au fond des pays blancs où le froid vous assiège
Et brusquement vous serre en son immense étau;
Et vous encor mineurs qui cheminez sous terre,
Le corps rampant, avec la lampe entre vos dents
Jusqu'à la veine étroite où le charbon branlant   30
Cède sous votre effort obscur et solitaire;

Et vous enfin, batteurs de fer, forgeurs d'airain,
Visages d'encre et d'or trouant l'ombre et la brume,
Dos musculeux tendus ou ramassés, soudain,
Autour de grands brasiers et d'énormes enclumes,   35
Lamineurs noirs bâtis pour un œuvre éternel
Qui s'étend de siècle en siècle toujours plus vaste,
Sur des villes d'effroi, de misère et de faste,
Je vous sens en mon cœur, puissants et fraternels !

O ce travail farouche, âpre, tenace, austère,   40
Sur les plaines, parmi les mers, au cœur des monts,
Serrant ses nœuds partout et rivant ses chaînons
De l'un à l'autre bout des pays de la terre !
O ces gestes hardis, dans l'ombre ou la clarté,
Ces bras toujours ardents et ces mains jamais lasses,   45
Ces bras, ces mains unis à travers les espaces

Pour imprimer quand même à l'univers dompté
La marque de l'étreinte et de la force humaines
Et recréer les monts et les mers et les plaines,
    D'après une autre volonté.   50

REMY DE GOURMONT

JEANNE

Bergère née en Lorraine,
Jeanne qui avez gardé les moutons en robe de futaine,
Et qui avez pleuré aux misères du peuple de France,
Et qui avez conduit le Roi à Reims parmi les lances,
Jeanne qui étiez un arc, une croix, un glaive, un cœur,
    une lance,   5
Jeanne que les gens aimaient comme leur père et leur
    mère,
Jeanne blessée et prise, mise au cachot par les Anglais,
Jeanne brûlée à Rouen par les Anglais,
Jeanne qui ressemblez à un ange en colère,
Jeanne d'Arc, mettez beaucoup de colère dans nos cœurs. 10

LE HOUX

Simone, le soleil rit sur les feuilles de houx:
Avril est revenu pour jouer avec nous.

Il porte des corbeilles de fleurs sur ses épaules,
Il les donne aux épines, aux marroniers, aux saules;

Il les sème une à une parmi l'herbe des prés,   5
Sur le bord des ruisseaux, des mares et des fossés;

Il garde les jonquilles pour l'eau, et les pervenches
Pour les bois, aux endroits où s'allongent les branches;

Il jette les violettes à l'ombre, sous les ronces
Où son pied nu, sans peur, les cache et les enfonce; 10

A toutes les prairies il donne des pâquerettes
Et des primavères qui ont un collier de clochettes;

Il laisse les muguets tomber dans les forêts
Avec les anémones, le long des sentiers frais;

Il plante des iris sur le toit des maisons,   15
Et dans notre jardin, Simone, où il fait bon,

Il répandra des ancolies et des pensées,
Des jacinthes et la bonne odeur des giroflées.

LES FEUILLES MORTES

SIMONE, allons au bois: les feuilles sont tombées;
Elles recouvrent la mousse, les pierres et les sentiers.

Simone, aimes-tu le bruit des pas sur les feuilles mortes ?

Elles ont des couleurs si douces, des tons si graves,
Elles sont sur la terre de si frêles épaves !   5

Simone, aimes-tu le bruit des pas sur les feuilles mortes ?

Elles ont l'air si dolent à l'heure du crépuscule,
Elles crient si tendrement, quand le vent les bouscule !

Simone, aimes-tu le bruit des pas sur les feuilles mortes ?

Quand le pied les écrase, elles pleurent comme des âmes,   10
Elles font un bruit d'ailes ou de robes de femme.

Simone, aimes-tu le bruit des pas sur les feuilles mortes ?

Viens: nous serons un jour de pauvres feuilles mortes.
Viens: déjà la nuit tombe et le vent nous emporte.

Simone, aimes-tu le bruit des pas sur les feuilles mortes ?   15

L'ÉGLISE

SIMONE, je veux bien. Les bruits du soir
Sont doux comme un cantique chanté par des enfants;
L'église obscure ressemble à un vieux manoir;
Les roses ont une odeur grave d'amour et d'encens.

Je veux bien, nous irons lentement et bien sages,   5
Salués par les gens qui reviennent des foins;
J'ouvrirai la barrière d'avance à ton passage,
Et le chien nous suivra longtemps d'un œil chagrin.

Pendant que tu prieras, je songerai aux hommes
Qui ont bâti ces murailles, le clocher, la tour,   10
La lourde nef pareille à une bête de somme
Chargée du poids de nos péchés de tous les jours:

Aux hommes qui ont taillé les pierres du portail
Et qui ont mis sous le porche un grand bénitier;
Aux hommes qui ont peint des rois sur le vitrail   15
Et un petit enfant qui dort chez un fermier.

Je songerai aux hommes qui ont forgé la croix,
Le coq, les gonds et les ferrures de la porte;
A ceux qui ont sculpté la belle sainte en bois
Qui est représentée les mains jointes et morte.   20

Je songerai à ceux qui ont fendu le bronze
Des cloches où l'on jetait un petit anneau d'or,
A ceux qui ont creusé, en l'an mil deux cent onze,
Le caveau où repose Saint Roch, comme un trésor;

A ceux qui ont tissé la tunique de lin   25
Pendue sous un rideau à gauche de l'autel;
A ceux qui ont chanté au livre du lutrin;
A ceux qui ont doré les fermoirs du missel.

Je songerai aux mains qui ont touché l'hostie,
Aux mains qui ont béni et qui ont baptisé;   30
Je songerai aux bagues, aux cierges, aux agonies;
Je songerai aux yeux de femmes qui ont pleuré.

Je songerai aussi aux morts du cimetière,
A ceux qui ne sont plus que de l'herbe et des fleurs,
A ceux dont les noms se lisent encore sur les pierres,   35
A la croix qui les garde jusqu'à la dernière heure.

Quand nous reviendrons, Simone, il fera nuit close;
Nous aurons l'air de fantômes sous les sapins,
Nous penserons à Dieu, à nous, à bien des choses,
Au chien qui nous attend, aux roses du jardin.   40

JEAN MORÉAS

ACCALMIE

O mer immense, mer aux rumeurs monotones,
Tu berças doucement mes rêves printaniers;
O mer immense, mer perfide aux mariniers,
Sois clémente aux douleurs sages de mes automnes.

Vague qui viens avec des murmures câlins   5
Te coucher sur la dune où pousse l'herbe amère,
Berce, berce mon cœur comme un enfant sa mère,
Fais-le repu d'azur et d'effluves salins.

Loin des villes, je veux sur les falaises mornes
Secouer la torpeur de mes obsessions,   10
— Et mes pensers, pareils aux calmes alcyons,
Monteront à travers l'immensité sans bornes.

NOCTURNE

*Wisst ihr warum der Sarg wohl
So gross und schwer mag sein?
Ich legt' auch meine Liebe
Und meinen Schmerz hinein.*
                                    Heinrich Heine

Toc toc, toc toc, — il cloue à coups pressés,
Toc toc, — le menuisier des trépassés.

« Bon menuisier, bon menuisier,
Dans le sapin, dans le noyer,
Taille un cercueil très grand, très lourd,   5
Pour que j'y couche mon amour. »

Toc toc, toc toc, — il cloue à coups pressés,
Toc toc, — le menuisier des trépassés.

« Qu'il soit tendu de satin blanc
Comme ses dents, comme ses dents;   10
Et mets aussi des rubans bleus
Comme ses yeux, comme ses yeux. »

Toc toc, toc toc, — il cloue à coups pressés,
Toc toc, — le menuisier des trépassés.

« Là-bas, là-bas, près du ruisseau,   15
Sous les ormeaux, sous les ormeaux,
A l'heure où chante le coucou,
Un autre l'a baisé au cou. »

Toc toc, toc toc, — il cloue à coups pressés,
Toc toc, le menuisier des trépassés.   20

« Bon menuisier, bon menuisier,
Dans le sapin, dans le noyer,
Taille un cercueil très grand, très lourd,
Pour que j'y couche mon amour. »

UNE JEUNE FILLE PARLE

Les fenouils m'ont dit: Il t'aime si
Follement qu'il est à ta merci;
Pour son revenir va t'apprêter.
— Les fenouils ne savent que flatter !
Dieu ait pitié de mon âme.   5

Les pâquerettes m'ont dit: Pourquoi
Avoir remis ta foi dans sa foi ?
Son cœur est tanné comme un soudard.
— Pâquerettes, vous parlez trop tard !
Dieu ait pitié de mon âme.   10

Les sauges m'ont dit: Ne l'attends pas,
Il s'est endormi dans d'autres bras.
— O sauges, tristes sauges, je veux
Vous tresser toutes dans mes cheveux . . .
Dieu ait pitié de mon âme.   15

L'AUTOMNE ET LES SATYRES

Hier j'ai rencontré dans un sentier du bois
Où j'aime de ma peine à rêver quelquefois,
Trois satyres amis: l'un une outre portait
Et pourtant sautelait, le second secouait
Un bâton d'olivier, contrefaisant Hercule.   5
Sur les arbres dénus, car automne leur chef
A terre a répandu, tombait le crépuscule.
Le troisième satyre, assis sur un coupeau,
De sa bouche approcha son rustique pipeau,
Fit tant jouer ses doigts qu'il en sortit un son   10
Et menu et enflé, frénétique et plaisant;
Lors ses deux compagnons, délivrés se faisant,
De l'outre le premier et l'autre du bâton,
Dansèrent, et j'ai vu leurs pieds aux jambes tortes,
Qui, alternés, faisaient voler les feuilles mortes.   15

STANCES

O TOI QUI SUR MES JOURS...

O toi qui sur mes jours de tristesse et d'épreuve
    Seule reluis encor,
Comme un ciel étoilé qui, dans la nuit d'un fleuve,
    Brise ses flèches d'or.

Aimable poésie, enveloppe mon âme   5
    D'un subtil élément,
Que je devienne l'eau, la tempête et la flamme,
    La feuille et le sarment;

Que, sans m'inquiéter de ce qui trouble l'homme,
    Je croisse verdoyant   10
Tel un chêne divin, et que je me consomme
    Comme le feu brillant!

QUAND POURRAI-JE...

QUAND pourrai-je, quittant tous les soins inutiles
Et le vulgaire ennui de l'affreuse cité,
Me reconnaître enfin, dans les bois, frais asiles,
Et sur les calmes bords d'un lac plein de clarté ?

Mais plutôt, je voudrais songer sur tes rivages,   5
Mer, de mes premiers jours berceau délicieux:
J'écouterai gémir tes mouettes sauvages,
L'écume de tes flots rafraîchira mes yeux.

Ah, le précoce hiver a-t-il rien qui m'étonne ?
Tous les présents d'avril, je les ai dissipés,   10
Et je n'ai pas cueilli la grappe de l'automne,
Et mes riches épis, d'autres les ont coupés.

SUR LA PLAINE SANS FIN...

SUR la plaine sans fin, dans la brise et le vent,
    Se dresse l'arbre solitaire,
Pensif, et chaque jour son feuillage mouvant
    Jette son ombre sur la terre.

Les oiseaux dans leur vol viennent poser sur lui: 5
    Sont-ils corbeaux, ramiers timides ?
L'affreux lichen le ronge; il est le sûr appui
    Du faible lierre aux nœuds perfides.

Plus d'une fois la foudre et l'antan furieux
    Ont fracassé sa haute cime;   10
Même il reçoit les coups de l'homme industrieux
    Sans s'étonner, triste et sublime.

STUART MERRILL

NOCTURNE

LA blême lune allume en la mare qui luit,
Miroir des gloires d'or, un émoi d'incendie.

Tout dort. Seul, à mi-mort, un rossignol de nuit
Module en mal d'amour sa molle mélodie.

Plus ne vibrent les vents en le mystère vert   5
Des ramures. La lune a tu leurs voix nocturnes:
Mais à travers le deuil du feuillage entr'ouvert
Pleuvent les bleus baisers des astres taciturnes.

La vieille volupté de rêver à la mort
A l'entour de la mare endort l'âme des choses.   10
A peine la forêt parfois fait-elle effort
Sous le frisson furtif de ses métamorphoses.

Chaque feuille s'efface en des brouillards subtils.
Du zénith de l'azur ruisselle la rosée
Dont le cristal s'incruste en perles aux pistils   15
Des nénuphars flottant sur l'eau fleurdelysée.

Rien n'émane du noir, ni vol, ni vent, ni voix,
Sauf lorsqu'au loin des bois, par soudaines saccades,
Un ruisseau turbulent roule sur les gravois:
L'écho s'émeut alors de l'éclat des cascades.   20

OFFRANDE

Les enfants de la France dansent et chantent des rondes
En la saison des neiges comme en la saison des fleurs.
Qu'il vente, qu'il pleuve ou qu'il tonne par le monde,
Que les hommes soient en sang ou les femmes en pleurs,
Les enfants de la France dansent et chantent des rondes.   5

Sur le pont d'Avignon, chantent-ils, ou *gai la Marguerite*,
Au fond des maisons rouges dont le toit fume l'hiver
Et des blanches au seuil desquelles la cigale crépite.
Que la saison qui passe roule la flamme ou le fer,
Sur le pont d'Avignon, chantent-ils, ou *gai la Marguerite*. 10

Les pommes sont roses ou les olives grises,
La Garonne rugit et la Seine sourit,
Mais la même chanson, au mistral comme aux brises,
S'envole de la France, du Nord comme du Midi.
Les pommes sont roses et les olives grises.   15

Cheveux blonds, cheveux noirs, sabots ou sandales,
Les bambins chantent haut la grâce du doux pays,
Font sonner de leur danse les mottes et les dalles,
A la ville ou aux champs, en tourbillons réjouis,
Cheveux blonds, cheveux noirs, sabots ou sandales.   20

Notre mère la France, acceptez cette offrande:
Notre amour du pauvre, notre haine du tyran,
L'épée pour qui commande, le pain pour qui demande,
Et pour mieux vous chanter, les rondes de vos enfants.
Notre mère la France, acceptez cette offrande !   25

FRANCIS VIÉLÉ-GRIFFIN

CHANSON

J'AI pris de la pluie dans mes mains tendues
— De la pluie chaude comme des larmes —
Je l'ai bue comme un philtre, défendu
A cause d'un charme;
Afin que mon âme en ton âme dorme.   5

J'ai pris du blé dans la grange obscure
— Du blé qui choit comme la grêle aux dalles —
Et je l'ai semé sur le labour dur
A cause du givre matinal;
Afin que tu goûtes à la moisson sûre.   10

J'ai pris des herbes et des feuilles rousses
— Des feuilles et des herbes longtemps mortes —
J'en ai fait une flamme haute et douce;
A cause de l'essence des sèves fortes;
Afin que ton attente d'aube fût douce.   15

Et j'ai pris la pudeur de tes joues et ta bouche
Et tes gais cheveux et tes yeux de rire,
Et je m'en suis fait une aurore farouche
Et des rayons de joie et des cordes de lyre
— Et le jour est sonore comme un chant de ruche !   20

MATINÉE D'HIVER

OUVRE plus grande la fenêtre;
L'air est si calme, pur et frais,
Que les ormeaux et que les hêtres
Sont tout vêtus et tout drapés,
De branche en branche, de neige blanche   5
Et que la haie et la forêt
Emmêlent des dentelles frêles,
Et le grand chêne ouvre des ailes
De cygne blanc contre le ciel...

Sous le voile vierge de l'an neuf,   10
Le labour s'unit à la friche
Et la colline se mêle au fleuve,
L'arpent du pauvre au champ du riche;
Un même manteau de silence
Vêt, de ses longs plis blancs et bleus,   15
La grand'route et le clos de Dieu.

— Soudain, le carillon s'élance
Et glisse sur la plaine, joyeux,
Comme un patineur matineux
Tournoie et vire et recommence,   20
Rose d'aurore et de son jeu;

Et l'hymne rose de tes joues,
Fleuries au seul baiser de l'air,
Chante en la voix des cloches claires;
La neige rayonne autour de nous   25
Et t'encercle d'une lumière
Si froide que tes cheveux blonds
Brûlent — comme un or scintille et fond
Au creuset crayeux de l'orfèvre —
Et que rires autour de nous   30
Montent, comme un encens, de nos lèvres.

Car je t'ai chaussée, à genoux,
D'ailes légères comme une aile d'aronde,
Et tu vas effleurant la vierge glace bleue

Comme une aronde effleure l'onde,   35
Avant la pluie, à la Dame-d'Août,
Quand l'ombre même a soif et l'air lourd est de feu;

Et je cherche l'été au fond de tes yeux bleus.

HENRI DE RÉGNIER

ODELETTE

Un petit roseau m'a suffi
Pour faire frémir l'herbe haute
Et tout le pré
Et le doux saule
Et le ruisseau qui chante aussi;   5
Un petit roseau m'a suffi
A faire chanter la forêt.

Ceux qui passent l'ont entendu
Au fond du soir, en leurs pensées
Dans le silence et dans le vent,   10
Clair ou perdu,
Proche ou lointain . . .
Ceux qui passent en leurs pensées
En écoutant, au fond d'eux-mêmes
L'entendront encore et l'entendent   15
Toujours qui chante.

Il m'a suffi
De ce petit roseau cueilli
A la fontaine où vint l'Amour
Mirer, un jour,   20
Sa face grave
Et qui pleurait,
Pour faire pleurer ceux qui passent
Et trembler l'herbe et frémir l'eau;
Et j'ai, du souffle d'un roseau,   25
Fait chanter toute la forêt.

LA VOIX

Je ne veux de personne auprès de ma tristesse
Ni même ton cher pas et ton visage aimé,
Ni ta main indolente et qui d'un doigt caresse
Le ruban paresseux et le livre fermé.

Laissez-moi. Que ma porte aujourd'hui reste close;   5
N'ouvrez pas ma fenêtre au vent frais du matin;
Mon cœur est aujourd'hui misérable et morose
Et tout me paraît sombre et tout me semble vain.

Ma tristesse me vient de plus loin que moi-même,
Elle m'est étrangère et ne m'appartient pas,   10
Et tout homme, qu'il chante ou qu'il rie ou qu'il aime,
A son heure l'entend qui lui parle tout bas,

Et quelque chose alors se remue et s'éveille,
S'agite, se répand et se lamente en lui,
A cette sourde voix qui lui dit à l'oreille   15
Que la fleur de la vie est cendre dans son fruit.

ANNA–ÉLIZABETH DE NOAILLES

LE VERGER

Dans le jardin, sucré d'œillets et d'aromates,
Lorsque l'aube a mouillé le serpolet touffu,
Et que les lourds frelons, suspendus aux tomates,
Chancellent, de rosée et de sève pourvus,

Je viendrai, sous l'azur et la brume flottante,   5
Ivre du temps vivace et du jour retrouvé.
Mon cœur se dressera comme le coq qui chante
Insatiablement vers le soleil levé.

L'air chaud sera laiteux sur toute la verdure,
Sur l'effort généreux et prudent des semis,   10
Sur la salade vive et le buis des bordures,
Sur la cosse qui gonfle et qui s'ouvre à demi.

La terre labourée où mûrissent les graines
Ondulera, joyeuse et douce, à petits flots,
Heureuse de sentir dans sa chair souterraine   15
Le destin de la vigne et du froment enclos.

Des brugnons roussiront sur leurs feuilles, collées
Au mur où le soleil s'écrase chaudement;
La lumière emplira les étroites allées
Sur qui l'ombre des fleurs est comme un vêtement.   20

Un goût d'éclosion et de choses juteuses
Montera de la courge humide et du melon,
Midi fera flamber l'herbe silencieuse,
Le jour sera tranquille, inépuisable et long.

Et la maison, avec sa toiture d'ardoises,   25
Laissant sa porte sombre et ses volets ouverts,
Respirera l'odeur des coings et des framboises
Éparse lourdement autour des buissons verts.

Mon cœur, indifférent et doux, aura la pente
Du feuillage flexible et plat des haricots   30
Sur qui l'eau de la nuit se dépose et serpente
Et coule sans troubler son rêve et son repos.

Je serai libre enfin de crainte et d'amertume;
Lasse comme un jardin sur lequel il a plu,
Calme comme l'étang qui luit dans l'aube et fume,   35
Je ne souffrirai plus, je ne penserai plus,

Je ne saurai plus rien des choses de ce monde,
Des peines de ma vie et de ma nation,
J'écouterai chanter dans mon âme profonde
L'harmonieuse paix des germinations.   40

Je n'aurai pas d'orgueil, et je serai pareille,
Dans ma candeur nouvelle et ma simplicité,
A mon frère le pampre et ma sœur la groseille
Qui sont la jouissance aimable de l'été.

Je serai si sensible et si jointe à la terre   45
Que je pourrai penser avoir connu la mort,
Et me mêler, vivante, au reposant mystère
Qui nourrit et fleurit les plantes par les corps.

Et ce sera très bon et très juste de croire
Que mes yeux ondoyants sont à ce lin pareils,   50
Et que mon cœur, ardent et lourd, est cette poire
Qui mûrit doucement sa pelure au soleil...

EXALTATION

Le goût de l'héroïque et du passionnel
Qui flotte autour des corps, des sons, des foules vives,
Touche avec la brûlure et la saveur du sel
Mon cœur tumultueux et mon âme excessive...

Loin des simples travaux et des soucis amers,   5
J'aspire hardiment la chaude violence
Qui souffle avec le bruit et l'odeur de la mer;
Je suis l'air matinal d'où s'enfuit le silence.

L'aurore qui renaît dans l'éblouissement,
La nature, le bois, les houles de la rue   10
M'emplissent de leurs cris et de leurs mouvements;
Je suis comme une voile où la brise se rue.

Ah! vivre ainsi les jours qui mènent au tombeau,
Avoir le cœur gonflé comme le fruit qu'on presse
Et qui laisse couler son arome et son eau;   15
Loger l'espoir fécond et la claire allégresse!

Serrer entre ses bras le monde et ses désirs
Comme un enfant qui tient une bête retorse,
Et qui, mordu, saignant, est ivre du plaisir
De sentir contre soi sa chaleur et sa force!   20

Accoutumer ses yeux, son vouloir et ses mains
A tenter le bonheur que le risque accompagne;
Habiter le sommet des sentiments humains
Où l'air est âpre et vif comme sur la montagne!

Être ainsi que la lune et le soleil levant   25
Les hôtes du jour d'or et de la nuit limpide;
Être le bois touffu qui lutte dans le vent
Et les flots écumeux que l'ouragan dévide!

La joie et la douleur sont de grands compagnons.
Mon âme qui contient leurs battements farouches   30
Est comme une pelouse où marchent des lions . . .
J'ai le goût de l'azur et du vent dans la bouche.

Et c'est aussi l'extase et la pleine vigueur
Que de mourir un soir, vivace, inassouvie,
Lorsque le désir est plus large que le cœur   35
Et le plaisir plus rude et plus fort que la vie . . .

LE TEMPS DE VIVRE

DÉJÀ la vie ardente incline vers le soir,
    Respire ta jeunesse,
Le temps est court qui va de la vigne au pressoir,
    De l'aube au jour qui baisse;

Garde ton âme ouverte aux parfums d'alentour,   5
    Aux murmures de l'onde,
Aime l'effort, l'espoir, l'orgueil, aime l'amour,
    C'est la chose profonde;

Combien s'en sont allés de tous les cœurs vivants
    Au séjour solitaire   10
Sans avoir bu le miel ni respiré le vent
    Des matins de la terre,

Combien s'en sont allés, qui, ce soir, sont pareils
    Aux racines des ronces,
Et qui n'ont pas goûté la vie où le soleil   15
    Se déploie et s'enfonce;

Ils n'ont pas répandu les essences et l'or
    Dont leurs mains étaient pleines,
Les voici maintenant dans cette ombre où l'on dort
    Sans rêve et sans haleine;   20

— Toi, vis, sois innombrable à force de désirs,
    De frissons et d'extase,
Penche sur les chemins où l'homme doit servir
    Ton âme comme un vase,

Mêlée aux jeux des jours, presse contre ton sein   25
   La vie âpre et farouche;
Que la joie et l'amour chantent comme un essaim
   D'abeilles sur ta bouche.

Et puis regarde fuir, sans regret ni tourment,
   Les rives infidèles,   30
Ayant donné ton cœur et ton consentement
   A la nuit éternelle. . . .

J'ÉCRIS POUR QUE, LE JOUR . . .

J'ÉCRIS pour que, le jour où je ne serai plus,
On sache comme l'air et le plaisir m'ont plu,
Et que mon livre porte à la foule future
Comme j'aimais la vie et l'heureuse nature.

Attentive aux travaux des champs et des maisons,   5
J'ai marqué chaque jour la forme des saisons,
Parce que l'eau, la terre et la montante flamme
En nul endroit ne sont si belles qu'en mon âme.

J'ai dit ce que j'ai vu et ce que j'ai senti,
D'un cœur pour qui le vrai ne fut point trop hardi,   10
Et j'ai eu cette ardeur, par l'amour intimée,
Pour être après la mort parfois encore aimée,

Et qu'un jeune homme alors, lisant ce que j'écris,
Sentant par moi son cœur, ému, troublé, surpris,
Ayant tout oublié des épouses réelles,   15
M'accueille dans son âme et me préfère à elles.

SI VOUS PARLIEZ, SEIGNEUR, . . .

SI vous parliez, Seigneur, je vous entendrais bien,
Car toute humaine voix pour mon âme s'est tue,
Je reste seule auprès de ma force abattue,
J'ai quitté tout appui, j'ai rompu tout lien.

Mon cœur méditatif et qui boit la lumière 5
Vous aurait absorbé, si, transgressant les lois,
Comme le vent des nuits qui pénètre les pierres
Votre verbe enflammé fût descendu sur moi !

Nul ne vous souhaitait avec tant d'indigence;
Je vous aurais fêté au son du tympanon 10
Si j'avais, dans mon triste et studieux silence,
Entendu votre voix et connu votre nom.

Si forte qu'eût été l'ombre sur vos visages,
Sublime Trinité ! j'eusse écarté la nuit,
Mon esprit vous aurait poursuivie sans ennui, 15
Et j'aurais abordé à votre clair rivage.

Mais jamais rien à moi ne vous a révélé,
Seigneur ! ni le ciel lourd comme une eau suspendue,
Ni l'exaltation de l'été sur les blés,
Ni le temple ionien sur la montagne ardue; 20

Ni les cloches qui sont un encens cadencé,
Ni le courage humain, toujours sans récompense,
Ni les morts, dont l'hostile et pénétrant silence
Semble un renoncement invincible et lassé;

Ni ces nuits où l'esprit retient comme une preuve 25
Son aspiration au bien universel;
Ni la lune qui rêve et voit passer le fleuve
Des baisers fugitifs sous les cieux éternels.

Hélas ! ni ces matins de ma brûlante enfance,
Où, dans les prés gonflés d'un nuage d'odeur, 30
Je sentais, tant l'extase en moi jetait sa lance,
Un ange dans les cieux qui m'arrachait le cœur !

Pourtant, ayez pitié ! Que votre main penchante
Vienne guider mon sort douloureux et terni;
J'aspire à vous, Splendeur, Raison éblouissante ! 35
Mais je ne vous vois pas, ô mon Dieu ! et je chante
    A cause du vide infini !

SI L'ON SONGE...

Si l'on songe à tout ce qu'on fit
Avec élan, souci, courage;
A ce perpétuel défi
Tendu vers les humains orages;

Aux peines mesquines aussi,   5
Dont la finesse déconcerte,
Et qui font le sort imprécis;
— Si l'on songe à ce cœur d'ascète
Qu'on eut, à ce cœur charpenté
Pour traverser l'éternité,   10

Et que de cela rien ne reste,
Nul signe, nulle ombre, nul geste,
Et que le corps cesse d'aimer,

— O noblesse des yeux fermés
Dans le fond des tombes agrestes!   15

FRANCIS JAMMES

LA SALLE À MANGER

Il y a une armoire à peine luisante
qui a entendu la voix de mes grand'tantes,
qui a entendu la voix de mon grand-père,
qui a entendu la voix de mon père.
A ces souvenirs l'armoire est fidèle.   5
On a tort de croire qu'elle ne sait que se taire,
car je cause avec elle.

Il y a aussi un coucou en bois.
Je ne sais pourquoi il n'a plus de voix.
Je ne veux pas le lui demander.   10
Peut-être bien qu'elle est cassée,
la voix qui était dans son ressort,
tout bonnement comme celle des morts.

Il y a aussi un vieux buffet
qui sent la cire, la confiture, 15
la viande, le pain et les poires mûres.
C'est un serviteur fidèle qui sait
qu'il ne doit rien nous voler.

Il est venu chez moi bien des hommes et des femmes
qui n'ont pas cru à ces petites âmes. 20
Et je souris que l'on me pense seul vivant
quand un visiteur me dit en entrant:
— comment allez-vous, monsieur Jammes ?

LE VIEUX VILLAGE

Le vieux village était rempli de roses
et je marchais dans la grande chaleur
et puis ensuite dans la grande froideur
de vieux chemins où les feuilles s'endorment.

Puis je longeai un mur long et usé; 5
c'était un parc où étaient de grands arbres,
et je sentis une odeur du passé,
dans les grands arbres et dans les robes blanches.

Personne ne devait l'habiter plus . . .
Dans ce grand parc, sans doute, on avait lu . . . 10
Et maintenant, comme s'il avait plu,
les ébéniers luisaient au soleil cru.

Ah ! des enfants des autrefois, sans doute,
s'amusèrent dans ce parc si ombreux . . .
On avait fait venir des plantes rouges 15
des pays loin, aux fruits très dangereux.

Et les parents, en leur montrant les plantes
leur expliquaient: celle-ci n'est pas bonne . . .
c'est du poison . . . elle arrive de l'Inde . . .
et celle-là est de la belladone. 20

Et ils disaient encore: cet arbre-ci
vient du Japon où fut votre vieil oncle . . .
Il l'apporta tout petit, tout petit,
avec des feuilles grandes comme l'ongle.

Ils disaient encore: nous nous souvenons   25
du jour où l'oncle revint d'un voyage aux Indes;
il arriva à cheval, par le fond
du village, avec un manteau et des armes...

C'était un soir d'été. Des jeunes filles
couraient au parc où étaient de grands arbres,   30
des noyers noirs avec des roses blanches,
et des rires sous les noires charmilles.

Et les enfants couraient, criant: c'est l'oncle!
Lui, descendait avec son grand chapeau,
du grand cheval, avec son grand manteau...   35
Sa mère pleurait: ô mon fils... Dieu est bon...

Lui, répondait: nous avons eu tempête...
L'eau douce a bien failli manquer à bord.
Et la vieille mère le baisait sur la tête
en lui disant: mon fils, tu n'es pas mort...   40

Mais à présent où est cette famille?
A-t-elle existé? A-t-elle existé?
Il n'y a plus que des feuilles qui luisent,
aux arbres drôles, comme empoisonnés...

Et tout s'endort dans la grande chaleur...   45
Les noyers noirs pleins de grande froideur...
Personne là n'habite plus...
Les ébéniers luisent au soleil cru.

IL VA NEIGER...

Il va neiger dans quelques jours. Je me souviens
de l'an dernier. Je me souviens de mes tristesses
au coin du feu. Si l'on m'avait demandé: qu'est-ce
j'aurais dit: laissez-moi tranquille. Ce n'est rien.

J'ai bien réfléchi, l'année avant, dans ma chambre,   5
pendant que la neige lourde tombait dehors.
J'ai réfléchi pour rien. A présent comme alors
je fume une pipe en bois avec un bout d'ambre.

Ma vieille commode en chêne sent toujours bon.
Mais moi j'étais bête parce que ces choses   10
ne pouvaient pas changer et que c'est une pose
de vouloir chasser les choses que nous savons.

Pourquoi donc pensons-nous et parlons-nous ? C'est drôle;
nos larmes et nos baisers, eux, ne parlent pas,
et cependant nous les comprenons, et les pas   15
d'un ami sont plus doux que de douces paroles.

On a baptisé les étoiles sans penser
qu'elles n'avaient pas besoin de nom et les nombres,
qui prouvent que les belles comètes dans l'ombre
passeront, ne les forceront pas à passer.   20

Et maintenant même, où sont mes vieilles tristesses
de l'an dernier ?   A peine si je m'en souviens.
Je dirais: laissez-moi tranquille, ce n'est rien,
si dans ma chambre on venait me demander: qu'est-ce ?

PRIÈRE POUR QU'UN ENFANT NE MEURE PAS

MON DIEU, conservez-leur ce tout petit enfant,
comme vous conservez une herbe dans le vent.
Qu'est-ce que ça vous fait, puisque la mère pleure,
de ne pas le faire mourir là, tout à l'heure,
comme une chose que l'on ne peut éviter ?   5
Si vous le laissez vivre, il s'en ira jeter
des roses, l'an prochain, dans la Fête-Dieu claire !

Mais vous êtes trop bon. Ce n'est pas vous, mon Dieu,
qui, sur les joues en roses, posez la mort bleue,
à moins que vous n'ayez de beaux endroits où mettre   10
auprès de leurs mamans leurs fils à la fenêtre ?
Mais pourquoi pas ici ? Ah ! Puisque l'heure sonne,
rappelez-vous, mon Dieu, devant l'enfant qui meurt,
que vous vivez toujours auprès de votre Mère.

MON HUMBLE AMI, MON CHIEN FIDÈLE...

MON humble ami, mon chien fidèle, tu es mort
de cette mort que tu fuyais comme une guêpe
lorsque tu te cachais sous la table. Ta tête
s'est dirigée vers moi à l'heure brève et morne.

O compagnon banal de l'homme: Être béni !   5
toi que nourrit la faim que ton maître partage,
toi qui accompagnas dans leur pèlerinage
l'archange Raphaël et le jeune Tobie...

O serviteur: que tu me sois d'un grand exemple,
ô toi qui m'as aimé ainsi qu'un saint son Dieu !   10
Le mystère de ton obscure intelligence
vit dans un paradis innocent et joyeux.

Ah ! faites, mon Dieu, si vous me donnez la grâce
de Vous voir face à face aux jours d'Éternité,
faites qu'un pauvre chien contemple face à face   15
celui qui fut son dieu parmi l'humanité.

ART POÉTIQUE

TELLE à la cime une cigale continue
Sa sœur dont la dépouille au pied s'est abattue.

Le roseau de Mantoue aux lèvres du zéphyr
Lorsque le cygne est mort continue de gémir.

C'est ainsi que le vers dont j'use est bien classique,   5
Dégagé simplement par la seule logique.

Après un grand combat où j'avais pris parti
Je regarde et comprends qu'on s'est peu départi.

Devenu trop sonore et trop facile et lâche
Le pur alexandrin, si beau jadis, rabâche.   10

Le vers libre ne nous fit pas très bien sentir
Où la strophe s'en vient commencer et finir.

Mais quelques libertés, quand il les voulait toutes,
Ce dernier les conquit. Elles ouvrent la route.

Si rares qu'elles soient, elles sont bien assez.   15
Les vers seront égaux et pas assonancés.

Comme l'oiseau répond à son tour à l'oiselle
La rime mâle suit une rime femelle.

Quoique les vers entre eux ainsi soient reliés
J'accepte qu'un pluriel rime à un singulier.   20

Encor tel que l'oiseau, qui du ciel prend mesure,
Le rythme ici et là hésite à la césure.

L'hiatus quelquefois vient à point rappeler
Celui qui est poète au plus simple parler.

Alors que l'*e* muet s'échappe du langage,   25
Je ne veux pas qu'il marque en mon vers davantage.

Les syllabes comptées sont celles seulement
Que le lecteur prononce habituellement.

Ayant fixé ce bref mais sûr art poétique,
Mon inspiration me rouvre son portique.   30

PAUL FORT

LA RONDE

Si toutes les filles du monde voulaient s'donner la main,
tout autour de la mer elles pourraient faire une ronde.

Si tous les gars du monde voulaient bien êtr' marins,
ils f'raient avec leurs barques un joli pont sur l'onde.

Alors on pourrait faire une ronde autour du monde,   5
si tous les gens du monde voulaient s'donner la main.

LA NOCE

Aʜ ! que de joie, la flûte et la musette troublent nos
cœurs de leurs accords charmants, voici venir les gars et
les fillettes, et tous les vieux au son des instruments.

Gai, gai, marions-nous, les rubans et les cornettes, gai,
gai, marions-nous, et ce joli couple, itou !   5

Que de plaisir quand dans l'église en fête, cloche et clochettes les appellent tertous, — trois cents clochettes pour
les yeux de la belle, un gros bourdon pour le cœur de
l'époux.

Gai, gai, marions-nous, les rubans et les cornettes,   10
gai, gai, marions-nous, et ce joli couple, itou !

La cloche enfin tient nos langues muettes. Ah ! que de
peine quand ce n'est plus pour nous . . . Pleurez, les vieux,
sur vos livres de messe. Qui sait ? bientôt la cloche sera
pour vous ?   15

Gai, gai, marions-nous, les rubans et les cornettes, gai,
gai, marions-nous, et ce joli couple, itou !

Enfin c'est tout, et la cloche est muette. Allons danser
au bonheur des époux. Vivent le gars et la fille et la fête !
Ah ! que de joie quand ce n'est pas pour nous !   20

Gai, gai, marions-nous, les rubans et les cornettes,
gai, gai, marions-nous, et ce joli couple, itou !

Que de plaisir, la flûte et la musette vont rajeunir les
vieux pour un moment. Voici danser les gars et les fillettes. Ah ! que de joie au son des instruments !   25

CETTE FILLE, ELLE EST MORTE . . .

Cᴇᴛᴛᴇ fille, elle est morte, est morte dans ses amours.

Ils l'ont portée en terre, en terre au point du jour.

Ils l'ont couchée toute seule, toute seule en ses atours.

Ils l'ont couchée toute seule, toute seule en son cercueil.

Ils sont rev'nus gaîment, gaîment avec le jour.   5

Ils ont chanté gaîment, gaîment: « Chacun son tour.

« Cette fille, elle est morte, est morte dans ses amours. »

Ils sont allées aux champs, aux champs comme tous les
jours . . .

LE BERCEMENT DU MONDE

Du coteau, qu'illumine l'or tremblant des genêts, j'ai
vu jusqu'au lointain le bercement du monde, j'ai vu ce
peu de terre infiniment rythmée me donner le vertige
des distances profondes.

L'azur moulait les monts. Leurs pentes alanguies 5
s'animaient sous le vent du lent frisson des mers. J'ai
vu, mêlant leurs lignes, les vallons rebondis trembler
jusqu'au lointain de la fièvre de l'air.

Là, le bondissement au penchant du coteau des
terres labourées où les sillons se tendent, courbes 10
comme des arcs où pointent les moissons avant de
s'élancer vers le ciel dans l'air tendre.

Là se creuse un vallon, sous des prés en damier, que
blesse en un repli la flèche d'un clocher; ici des roches
rouges aux arêtes brillantes se gonflent d'argent pur où 15
croule une eau fumante.

Plus loin encor s'étage une contrée plus belle, où
luisent des pommiers près de leur ombre ronde. Là
dans un creux huileux de calme, le soleil, où vit une
prairie, fait battre une émeraude.   20

Et je voyais des terres et des terres plus loin, en
marche vers le ciel et qui semblaient plus pures; l'une
où tremblait le fard gris-perle des lointains; les autres,
au bord du ciel, étaient déjà l'azur.

Je restai jusqu'au soir à contempler cette œuvre, à 25
suivre l'ondulation de cette mer, et je sentais très
doucement faiblir mon cœur au bercement sans fin des
vagues de la terre.

Comme un bouillonnement de vagues déchaînées,
devant moi jusqu'aux grèves en feu du soleil, je vis 30
vallons et monts, nuages, ciel d'été, remonter l'infini
des clartés et s'y perdre.

Je me tenais debout entre les genêts d'or, dans le
soir où Dieu jette un grand cri de lumière... et je
levais tremblant la palme de mon corps vers cette 35
grande Voix qui rythme l'Univers.

LA CORDE

Pourquoi renouer l'amourette ? C'est-y bien la
peine d'aimer ? Le câble est cassé, fillette. C'est-y
toi qu'as trop tiré ?

C'est-y moi ? C'est-y un autre ? C'est-y l'bon Dieu
des chrétiens ? Il est cassé; c'est la faute à personne, 5
on le sait bien.

L'amour, ça passe dans tant d'cœurs, c'est une corde
à tant d'vaisseaux, et ça passe dans tant d'anneaux, à
qui la faute si ça s'use ?

Y a trop d'amoureux sur terre, à tirer sur l'même 10
péché. C'est-y la faute à l'amour si sa corde est si
usée ?

Pourquoi renouer l'amourette ? C'est-y bien la peine
d'aimer ? Le câble est cassé, fillette, et c'est toi qu'as
trop tiré.   15

CHARLES PÉGUY

HEUREUX CEUX QUI SONTS MORTS...

FRAGMENT D'ÈVE

HEUREUX ceux qui sont morts pour la terre charnelle,
Mais pourvu que ce fût dans une juste guerre.
Heureux ceux qui sont morts pour quatre coins de terre,
Heureux ceux qui sont morts d'une mort solennelle.

Heureux ceux qui sont morts dans les grandes batailles,   5
Couchés dessus le sol à la face de Dieu.
Heureux ceux qui sont morts sur un dernier haut lieu,
Parmi tout l'appareil des grandes funérailles.

Heureux ceux qui sont morts pour des cités charnelles,
Car elles sont le corps de la maison de Dieu.   10
Heureux ceux qui sont morts dans cet embrassement,
Dans l'étreinte d'honneur et le terrestre aveu.

Car ce vœu de la terre est le commencement
Et le premier essai d'une fidélité.
Heureux ceux qui sont morts dans ce couronnement   15
Et cette obéissance et cette humilité.

Heureux ceux qui sont morts, car ils sont retournés
Dans la première argile et la première terre.
Heureux ceux qui sont morts dans une juste guerre.
Heureux les épis mûrs et les blés moissonnés.   20

LOUIS LE CARDONNEL

PRINTEMPS FRANCISCAIN

PRÈS du cloître où la vigne est blonde de lumière,
Oublieux du cruel passé qui fut le mien,

J'abandonne en priant mon âme tout entière
Aux attraits de ce beau printemps italien.

Dans mon ravissement je crois marcher à peine,   5
Je sens comme bondir la terre sous mes pieds:
Ce matin, dans la claire église franciscaine,
J'ai compris le bonheur des cœurs sacrifiés.

La jeunesse du monde, en sa candeur divine,
Autour de moi remplit l'air brûlant et vermeil: 10
Une autre adolescence éclot dans ma poitrine,
Et je voudrais livrer ma poitrine au soleil.

J'ai respiré l'esprit de l'insensé d'Assise,
Qui tenait aux oiseaux des discours ingénus:
Dans l'ardeur qui m'exalte à la fois et me brise,   15
Je rêve de partir sanglant et les pieds nus.

Apôtre que Jésus secrètement prépare
Pour qu'il porte la paix à ses frères humains,
Au-devant de celui qui sanglote ou s'égare,
Je répandrais mon cœur à travers les chemins.   20

Je serais le semeur d'immortelle espérance,
Dont l'hymne vibrant monte avec l'aube du jour,
Et saintement joyeux, même dans la souffrance,
J'irais, mon Dieu, j'irais vers l'extatique amour.

GEORGES DUHAMEL

BALLADE DE FLORENTIN PRUNIER

Il a résisté pendant vingt longs jours
Et sa mère était à côté de lui.

Il a résisté, Florentin Prunier,
Car sa mère ne veut pas qu'il meure.

Dès qu'elle a connu qu'il était blessé,   5
Elle est venue, du fond de la vieille province

Elle a traversé le pays tonnant
Où l'immense armée grouille dans la boue.

Son visage est dur, sous la coiffe raide;
Elle n'a peur de rien ni de personne.   10

Elle emporte un panier, avec douze pommes,
Et du beurre frais dans un petit pot.

* * *

Toute la journée, elle reste assise
Près de la couchette où meurt Florentin.

Elle arrive à l'heure où l'on fait du feu   15
Et reste jusqu'à l'heure où Florentin délire.

Elle sort un peu quand on dit: « Sortez ! »
Et quand on va panser la pauvre poitrine.

Elle resterait s'il fallait rester:
Elle est femme à voir la plaie de son fils.   20

Ne lui faut-il pas entendre les cris,
Pendant qu'elle attend, les souliers dans l'eau ?

Elle est près du lit comme un chien de garde,
On ne la voit plus ni manger, ni boire.

Florentin non plus ne sait plus manger: 25
Le beurre a jauni dans son petit pot.

* * *

Ses mains tourmentées comme des racines
Etreignent la main maigre de son fils.

Elle contemple avec obstination
Le visage blanc où la sueur ruisselle.   30

Elle voit le cou, tout tendu de cordes,
Où l'air, en passant, fait un bruit mouillé.

Elle voit tout cela de son œil ardent,
Sec et dur, comme la cassure d'un silex.

Elle regarde, et ne se plaint jamais: 35
C'est sa façon, comme ça, d'être mère.

Il dit: « Voilà la toux qui prend mes forces. »
Elle répond: « Tu sais que je suis là ! »

Il dit: « J'ai l'idée que je vas passer. »
Mais elle: « Non ! Je veux pas, mon garçon ! »   40

*   *   *

Il a résisté pendant vingt longs jours,
Et sa mère était à côté de lui,

Comme un vieux nageur qui va dans la mer
Et soutenant sur l'eau son faible enfant.

Or, un matin, comme elle était bien lasse   45
De ses vingt nuits passées on ne sait où,

Elle a laissé aller un peu sa tête,
Elle a dormi un tout petit moment;

Et Florentin Prunier est mort bien vite
Et sans bruit, pour ne pas la réveiller.   50

JULES ROMAINS

UNE AUTRE ÂME S'AVANCE

QU'EST-CE qui transfigure ainsi le boulevard ?
L'allure des passants n'est presque pas physique;
Ce ne sont plus des mouvements, ce sont des rythmes,
Et je n'ai plus besoin de mes yeux pour les voir.
L'air qu'on respire, a comme un goût mental. Les hommes 5
Ressemblent aux idées qui longent un esprit.
D'eux à moi, rien ne cesse d'être intérieur;
Rien ne m'est étranger de leur joue à ma joue,
Et l'espace nous lie en pensant avec nous.

PAUL CLAUDEL

LA SAINTE FACE

Tu ne saurais effacer de ton cœur une certaine image,

Et cette image n'est autre que celle imprimée sur le
linge de la Véronique.

C'est une face fine et longue et la barbe entoure le
menton d'une triple touffe.   5

L'expression en est si austère qu'elle effraie, et si
sainte

Que le vieux péché, en nous organisé,

Frémit jusque dans sa racine originelle, et la douleur
qu'elle exprime est si profonde   10

Qu'interdits, nous sommes comme des enfants qui
regardent pleurer, sans comprendre, le père: il pleure !

Tu voudrais en vain, ô Ivors, déployer devant ces
yeux la gloire et l'éclat de ce monde.

Ces yeux qui, en se levant, d'un regard ont crée 15
l'Univers,

Sont maintenant baissés, et de sévères larmes en des-
cendent;

Du front suintent des gouttes de sang.

Mais considère, ô mon fils, la bouche de ton Dieu, la 20
bouche, ô mon fils, du Verbe.

Car les lèvres au coin droit s'entr'ouvrent en un
sourire atroce.

Comme il pleure de tout son être, laissant échapper
la salive comme un enfant !   25

Il n'y a point de pain pour nous, ô mon fils, tandis qu'il nous restera cette douleur à consoler.

C'est la douleur du Fils de l'Homme qui a voulu goûter et revêtir notre crime.

C'est la douleur du Fils de Dieu   30

De ne pouvoir présenter à son Père tout l'homme dans le mystère de l'Ostension.

MAGNIFICAT

Soyez béni, mon Dieu, qui m'avez délivré des Idoles.

Et qui faites que je n'adore que vous seul et non point Isis et Osiris.

Ou la Justice, ou le Progrès, ou la Vérité, ou la Divinité, ou l'Humanité, ou les Lois de la Nature, ou 5 l'Art, ou la Beauté,

Et qui n'avez pas permis d'exister à toutes ces choses qui ne sont pas, ou le vide laissé par votre absence.

Comme le sauvage qui se bâtit une pirogue et qui de cette planche en trop fabrique Apollon,   10

Ainsi tous les parleurs de paroles, du surplus de leurs adjectifs se sont fait des monstres sans substance.

Plus creux que Moloch, mangeur de petits enfants, plus cruels et plus hideux que Moloch.

Ils ont un son mais point de voix, un nom et il n'y a 15 point de personne.

Et l'esprit immonde est là qui remplit les lieux déserts et toutes les choses vacantes.

Seigneur, vous m'avez délivré des livres et des Idées, des Idoles et de leurs prêtres,   20

Et vous n'avez pas permis qu'Israël vous serve sous le joug des Efféminés.

Je sais que vous n'êtes point le Dieu des morts, mais des vivants.

Je n'honorerai point les fantômes et les poupées, ni 25 Diane, ni le Devoir, ni la Liberté et le bœuf Apis.

Et vos « génies » et vos « héros », vos grands hommes et vos surhommes, la même horreur de tous ces défigurés.

Car je ne suis pas libre entre les morts, 30

Et j'existe parmi les choses qui sont et je les contrains à m'avoir indispensable.

Et je désire de n'être supérieur à rien, mais un homme juste.

Juste comme vous êtes parfait, juste et vivant parmi 35 les autres esprits réels.

LA VIERGE À MIDI

Il est midi. Je vois l'église ouverte. Il faut entrer.
Mère de Jésus-Christ, je ne viens pas prier.

Je n'ai rien à offrir et rien à demander.
Je viens seulement, Mère, pour vous regarder.

Vous regarder, pleurer de bonheur, savoir cela 5
Que je suis votre fils et que vous êtes là.

Rien que pour un moment pendant que tout s'arrête.
Midi !
Être avec vous, Marie, en ce lieu où vous êtes.

Ne rien dire, regarder votre visage, 10
Laisser le cœur chanter dans son propre langage,

Ne rien dire, mais seulement chanter parce qu'on a
le cœur trop plein,
Comme le merle qui suit son idée en ces espaces de
couplets soudains. 15

Parce que vous êtes belle, parce que vous êtes immaculée,
La femme dans la Grâce enfin restituée,

La créature dans son honneur premier et dans son
épanouissement final,   20
Telle qu'elle est sortie de Dieu au matin de sa splendeur originale.

Intacte ineffablement parce que vous êtes la Mère de
Jésus-Christ,
Qui est la vérité entre vos bras, et la seule espérance 25
et le seul fruit,

Parce que vous êtes la femme, l'Éden de l'ancienne
tendresse oubliée,
Dont le regard trouve le cœur tout à coup et fait
jaillir les larmes accumulées,   30

Parce que vous m'avez sauvé, parce que vous avez
sauvé la France,
Parce qu'elle aussi, comme moi, pour vous fut cette
chose à laquelle on pense,

Parce qu'à l'heure où tout craquait, c'est alors que 35
vous êtes intervenue,
Parce que vous avez sauvé la France une fois de plus,
Parce qu'il est midi, parce que nous sommes en ce
jour d'aujourd'hui,

Parce que vous êtes là pour toujours, simplement 40
parce que vous êtes Marie, simplement parce que vous
existez,
Mère de Jésus-Christ, soyez remerciée !

PAUL VALÉRY

LA FILEUSE

Lilia . . . neque nent.

Assise la fileuse au bleu de la croisée
Où le jardin mélodieux se dodeline.
Le rouet ancien qui ronfle l'a grisée.

Lasse, ayant bu l'azur, de filer la câline
Chevelure, à ses doigts si faibles évasive,   5
Elle songe, et sa tête petite s'incline...

Un arbuste et l'air pur font une source vive
Qui, suspendue au jour, délicieuse arrose
De ses pertes de fleur le jardin de l'oisive.

Une tige, où le vent vagabond se repose   10
Courbe le salut vain de sa grâce étoilée
Dédiant magnifique, au vieux rouet, sa rose.

Mais la dormeuse file une laine isolée
Mystérieusement l'ombre frêle se tresse
Au fil de ses doigts longs et qui dorment, filée.   15

Le songe se dévide avec une paresse
Angélique, et sans cesse, au fuseau doux, crédule
La chevelure ondule au gré de la caresse...

Tu es morte naïve au bord du crépuscule,
Fileuse de feuillage et de lumière ceinte.   20
Tout le ciel vert se meurt.   Le dernier arbre brûle.

Ta sœur, la grande rose où sourit une sainte
Parfume ton front vague au vent de son haleine
Innocente, et tu crois languir.   Tu es éteinte

Au bleu de la croisée où tu filais la laine.   25

ORPHÉE

Je compose en esprit, sous les myrtes, Orphée
L'admirable !... Le feu, des cirques purs descend ;
Il change le mont chauve en auguste trophée
D'où s'exhale d'un dieu l'acte retentissant.

Si le dieu chante, il rompt le site tout-puissant ;　　5
Le soleil voit l'horreur du mouvement des pierres ;
Une plainte inouïe appelle éblouissants
Les hauts murs d'or harmonieux d'un sanctuaire.

Il chante, assis au bord du ciel splendide, Orphée !
Le roc marche, et trébuche ; et chaque pierre fée　　10
Se sent un poids nouveau qui vers l'azur délire ;

D'un Temple à demi-nu le soir baigne l'essor,
Et soi-même il s'assemble et s'ordonne dans l'or
A l'âme immense du grand hymne sur la lyre !

NAISSANCE DE VÉNUS

De sa profonde mère, encor froide et fumante,
Voici qu'au seuil battu de tempêtes, la chair
Amèrement vomie au soleil par la mer,
Se délivre des diamants de la tourmente.

Son sourire se forme, et suit sur ses bras blancs　　5
Qu'éplore l'orient d'une épaule meurtrie,
De l'humide Thétis la pure pierrerie,
Et sa tresse se fraye un frisson sur ses flancs.

Le frais gravier, qu'arrose et fuit sa course agile,
Croule, creuse rumeur de soif, et le facile　　10
Sable a bu les baisers de ses bonds puérils ;

Mais de mille regards ou perfides ou vagues,
Son œil mobile mêle aux éclairs de périls
L'eau riante, et la danse infidèle des vagues.

LE VIN PERDU

J'AI, quelque jour, dans l'Océan,
(Mais je ne sais plus sous quels cieux),
Jeté, comme offrande au néant,
Tout un peu de vin précieux...

Qui voulut ta perte, ô liqueur ?   5
J'obéis peut-être au devin ?
Peut-être au souci de mon cœur,
Songeant au sang, versant le vin ?

Sa transparence accoutumée
Après une rose fumée   10
Reprit aussi pure la mer...

Perdu ce vin, ivres les ondes !
J'ai vu bondir dans l'air amer
Les figures les plus profondes...

LE RAMEUR

PENCHÉ contre un grand fleuve, infiniment mes rames
M'arrachent à regret aux riants environs;
Ame aux pesantes mains, pleines des avirons,
Il faut que le ciel cède au glas des lentes lames.

Le cœur dur, l'œil distrait des beautés que je bats,   5
Laissant autour de moi mûrir des cercles d'onde,
Je veux à larges coups rompre l'illustre monde
De feuilles et de feu que je chante tout bas.

Arbres sur qui je passe, ample et naïve moire,
Eau de ramages peinte, et paix de l'accompli,   10
Déchire-les, ma barque, impose-leur un pli
Qui coure du grand calme abolir la mémoire.

Jamais, charmes du jour, jamais vos grâces n'ont
Tant souffert d'un rebelle essayant sa défense:
Mais, comme les soleils m'ont tiré de l'enfance,   15
Je remonte à la source où cesse même un nom.

En vain toute la nymphe énorme et continue
Empêche de bras purs mes membres harassés;
Je romprai lentement mille liens glacés
Et les barbes d'argent de sa puissance nue.   20

Ce bruit secret des eaux, ce fleuve étrangement
Place mes jours dorés sous un bandeau de soie;
Rien plus aveuglément n'use l'antique joie
Qu'un bruit de fuite égale et de nul changement.

Sous les ponts annelés, l'eau profonde me porte,   25
Voûtes pleines de vent, de murmure et de nuit,
Ils courent sur un front qu'ils écrasent d'ennui,
Mais dont l'os orgueilleux est plus dur que leur porte.

Leur nuit passe longtemps. L'âme baisse sous eux
Ses sensibles soleils et ses promptes paupières,   30
Quand, par le mouvement qui me revêt de pierres,
Je m'enfonce au mépris de tant d'azur oiseux.

Notes

NOTES

JEHANNOT DE LESCUREL
(1290?–1350?)

OF THIS POET, whose life-work antedates the middle of the fourteenth century, nothing is known, save what can be gleaned from his ballades and rondeaux, whose elegance marks him as the best poet of chivalric inspiration of the time just before Guillaume de Machaut.

Page 3. RONDEAU, " Douce dame . . ." From the *Rondeaux.* A rondeau simple, or triolet. 3. *aiés,* ayez. 5. *com,* comme. 6. *cuer,* cœur.

GUILLAUME DE MACHAUT
(1300?–1377)

THIS CANON of Reims was the first musician and poet of his day. He composed in all the poetic types popular in his time, lyric, narrative, didactic. He did not invent the fixed genres, *ballade, rondeau, virelay* or *chanson balladée, lay, chant royal, complainte,* but he did use these forms with greater mastery than his contemporaries and assured their vogue, which was to endure through two centuries. His most interesting long work, *Le Voir dit* (The True Story), is a romance, interspersed with lyrics and letters, relating the stages of the poet's elderly " amitié amoureuse " with a young girl.

Page 3. RONDEAU, " Blanche com lys . . ." From the *Rondeaux.* 3. *remirant,* contemplant. 5. *mes cuers,* mon cœur. 5. *toudis,* toujours.

Page 4. BALLADE, " Dame, de qui . . ." From *Le*

481

Remede de fortune. 2. *amer,* aimer. 2. *ne chierir,* ni chérir.
3. *assés loër,* assez louer. 8. *porroie,* pourrais. 9. *cils,* ce.
10. *norrist,* nourrit. 11. *couvient,* convient. 13. *main ne,*
matin ni. 14. *einsois,* mais. 15. *ottroie,* donne. 19. *lon-*
teins, loin. 19. *avient,* arrive. 20. *vo biauté,* votre beauté.
20. *moult,* beaucoup. 21. *j'espoir,* j'espère. 23. *nuls,*
personne. 23. *aroie,* aurais.

JEAN FROISSART
(1337–1410?)

JEAN FROISSART'S reputation as a poet is overshadowed
by his fame as the picturesque prose chronicler of decadent
chivalry. Like Machaut and Deschamps, Froissart puts
much autobiographical detail into his verse. His long romance, *Meliador,* is prolix and tedious, but certain of his
rondeaux simples, ballades, virelays and pastourelles have
grace, while other short poems, not in the fixed forms, have
liveliness and wit.

Page 4. BALLADE, " Sus toutes flours . . ." From the
Ballades amoureuses, VIII. The same ballade, with minor
variants and a different third strophe appears in *Le Paradys*
d'Amours:

Et le douc[1] temps ore se renouvelle

[1] *douc,* doux.

Et esclarcist ceste douce flourette;
Et si voi ci seoir[2] dessus l'asprelle[3]

[2] *voi ci seoir,* vois ici s'asseoir.
[3] *l'asprelle,* la prêle, kind of grass.

Deus cœurs navrés d'une plaisant sajette,[4]

[4] *sajette,* flèche.

A qui le dieu d'Amours soit en aïe.[5]

[5] *aïe,* aide.

Avec euls[1] est Plaisance et Courtoisie

[1] *euls,* eux.

Et Douls Regard qui petit les respite.[2]

[2] *petit les respite,* tarde un peu, leur accorde un délai.

Dont c'est raison qu'au chapel[3] faire die[4]:

[3] *chapel,* couronne de fleurs.
[4] *die,* present subjunctive of dire, *dise.*

Sus toutes flours j'aime la Margherite.

1. *flours,* fleurs. 3. *perselle,* corn-cockle. 4. *glay,* gladiolus. 5. *li pluisour,* many. 5. *moult,* beaucoup. 5. *anquelie,* columbine. 6. *pyonier,* peony. 6. *muget,* lily of the valley. 6. *soussie,* marigold. 7. *cascune,* chaque. 8. mès, mais. 10. *plueve,* pleuve. 10. *gelle,* gèle. 11. *fresque,* fraîche. 14. *espanie,* épanouie. 15. *jà n'i,* jamais n'y. 15. *apalie,* pâlie. 19. *duel,* deuil. 22. *s'a,* it has. 23. *m'empece,* m'empêche. 24. *voelt,* veut. 24. *aïe,* help. 25. *creniel,* fortification. 25. *ne,* ni. 25. *garite,* watchtower. 26. *je ne lairai . . . ,* I will let no opportunity pass to say.

Page 5. VIRELAY, "On dist que . . ." From *Le Joli buisson de jonece.* 1. *dist,* dit. 2. *estre,* être. 2. *orgillousette,* orgueilleuse. 3. *afiert,* il convient à. 4. *jone pucelette,* jeune fille. 5. *hui main matin,* this morning early. 6. *ajournée,* dawn. 8. *rousée,* dew. 9. *cuidai,* I thought. 10. *ou,* in the. 11. *i ere,* y était. 19. *sçai,* sais. 21. *voeilliés,* veuillez. 21. *proyere,* prière.

Page 6. RONDEAU, " Aies le coer . . ." From the *Rondelés Amoureus,* XXVII. 1. *Aies,* Ayez. 1. *coer,* cœur. 3. *lié,* joyeux. 3. *attempré,* moderate. 5. *poes,* peux. 5. *able,* capable. 6. *s'auront,* ainsi auront. 6. *pité,* pitié. 6. *ti,* toi.

Page 6. RONDEAU, " Amours, Amours, . . ." From the *Rondelés Amoureus,* LI. 1. *volés,* voulez. 2. *seür,* sûr. 3. *cognois,* connais. 6. *qui avés,* vous qui avez. 6. *bon eür,* bonne chance.

EUSTACHE DESCHAMPS
(1340–1410)

DESCHAMPS, like Froissart, is inspired by Machaut, who is thought to have been his uncle as well as his master. Deschamps writes chivalric lyrics in the conventional mode, but also exploits a talent for satire and realistic description of the social scene, which evokes from him jibes and mockery rather than uncritical admiration. His uncongenial marriage inspires the long and bitter *Le Miroir de mariage*. Before François Villon he writes a *Testament*. He uses the medieval Latin " Ubi sunt " motif also in a poem. His interest in versification led him to compose the first French Art of Verse in prose, *L'Art de dictier* (1392). His ballades, rondeaux, virelays, lays are numerous. In the virelay, or chanson balladée, he shows especial mastery. An unoptimistic moralist, he painted malevolently the manners of his time. His works have, in general, more documentary than æsthetic value, save in a few poems.

Page 7. BALLADE (Le Chat et les Souris. Fable.), " Je treuve . . ." From the *Balades de moralitez*, LVIII, *Œuvres* I. 1. *treuve*, trouve. 2. *ot*, il y eut. 3. *chas*, chats. 5. *vesquissent*, vécussent. 6. *sanz demourer*, sans demeurer. 9. *ciz consaus*, ce conseil. 10. *se partent*, se séparent. 11. *païs*, pays. 14. *leur ennemi . . .*, leurs ennemis seront vaincus. 15. *avront*, auront. 17. *fort*, difficile. 19. *cis fais*, ce fait. 21. *n'i ot*, n'y eut. 25. *Prince*, introducing the Envoy, a final half strophe. 26. *puet*, peut. 26. *com*, comme. 27. *prent*, prend.

Page 8. BALLADE (Comment l'amant, a un jour de Penthecouste ou moys de May, trouva s'amie par amours cueillant roses en un jolis jardin), " Le droit jour . . ." From the *Balades amoureuses*, CCCCLI, *Œuvres*, III. 1. *Penthecouste*, Pentecost, holy day commemorating the descent of the Holy Ghost upon the Apostles, celebrated fifty days after Easter. 7. *fu*, fus. 7. *adonc*, alors. 9. *n'ot*, il n'y eut. 9. *paour*, peur. 11. *fu*, fut. 12. *ains . . . . ne*, never before. 14. *octroy*, permission. 14. *li doulx desiriers,* le doux désir. 15. *j'oy,* j'eus. 17. *cilz,* ce. 17. *oste et reboute,* ôte et chasse. 18. *say,* sais. 21. *eure,* heure. 21. *benistray,* bénirai. 25. *Prince,* the Envoy, usual in the ballade after Deschamps, was originally addressed to the presiding officer, or *prince,* of a poetic Academy or *puy* (from the Latin, *podium,* eminence) but later became an invocation to anyone, real or imaginary.

Page 9. VIRELAY (Portrait d'une pucelle par elle-même). " Sui-je, sui-je . . ." From the *Rondeaux et Virelays,* DLIV, *Œuvres,* IV. 2. *viz,* visage. 6. *traitis,* well-formed. 7. *ront,* rounded. 9. *hault assis,* high waist. 10. *doys,* doigts. 11. *faulz,* middle. 11. *greslette,* very slender. 13. *ce m'est vis,* c'est mon avis. 14. *cul . . . ,* unmentionable. 15. *gambes,* jambes. 17. *piez,* pieds. 19. *foliette,* folle (a mad-cap). 22. *proffis,* income. 23. *espinglette,* ornamental pin. 25. *tabis,* moiré silk. 26. *bis,* grey-brown. 31. *clavette,* little key. 34. *cilz,* celui. 35. *ara,* aura. 37. *je li plevis,* je lui promets. 42. *apers,* candid. 43. *querelle,* his suit. 46. *toudis,* toujours. 49. *accouardiz,* timid, bashful men. 51. *chansonelle,* petite chanson.

CHRISTINE DE PISAN
(1364–1430)

THE first poetess of note in France, since the medieval Marie de France of the *Lays* and the *Ysopet,* was a disciple of Deschamps in verse technique, although the Latin and Italian learning given her by her father, Thomas de Pisan, Italian astrologer and physician to King Charles V, " le Sage," and the delicacy and refinement of her temperament make the spirit of her writings very different from those of the author of *L'Art de dictier.* She challenged the antifeminism of Jean de Meung's portion of *Le Roman de la Rose* in her prose work, *La Cité des Dames.* Her poem, the *Dittié de Jeanne d' Arc,* is a contemporary tribute of fervent admiration for the Maid of Orleans. Christine's short lyrics, especially those in *Le Livre des Cent Ballades,* are the most graceful and convincing of her works. In some of these she reveals the joys and sorrows of her own life. Her longer poems are overweighted by allegory or her varied erudition.

Page 10. BALLADE, " Seulete suy . . ." From *Le Livre des cent ballades*, XI. 1. *seulete suy*, je suis toute seule. 1. *vueil estre*, je veux être. 2. *doulz*, doux. 4. *courrouciée*, attristée. 5. *mesaisiée*, mal à l'aise. 6. *esgarée*, perdue. 8. *huis*, porte. 9. *anglet muciée*, cachée dans un coin. 12. *me siée*, me déplaît. (A variant spelling has *messiée*, from old verb *messeoir*, to displease). 15. *en tout estre*, en tout endroit. 16. *voise . . .*, whether I go or remain seated. 17. *riens*, chose. 20. *esplourée*, éplorée. 23. *dueil*, douleur. 24. *tainte*, sombre. 24. *morée*, teinture noire.

Page 11. BALLADE, " Tant avez fait . . ." From *Le Livre des cent ballades*, XXII. 1. *doulçour*, douceur. 4. *ja*, plus. 6. *se m'ait Dieux*, si Dieu m'aide. 7. *au fort*, après tout. 7. *folour*, folie. 9. *qu'il a*, qu'il y a. 14. *trop mieulx*, beaucoup mieux. 21. *vo*, votre. 23. *si aroye*, aussi j'aurais. 27. *devroye*, je devrais.

Page 12. BALLADE, " Jadis par amours . . ." From *Le Livre des cent ballades*, LXXXVI. 3. *Ovide*, Latin poet, author of *Metamorphoses*, etc. 7. *se*, si. 7. *voir*, vrai. 8. *jus*, en bas. 10. *amez*, aimés. 10. *queroient*, cherchaient. 18. *satirielz*, satyrs (woodland divinities). 19. *largeces*, largesses. 23. *amer*, aimer. 24. *adresces*, wiles.

ALAIN CHARTIER
(*1390?–1440?*)

A CANON of Paris and Tours, Alain Chartier was the greatest prose-writer of his era. The oratorical periods of the *Quadriloge invectif*, the *Curial* and the *Consolation des trois Vertus* show his devotion to Cicero, Seneca and Suetonius. His prose style is prophetic of Renaissance rhetoric. His verse, very popular in his day, rises above the general level only in clarity of expression. His tale of a lover's heartbreak, *La Belle Dame sans merci*, is the most remarkable of his longer poems, which, like his ballades, tend to moralizing meditation.

Page 13. BALLADE, " Dieu tout puissant ". From the *Œuvres.* 2. *descent,* descend. 7. *ly ung,* one man a. 14. *vergoigne,* vergogne. 14. *meffait,* méfait. 17. *cil,* celui-là. 21. *quiert,* cherche.

Page 14. BALLADE, "O folz des folz". From the *Œuvres.* 1. *folz,* fous. 3. *celle,* cette. 4. *nes-une,* pas une. 5. *fors,* hors. 6. *case,* cas. 7. *toult,* takes away. 8. *ainçois,* but rather. 9. *fustes nés,* fûtes nés. 10. *grans sommes,* long, uninterrupted sleep. 12. *acquester,* acquérir. 14. *Pampelune,* Spanish town in province of Navarre. 18. *bon loz,* good fame, honor, praise. 24. *noise,* quarrel. 25. *chaulx,* chaleurs. 26. *seure,* sure. 27. *griesve dueil,* grave deuil. 31. *jà,* jamais. 32. *vesture,* vêtements.

CHARLES D'ORLÉANS
(1394–1465)

THIS royal prince, father of King Louis XII of France, was taken prisoner in the battle of Agincourt (1415) and passed the next twenty-five years of his life in captivity in England. During this enforced leisure he developed his talent for poetry and upon his return to France he made his residence at Blois a gathering-point for men of letters. His poetical work, chiefly in the briefer genres, is marked by great grace of expression in the treatment of conventional themes. Now and then there is a more personal strain, suggesting the more modern lyric of his contemporary François Villon. However, with all his aristocratic charm in the use of the rondeau and the ballade, the Duke is not to be compared with Villon in originality of view, sincerity of feeling, or directness and intensity of utterance.

Page 15. RONDEAU, " Dieu, qu'il la fait . . ." From *Chansons,* VI. 4. *prest,* prêt. 10. *sçay,* connais.

Page 15. RONDEAU, " Les fourriers d'Esté . . ." From *Rondeaux,* XXX. 1. *fourriers d'Esté,* harbingers or predecessors of Summer (A *fourrageur* is one sent ahead to provide for the needs of someone to follow). 4. *tissus,* past participle of *tistre,* old French for *tisser.* 8. *cueurs,* cœurs. 8. *pieça,* depuis longtemps.

Page 16. RONDEAU, " Le temps a laissié ..." From *Rondeaux,* XXXI. 4. *luyant,* luisant (some texts have *raiant,* rayonnant). 6. *qu'en,* qui en. 10. *orfaverie,* or-fèvrerie.

Page 16. RONDEAU, " Alez vous ant ..." From *Rondeaux,* LV. 1. *alez ...,* allez-vous-en. 2. *soussy ...,* souci, soin et mélancolie. 4. *avés,* avez. 6. *maistrie,* mastery. 9. *retournés,* retournez. 12. *revendrés,* reviendrez.

Page 17. BALLADE, " Las! Mort ..." From *Ballades,* LVII. 2. *Princesse,* the Duke's second wife, who died in 1435. He was thrice married, to his cousin, Princesse Isabelle de France, widow of King Richard II of England, to the Lady Bonne d'Armagnac, " la gracieuse, bonne et belle ", and finally to Marie de Clèves, a cousin of the Burgundian ducal house. 5. *prins,* pris. 9. *paine ...,* peine, souci et douleur. 12. *pry,* prie. 19. *lyesse,* joy.

Page 18. BALLADE, " En regardant ..." From *Ballades,* LXXV. 2. *un jour m'avint,* it happened to me one day (in 1433, thinks Pierre Champion). 2. *Dovre,* Dover is 31 kilometers (22 miles) across the strait from Calais. 4. *souloye,* I was accustomed. 4. *oudit,* au dit. 6. *combien ...,* bien que. 7. *amer,* aimer. 8. *non savance,* not wisdom. 11. *paix,* peace conferences were in progress between King Charles VII of France and the English, who held the Duke as hostage. 19. *doint ...,* maintenant que Dieu nous donne. 20. *adonc,* alors. 22. *loer,* louer. 23. *prisier,* priser. 24. *destourbé,* prevented.

FRANÇOIS VILLON
(1431–1465?)

POET and vagabond, Villon led a most irregular life, twice narrowly escaping hanging, and composed some of his poems in prison. Of great vigor and originality, he broke away from the conventional subjects and allegories of the Middle Ages and gave to the lyric a depth and poignancy of feeling that made it almost a new creation. His main works, very personal in content, are *Le Petit Testament* and *Le Grand Testament*, the latter his masterpiece, in which are included most of his greatest ballades. He is the supreme master of the ballade form. Most eloquent, in his second *Testament*, are the laments over his youth and its wasted opportunities, his vivid pictures of disease, death and decay.

Page 18. BALLADE (Ballade des dames du temps jadis). "Dictes moy où . . ." From *Le Grand Testament.* 1. *n'en*, et en. 2. *Flora*, Roman goddess of flowers, name also borne by several Roman courtesans. 3. *Archipiades*, some texts read Archipiada, perhaps a deformation of Alcibiades, thought by some medievals to have been a woman, due to their mistaking a reference to him, as a model of beauty, in Boethius. 3. *Thaïs*, Greek courtesan who became an anchorite. 5. *Echo*, nymph who, when her love was disdained by Narcissus, turned to a rock with echoing voice. 5. *maine*, mène. 7. *ot*, eut. 8. *d'antan*, last year (yesteryear, in Rossetti's translation; from Latin *ante annum*). 9. *Helloïs*, Héloïse, niece of Fulbert, Canon of Notre Dame, clandestine wife of the twelfth century philosopher Abélard, later Abbess of the Convent of the Paraclete. 11. *Esbaillart*, Pierre Abélard, persuasive teacher and bold theologian, certain of whose views were condemned by the Church, who became a monk at Saint-Denis after his mutilation and died at the Abbey of Cluny. 11. *Saint Denis*, the abbey church near Paris, place of burial of French royalty. 12. *essoyne*, peine, malheur. 13. *royne*, Queen Marguerite de Bourgogne, wife of King Louis X, "le Hutin", heroine of the legend of the Tour de Nesle, from which her lovers were said to have been thrown into the Seine. 14. *Buridan*, learned fourteenth century professor at the University of Paris. 17. *royne Blanche*, some texts have *royne blanche*, reference uncertain, perhaps to Queen Blanche de Castille, wife of Louis VIII of France and mother of Louis IX (Saint Louis).

18. *sereine,* sirène (the sweet-voiced Sirens lured men to death).   19. *Berte* . . . , Berthe au grand pied, the mother of Charlemagne in a *chanson de geste.*   19. *Biétris,* possibly Béatrix de Provence, wife of Prince Charles, son of Louis VIII, or perhaps the Beatrice of Dante's *Divina Commedia.*   19. *Alis,* perhaps Alix de Champagne, queen of Louis VII, " le Jeune ", possibly the " belle Aélis " of medieval song.   20. *Haremburgis,* Erembourge (Countess of Maine in her own right as heiress to the last count, Élie de la Flèche; wife of Foulques V, Comte d'Anjou) died in 1126.   21. *Jehanne,* Saint Jeanne d'Arc, born at Domrémy in Lorraine, was burned at the stake in Rouen (1431). 23. *ilz,* elles.   25. *n'enquerez* . . . , do not seek to know this week or this year (i.e., never).   27. *que,* sans que (without remembering this refrain).   27. *remaine,* reste.

Page 19.   LES REGRETS DE LA BELLE HËAUL-MIERE. (La Vieille jà parvenue à vieillesse en regrettant le temps de sa jeunesse).   " Advis m'est que . . ."   From *Le Grand Testament.*   1. *j'oy,* j'entendis.   2. *hëaulmiere,* armoress, helmet-vendor; or a courtesan so-called because of a kind of head-dress suggesting a helmet.   7. *fiere,* strike. 14. *repentailles,* remords.   16. *truandailles* . . . , what beggars now refuse, even for nothing.   21. *feisse* . . . , quelques tromperies que j'ai faites aux autres.   25. *detrayner,* traîner. 30. *entechié,* infatuated.   42. *voultiz,* arqués.   47. *vis traictiz,* figure délicate.   50. *traictisses,* delicate, with taper fingers. 52. *faictisses,* made on purpose for.   53. *lisses,* lists, play. 54. *sadinet,* unmentionable.   58. *cheuz,* fallen.   58. *estains,* éteints.   63. *le vis* . . . , le visage pâli, mort et déteint. 64. *peaussues,* skinny.   65. *yssues,* issue, final state. 66. *contraites,*   contractées.   68. *retraites,*   shrunken. 72. *grivelees,* spotted.   75. *à   crouppetons,* crouching. 76. *pelotes,* faggots.   77. *chenevotes,* strips of hemp. 79. *mignotes,* alluring.   80. *en prent,* il en advient. 80. *mains,* beaucoup d'hommes.

Page 22.   BALLADE (Ballade que fit Villon à la requête de sa mère, pour prier Notre-Dame).   " Dame du ciel . . ." From *Le Grand Testament.*   1. *terrienne,* de la terre.   2. *em-*

periere, impératrice. 2. *palus*, swamps. 4. *comprinse*, comprise, included. 4. *esleus*, the Elect of God, the Saved. 5. *oncques*, jamais. 8. *merir*, mériter. 9. *n'avoir*, ni avoir. 9. *jangleresse*, liar. 12. *abolus*, pardoned. 13. *l'Egipcienne*, Saint Mary, called the Egyptian, sold herself to sailors for passage from Alexandria to Jerusalem, where she repented of her sins. 14. *Theophilus*, who sold his soul to the Devil, repented of his bargain and escaped its consequences by appeal to Our Lady; an early prototype of Faust. 16. *combien . . .* , bien que. 18. *sans rompure encourir*, tout en restant vierge. 19. *sacrement*, the Real Presence of Christ in the consecrated Bread and Wine. 24. *lus*, luths. 25. *dampnez*, damnés. 25. *boullus*, bouillis. 26. *paour*, peur. 31. *Vous portastes . . .* note that the initial letters of each line of the Envoy before the refrain spell VILLON, thus including the son in the mother's prayer.

Page 23. RONDEAU (or Lay). " Mort, j'appelle . . ." From *Le Grand Testament*. 4. *se tu*, a moins que tu. 5. *onc puis*, jamais depuis. 9. *force est . . .* , il faut que je meure. 10. *voire*, vraiment. 11. *par cuer*, vivre par cœur, vivre sans boire ni manger, ne pas vivre du tout.

Page 23. BALLADE (L'Épitaphe Villon). (Épitaphe en forme de ballade que fit Villon pour lui et ses compagnons, s'attendant à être pendu avec eux). " Freres humains . . ." From *Poésies diverses*, XIV. 3. *se*, si. 4. *mercis*, miséricorde. 5. *cy*, ici. 5. *sis*, six. 7. *pieça*, depuis longtemps (il y a pièce, espace de temps). 11. *clamons*, appelons. 12. *occis*, slain. 14. *assis*, established. 15. *transsis*, passed away or over, dead. 17. *que sa grace*, de façon que sa grace. 19. *harie*, harcèle, tourmente. 21. *debuez*, laundered (lessivés). 23. *pies*, magpies. 23. *cavez*, pecked or hollowed out. 25. *rassis*, at rest. 28. *dez*, thimble. 31. *maistrie*, mastery, sovereignty. 32. *seigneurie*, dominion. 33. *a luy*, avec lui.

JEAN LE MAIRE DE BELGES
(1473–1525?)

THE nephew of the typical Grand Rhétoriqueur poet,
Jean Molinet (1435 ?–1507), author of *L'Art de rhétorique
vulgaire* (1493), which had completely summed up the " ver-
bocination latiale " tendencies of that school of technicians,
in rhymes and rhythms, Jean Le Maire is the greatest Rhétoriqueur and an important forerunner of the Renaissance.
Transcending the poetic movement from which he springs,
he announces the Pléiade by his interest in the plastic arts,
his suggestions for revival of ancient poetic genres, his comparison of the poetic resources of the Italian and French
languages in *La Concorde des deux langages, françois et toscan*
(1511), his innovations in vocabulary and prose style in *Les
Illustrations des Gaules et singularitez de Troyes* (1510–13),
his sympathy with the pagan thought of antiquity. He is
a true connecting link between the old and the new in poetry
and prose.

Page 27. CHANSON DE GALATÉE. " Arbres feuil-
lez . . ." From the *Œuvres*. 2. *yver*, hiver. 5. *flourons*,
fleurons. 5. *lez*, côté (Latin, *latus*). 8. *Zephire*, god of
the west wind, soft and light. 8. *issance*, issue, bursting
bloom. 11. *couldrettes*, hazel-copse. 14. *meurettes*, mul-
berries or blackberries. 19. *sinople*, green (heraldic term).
20. *entellettes*, joinings. 21. *sept vertuz*, the seven deadly
sins are: Pride, Covetousness, Lust, Envy, Gluttony, Anger,
Sloth; the seven contrary virtues are: Humility, Liberality,
Chastity, Gentleness, Temperance, Patience, Diligence.
26. *Pan*, god of Nature. 27. *dryades*, woodland nymphs.
28. *hamadryades*, tree nymphs. 32. *naïades*, fountain or
river nymphs. 33. *oréades*, mountain nymphs. 34. *herbades*, herbes. 37. *Aurora*, goddess of the dawn. 38. *boutonceaux . . .*, furry buds.

CLÉMENT MAROT
(1497–1544)

THE son of the old Rhétoriqueur poet, Jean Marot (1463–
1523), Clément Marot abandoned the law to live at court

and write verses. After his first successes, he was attached
to the household of Queen Marguerite de Navarre. He
continued to enjoy her protection and that of her brother,
King François Ier, though this could not save him, when
accused of heresy, because of the welcome that he gave
(though never a declared Calvinist) to the ideas of the
Reformation, from the necessity of twice fleeing to Italy for
safety. In spite of some deeper notes in his poems and a
verse translation of the first fifty Psalms, still used in French
Protestant churches, he was scarcely a religious reformer.
Rather was he a court poet putting into graceful and witty
verse the elegant badinage that delighted courtly society.
His works include rondeaux, ballades, epigrams, chansons,
elegies, epistles, pastoral verse. His *L'Enfer*, though not
called one, may be considered the earliest French satire.
Like Jean Le Maire, Clément Marot, who loved his Latin
poets and who composed the earliest Italian sonnets in
French, must be ranked an important forerunner of the
Pléiade. He anticipated these poets in a number of respects
and was utterly without their pedantry.

Page 28. RONDEAU, "Au bon vieulx temps..."
From the *Rondeaux*, LXII. 11. *fainctz*, feints. 11. *oyt*, entend. 14. *meine*, mène.

Page 29. BALLADE, "Voulentiers en ce moys..."
From the *Chants Divers*, XII. 12. *nasselle*, nacelle. 19. *esclercy*, éclairci. 27. *cautelle*, finesse, ruse.

Page 30. CHANSON, "Puis que de vous..." From
the *Chansons*, XXXIV. 2. *voys*, vais. 6. *tainct*, teint.

Page 30. ÉPIGRAMME (De soy mesme), "Plus ne
suis..." From the *Épigrammes*, CCVIII. 2. *sçaurois*,
saurais.

Page 30. ÉPISTRE AU ROY, POUR AVOIR ESTÉ
DÉROBÉ, "On dict bien vray..." From the *Épîtres*,
XXVII. 7. *besongne*, affaire. 10. *pipeur*, trompeur.
11. *hart*, corde. 15. *hillot*, garçon. 16. *départy*, donné.
18. *si*, aussi. 19. *tapinoys*, cachette. 19. *icelle*, celle-ci.
23. *oncques puis*, jamais depuis. 25. *petit*, peu. 26. *saye*,

short mantle. 31. *finablement*, finalement. 36. *fors*, excepté.
37. *chatouilleux* . . . , fearful of a rope around his neck.
38. *Sainct Georges*, patron saint of knights. 39. *Monsieur*,
Clément Marot himself. 40. *finer*, payer. 48. *pince*, grafters
in the Royal Treasury took, i.e. pinched, money. 51. *m'assault*, m'assaille. 52. *donner le sault*, faire mourir. 54. *vers*,
worms, also verses. 58. *ains*, mais. 58. *cheminer*, walk
with child-like steps. 60. *si*, ainsi. 60. *heronniere*, skinny
as a heron's. 62. *mauvaise bague*, femme galante, mal dis-
posée à l'amour. 71. *Braillon* . . . , three doctors of King
François Ier cared for Marot, " valet de chambre du roi."
72. *quia*, the last extremity, the other world (*quia*, just
because, is the final argument). 76. *taillé*, capable.
78. *meurs*, mûrs. 79. *en ça*, jusqu'à ce jour. 81. *longtemps a*, il y a longtemps. 82. *julez*, juleps, potions. 86. *assembler*, amass money. 89. *arrêter*, count solely upon.
97. *celle*, cette. 98. *cédulle*, billet. 102. *loz*, louange.
104. *princes Lorrains*, Claude and Cardinal Jean de Guise.
105. *plegeront*, will be my guarantors. 115. *à Clement* . . . ,
the poet speaks of the two parts of his own name as if they
were country estates. 118. *qui n'en aura*, si on n'en a pas
soin.

Page 34. ÉGLOGUE AU ROY SOUBS LES NOMS DE
PAN ET ROBIN, " Un pastoureau . . ." From the *Œuvres*.
1. *Robin*, favorite medieval name for a shepherd; here, to
some extent, Marot himself. 3. *fousteaux*, beech trees.
4. *courage*, cœur. 6. *Pan*, god of Nature; here, to some
extent, King François Ier. 9. *remets sus*, rétablis. 10. *loges*,
logis. 10. *toreaux*, taureaux. 11. *estres*, places. 13. *cabinet*,
retreat, perhaps a royal château in the Loire valley.
16. *arondelle*, hirondelle. 21. *ramages*, wild, living in the
branches, *ramures*. 23. *souloys*, I was accustomed.
24. *bricz*, traps. 25. *transnouoys*, crossed by swimming.
26. *genoil*, genou. 26. *fondes*, frondes. 32. *compaings*,
compagnons. 34. *devalloye*, dévallais. 43. *si*, pourtant.
49. *Janot*, Clément Marot's poet father, Jean Marot.
50. *Jaquet*, Jacques Colin, Abbé de Saint-Ambroise, Jean
Marot's friend. 51. *bessons*, twins. 54. *voyre*, truly.

59. *dicter*, compose. 63. *après moy* . . . taught me, worked with or over me. 81. *pertuysa*, pierced. 83. *daigna*, François Ier deigned to compose verses. 88. *ramentoy*, recall. 94. *saulx espez*, saules épais. 95. *mousches a miel*, bees. 101. *columbelle*, dove. 104. *il ne m'en chaloit*, I did not care. 107. *fault*, ends. 108. *adoncques*, alors. 110. *vindrent*, vinrent. 111. *creut*, increased. 119. *tyssir*, weave. 122. *Heleine*, perhaps Hélène de Tournon, maid of honor to Queen Marguerite de Navarre, François Ier's sister. 132. *pastiz*, pastures. 138. *Oreades* . . . , nature divinities. 142. *Margot*, Marguerite de Navarre. 145. *Loysette*, Louise de Savoie, mother of François Ier and his sister, had died in 1531 and Marot had composed a *Complainte* in her memory. 149. *challemye*, chalumeau. 152. *Merlin*, Clément Marot's friend, the poet Mellin de Saint-Gelays. 153. *Thony*, the poet Antoine Héroët. 157. *baillé*, donnai. 170. *Phebus*, Apollo, god of the sun, patron of poets. 173. *de toy approcher*, possibly a reference to King François Ier's captivity in Spain after his defeat by the Emperor Charles V. 185. *sept artz*, in the order of medieval studies the *trivium*, grammar, rhetoric, dialectic, preceded the *quadrivium*, arithmetic, music, geometry, astronomy. 192. *Tytire*, shepherd's name borrowed from Virgil's first *Eclogue*. 195. *chés*, chez. 196. *courage*, cœur. 199. *sçay*, sais. 199. *estonne*, trouble. 202. *ains*, mais. 217. *escouffle*, kite, a bird of prey. 232. *herbis*, grass-lands. 235. *loucerves*, loup-cerviers. 245. *feiz*, fis. 251. *Rosne*, Rhône river.

MARGUERITE DE NAVARRE
(1492–1549)

Marguerite d'Angoulême, Queen of Navarre, sister of King François Ier of France (1494–1547), was a woman of great charm and strength of character, a discriminating patroness of the arts, a philosophical mystic sympathetic with the noblest spiritual currents in the religious thought of the time. Her best poems are inspired by her mystical fervor. An imperfect artist, she is most successful in her *chansons spirituelles,* virtually religious hymns or odes, though not so called. The longer poems of *Les Marguerites de la Marguerite des Princesses* (1547) and of the posthumous *Dernières Poésies* are more interesting as a revelation of the elevated interests of her mind than as art. The collection of prose tales known as the *Heptameron* is the Queen's best known work.

Page 41. CHANSON SPIRITUELLE (Pensées de la Royne estant dans sa litiere, durant la maladie du Roy), (Chanson faicte par Marguerite d'Angoulême . . . en septembre, 1525, alors qu'elle alloit à Madrid voir le Roy son frère malade.), " Si la douleur " . . . . From *Les Marguerites de la Marguerite des Princesses.* 41. *oinct,* a reference to the King's anointment at his coronation. 49. *David,* the Biblical King and poet, prototype of François Ier to his sister. 63. *ennemy d'Ignorance,* like his sister, François Ier was an enlightened patron of the arts and sciences.

ANTOINE HÉROËT
(1492–1568)

THE masterpiece of the good bishop of Digne, *La Parfaicte Amye* (1542), shows the grave nobility of character and the philosophic and psychological depth of its author in the analysis of ideal love. A Christian Platonist, like his patroness, Queen Marguerite de Navarre, Héroët is a more dependable artist in the long poem. *La Parfaicte Amye* is half treatise, half romance and has a sustained noble simplicity of tone. The poets of the Pléiade respected this predecessor, as they did Le Maire and Scève, recognizing in his work, as in theirs, principles of their own æsthetic program.

Page 45. ÉPITAPHE (de Marguerite de Navarre), " Si la Mort . . ." From the *Poésies diverses,* III. 6. *Marguerite* d'Angoulême, widow of Charles, duc d'Alençon and of Henri d'Albret, King of Navarre, died in 1549.

MAURICE SCÈVE
(*1510–1564*)

THE leader of the notable group of poets at Lyons, toward the middle of the sixteenth century, Maurice Scève anticipated the Pléiade in some respects. His chief work, *Délie. Object de plus haulte vertu* (1544), a sequence of 449 related dizains, inspired by Petrarch and Plato, shows clearly the poet's aristocratic temperament. He exalted the poetic art to a dignity removed from the appreciation of the common crowd, incapable of subtlety. He preferred often to suggest rather than directly state his thought, seeming in this regard a precursor of the late nineteenth century symbolists. The object of loftiest virtue, *Délie*, stands as a symbol for the minor poetess Pernette du Guillet (1520 ?–1545), Scève's beloved, whose *Rymes* were published in the year of her death.

Page 45. DIZAIN, " Libre vivois . . ." From *Délie. Object de plus haulte vertu*, VI. 2. *celle*, cette. 4. *veit*, vit. 4. *presence*, Délie. 7. *l'archier*, Cupid, archer of love. 10. *gist*, gît.

Page 46. ÉPITAPHE (de la gentile et spirituelle Dame Pernette du Guillet dicte Cousine, trespassée l'an M.D. XXXXV le XVII de juillet), " L'heureuse cendre . . ." From *Poésies Diverses*. 6. *estuy*, étui. 10. *mecongneu*, méconnu.

MELLIN DE SAINT–GELAYS
(*1491–1558*)

THIS son of the Grand Rhétoriqueur poet, Octovian de Saint-Gelays (1466–1502), continued with more knowledge the humanistic interests of his father. He wrote clever epigrams and other society verses. He was the earliest, after Clément Marot, to use the Italian sonnet form. He was learned and witty, but most of his poems are ephemeral products of a courtier pen.

Page 46. SONNET, "Voyant ces monts..." From the *Œuvres.* 3. *chef*, summit, head.

PIERRE DE RONSARD
(1524–1585)

THE greatest French poet of the Renaissance served in his boyhood in the households of the Duke of Orléans and of James V of Scotland. Attacked while still a youth by deafness, he studied at the Collège de Coqueret with the eminent humanist Jean Daurat. It was a common love for the ancient and Italian literatures, and a common zeal for creatively imitating their beauties in French, that bound Ronsard to other young men, the seven who came to be known as the Pléiade, and others similarly minded. In 1550, the year after the appearance of the manifesto of the young school, the *Deffence et Illustration de la langue françoise* of Joachim du Bellay, Ronsard published his first *Odes.* This was the beginning of a career of voluminous production, chansons, sonnets, elegies, epistles, eclogues, hymns, *discours*, even an incomplete epic, *La Franciade*, an attempt which proved, like the early Pindaric odes, too ambitious for the poet's talent. His genius was essentially lyric. His most perfect poems are short odes, those for which Horace or Anacreon offered models, and sonnets. In such poems he strikes his deepest and truest notes, celebrating the pleasures of this life, the delights of nature, and the inevitable " cold obstruction " of death.

Page 47. SONNET, " Pren ceste rose..." From *Le premier livre des Amours.* These *Amours* were inspired by Cassandre Salviati, a young girl of noble Italian family whom the poet had met at Blois. 1. *pren*, prends.

Page 47. SONNET, " Je veux brusler..." From *Le premier livre des Amours.* 3. *fils d'Alcmene*, the hero Hercules, son of Jupiter and Alcmena (wife of the Theban Amphitryon), having put on the poisoned tunic of the centaur Nessus, burned to death on Mount Oeta in Grecian Thessaly, thus escaping from his sufferings to become a demi-god.

Page 48. SONNET, " Marie, levez-vous . . ." From *Le second livre des Amours.* These *Amours* spring from the poet's love for Marie Dupin, a girl of Anjou whom he met at Bourgueil. 2. *ja*, déjà. 9. *harsoir*, hier soir.

Page 48. SONNET, " Je vous envoye . . ." From the *Continuation des Amours de P. de Ronsard Vandomois* (*Amours de Marie, Sonnets retranchés*). 2. *épanies*, épanouies. 3. *qui*, si quelqu'un, si l'on. 3. *vespre*, soir. 4. *cheutes*, tombées. 7. *cherront*, tomberont. 11. *lame*, grave-stone.

Page 49. SONNET, " Comme on voit . . ." From *Le second livre des Amours.* *Seconde partie, Sur la mort de Marie*, IV. 11. *Parque*, Clotho, Lachesis, Atropos were the three Fates, the first holding the distaff, the second turning the spindle, the third cutting the thread which symbolized a life.

Page 49. SONNET, " Je plante en ta faveur . . ." From *Le second livre des Sonnets pour Helene*, VIII. The object of Ronsard's middle-aged devotion in these *Amours* was Helene de Surgères, maid of honor to Queen Catherine de Médicis. 1. *Cybelle*, Cybele, goddess of the earth. 4. *à l'envy*, rivalling with. 5. *faunes*, male woodland divinities. 6. *le Loir*, a stream watering the poet's native Vendôme, to be distinguished from *la Loire*, the longest river of France. 10. *flageolant*, piping. 10. *eglogue*, a pastoral melody. 10. *tuyau d'aveine*, flute. 11. *tableau*, an ex-voto tablet.

Page 50. SONNET, " Quand vous serez bien vieille . . ." From *Le second livre des Sonnets pour Helene*, XLIII. 2. *devidant*, winding into a skein the thread on a distaff. 2. *filant*, twisting flax into thread. 5. *oyant*, entendant.

Page 50. ODE (A sa Maistresse), " Mignonne, allons voir . . ." From *Le premier livre des Odes*, XVII. 4. *vesprée*, evening. 14. *fleuronne*, is in flower.

Page 51. ODE (A la fontaine Bellerie), " O fontaine Bellerie . . ." From *Le second livre des Odes*, IX. 1. *Bellerie*, a spring near Ronsard's Château de la Possonnière, in the village of Couture, not far from Vendôme. 5. *fuyantes*,

present participles could vary in the sixteenth century.
22. *Canicule,* a name for Sirius, the dog star (in the constellation of the Dog), which rises and sets with the sun (July
22–August 23) during the period of greatest summer heat.
28. *bestial,* bétail.

   Page 52. ODE, " Fay refraischir..." From *Le second
livre des Odes,* X. 5. *ballerons,* danserons. 7. *tors,* tordus.

   Page 53. ODE (A la Forest de Gastine), " Couché sous
tes ombrages..." From *Le second livre des Odes,* XV.
2. *Gastine,* a forest near the village of Montrouveau, in
the neighborhood of Couture, site of Ronsard's château.
4. *Erymanthe,* forested mountain in Grecian Arcadia, on
which Hercules slew a boar. 19. *satyres... sylvains,* male
woodland divinities. 20. *naiades,* water nymphs. 22. *college,* group of nine Muses.

   Page 53. ODE (De l'Election de son sepulchre),
" Antres, et vous fontaines..." From *Le quatriesme livre
des Odes,* IV. 3. *contre bas,* en bas. 16. *bastir plus beau,*
some texts include after these words three stanzas:

> Je veux, j'entends, j'ordonne
> Qu'un sepulchre on me donne,
> Non près des rois levé*

* *levé,* as at the Abbaye de Saint-Denis, near Paris, place of burial of
French kings.

> Ni d'or gravé,
>
> Mais en ceste isle verte
> Où la course entr'ouverte
> Du Loir autour coulant
>   Est accolant.
>
> Là où Braye† s'amie‡

† *Braye,* tributary of the Loir.   ‡ *s'amie,* son amie.

> D'une eau non endormie
> Murmure à l'environ
>   De son giron.

25. *tortisse,* clinging. 59. *humeur,* dew. 76. *pourpris,*

abode. 84. *le beau Printemps,* some texts include this stanza after these words:

Et Zephyre* y halene

* *Zephyre*, god of the mild west wind.

Les myrtes et la plaine
Qui porte les couleurs
De mille fleurs.

93. *Alcée*, Alcaeus of Mytilene, ancient Greek lyric poet. 95. *Sapphon*, Sappho of Lesbos, greatest Greek poetess of antiquity. 102. *rocher*, the rock rolled into a mountain by cruel Sisyphus, king of Corinth, in the infernal regions. 103. *Tantale*, the idea seems to be: when Sisyphus no longer feels the burden of the rock and Tantalus (king of Lydia, condemned to hunger and thirst in Tartarus for offending the gods) is no longer hungry.

Page 57. ODE, " Quand je suis . . . " From *Le quatriesme livre des Odes*, X. 4. *remors*, remords. 33. *espesse*, épaisse.

Page 58. ODE (A un Aubepin), " Bel aubepin . . . " From *Le quatriesme livre des Odes*, XXII. 6. *lambrunche*, a wild vine.

Page 59. ÉLÉGIE (Contre les bucherons de la Forest de Gastine), " Quiconque aura premier . . . " From the *Élégies*, XXIV. 4. *Erisichthon*, the son of a king in Grecian Thessaly, who was afflicted with so insatiable a hunger by the goddess Ceres, whom he had offended, that he devoured himself. 5. *Cerés*, goddess of Agriculture. 21. *à force*, abundantly, with force. 45. *Calliope*, muse of epic poetry. 46. *neuvaine trope*, the sun god Apollo's troupe of nine muses. 48. *Euterpe*, muse of lyric poetry. 50. *tableaux*, votive offerings. 55. *couronne*, the Romans awarded a crown of oak-leaves for gallantry in war. 56. *Dodonéens*, Dodona, in Grecian Epirus, was the seat of a temple to Jupiter, surrounded by an oak forest. 65. *Tempé*, vale in Grecian Thessaly renowned for its beauty. 66. *Athos*, mountain on peninsula of Salonika in Grecian Chalcis. 66. *campagne*, plain. 67. *Neptune*, god of the sea.

Page 61. DISCOURS (Institution pour l'Adolescence
du Roy tres-chrestien Charles IX. de ce nom), " Sire, ce
n'est pas tout . . ." From the *Œuvres.* Charles IX lived
(1550–1574), began to reign, with the aid of his mother,
the Queen Regent Catherine de Médicis, in 1560. 5. *Thetis,*
sea goddess, wife of Peleus and mother of Achilles, who
plunged her son in the river Styx to make him invulnerable,
only the heel by which she held him remaining unprotected.
7. *print,* prit. 18. *cargue,* donner la charge. 18. *camisade,*
attack by night with white shirts over armor. 20. *artifice,* avec art. 42. *Troïlle,* Troilus, warrior in the *Iliad.*
44. *Hector,* Trojan hero, son of King Priam. 45. *Sarpedon,*
King of Lycia, killed at siege of Troy. 45. *Pentasilée,*
Penthesilea, Queen of the Amazons during Trojan war.
47. *Thesée . . . ,* king of Athens, a hero like Hercules. The-
seus slew the Minotaur, monster of Crete. 47. *Jason,*
hero who led the Argonauts in quest of the Golden Fleece.
64. *mere,* Catherine de Médicis (1519–1589). 67. *tenir
la loy,* hold and defend the Catholic faith. 70. *secte,* the
Protestants. 107. *faut,* fails. 147. *ayeul,* Charles was
the son of Henri II and grandson of François Ier.
152. *Charles le Grand,* the Emperor Charlemagne (742–
814), grandson of Charles Martel (689–741), victor over the
Saracens at the battle of Poitiers, in 732. 184. *David,* the
Biblical king, poet and prophet.

Page 66. ÉPITAPHE (A son Ame), " Amelette Ronsardelette . . ." From the *Pièces publiées par les soins des
exécuteurs testamentaires de Ronsard, 1586–1609.* A poem
inspired by the Latin poem said to have been composed
by the Emperor Hadrian just before his death, according to
the *Life of Hadrian* by Ælius Spartianus:

> Animula vagula, blandula,
> Hospes, comesque corporis,
> Quae nunc abitis in loca ?
> Pallidula, rigida, nudula,
> Nec, ut soles, dabis jocos.

JOACHIM DU BELLAY
(*1552–1560*)

AFTER RONSARD, this poet, who possessed both the lyric and the satiric gifts, was the foremost representative of the Pléiade. He belonged to a branch of an illustrious family, of which the most remarkable member was the eminent humanist, Cardinal Jean du Bellay (1492–1560). Cut off from a brilliant public career by ill health and premature deafness, like Ronsard, Joachim du Bellay sought consolation in the study of ancient literatures. Influenced by Jacques Peletier, Jean Daurat and Ronsard, he issued the manifesto of a new poetic movement, the *Deffence et Illustration de la langue françoise* (1549). His first collection of sonnets, *L'Olive*, dates from 1549–50 and the lyrical *Recueil de Poésies*, from 1550. Later he accompanied his cousin, the Cardinal, to Rome. The admiration which the historic associations of the papal city excited in him, and his disgust at the intrigues of the court and the corruptions of Italian life, mingled with homesickness for the pleasant sights and quiet air of his native Anjou, inspired the two collections of sonnets which are his best, *Les Antiquitez de Rome* (translated by the great English Renaissance poet, Edmund Spenser, in 1591) and *Les Regrets*. Some of the sonnets of the latter collection and *Le Poète courtisan* best illustrate Du Bellay's talent for satire. The *Jeux rustiques* contain some charming lyrics.

Page 66. SONNET, " Vous qui aux bois . . . " From *L'Olive*, LXXXII. 4. *Diane*, Diana, goddess of the moon and of the chase. 5. *Dieu*, a river god. 12. *chasseur*, Actæon, the hunter who surprised Diana bathing, was changed by the angry goddess into a stag, and was thereupon brought to bay and devoured by his own hounds.

Page 67. SONNET, " Desja la nuit . . . " From *L'Olive*, LXXXIII. 8. *thesors*, trésors.

Page 67. SONNET, " Pere du ciel . . . " From *L'Olive*, CIX. 6. *ains que*, avant que. 9. *las*, hélas.

Page 68. SONNET (L'Idéal), " Si nostre vie . . . "
From *L'Olive*, CXIII. Inspired by a poem of Bernardino
Daniello. 8. *aele*, aile. 8. *empannée*, feathered. 14. *ce
monde*, according to Plato, in this earthly life, while the
soul is prisoned in the body, it can know only the ap-
pearances, the imperfect images of the Beautiful, the True
and the Good, the ultimate Ideas, whose contemplation,
through intellectual love, brings happiness and rest.

Page 68. SONNET, " Telle que dans son char . . . "
From *Les Antiquitez de Rome*, VI. 1. *Berecynthienne*,
Cybele, goddess of the earth and mother of the gods, had
her shrine on Mount Berecynthus in Phrygia. 2. *tours*,
Cybele, as patroness of the founding of cities, wore a crown
with towers.

Page 69. SONNET, " France, mere des arts . . . "
From *Les Regrets*, IX. 3. *ores*, maintenant. 7. *querelle*,
plainte. 12. *n'ont faute*, do not lack. 14. *si*, pourtant.

Page 69. SONNET (L'Amour du clocher), "Heureux
qui, comme Ulysse . . . " From *Les Regrets*, XXXI.
1. *Ulysse*, Ulysses, hero of the *Odyssey*, wandered ten years
after the sack of Troy before reaching Ithaca, his home.
2. *toison*, Jason's Golden Fleece, object of the Argonauts'
quest. 3. *usage*, experience and the wisdom it brings.
7. *clos*, garden. 13. *Lyré*, Liré, a village in Anjou, birthplace of Du Bellay. 13. *Palatin*, Mount Palatine, one of
Rome's seven hills.

Page 70. SONNET, " Il fait bon voir . . . " From *Les
Regrets*, LXXXI. 1. *Paschal*, Pierre de, historiographer,
friend of the poet. 1. *conclave serré*, for the election of
Marcellus II, in succession to Julius III, the Sacred College
of Cardinals, according to custom was shut in an apart-
ment of the Vatican until a Pope was elected from their
number. 13. *cestuy-cy*, celui-ci.

Page 70. VILLANELLE (D'un Vanneur de blé, aux
vents), " A vous troppe legere . . . " From *Divers Jeux
rustiques*, III. Inspired by a Renaissance Latin poem by
the Italian, Andrea Navagero. 1. *troppe*, troupe. 2. *aele*,
aile. 16. *ahanne*, toil, breathe heavily.

Page 71. VILLANELLE, " En ce moys delicieux . . . "
From *Divers Jeux rustiques*, XIV.

Page 72. ÉPITAPHE (d'un petit chien) "Dessous ceste
motte verte . . ." From *Divers Jeux rustiques*, XXVII.
3. *gist*, lies. 3. *Peloton*, the pet dog's name. 13. *gembe*,
jambe. 28. *esbas*, ébats. 35. *aguignoit*, guignait. 69. *tumber*, tomber. 105. *feut onc*, fut jamais. 111. *Pluton*, god
of the underworld of the dead. 113. *pourmeine*, promène.
114. *umbreuse*, ombreuse. 117. *Filandieres*, the three
Fates. 122. *signe*, constellation. 123. *le Chien cruel*,
Sirius, the dog star in the constellation of the Dog.

Page 75. SATIRE (Le Poète courtisan), " Je ne veux
point icy . . . " From the *Œuvres*. 1. *maistre*, Aristotle,
teacher of Alexander the Great, eminent philosopher,
author of the *Rhetoric* and *Poetics*. 4. *eschafault*, stage.
6. *Mëonien*, Homer. 6. *Muse*, Calliope, muse of epic
poetry. 7. *Horatien*, the Latin poet Horace wrote an
Epistle to the Pisos, usually called the *Ars poetica*. 9. *Vide*,
Marco-Girolamo Vida (1480–1566), author of *De arte
poetica* (1527). 10. *guide*, a word formerly feminine.
12. *l'Apollon Courtisan*, the courtier poet. 37. *macher le laurier*, a means of securing inspiration from Apollo, patron
of poets. 38. *Parnasse*, Grecian Mount Parnassus, seat
of Apollo and the muses. 39. *cheval volant*, Pegasus.
42. *Pindare*, Pindar, Greek lyric poet. 47. *vuidé*, tranché.
55. *Gregeoys*, Grecs. 67. *masque*, mascarade. 67. *desseings*, plans for poems. 77. *lisant*, lecteur. 78. *distille*,
flows agreeably. 82. *tente*, examine. 84. *donner plaisir*,
ridicule. 89. *soubriz*, sourire. 98. *eschole*, école. 119. *ains*,
mais. 122. *lumiere*, Mellin de Saint-Gelays, a favored poet
of the court, author of polished society verse, avoided
publication in his life-time. 130. *montaigne*, the mountain
that labored and brought forth a mouse. 141. *Aristarque*,
Alexandrian Greek critic, famed for his severity.

PONTUS DE TYARD
(1521–1605)

THE bishop of Châlon-sur-Saône was the last survivor both of the poets of Lyons and of the Pléiade. The first of the three books in his *Les Erreurs amoureuses* (1549–51–53) appeared at Lyons slightly earlier than Du Bellay's *La Deffence* and *L'Olive*. In his best sonnets and other poems Tyard is a pleasant minor poet. In the prose *Discours philosophiques*, Tyard is a Christian Platonist.

Page 79. SONNET, "Pere du doux repos..." From *Sonnets d'amours*, VI. 10. *ballans*, dansants.

JEAN–ANTOINE DE BAÏF
(1532–1589)

THE son of the Hellenist Lazare de Baïf (1496?–1547), like Ronsard and Du Bellay, was the pupil of the classical scholar Jean Daurat at the Collège de Coqueret. He became the most erudite of the poets of the Pléiade. Only a few of his numerous poems are pleasurable to the modern reader. Baïf was interested in the relationship of poetry to music and in an effort to adapt classical quantitative meters to French verse.

Page 80. CHANSON, "La froidure paresseuse..." From *Le premier livre des Passetems*. 33. *avetes*, bees.

REMY BELLEAU
(1528–1579)

IN *Les Bergeries* (1565–72) Belleau produced the best pastoral of his time, a diverse work mingling prose and verse, with dialogue. The short lyrics of the *Bergeries* and the *Petites inventions* (1557), in which he describes the butterfly, the snail, the glow-worm, the cherry, etc., and the *Amours et nouveaux échanges des pierres précieuses, vertus et propriétés d'icelles* (1566), a Renaissance Lapidary, illustrate

Belleau's remarkable talents as a descriptive poet and his abilities as a versifier. Most famous, however, and deservedly so, are the songs to April and May in the first *Journée* of the *Bergeries.* Influential also was his translation, *Les Odes Anacréontiques* (1556).

Page 82. CHANSON (Avril), " Avril, l'honneur ... " From *La premiere journee de la Bergerie.* 8. *pers*, bluegreen. 9. *d'une humeur bigarree*, varying colors capriciously. 12. *diapree*, brightly colored. 15. *aelle*, aile. 18. *Flore*, Flora, goddess of flowers, who was ravished away by Zephyr, god of the mild west wind. 21. *desserre*, fait sortir. 24. *embasmant*, embaumant. 32. *Cypris*, Venus, goddess of love, adored in the Grecian isle of Cyprus. 66. *mussent*, cachent. 75. *celle*, Venus, born of the seafoam. Cf. Botticelli's painting, The Birth of Venus.

LOUISE LABÉ
(1522–1566)

ONE of the most interesting minor poets contemporary with the Pléiade, though not of it, and the greatest poetess of the French Renaissance was Louise Labé. As learned as she was attractive and unconventional, she presided, after her marriage to the wealthy Ennemond Perrin, over a circle of the intellectual and artistic élite in Lyons. Olivier de Magny (1529 ?–1560), young friend of the poets of the Pléiade, author of *Les Amours* (1553), *Les Gaietés* (1554), *Les Soupirs* (1557), *Les Odes* (1559), is said to have inspired the passionate sonnets and elegies of her *Œuvres* (1556), which carry conviction by the direct simplicity with which they tell of her fervent love and her deep distress.

Page 84. SONNET, " Tout aussitôt que je commence ... " From the *Sonnets*, IX. 4. *toy*, Olivier de Magny. An example of the poetry of Louise Labé's lover should be offered here, one which won great admiration at the court of Henri II and for which several musicians of the time attempted musical settings, the Sonnet LXIIII, in dialogue, from *Les Soupirs,* in which the distraught lover begs passage of Charon, boatman of Hell:

Magny

Hola, Charon, Charon, Nautonnier infernal !

Charon

Qui est cet importun qui si pressé m'appelle ?

Magny

C'est l'esprit eploré d'un amoureux fidelle,
Lequel pour bien aimer n'eust jamais que du mal.

Charon

Que cherches-tu de moy ?

Magny

Le passaige fatal.

Charon

Quel est ton homicide ?

Magny

O demande cruelle !
Amour m'a fait mourir.

Charon

Jamais dans ma nasselle
Nul subjet à l'amour je ne conduis à val.

Magny

Et de grâce, Charon, reçois-moy dans ta barque.

Charon

Cherche un autre nocher, car ny moy ny la Parque
N'entreprenons jamais sur ce maistre des Dieux.

Magny

J'iray donc maugré toy; car j'ay dedans mon âme
Tant de traicts amoureux, et de larmes aux yeux,
Que je seray le fleuve, et la barque et la rame.

Page 85. SONNET, " Tant que mes yeus ... " From the *Sonnets,* XIV. 1. *yeus,* yeux.

Page 85. SONNET, " Ne reprenez, Dames . . ."
From the *Sonnets*, XXIV. 4. *tems*, temps. 9. *Vulcan*,
god of fire, spouse of Venus. 10. *Adonis*, beautiful youth
beloved by Venus.

Page 86. ÉLÉGIE, " Quand vous lirez . . ." From the
Élégies, III. 2. *noises*, conflict, dispute. 29. *laqs*, snares.
33. *esguille*, aiguille. 36. *Pallas*, goddess of wisdom
(Louise Labé was learned). 41. *Bradamante*, a warrior
heroine of Ariosto's *Orlando Furioso* (Louise Labé, disguised
as « Capitaine Loys », was reputed to have taken part in
the siege [1542] of Perpignan). 41. *Marphise*, another
warrior heroine in the same poem by Ariosto. 42. Roger,
a hero of the *Orlando Furioso*. 43. *peut*, put. 44. *Mars*,
god of war. 60. *sagette*, arrow. 64. *archer*, Cupid, god of
love. 69. *il ne me chaut*, I care not for. 70. *courage*, cœur.
77. *Pyramides*, monuments in Egypt. 79. *Colisees*, Roman
arenas, i.e. Colosseum in Rome. 80. *prisees*, admired.
85. *Paris*, son of King Priam of Troy, abductor of Helen
in the *Iliad*. 85. *Œnone*, wife of Paris. 87. *Medee*, Medea,
princess of Colchis, land of the Golden Fleece, was a ma-
gician, became the wife of Jason, leader of the Argonauts,
and when deserted by him slew their children. 103. *faix*,
burden.

JEAN PASSERAT
(1534–1602)

THIS poet, one of the collaborators in the political *Satire
Menippée*, is also remembered for graceful light lyrics, such
as the Villanelle, of which he provided a fixed form type to
place beside the rustic lyric villanelle with simple refrain,
of which there are attractive examples by Du Bellay and
Desportes.

Page 88. VILLANELLE, " J'ai perdu ma tourterelle . . ." From the *Œuvres*. Passerat's poem is built
on two rhymes only, with two alternating refrains. Cf. the
Virelay, " Sui-je, sui-je belle ", by Eustache Deschamps.

GUILLAUME DE SALLUSTE DU BARTAS
(1544–1590)

GUILLAUME DE SALLUSTE, seigneur du Bartas, was a
Gascon poet, a Protestant, and gentleman of the bedchamber
to the King of Navarre (Henri IV of France), in whose
military campaigns during the Wars of Religion he was
much engaged. Most of his poetry, notably *La Semaine
ou création du monde* (1578) and an incomplete *Seconde
Semaine*, was of religious inspiration. His works were
translated and won such foreign admirers as John Milton in
England, Anne Bradstreet in New England, Goethe in
Germany. French critics sometimes refer to him as "notre
Milton manqué." He had a soaring imagination, eloquence,
a taste for grandeur, but a lamentably defective taste and
technique. Only purple passages and single poems are
read today from the voluminous works of a man once hailed
by some of his contemporaries, as the rival of Ronsard.

Page 89. SONNET, " François, arreste toi . . . " From
Les Neuf muses pyrénéennes. 3. *Auriège*, a torrential river
of the Pyrenees. 6. *Briarée*, hundred headed and armed
giant. 10. *Atlas*, king metamorphosed into a mountain
or giant carrying the weight of the world on his shoulders.
11. *mers*, the Mediterranean and the Atlantic.

JEAN VAUQUELIN DE LA FRESNAYE
(1536–1608)

THIS friend of the poet Philippe Desportes was the
author of an important verse *Art poétique*, published in
1605, but written earlier. He is memorable also for some
charming short pastoral lyrics, the *Idillies*, and for a series
of *Satires*, less original than Mathurin Régnier's, but interesting as appearing before them. Vauquelin's *Diverses
Poésies*, including all the poems mentioned, are from 1605.
His earlier work, *Les deux premiers livres des Foresteries*
(1555) shows how close was his relation to the Pléiade in
time as well as in spirit. He continues Ronsard's tradition

in the Pléiade's so-called " seconde volée" of " fin de siècle" poets.

Page 90. IDILLIE, " Pasteurs, voici la fonteinette . . ."
From the *Diverses poésies.* 12. *perruque*, hair, tresses.

Page 90. IDILLIE, " Entre les fleurs . . ." From the
Diverses poésies. 12. *s'on*, si on.

PHILIPPE DESPORTES
(1546–1606)

THE chief object of François de Malherbe's wrath, in the
Commentaire sur Desportes (1606), deserved a less prejudiced
critic, for though his *Amours, Bergeries* and other poems are
sometimes mannered, they have also frequently a graceful
flowing rhythm and an aristocratic delicacy and clarity
of expression. Besides Italian imitations and courtly verse,
Desportes also wrote religious sonnets and lyrics, among
the best inspired by the Counter-Reformation in France.

Page 91. SONNET (Icare), " Icare est cheut ici . . ."
From *Les Amours d'Hippolyte*, I. 1. *Icare*, Icarus flew too
near the sun with wings fastened with wax by Dædalus,
which melted. 1. *est cheut*, fell.

Page 92. STANCES (Contre une nuict trop claire),
" O Nuict, jalouse Nuict . . ." From the *Diverses Amours*.
9. *sœur d'Apollon*, Diana, moon goddess. 19. *Pan*, god of
Nature. 22. *berger*, the youth Endymion. 43. *Argus*,
mythical prince with an hundred eyes, fifty always open,
who became a servitor to the goddess Juno, was put completely to sleep to the sound of the flute by Mercury, was
slain by the god and had his eyes fastened upon the pea-
cock's tail by grieving Juno. 59. *cil*, celui.

Page 94. CHANSON, " O bien-heureux . . ." From the
Bergeries. 8. *paist*, paît. 50. *j'oy*, j'entends. 70. *pasteur
de Latmie*, the moon goddess Diana fell in love with the
youth Endymion on Mount Latmos. 74. *Phebus*, Apollo,
the sun god. 82. *laqs*, snares.

Page 96. VILLANELLE, " Rozette, pour un peu d'absence . . ." From the *Bergeries.* Simple song with refrain type of villanelle. To this one Théodore Agrippa d'Aubigné wrote a *Chanson* in reply, beginning, in the first of five stanzas:

> Bergers qui pour un peu d'Absence
> Avez le cueur si tost changé,
> A qui aura plus d'inconstance
> Vous avez, ce croi' je, gagé,
> L'un leger et l'autre legere,
> A qui plus volage sera:
> Le berger comme la bergere
> De changer se repentira . . .

Page 97. SONNET, " Je regrette en pleurant . . ." *Œuvres chrestiennes,* XVII.

JEAN BERTAUT
(1552–1611)

LIKE Jean Vauquelin de la Fresnaye and François de Malherbe, Jean Bertaut was a Norman. As a poet, Ronsard and Desportes were his models. Known sometimes as " the moon of Desportes ", he continued, as did his friend, the poetic tradition of the preceding century into the new one. Yet Malherbe was less severe with him than with Desportes. Some of his poems are occasional, inspired by events of the time; others are love poems, still others, religious. Bertaut died Bishop of Séez, to which see Henri IV had him named in 1606.

Page 98. CHANSON, " Les Cieux inexorables . . ." From the *Œuvres.* 36. *heur,* bonheur.

THÉODORE AGRIPPA D'AUBIGNÉ
(1550–1630)

SOLDIER as well as poet, D'Aubigné was a leader of the Huguenots in the wars that ended with the accession of

Henri IV and the triumph of his policy of restored order and religious toleration. After the King's assassination D'Aubigné found Geneva, the Protestant capital, a place of refuge. He long outlived his time and the school of Ronsard, which had inspired him. His greatest work, the most remarkable poem inspired by Calvinism in France, *Les Tragiques*, was published in 1616. It mirrors the poet's life-time of sad experience in the sixteenth century Wars of Religion. It is a fierce and terrible reflection of dismal days of fratricidal strife, half an epic, half a satire, with splendid descriptive and lyrical passages. More than Du Bartas, D'Aubigné is the French John Milton. His *Œuvres* also include sonnets, odes, stances, chansons, elegies, consolations, in surprising variety of inspiration and technically in the tradition of Ronsard.

Page 99. STANCES (L'Hyver de M. D'Aubigné), " Mes volages humeurs . . ." From the *Œuvres*. 13. *chef*, head. 26. *sereines*, sirens, fabulous sweet-voiced monsters, half woman, half fish.

FRANÇOIS DE MALHERBE
(*1555–1628*)

THIS " législateur du Parnasse ", before Boileau, marks an epoch in the history of French letters. Boileau's famous phrase, " enfin Malherbe vint," in the *Art poétique* (1674), dates from him the beginning of worthy French poetry. Boileau dismisses too easily earlier French poetry, about which he knew little. However, he was right in recognizing in Malherbe a figure marking a turning point in poetry. What did begin with Malherbe was the tradition of polish and perfect propriety of phrase that continued to rule French literature for two centuries. He lent the influence of a very positive voice to the growing demand for a standard of authority, in grammar and versification, and for recognized canons of criticism, stricter than those applied by Ronsard or Du Bellay. The lyrical impulse in Malherbe was not great, but some of his lines live in virtue of their

finished propriety and harmony of expression. He was
above all a forceful critic, a " poète grammairien ", founding
a school to flourish long after his death. His is, therefore,
an important name.

Page 103. STANCES (Consolation à Monsieur du Périer,
Gentilhomme d'Aix-en-Provence, sur la mort de sa fille),
" Ta douleur, du Périer . . ." From the *Poésies*, XI.
1. *Du Périer*, François, a lawyer friend in the *Parlement*
of the Provençal capital. 3. *amitié*, affection. 11. *injurieux*, unfortunate, injured. 15. *rose elle*, a variant has
Rosette, pet name of Marguerite du Périer, the dead girl.
25. *Parque*, one of the three Fates. 27. *barque*, the dead
were convoyed by Charon in his boat across the river
Acheron, in the lower world. 29. *Tithon*, Tithonus, loved of
the goddess Aurora, when demanding divine immortality,
forgot to ask also eternal youth, aged, and was changed to
a grasshopper. 30. *Pluton*, Pluto, god of the lower world
of the dead. 32. Archémore, young son of a king of Nemea,
who came to an untimely death by snake-bite. 49. Priam,
king of Troy in the *Iliad*. 52. *réconfort*, courage, at the
time of his visit to Achilles. 53. *François*, the son of
François Ier, died suddenly in 1536, at the age of nineteen,
and there was talk of poison, of a plot instigated by the
Emperor Charles V. 57. *Alcide*, Hercules, hero of many
brave deeds. 60. *honte*, Charles V was forced to retreat in
1536. 65. *deux fois*, Malherbe had lost a son, Henri, in
1587, and a daughter, Jourdaine, in 1599. Malherbe wrote
a touching epitaph for his first-born son Henri, hardly two
years of age when he died, which still exists upon his tomb
in a church of Caen in Normandy. For the daughter Jourdaine, born September 22, 1591, "la fille la plus passionné-
ment aimée et la plus incontestablement regrettée qui fut
jamais", as her epitaph read, there exists another testi-
monial of paternal love, a letter, found in 1847, announcing
to Mme de Malherbe, at Aix-en-Provence, the death of her
little daughter from the plague, at Caen. This letter
antedated by only a short time the poet's return to Aix,
where he learned of the untimely death of the five-year-old

daughter of his friend Du Périer. The *Consolation* should be placed, therefore, against the background of this letter, little-known, which shows clearly the human background for the Christian Stoicism of the poem: "J'ai bien de la peine à vous écrire, mon cher cœur, et je m'assure que vous n'en aurez pas moins à la lire. Imaginez-vous, mon âme, la plus triste et la plus pitoyable nouvelle que je saurais vous mander, vous l'apprendrez par cette lettre. Ma chère fille et la vôtre, notre belle Jourdaine n'est plus au monde. Je fonds en larmes en vous écrivant ces paroles, mais il faut que je les écrive, et il faut, mon cœur, que vous ayez l'amertume de les lire. . . . Je possédais cette fille avec une perpétuelle inquiétude, et m'était avis, si j'étais une heure sans la voir, qu'il y avait un siècle que je ne l'avais vue. Je suis, mon cœur, hors de cette appréhension, mais j'en suis sorti d'une façon cruelle et digne de regrets. . . . Je m'étais proposé de vous consoler mais comment le ferais-je, désolé comme je suis ? . . . Ce qui donnait à mon âme des atteintes plus vives et plus sensibles, c'est que vous n'étiez pas avec moi pour m'aider à pleurer à mon aise, sachant bien que vous seule qui m'égalez en intérêt, pouviez m'égaler en affliction . . ." 79. *Louvre*, palace of the French kings in Paris.

Page 105. SONNET, " Beaux et grands bâtiments . . ." From the *Poésies*, XXXIV. 3. *Roi*, Henri IV, since this poem was published in 1609. 7. *démon*, familiar genius. 13. *Caliste*, Charlotte Jouvenel des Ursins, wife of Eustache de Conflans, Vicomte d'Auchy; a *salonnière* and blue stocking to whom Malherbe wrote several poems.

Page 106. CHANSON, " Ils s'en vont . . ." From the *Poésies*, LXVIII. 2. *ces yeux*, those of the Vicomtesse d'Auchy (some say the eyes of the Marquise de Rambouillet).

Page 107. SONNET (Au Roi Louis XIII) " Qu'avec une valeur . . ." From the *Poésies*, XCIII. 5. *hydre*, the Protestant party, defeated at Montauban in 1621.

Page 107. PARAPHRASE (du Psaume CXLV), " N'espérons plus, mon âme . . ." From the *Poésies*, C. The psalm, " *Lauda, anima mea*", is numbered CXLVI in the King James version. The verses paraphrased are: " Put not your trust in princes, nor in the son of man, in whom there is no help. His breath goeth forth, he returneth to his earth; in that very day his thoughts perish."

Page 108. SONNET (Sur la mort de son fils), " Que mon fils ait perdu . . ." From the *Poésies*, CII. 1. *fils*, Marc-Antoine, born in 1600, brought up by the poet's wife at Aix-en-Provence, fond of fighting, killed at the city gates in a duel of June, 1627, considered assassinated by his doting father, whose aged zeal for justice led him to La Rochelle to put the case personally before King Louis XIII. 5. *marauds*, the son's adversaries, Gaspard de Bovet, baron des Bormes, and Paul de Fortia, seigneur de Piles. 11. *vengeance*, Malherbe did not live to see the mild penalties imposed in 1630. 11. *légitime*, Jesus said to Saint Peter that those who take up the sword will perish by it; however, Christian teaching does not condone vengeance. 14. *bourreaux*, Fortia de Piles was said to be of Spanish Jewish descent.

MATHURIN RÉGNIER
(1573–1613)

THOUGH bred to the Church, in which his uncle, the poet Philippe Desportes, held rich benefices, Régnier led a life that was hardly edifying. He possessed brilliant talents of which he did not always make the best use. He was indolent, fond of good living and restive under discipline. He believed himself a champion of Ronsard's theory of inspiration in poetry. He failed to recognize that Ronsard, like Malherbe, was a very careful artist, but with a broader view of the possibilities of the French language and versification. He possessed a gift for keen observation, which stood him in good stead in the poetic genre in which he most excelled, the satire. Boileau was to recognize in him the first French master of that form, though he deplored the freedom of

Régnier's realism in the depiction of moral licence. His series of *Satires* will always be known as the first notable group in the form, of which Du Bellay's *Le Poète courtisan* was the earlier French prototype. He produced also interesting epistles, elegies and sonnets. Of the opponents of Malherbe he was certainly the most challenging.

Page 109. SATIRE (L'Importun, ou Le Fâcheux), "Charles, de mes péchés..." From the *Satires*, VIII. 1. *Charles*, Charles de Beaumanoir de Lavardin was named Bishop of Le Mans in 1601; it is to him that the poet addresses this satire, inspired by (though very different from) Horace, *Satires*, I, IX. 10. *galoche*, leather overshoe. 15. *sambieu*, an oath. 27. *barbe*..., Barbary horse whose rear shoe is too narrow. 38. *ris*..., Saint Médard, reputed to cure toothache, is represented in art smiling with mouth only half open. 48. *dam*, misfortune. 58. *dépendre*, dépenser. 65. *rotonde*, starched collar. 72. *clinquants*, undue display of expensive clothes. 72. *roi*, Henri IV issued three such edicts. 76. *Rosette*, reference to a *villanelle* by Desportes. 82. *male*, mauvaise. 87. *chauvis*..., listened, lent an ear. 89. *minutant*, méditant. 92. *rognons*, reins. 95. *corrival*, rival. 101. *oncle*, Desportes. 106. *Pont-Neuf*, oldest Parisian bridge of present day, finished in 1604 during reign of Henri IV. 107. *Palais*, the law-courts. 114. *chicanerie*, law. 120. *pour ma provision*, sufficient. 133. *cavalier*, gentleman, nobleman. 150. *d'aguet*, slyly. 150. *faire gile*, get away. 153. *heur*, bonheur. 156. *anguillade*, whipping with an eel-skin whip. 160. *reine*, Marie de Médicis, second wife of Henri IV. 173. *président*, judge. 175. *bonneter*, saluer. 186. *Tuileries*, royal palace formerly standing in the Parisian gardens of that name. 197. *demeures*, delays. 217. *ferez à partie*, plead.

Page 115. STANCES "Quand sur moi je jette les yeux..." From the *Œuvres*. 12. *fanissent*, fanent. 29. *douleur*, Régnier is speaking of the painful illness which preceded his untimely death. 35. *ennuis*, sufferings.

52. *cœur*, courage.   65. *orde*, dirty.   78. *bourrier*, straw.
96. *perruque*, foliage.

THÉOPHILE DE VIAU
(1590–1626)

THIS worthy poet, unjustly dismissed sometimes, by literary historians, with bare reference to two high-flown lines
from his play, *Pyrame et Thisbé* (1617), in which there are,
nevertheless, elements to praise, may also be lauded for
the spontaneous grace of expression and the genuine love of
nature evinced in his best lyrics.   His poems are more
inspired than those of Malherbe, but he is a less meticulous
artist.   Like Régnier, he believed himself a defender of
inspiration and derided Malherbe's rules as cramping to
the free flowering of poetic talent.

Page 118.   ODE (Le Matin), " L'aurore, sur le front du
jour . . ." From the *Œuvres*.   5. *chevaux*, those of the
chariot of Apollo, the sun god, preceded by Aurora, goddess
of the dawn.   13. *avette*, bee.   16. *Hymette*, Hymettus,
mountain in Greece famous for honey.   19. *perruque*,
mane.   20. *Endymion*, youth beloved of the goddess Diana.
21. *dame*, the lioness.   54. *ois*, listen.

Page 120.   STANCES (Le Gibet), "La frayeur de la
mort . . ." From the *Œuvres*.   8. *s'étonne fort*, is deeply
stirred.   15. *impiteuse*, pitiless.   27. *presse*, crowd.
29. *Grève*, Parisian square, former place of execution, now
an open space before the Hôtel de Ville.   30. *Achéron*,
infernal river, over which Charon ferried the dead.

HONORAT DE BUEIL DE RACAN
(1589–1670)

HONORAT DE BUEIL, seigneur de Racan, was the talented
and unslavish pupil, also the admiring biographer, of Malherbe.   His *Mémoires pour la vie de Malherbe* (1672) is an
important source of knowledge for the content of the

grammarian poet's teaching. Racan had a genuine lyrical gift and a personal feeling for nature, evident in shorter poems as well as in his *Arténice ou Les Bergeries* (1618), the least unpoetical pastoral drama of its period.

Page 121. STANCES (A Tircis, Sur la retraite), "Tircis, il faut penser . . ." From the *Œuvres*. 1. *Tircis*, René d'Andilly, a friend. 2. *demi faite*, as this poem dates from 1617–18, and Racan, born in 1589, did not die until 1670, the poet overestimates. 27. *Louvre . . .* , the poet's home is to him what the two royal residences named are to the king. 31. *heur*, bonheur. 32. *javelle*, sheaf, i.e., the harvest. 56. *chenues*, white with foam. 66. *cieux*, Concini had just fallen and Luynes had become minister of Louis XIII. 76. *s'ennuient*, are ill-located for growth. 79. *assurance*, confidence.

FRANÇOIS MAYNARD
(1583–1646)

MAYNARD, like Racan, was a favorite pupil of Malherbe. Like Racan, too, he was a somewhat independent disciple, preserving his poetic individuality while learning the Malherbian technique. His epigrams seem now less witty than they may have in their day, but some of his sonnets and lyrics, notably the sentimental ode, *La Belle Vieille*, preserve their pristine attractiveness.

Page 124. ODE (La Belle Vieille), "Cloris, que dans mon cœur . . ." From the *Œuvres*. 4. *hivers*, Maynard was about fifty-five, at the time of writing this ode, and a widower. 6. *voilé*, in widow's veils. 19. *Hector*, hero and prince of Troy in the *Iliad*. 22. *huit lustres*, forty years. 30. *ressentiments*, sentiments vifs. 39. *Italie*, Maynard had accompanied the Ambassador de Noailles there. 41. *fleuve*, the Roman Tiber. 42. *Neptune*, god of the sea. 62. *Parque*, one of the three Fates. 62. *clarté*, light of day. 63. *oyra*, entendra. 67. *le mort*, the lady's late husband.

MARC–ANTOINE DE SAINT–AMANT
(*1594–1661*)

BESIDES his " idylle héroïque", *Moyse sauvé des eaux* (1653), perhaps the least uninteresting of the numerous seventeenth century pseudo-epics, and his burlesques, Saint-Amant wrote some beautiful lyrics, showing an imagination almost romantic, in the nineteenth century sense. He also composed some interesting descriptive poems of nature and a series of original realistic poems. He is one of the most individual poets of the earlier seventeenth century and deserved as little as Théophile de Viau Boileau's lack of appreciation.

Page 126. ODE (La Solitude. A Alcidon), " O que j'aime la solitude . . ." From the *Œuvres*. This ode, composed about 1619, made the writer's reputation. 15. *Pan*, god of Nature. 17. *Jupiter*, chief of the gods. 23. *Philomèle*, the nightingale. 32. *fiers*, violent. 38. *Naïade superbe*, proud water-nymph. 47. *pipeaux*, rustic flutes. 47. *glais*, glaieuls. 65. *altéré*, thirsty. 76. *démons follets*, playful sprites, demons. 78. *martyrent*, martyrisent. 90. *amitié*, amour. 96. *peines*, pains of Hell. 102. *devises*, emblems with inscriptions. 105. *plancher*, ceiling. 113. *Phébus*, Apollo, the sun god. 123. *Écho*, the nymph who faded into a voice alone. 124. *amant*, Narcissus, whom Echo loved in vain. 127. *luth*, Saint-Amant was a distinguished lute-player and singer. 139. *Palémon*, a sea god. 145. *Tritons*, sea gods. 156. *ire*, colère. 171. *Bernieres*, a noble friend of the poet, the " Alcidon" of the dedication to this ode.

Page 132. SONNET (L'Automne des Canaries), " Voici les seuls coteaux . . ." From the *Œuvres*. 1. *coteaux*, Saint-Amant, on a voyage to Africa in 1626, stopped at Lisbon and in the Canary Islands. 2. *Bacchus*, god of wine. 2. *Pomone*, Pomona, goddess of fruit-trees. 12. *boutonne*, buds.

Page 132. SONNET (L'Hiver des Alpes), " Ces atomes de feu . . ." From the *Œuvres*. 1. *neige*, Saint-Amant took

part in the campaign of Piedmont, in 1629, and then saw
these Alpine snows. 3. *lustre,* splendor. 6. *second métal,*
silver. 11. *couvre,* hides. 12. *Olympien,* Jupiter, king of
the gods. 12. *humain,* benevolent. 14. *désoler,* ravage.

Page 133. SONNET (La Pipe), " Assis sur un fagot . . ."
From the *Œuvres.* 9. *herbe,* tobacco.

Page 133. SONNET (Le Paresseux), " Accablé de
paresse . . ." From the *Œuvres.* 1. *mélancolie,* solitary
revery. 2. *fagoté,* wrapped. 4. *Don Quichotte,* the *Don
Quijote* (Part 1, 1605, Part 2, 1615) of Miguel de Cervantes
Saavedra (1547–1616). 5. *guerres d'Italie,* the Italian campaigns of 1629–30. 6. *comte Palatin,* Frederick V, elector
Palatine, who competed with the Holy Roman Emperor
at Vienna, Ferdinand II, for the Kingdom of Bohemia.
10. *biens,* goods, money, fortune. 13. *Baudouin,* Jean,
poet, translator, friend of Saint-Amant.

VINCENT VOITURE
(1598–1648)

THE master of ceremonies in the salon of the celebrated
Marquise de Rambouillet was the wittiest *épistolier* of his
time and the cleverest writer of pleasant light society
verse. He revived the pre-Renaissance rondeau, used it,
the sonnet and the chanson with the deft touch of a more
modern Clément Marot. His verse, like his prose letters, is
sometimes mannered but always clear. Though *précieux,*
he gives a foretaste of Voltaire.

Page 134. SONNET (A Uranie), " Il faut finir mes
jours . . ." From the *Sonnets,* XVIII. This early poem
was considered Voiture's masterpiece at the time of his
death in 1648, when arose the literary dispute of the " Ura-
nistes ", partisans of this sonnet, and of the " Jobelins ",
admirers of the sonnet, *Job,* from *Paraphrases sur les IX
leçons de Job* (1638), by Isaac de Benserade (1612–1691):

> Job, de mille tourments atteint
> Vous rendra sa douleur connue,

Et raisonnablement il craint
Que vous n'en soyez pas émue.

Vous verrez ma misère nue;
Il s'est lui-même ici dépeint:
Accoutumez-vous à la vue
D'un homme qui souffre et se plaint.

Bien qu'il eût d'extrêmes souffrances,
On voit aller des patiences
Plus loin que la sienne n'alla.

Il souffrit des maux incroyables;
Il s'en plaignit, il en parla;
J'en connais de plus misérables.

The Hôtel de Rambouillet in the main favored Voiture.
Pierre Corneille said diplomatically of the two sonnets:

L'un est sans doute mieux rêvé,
Mieux conduit et mieux achevé,
Mais je voudrais avoir fait l'autre.

Page 135. SONNET (La Belle Matineuse), "Des portes
du matin..." From the *Sonnets*, XXI. 1. *l'amante*,
Aurora, goddess of the dawn. 1. *Céphale*, Cephalus, King
of Thessaly, whom Aurora preferred to her old husband
Tithonus. 11. *Olympe*, Mount Olympus, abode of the
Greek gods.

Page 135. RONDEAU, "Ma foi, c'est fait de moi..."
From the *Rondeaux*, XXIII. 2. *rondeau*, there exists a
letter (1638) of Voiture claiming credit for the revival of
this Middle French fixed form: "Je ne sais si vous savez
ce que c'est que des rondeaux: j'en ai fait, depuis peu, trois
ou quatre, qui ont mis les beaux esprits en fantaisie d'en
faire. C'est un genre d'écrire qui est propre à la raillerie."
In this rondeau Voiture has in mind the sonnet by Lope
de Vega (1562–1635), beginning:

Un soneto me manda hazer Violante...

7. *Brodeau*, a well-known Parisian lawyer of the time.

Page 136. CHANSON (A Sylvie), " J'avais de l'amour pour vous . . ." From the *Chansons,* LVIII. 10. *ris,* rire.

Page 137. CHANSON (Sur l'air des Lanturlu), "Le roi, notre sire . . ." From the *Chansons,* LXIV. 1. *roi,* Louis XIII, by an edict of 1629, had forbidden the singing of satirical songs about great personages with this nonsense refrain. 9. *mère,* Queen Marie de Médicis, then in exile. 11. *frère,* Gaston, duc d'Orléans, also in revolt against Louis XIII and his able prime minister, Armand, Cardinal-duc de Richelieu. 20. *électeurs,* German princes or bishops who had the right of voting for the German (Holy Roman) Emperor. 34. *Cardinal,* Richelieu. 38. *Bautru,* Guillaume de, French diplomat. 42. *nonce,* the Nuncio, Ambassador of His Holiness, the Pope. 52. *garde des sceaux,* chancellor.

NICOLAS BOILEAU–DESPRÉAUX
(1636–1711)

THE eminent critic and " legislator of Parnassus" was most inspired as a poet in those of his *Satires* and *Épîtres* that have a descriptive, realistic tone or when he appears as commentator on the letters of his day, as in the witty satire " A son Esprit" and in the eloquent epistle, " A M. Racine, De l'Utilité des ennemis." Boileau's *Art poétique* (1674) was to be the chief source for the æsthetics of poetry, until the advent of the Romantic movement in the early nineteenth century. Boileau's few lyrics are without merit. His gift was the satirist's, as he himself recognized.

Page 139. SATIRE (A son Esprit), " C'est à vous, mon Esprit . . ." From the *Satires,* IX. The poem is from 1668. 8. *Caton,* Cato the elder, austere Roman moralist. 10. *docteurs,* of the Sorbonne. 18. *Gautier,* a lawyer and orator. 20. *sœurs,* the muses. 24. *Phébus,* Apollo, patron of poetry. 24. *Parnasse,* Mount Parnassus, seat of Apollo and the muses. 27. *Horace,* Roman satiric and lyric poet, author of the *Ars poetica* (Epistle to the Pisos). 27. *Voiture,* *précieux* poet, *épistolier.* 28. *Abbé de Pure,* novelist, author

of satirical verses against Boileau. 32. *roi*, Louis XIV.
39. *Orphée*, Orpheus, lyre player and singer, son of Apollo,
lover of Euridice. 41. *Bellone*, Bellona, goddess of war.
42. *Belge*, Louis XIV had captured Lille and other Flemish
cities. 44. *Racan*, poet, disciple of Malherbe. 44. *Homère*,
Greek epic poet. 45. *Cotin*, the Abbé Cotin, society poet
and preacher. 47. *grimaud*, ignoramus. 55. *ailes fondues*,
like those of Icarus, who flew too near the sun with the
wings provided by Dædalus.   64. *Saumaise*, the commentator, not the Somaize of the *Dictionnaire des précieuses*.
72. *chez l'épicier*, for wrapping paper. 72. *Neuf-Germain*,
a scribbler of the times. 72. *La Serre*, another scribbler.
74. *rebords*, the " bouquinistes" had stalls by this Parisian
bridge.   78. *Savoyard*, Philipot, a street singer at the
bridge. 91. *Jonas*, an epic (1663) by Coras. 92. *David*,
an epic (1660) by Las-Fargues. 93. *Moïse, Moïse sauvé
des eaux* (1653), an " Idylle héroïque" by Saint-Amant.
97. *Perrin*, abbé, translator, director of the Opéra. 97. *Bardin*, a moralist. 97. *Pradon*, dramatist, mediocre rival
of Racine. 97. *Hainault*, sonneteer, friend of Molière.
98. *Colletet*, son of the Academician; one of the five collaborators in dramatic composition of Richelieu. 98. *Pelletier*, fourth-rate poet. 98. *Titreville*, another poetaster.
98. *Quinault*, author of tragedies and of opera *libretti* for
Lully. 123. *la Pucelle*, an epic about Jeanne d'Arc (1656)
by Jean Chapelain. 128. *dépouilles*, Saint-Pavin accused
Boileau of having despoiled previous satirists. 160. *Alidor*, Dalibert, the tax-collector who built the Oratoire.
175. Malherbe, the poet of whom Boileau said " enfin
Malherbe vint". 175. *Théophile*, Théophile de Viau, poet
contemporary with Malherbe, and his adversary. 176. *Tasse*,
Torquato Tasso, Italian Renaissance poet, author of the
Gerusalemme liberata. 176. *Virgile*, Roman poet of the
Æneid, etc. 177. *clerc*, student. 177. *holà*, protest.
178. *Attila*, a tragedy (1667) by Pierre Corneille. 205. *Balzac*, Jean Louis Guez de, *épistolier* and critic contemporary
with Malherbe. 215. *officieux*, obliging. 224. *Midas*,
mythical king of the golden touch. 227. *Palais*, the Palais
de Justice contained book-shops. 229. *Bilaine*, a book-

seller. 231. *le Cid*, Pierre Corneille's famous play (1636).
232. *Chimène*, heroine of *Le Cid*. 232. *Rodrigue*, its
hero. 233. *l'Académie*, it allowed Chapelain to draw up
the *Sentiments de l'Académie* (1638) criticizing *Le Cid*.
235. *Chapelain . . . une œuvre*, *La Pucelle*, Jean Chapelain's
pseudo-epic. 236. *Linière*, satiric poet who epigramma-
tized *La Pucelle*. 246. *Régnier*, Mathurin, satiric poet,
adversary of Malherbe. 249. *Feuillet*, popular preacher.
253. *Sion*, Zion. 254. *Memphis*, Egyptian city. 254. *croissant*, the Turks. 255. *Jourdain*, Palestinian river Jordan.
256. *idumées*, Idumean, Palestinian. 272. *dais*, canopy of
a throne. 275. *Lucile*, Lucilius, Roman satiric poet.
275. *Lélie*, Lælius, Roman patron of letters. 281. *mont*,
Mount Helicon, in Grecian Bœotia, sacred to the muses.
290. *Ablancourt*, an inexact translator. 290. *Patru*, lawyer
and orator. 320. *braves*, bravos, bullies, hired assassins.

Page 148. ÉPÎTRE (A M. Racine, De l'Utilité des
ennemis), "Que tu sais bien, Racine . . ." From the
Épîtres, VII. The poem is from 1677. 3. *Iphigénie*, Racine's tragedy (1674). 3. *Aulide*, Grecian Aulis. 6. *Champmeslé*, actress in Racine's plays. 19. *prière*, a special request
to Louis XIV to set aside the rule forbidding burial of
actors in consecrated ground. 20. *Molière*, the great comic
poet. 34. *Parque*, one of the three Fates. 38. *brodequin*,
shoe of ancient comic actor. 41. *Sophocle*, Sophocles, Greek
tragic poet. 42. *Corneille*, Pierre, whose later plays were
unsuccessful. 52. *Cid*, Corneille's famous play (1636).
52. *Cinna*, tragedy by P. Corneille (1640). 53. *Pyrrhus*,
character in Racine's tragedy, *Andromaque* (1667). 54. *Burrhus*, character in Racine's tragedy, *Britannicus* (1669).
74. *passager*, the success of *Phèdre* (1677), Racine's great
tragedy, will be permanent, while Pradon's play on the
same subject, pitted against it by the cabal of Racine's
enemies, will prove ephemeral. 88. *Perrin*, abbé, translator, director of the Opéra. 88. *Jonas*, the epic (1663) by
Coras. 89. *poète idiot*, Linière, the satiric poet. 90. *traducteur*, the Abbé de Tallement. 90. *Amyot*, Bishop
Jacques, eminent French Renaissance translator of Plu-

tarch. 94. *Chantilly*, country estate and palace of the King's cousin, the prince de Condé. 95. *Enghien*, duc de, " le grand" Condé's eldest son. 95. *Colbert*, minister of Louis XIV. 95. *Vivonne*, minister of Louis XIV. 96. *La Rochefoucauld*, François, duc de (1613–1680), celebrated author of the *Maximes*. 96. *Marsillac*, prince de, eldest son of La Rochefoucauld. 96. *Pomponne*, minister of Louis XIV. 100. *Montausier*, duc de, son-in-law of the Marquise de Rambouillet, husband of Julie d'Angennes. 104. *place*, the troupe of the Palais Royal theatre was giving Pradon's play at a hall in the rue Guénégaud, while Racine's was playing at the theatre of the Hôtel de Bourgogne. 104. *Brioché*, a marionette player.

JEAN DE LA FONTAINE
(1621–1695)

THE greatest fabulist of all time was also the author of witty and unconventional *Contes* in verse, of several comedies, of agreeable poems, such as the *Élégie des nymphes de Vaux* for Fouquet, the *Discours à Madame de la Sablière*, the *Épître à Huet*. His wonderful *Fables* reveal the poet as lyricist, dramatist, moralist, satirist, sage practical philosopher of calm disillusioned eyes, keen describer of the foibles and sins of his fellow-men, great artist.

Page 151. FABLE (Le Corbeau et le Renard), " Maître Corbeau, sur un arbre perché . . ." From *Fables*, *livre premier*. 9. *phénix*, mythical bird, unique in its species, living several centuries, burning itself on a funeral pyre and being reborn from the ashes.

Page 151. FABLE (La Grenouille qui veut se faire aussi grosse que le Bœuf), " Une grenouille vit un bœuf . . ." From *Fables*, *livre premier*. 4. *se travaille*, strains. 8. *nenni*, no. 9. *pécore*, animal.

Page 152. FABLE (Le Loup et le Chien), " Un loup n'avait que les os . . ." From *Fables*, *livre premier*. 24. *portants . . . mendiants*, both participles agreeing in seventeenth century usage. 27. *reliefs*, left-overs.

Page 153. FABLE (Le Loup et l'Agneau), " La raison du plus fort..." From *Fables, livre premier.* 2. *tout à l'heure,* at once, in a moment.

Page 154. FABLE (La Mort et le Bucheron), " Un pauvre bucheron..." From *Fables, livre premier.* 1. *ramée,* branches with green leaves. 2. *faix,* weight, burden. 4. *chaumine,* chaumière. 8. *machine ronde,* the earth. 11. *corvée,* forced labor for feudal lord or king.

Page 155. FABLE (Le Chêne et le Roseau), " Le Chêne, un jour, dit au Roseau..." From *Fables, livre premier.* 7. *Caucase,* mountains east of Black Sea. 32. *empire des morts,* Pluto's underworld of the dead.

Page 156. FABLE (Le Pot de terre et le Pot de fer), " Le Pot de fer proposa..." From *Fables, livre V.* 12. *tienne,* retienne. 22. *trois pieds,* the pots each have three feet, of the material of which they are made. 25. *hoquet,* shock.

Page 157. FABLE (Les Animaux malades de la Peste), " Un mal qui répand la terreur..." From *Fables, livre VII.* 5. *Achéron,* river of the underworld, which the dead must cross in Charon's boat. 55. *cria haro sur,* asked help against the oppressive acts of. 56. *clerc,* learned.

Page 159. FABLE (La Laitière et le Pot au lait), " Perrette, sur sa tête ayant..." From *Fables, livre VII.* 7. *troussée,* arrayed. 24. *dame,* owner (ironic). 24. *marri,* repentant. 30. *bat la campagne,* day-dream. 32. *Picrochole,* a dreamer of conquest in Rabelais' *Gargantua et Pantagruel.* 32. *Pyrrhus,* King of Epirus, whose dreams led to his ruin. 39. *Sophi,* Shah of Persia.

Page 160. FABLE (Le Vieillard et les Trois Jeunes Hommes), " Un octogénaire plantait..." From *Fables, livre XI.* 7. *patriarche,* Methuselah, in the Old Testament, is said to have reached 969 years of age. 15. *Parques,* the three Fates. 17. *termes,* the limits of our lives. 31. *Mars,* god of war. 31. *République,* the state.

JEAN RACINE
(1639–1699)

THE greatest tragic poet of France was also a religious
lyric poet of merit and an epigrammatist of mordant wit.

Page 161. HYMNE (Le Lundi, à Matines), " Tandis que
le sommeil . . ." From the *Hymnes traduites du Brévaire
Romain.* Title. *Matines,* Matins, morning prayer, one of the
seven canonical hours, short religious services celebrated in
monastic orders. 17. *Exauce . . . ,* the final prayer is a
variation on the *Gloria Patri,* " Glory be to the Father, and
to the Son, and to the Holy Ghost; As it was in the beginning, is now, and ever shall be: world without end. Amen."

Page 162. HYMNE (Le Lundi, à Vêpres), " Grand Dieu,
qui vis les cieux . . ." From the *Hymnes traduites du
Bréviaire Romain.* Title. *Vêpres,* Vespers, evening prayer,
the other chief canonical hour, the lesser hours being
Prime, Terce, Sext, None, Compline. 17. *sagesse incréée,*
the uncreated Wisdom or Word, of which the last Gospel
speaks, *St. John,* I, 1–14, " In the beginning was the
Word . . .", interpreting the spiritual meaning of the In-
carnation of Christ.

Page 162. ÉPIGRAMME (Sur l'Iphigénie de Le Clerc),
" Entre Le Clerc et son ami Coras . . ." From the *Œuvres.*
1. *Le Clerc,* mediocre tragic poet. 1. *Coras,* playwright
and author of the pseudo-epic, *Jonas* (1663). 4. *Iphigénie,*
the play on which these two collaborated.

Page 163. ÉPIGRAMME (Sur l'Aspar de M. de Fontenelle. L'origine des Sifflets.) " Ces jours passés, chez un
vieil histrion . . . " From the *Œuvres.* 5. *Boyer,* preacher,
writer of inferior tragedies. 6. *Pradon,* mediocre tragic
poet, author of the play — on the same subject as Racine's *Phèdre* (1677) — played simultaneously at another
theatre to an applauding audience of Racine's enemies.
14. *Aspar,* a play by Bernard Le Bovier de Fontenelle
(1657–1757), nephew of the great Corneille, in his youth
an insipid poet, in his later years an able popularizer of
science.

Page 163. ÉPIGRAMME (Sur le Germanicus de Pradon), "Que je plains le destin..." From the *Œuvres*. 1. *Germanicus*, Pradon's play, whose hero was an able general of the family of the Roman Emperor Augustus; he conquered Arminius in Germany; he died in the reign of the Emperor Tiberius, perhaps poisoned by Piso.

FRANÇOIS PAYOT DE LINIÈRES
(*1626–1704*)

THE Sieur de Linières is memorable today for some clever epigrams, with apt literary reference to men and works of the time, especially those ridiculing *La Pucelle* (1656), the too long awaited epic of Jean Chapelain (1595–1674), celebrating Jeanne d'Arc.

Page 164. ÉPIGRAMMES (La Pucelle de Jean Chapelain), "La France attend de Chapelain..." "Par bonheur devant qu'on imprime..." 2. *écrivain*, Chapelain's chief real importance was as a critic, author of the *Sentiments de l'Académie* (1638) on P. Corneille's *Le Cid*, and other pronouncements; he was also important in his own time as the dispenser of royal pensions to deserving writers. 4. *force*, beaucoup de. 5. *vingt ans*, Chapelain spent twenty years studying the Italian theorists of the epic poem, so as to make the epic he was composing perfect according to his understanding of the rules for the form. 7 *devant*, avant.

ANTOINETTE DES HOULIÈRES
(*1638?–1694*)

ANTOINETTE DU LIGIER DE LA GARDE, talented, well educated, married at an early age Guillaume de la Fon de Boisguérin, seigneur des Houlières. She moved in the circles of Queen Anne of Austria, the Prince of Condé, and in précieux society. She joined the literary cabal against Racine's *Phèdre*. Her pastoral and lyric verses illustrate well the prevailing poetic taste of her day.

Page 164. STANCES, "Agréables transports, qu'un tendre amour inspire . . ." From the *Œuvres.* 20. *Tircis,* traditional name for a shepherd, used by Virgil in the *Eclogues.*

MARIE DESJARDINS DE VILLEDIEU
(1632–1683)

Marie Desjardins, better known as Mme de Villedieu, wrote some ardent love poetry, fables, and a series of novels. Her own career was as adventurous as any romance she wrote.

Page 165. ÉGLOGUE, " Solitaires déserts, et vous, sombres allées . . ." From the *Œuvres.* 5. *dryades,* wood-nymphs. 6. *naïades,* water-nymphs. 42. *monarque,* Jupiter, king of the gods. 47. *Ixion,* king of the Lapithæ, who for daring to raise his eyes toward Juno was hurled down to Tartarus by Jupiter. 80. *coups empoisonnés,* from Cupid's arrows.

CHARLES–AUGUSTE DE LA FARE
(1644–1712)

The Marquis de La Fare was the friend and disciple of the Abbé de Chaulieu. He is memorable for easy and witty poems, of which the *Ode sur la Paresse à l'Abbé de Chaulieu* is the most notable.

Page 167. ODE (sur la Paresse), " Pour avoir secoué le joug . . ." From the *Poésies.* 21. *Romain,* Sulla. 21. *Mithridate,* king of Pontus from 123 to 63 B.C. 29. *Jule,* Julius Cæsar. 37. *chantre,* the Roman poet Lucretius, defending the Epicurean philosophy, in *De rerum natura,* thus invokes the goddess Venus, in the opening lines of Book I. 37. *Épicure,* Greek philosopher who advocated refined pleasure as the moral goal of life. 38. *Vénus,* goddess of love. 39. *Mars,* god of war.

GUILLAUME AMFRYE DE CHAULIEU
(*1639–1720*)

THE Abbé de Chaulieu was the most pleasing of the Epicurean poets at the turn of the century. He had wit, grace, sentiment, and a genuine feeling for nature.

Page 169. STANCES (A la Solitude de Fontenay), " C'est toi qui me rends à moi-même..." From the *Poésies.* 13. *toi*, the solitude of Norman Fontenay, his birthplace. 76. *manoir*, the tomb.

JEAN–BAPTISTE ROUSSEAU
(*1671–1741*)

THE lesser Rousseau, entirely unrelated to the great French Swiss, Jean-Jacques, was the typical eloquent poet of the opening years of the Age of Reason. In his time he enjoyed a wide reputation for his *Odes*, sacred and secular. He also wrote epigrams.

Page 175. ODE (A Philomèle), " Pourquoi, plaintive Philomèle..." From the *Œuvres.* 1. *Philomèle*, the nightingale. 7. *dryades*, wood-nymphs. 13. *Céphale*, Aurora, the goddess of the dawn, loved the youth Cephalus in vain. 14. *Flore*, Flora, goddess of flowers.

Page 176. ÉPIGRAMME (Contre Fontenelle), " Depuis trente ans, un vieux berger normand..." From the *Œuvres.* 1. *berger normand*, Bernard Le Bovier de Fontenelle (1657–1757), nephew of P. Corneille, wrote pastoral poetry in his earlier years before finding his true vocation in the popularization of the new science. The Corneilles were Norman, from Rouen. 4. *ruelle*, salon. 8. *faconde*, loquacity, talkativeness.

FRANÇOIS–MARIE AROUET DE VOLTAIRE
(*1694–1778*)

IN the eyes of his contemporaries the remarkable genius who called himself Voltaire was a great epic and dramatic poet. His *Henriade* and his tragedies must be studied to understand the taste of the eighteenth century. Some plays, notably *Alzire, Mérope, Zaïre,* still hold a certain interest. Voltaire, as poet, is better endowed for the types of verse in which his philosophic bent, his mordant wit, or his slender vein of sentiment could stand him in good stead — the epistle, the satire, the epigram, the light society lyric. In these genres, as in the prose familiar letter, or philosophical tale, he still instructs, amuses and charms.

Page 176. SATIRE (Le Mondain), " Regrettera qui veut le bon vieux temps . . ." From the *Poésies.* This poem is from 1736. 2. *Astrée,* Astræa, daughter of Jupiter and Themis, goddess of justice, lived on earth during the fabled Golden Age. 3. *Saturne,* the Titan Saturn, father of the chief gods. 3. *Rhée,* Rhea, wife of Saturn, mother of gods. 4. *jardin,* the Biblical Garden of Eden. 4. *parents,* Adam and Eve. 7. *tristes frondeurs,* the Jansenists. 25. *Texel,* Dutch island north of Zuyder Zee; by extension, Holland is meant. 27. *Gange,* Ganges, river of India. 37. *Martialo,* author of *Le Cuisinier français.* 64. *honnête homme,* cultivated gentleman (seventeenth century meaning). 70. *Corrège,* Correggio, Renaissance Italian painter. 70. *Poussin,* seventeenth century French painter. 72. *Bouchardon,* eighteenth century French sculptor. 73. *Germain,* a French goldsmith. 74. *Gobelins,* the famous tapestries and the establishment in which they are made. 77. *trumeaux,* space between windows, adorned with mirrors. 92. *Camargo,* a famous *danseuse.* 92. *Gaussin,* an actress of the Comédie-Française. 100. *Rameau,* eminent eighteenth century French composer. 105. *vin d'Aï,* wine from the town of that name, near Reims, in the province of Champagne. 113. *monsieur du Télémaque,* Archbishop Fénelon wrote a pedagogical novel, the *Télémaque,* for Louis XIV's grandson, the duc de Bourgogne; in this novel the isle of Ithaca, the town of Salente, the Cretans figure. 124. *jardin,* Mother Eve, tempted by the Devil, ate of the apple in the Garden of Eden. 127. *Huet,* French bishop and translator (1670–1721), author of a *Traité de la situation du Paradis Terrestre* (1691).   127. *Calmet,* Dom Calmet, Benedictine Biblical scholar (1672–1757), put a map of Paradise in the first of the twenty-two volumes of his *Commentaire littéral sur tous les livres de l'Ancien et du Nouveau Testament* (1707–1725).

Page 180.   ÉPIGRAMME (Corneille et Racine), " De Beausse et moi . . . " (1719).   From the *Poésies.*   1. *De Beausse,* a literary acquaintance.   4. *Racine et Corneille,* the greater seventeenth century dramatists with whose plays contemporaries sought to rival Voltaire's.

Page 180.   ÉPIGRAMME (Des Oracles sacrés.   Vers pour être mis au bas du portrait de Dom Calmet), " Des oracles sacrés que Dieu daigna nous rendre . . ." (1757). From the *Poésies.*   2. *son travail,* the assiduous scholarship of the admirable Benedictine friend of Voltaire.

Page 180.   ÉPIGRAMME (A Madame Lullin, en lui envoyant un bouquet le 6 janvier, 1759, jour auquel elle avait cent ans accomplis), " Nos grands-pères vous virent belle . . ."   From the *Poésies.*   1. *vous,* this Madame Lullin was an older relative of the Genevese lady to whom Voltaire wrote the *Stances.*   3. *Fontenelle,* Bernard Le Bovier de, lived (1657–1757).

Page 180.   ÉPIGRAMME (A Pompignan), " Savez-vous pourquoi Jérémie . . ." (1760).   From the *Poésies.*   1. *Jérémie,* the "weeping" prophet of the Old Testament.   4. *Le Franc,* Jacques, Marquis de Pompignan (1709–1784), religious poet, author of *Poésies sacrées,* who had made a speech against the party of the philosophers at the Academy.

Page 181.   ÉPIGRAMME (Imitée de l'Anthologie), " L'autre jour, au fond d'un vallon . . ." (1760).   2. *Jean Fréron,* critic, enemy of the philosophers (1718–1776).

Page 181.   ÉPIGRAMME (Impromptu sur l'aventure tragique d'un jeune homme de Lyon, qui se jeta dans le Rhône, en 1762, pour une infidèle qui n'en valait pas la peine), " Églé, je jure à vos genoux . . ."   From the *Poésies.*

Page 181.   ÉPIGRAMME (Sur le portrait de Voltaire

mis entre ceux de la Beaumelle et de Fréron), " Le Jay
vient de mettre Voltaire..." (1774).   From the *Poésies*.
1. *Le Jay*, " Mis par le libraire Le Jay à la tête d'un commentaire sur *La Henriade*, où le portrait de Voltaire est
entre ceux de La Beaumelle et de Fréron."   2. *La Beaumelle*,
Laurent de (1726–1773), like Fréron, a critic and enemy of
Voltaire.   3. *Calvaire*, a Mount Calvary with three crosses.
4. *bon larron*, the repentant thief to whom Jesus said,
" This day shalt thou be with me in Paradise."

Page 181.   ÉPITRE (A Madame la Marquise du Chatelet
sur la philosophie de Newton), " Tu m'appelles à toi..."
(written 1736, published 1738).   From the *Poésies*.   2. *Minerve*, goddess of wisdom.   2. *Émilie*, name of the Marquise
du Chatelet (1706–1749), distinguished for her genuine
scientific tastes and for her long liaison with Voltaire.
5. *Melpomène*, muse of tragic poetry.   8. *Rufus*, Jean-
Baptiste Rousseau, the poet.   13. *zoïle*, envious critic.
19. *Newton*, Sir Isaac (1642–1727), eminent English scien-
tist and philosopher, whose theories Mme du Chatelet and
Voltaire sought to popularize in France.   32. *gravite*,
Newton formulated the laws of gravitation and of the
decomposition of light.   66. *Ourse*, the constellation so
called.   *Ursa Major* and *Ursa Minor* are the big and little
" Dippers", respectively.   81. *Algarotti*, a Venetian, who
was publishing a treatise, *Newtonianismo per le Dame*,
explaining in popular style the laws of attraction.

Page 184.   STANCES (A Madame du Chatelet), " Si
vous voulez que j'aime encore..." (1741).   From the
Poésies.   3. *crépuscule*, Voltaire was forty-seven.

Page 185.   STANCES (Les Torts), " Non, je n'ai pas
tort d'oser dire..." (1757).   From the *Poésies*.   1. *oser*,
Voltaire had dared to print at Geneva a severe criticism
of John Calvin's character, which had evoked indignation;
Voltaire denies the " torts " attributed to him, by one of
his critics, in this poem.   9. *Malin*, Satan.   11. *tiare*, the
Pope's triple crown.   12. *Calvin*, Jean, the Protestant
reformer (1509–1564), author of the *Institution chrétienne*,
called by his enemies the " pope " of Geneva.   14. *assassins*,

a reference to the cruelties of the sixteenth century Wars of Religion, to which Henri IV, hero of Voltaire's *La Henriade*, brought an end by a policy of toleration. 20. *Servet*, Michael Servetus, Spanish Unitarian theologian, went imprudently to Geneva, was denounced by Calvin and was burnt at the stake (1553). 20. *Dubourg*, Anne, French magistrate burnt for heresy (1559), because he recommended clemency for the Protestants.

Page 186. STANCES (A Madame Lullin, de Genève), " Hé quoi ! vous êtes étonnée ..." (1773). From the *Poésies.* 1. *vous*, a younger relative of the Madame Lullin who lived to be a centenarian. 18. *Tibulle*, Tibullus, Roman elegiac poet.

Page 187. VERS (Adieux à la vie), " Adieu; je vais dans ce pays ..." (1778). From the *Poésies.* 6. *requiem*, memorial service, i.e., Mass of requiem. 21. *attirail*, the priest's equipment for administering the last Sacrament, Extreme Unction. 34. *Polichinelle*, character of the Neapolitan farce; Punch.

NICOLAS–JOSEPH GILBERT
(*1751–1780*)

A CHRISTIAN POET, in the age of the *philosophes*, and one, too, who had the temerity, in clever and thoughtful satires, *Le dix-huitième Siècle* and *Mon Apologie*, to speak harshly of the predominant tendencies of the age, could not hope to be popular. He did not lack friends, however, and died from a fall, while horseback riding, and not from privation. In his last illness, he wrote his most famous ode, sometimes called his *Adieux à la vie*, perhaps the most Lamartinian French poem before Lamartine.

Page 188. ODE (Imitée de plusieurs Psaumes), " J'ai révélé mon cœur au Dieu de l'innocence ..." From the *Œuvres.* 17. *J'éveillerai*, It is God who speaks.

JEAN–PIERRE CLARIS DE FLORIAN
(1755–1794)

THE Chevalier de Florian, a grand-nephew of Voltaire, was the author of *Fables* (1792), which make pleasant reading, even after La Fontaine's peerless collection. He also wrote a pastoral novel, in prose, interspersed with much verse, *Estelle et Némorin* (1788), and other works.

Page 190. FABLE (La Carpe et les Carpillons), " Prenez garde, mes fils . . ." From *Fables, livre Ier*. 4. *épervier*, hand-net with lead weights, as deadly to fish as a bird of prey.

Page 191. FABLE (L'Aveugle et le Paralytique), " Aidons-nous mutuellement . . ." From *Fables, livre Ier*. 5. *Confucius*, Chinese philosopher and moralist. 10. *perclus*, crippled.

Page 192. FABLE (Le Grillon), " Un pauvre petit grillon . . ." From *Fables, livre II*. 7. *petit-maître*, foppish.

Page 193. FABLE (Le Parricide), " Un fils avait tué son père . . ." From *Fables, livre III*. 4. *forfait*, abominable crime.

Page 194. FABLE (Le Philosophe et le Chat-huant), " Persécuté, proscrit . . ." From *Fables, livre IV*. 6. *chathuant*, screech-owl.

Page 194. CHANSON, " Ah ! s'il est dans votre village . . ." From *Estelle et Némorin, pastorale*. 2. *un berger*, Némorin, whom Estelle seeks, as she sings this song, interpolated into the prose narrative. 22. *la mère*, the ewe.

ANTOINE DE BERTIN
(1752–1790)

A NATIVE of the " île Bourbon ", now " île de la Réunion ", in the Indian Ocean, off Africa, Bertin was a lover of the Latin poets and of the verse of his contemporaries, Dorat and Parny. He has sincerity of sentiment and a genuine love of nature, which make of him one of the more interesting love poets of the latter half of the eighteenth century.

Page 195. ÉLÉGIE (A Monsieur le Comte de P˙...), "Tout s'anime dans la nature..." From *Les Amours*, *livre II*, élégie VIII. 3. *Vénus*, goddess of love. 8. *Marais*, aristocratic residential quarter in Paris during the *Ancien Régime*. 10. *Flore*, Flora, goddess of flowers. 10. *Cérès*, Ceres, goddess of the grain harvest.

ÉVARISTE–DÉSIRÉ DE FORGES DE PARNY
(*1753–1814*)

THE Vicomte de Parny, like his friend the Chevalier de Bertin, was a native of the "île Bourbon", now "Réunion". His love for Éléonore, as he calls the lady whom he adored, when again visiting the French colony, after coming to France, formed the chief theme of his *Poésies érotiques*, passionate poems, the finest of which tell of his tragic disappointment. Parny was one of the early influences upon the style of Lamartine.

Page 196. ÉLÉGIE (Projet de Solitude), "Fuyons ces tristes lieux..." From the *Œuvres*, *livre I*er. 1. *maîtresse*, the reference is to the Éléonore, otherwise unidentified, a young Creole of the île Bourbon, whom Parny loved when about twenty and whom his family would not allow him to marry. 32. *Éole*, god of the winds. 33. *Zéphyre*, god of the mild west wind.

Page 197. ÉLÉGIE (Le Raccommodement), "Nous renaissons, ma chère Éléonore..." From the *Œuvres*, *livre II*.

Page 198. ÉLÉGIE, "D'un long sommeil j'ai goûté la douceur..." From the *Œuvres*, *livre IV*. 10. *image*, Éléonore's.

Page 198. VERS (Sur la Mort d'une jeune fille), "Son âge échappait à l'enfance..." From the *Œuvres*, *Mélanges*.

CLAUDE–JOSEPH DORAT
(*1734–1780*)

DORAT composed in several literary genres. Most readable among his works, to the modern reader, is the collection of poems, entitled *Les Baisers*, which place this love poet with others, inspired by the Latin elegiac tradition, during the latter part of his century.

Page 199. ÉLÉGIE (Les Ombres), " Crois-moi, jeune Thaïs ..." From *Les Baisers*, XIX. 9. *Élysée*, Elysian fields, abode of the happy dead. 23. *Didon*, Queen Dido of Carthage, heroine of Virgil's *Æneid*, loved Æneas the Trojan hero, who deserted her, whereupon she committed suicide. 24. *Sapho*, Sappho, greatest Greek poetess, threw herself from a high cliff because of her unrequited love for Phaon. 26. *Anacréon*, Greek poet, who wrote love verse in lighter vein. 30. *Champmeslé*, actress in Racine's tragedies, who had a love affair with the poet. 31. *Alcibiade*, Greek general, favorite pupil of Socrates. 32. *César*, Julius Cæsar loved Cleopatra, among others. 33. Henri II, king of France, had a life-long devotion for Diane de Poitiers, Duchesse de Valentinois (1499–1566), whose favorite château was at Anet.

NICOLAS–GERMAIN LÉONARD
(*1744–1793*)

ANOTHER French poet of colonial origins, in the later eighteenth century, was Léonard, born in the island of Guadeloupe, off the coast of South America. There is a prophecy of Lamartine in the best of his *Idylles et poésies champêtres* (1775–1782), which reveal a poet of sentiment with a real feeling for nature.

Page 200. STANCES (L'Absence), " Des hameaux éloignés retiennent ma compagne." From the *Idylles et poésies champêtres*. 3. *Flore*, Flora, goddess of flowers.

ALEXIS PIRON
(*1689–1773*)

THE author of the amusing comedy, *La Métromanie*, also wrote witty epigrams and other light verse.

Page 202. ÉPIGRAMME (Contre Voltaire), "Son enseigne est à l'Encyclopédie..." From the *Poésies*. 1. *l'Encyclopédie*, the great compendium of knowledge, edited by D'Alembert and Diderot, to which most of the philosophers contributed.

Page 202. ÉPIGRAMME (Son Épitaphe), "Ci-gît Piron..." From the *Poésies*. 1. *ci-gît*, here lies.

Page 203. ÉPIGRAMME (Ma dernière Épigramme), "J'achève ici bas ma route..." From the *Poésies*. 3. *n'y vis goutte*, saw nothing at all.

PONCE–DENIS ÉCOUCHARD LEBRUN
(*1729–1807*)

IF Lebrun-Pindare, as admiring contemporaries named him, produced odes and elegies that impress the modern reader as oratorical, he had also a satiric wit that won him more durable success in the epigram.

Page 203. ODE (Arion), "Quel est ce navire perfide..." From the *Œuvres*. 2. *Euménide*, the Eumenides, Erinyes or Furies were avenging deities. 9. *Arion*, a musician whose song charmed dolphins, one of which brought him to shore, after he had been thrown into the sea by sailors, who wished to steal his valuables. 23. *Néréides*, sea-nymphs. 28. *Borée*, Boreas, the north wind. 29. *Nérée*, Nereus, a sea god. 32. *Corinthe*, the Greek city. 33. *Périandre*, tyrant of Corinth about 625–585 B.C., one of the "seven sages" of Greece. 34. *Minerve*, goddess of wisdom.

Page 204. ÉPIGRAMME (Sur une Dame poète), "Églé, belle et poète..." From the *Œuvres*. 1. *Églé*, possibly Mme Fanny de Beauharnais, who is said to have " made up " freely and also to have posed as a poetess.

Page 204. ÉPIGRAMME (Dialogue entre un pauvre Poète et l'Auteur), " On vient de me voler . . ." From the *Œuvres.*

Page 204. ÉPIGRAMME (Sur les Fâcheux), " O la maudite compagnie . . ." From the *Œuvres.*

Page 205. ÉPIGRAMME (Sur Florian), " Dans ton beau roman pastoral . . ." From the *Œuvres.* Title. *Florian,* Jean-Pierre Claris de, author of attractive *Fables.* 1. *roman,* Florian's *Estelle et Némorin, pastorale* (1788).

Page 205. ÉPIGRAMME (Sur une Femme laide et sotte), " Cléis, bien laide . . ." From the *Œuvres.* 4. *que n'est-il,* pourquoi n'y a-t-il pas.

ANDRÉ CHÉNIER
(1762–1794)

ANDRÉ CHÉNIER (or de Chénier) was the most genuine poet of the eighteenth century. Born at Constantinople of a Greek mother, he knew the Greek language early and fed himself on the ancient Greek poets, imbibing something of their spirit. His elegies, idylls and odes are not mere repetitions of conventional commonplaces, but new, original and vigorous in idea and expression. Chénier aspired to write the *De rerum natura* of the Age of Reason, but died too early to prove himself another Lucretius. He did admirably exemplify his dictum, " Sur des pensers nouveaux faisons des vers antiques," especially in the poems inspired by the great Revolution. He anticipated the Romanticists in some measure by his endeavor to give greater flexibility and variety to the Alexandrine line.

Page 205. ÉPIGRAMME (La Leçon de flûte), " Toujours ce souvenir m'attendrit et me touche . . ." From the *Épigrammes,* IV.

Page 206. IDYLLE MARINE (La Jeune Tarentine),

"Pleurez, doux alcyons . . ." From the *Bucoliques*, XXI, *Les Idylles marines*, 1. 2. *Thétis*, sea goddess. 2. *alcyons*, the arrival of these sea-birds presaged calm. 3. *Myrto*, the young girl's name is taken from Theocritus' *Idylls*, VII. 3. *Tarentine*, native of Tarentum, town of Calabria, in southern Italy. 4. *Camarine*, Sicilian port. 19. *Néréides*, sea-nymphs. 22. *cap du Zéphyr*, cape south of Brutium, Calabria.

Page 207. ÉLÉGIE, " Jeune fille, ton cœur avec nous veut se taire . . ." From the *Élégies*, V.

Page 207. ODE (A Charlotte de Corday), "Quoi! tandis que partout . . ." From the *Odes*, II, 9. 3. *Marat*, Jean-Paul, editor of *L'Ami du Peuple*, radical revolutionist (1743–1793). 6. *hymne*, by Deputy Audoin. 14. *toi*, Charlotte de Corday, grand-niece of Pierre Corneille, executed July 18, 1793, for assassinating Marat, bloody leader of the Reign of Terror, in his bath. 32. *Paros*, Greek island with famous marble quarries. 34. *Harmodius*, he who, with the aid of his friend, the tyrannicide Aristo-geiton, slew the cruel tyrants Hipparchus and Hippias, during the Panathenean games of 514 B.C. 35. *Némesis*, goddess of vengeance. 44. *sénat*, the *Comité du salut public*, decreed by the *Convention*, April 6, 1793, to concentrate executive power.

Page 210. ODE (La Jeune Captive), "L'épi naissant mûrit . . ." From the *Odes*, II, 14. (1794). 4. *moi*, the lady is in the prison of Saint-Lazare. 18. *Philomèle*, the night-ingale. 40. *Palès*, Roman goddess of flocks and shepherds. 45. *jeune captive*, Aimée Franquetot de Coigny (1769–1820), divorced (1793) wife of the Duc de Fleury, whom she had wedded in 1784; she had been arrested as suspect in 1794, ten days before Chénier's imprisonment.

Page 211. IAMBES (Saint-Lazare, 1794), "Quand au mouton bêlant la sombre boucherie . . ." From the *Iambes*, VIII. 13. *repaire*, the prison. 15. *charnier*, place for keeping meat. 23. *Bavus*, Fouquier-Tinville, public ac-cuser of the Revolutionary Tribunal.

Page 212. IAMBES (Saint-Lazare, 1794), " Comme
un dernier rayon . . ." From the *Iambes*, XII. 29. *Thémis*,
goddess of justice. 49. *Justice, Vérité*, constantly upon
the lips of the tyrant Robespierre. 76. *poignard*, Condorcet
and Chamfort had committed suicide in prison that same
year. 83. *fouet*, the three Furies drive their victims with
whips.

CLAUDE–JOSEPH ROUGET DE LISLE
(*1760–1836*)

THOUGH he wrote in both prose and verse, including
several plays, nothing of Rouget de Lisle's is still read except *La Marseillaise*, which has become the national song
of France.   He composed both words and music in the
night of April 25, 1792, while he was an officer of engineers
at Strasbourg.   In it he expressed the emotions of a people,
arming to defend itself against a European coalition,
threatening the liberties gained by the Revolution before
the Reign of Terror.   The name, *Chant de guerre pour
l'armée du Rhin*, became *La Marseillaise* after troops from
Marseilles sang it on their way across France to Paris.

Page 215. CHANSON (La Marseillaise), " Allons, enfants de la patrie . . ." 13. *traîtres*, the émigré nobles
conspiring with foreign powers against France. 44. *Bouillé*,
François-Claude, marquis de (1739–1800), devoted royalist,
who planned the flight of Louis XVI and the royal family
(1791) to Varennes; when the king was captured, Bouillé
fled to England, where he died. 57. *Nous entrerons . . .*,
the final strophe was added by another hand, some say
that of the journalist Louis Du Bois, and sung for the first
time at the civic festival of October 14, 1792, others, that of
the Abbé Pessonneau, teacher of the Collège de Vienne
(Isère), in honor of the Marseillais on their way to Paris to
defend the *Assemblée*, and first sung by his pupils July 14,
1792.

MARIE–JOSEPH CHÉNIER
(1764–1811)

THIS younger brother of André Chénier enjoyed a considerable contemporary reputation as a dramatic poet and critic. Aside from the well-known *Chant du départ*, composed for singing, to music by the composer Étienne-Nicolas Méhul (1763–1817), on July 14, 1794, nothing is remembered of the voluminous works of a brother, whose fame overshadowed André Chénier's, until the latter's works finally appeared (edited by Henri de Latouche) in 1819.

Page 217. CHANSON (Le Chant du départ), "La victoire en chantant nous ouvre la barrière . . ." 22. *Mars*, god of war. 24. *fer*, sword. 29. *Barra*, or Bara, Joseph (1779–1793), boy revolutionary hero, killed in Vendée. 29. *Viala*, Joseph-Agricol de (1780–1793), boy revolutionary hero killed in Provence.

ANTOINE–VINCENT ARNAULT
(1766–1834)

ARNAULT wrote a number of tragedies and a collection of *Fables* that were admired in their day, but his name is best preserved for the larger public by a brief elegy, which is found in most anthologies. The circumstances attending its composition, on the eve of his departure from France after his banishment in January, 1816, were such as to especially stir the poet's heart. Attached to the Ministry of Education, during the First Empire, Arnault had briefly held the portfolio of Education at the time of Napoleon I's Hundred Days. Now, at the behest of the again restored Louis XVIII, he had to quit France. He walked through the fields of L'Isle-Adam in the cold light of a winter's morning and in his thoughts compared his destiny to that of the wandering leaf, blown hither and yon by the wind.

Page 223. LA FEUILLE, "De ta tige détachée . . ."

From *Fables et Poésies*. 4. *le chêne*, the Emperor Napoleon I, the poet's patron and protector.

FRANÇOIS–RENÉ DE CHATEAUBRIAND
(*1768–1848*)

THE Vicomte de Chateaubriand was an enormous literary force at the beginning of the nineteenth century. The instrument of his power was a prose which had the melodiousness of verse. *Atala* (1801), *Le Génie du Christianisme*, (1802), including also *René* (published separately in 1805) stimulated the emotions powerfully and exercised a direct influence towards the renewal of lyric poetry. Chateaubriand's *Idylles* and *Poésies Diverses* contained little of note. He did write one charming love song or " romance ", called *Le Montagnard exilé*, or *A Hélène*, which was set to a local melody heard by the author on a trip (1805) to the Mont-Dore in Auvergne. Words and music appeared first in the *Mercure de France*, May, 1806, with the title *Le Montagnard émigré*. Later Chateaubriand included the poem in *Les Aventures du dernier Abencérage*, his " nouvelle " of the Moors in Granada (published 1826, but composed about 1807).

Page 223. LE MONTAGNARD EXILÉ, " Combien j'ai douce souvenance . . ." 14. *la Dore*, a rapid stream in the Puy-de-Dôme département, flowing into the Allier. 17. *l'airain*, the bell. 24. *Si beau*, a musical setting of this poem gives as a fifth strophe the following, retaining the usual fifth as sixth and last:

> Te souvient-il de cette amie,
> Tendre compagne de ma vie?
> Dans les bois en cueillant la fleur
> Jolie,
> Hélène appuyait sur mon cœur
> Son cœur.

CHARLES–HUBERT MILLEVOYE
(*1782–1816*)

AUTHOR of several poetical tales of chivalry and a considerable number of elegies, Millevoye is remembered chiefly for *La Chute des Feuilles*, written in the forest of Crécy and sent to a poetical competition (1811) of the Académie des Jeux-Floraux of Toulouse, where it won the silver flower prize, awarded for the best elegy submitted. *Le Poète Mourant*, which inspired other developments of the theme, is the other best-known poem by this transitional figure, who influenced the youthful efforts of such greater men as Lamartine, Vigny, Hugo.

Page 224. LA CHUTE DES FEUILLES, " De la dépouille de nos bois . . ." From *La Mort de Rotrou*. The text was several times altered by Millevoye. 13. *Fatal oracle d'Epidaure*, an elegant *périphrase* for physician; Epidaurus, a town in Grecian Argolis, was the chief seat for the worship of Æsculapius, god of the healing art.

Page 226. LE POÈTE MOURANT, " Le poète chantait . . ." From the *Élégies*. The fashion for poems of mortality at this time led *La Muse Française*, it is said, to propose ironically the theme of " L'oncle à la mode de Bretagne en pleine convalescence ". Relief at the restoration to health of one's first cousin once removed, it was implied, would surely lend verses thus inspired a refreshingly joyous abandon ! 10. *un arbre*, the " mancenillier ", or manchineel, a tree of the Antilles with poisonous sap, whose shade is thought, superstitiously, to cause intoxication and death. 22. *comme l'Égypte*, refers to the ancient Egyptian belief that the living could protest the ferrying of an unjust soul over the Lake of the Dead.

CHARLES LIOULT DE CHÊNEDOLLÉ
(*1769–1833*)

CHÊNEDOLLÉ is another transitional figure, associated with Charles Nodier and with *La Muse Française*. The widowed sister of Chateaubriand, Mme Lucile de Caud, is said to have fallen in love with him and to have gone insane upon learning that he was not free to wed. The chief works of the poet are *Le Génie de l'Homme* (1807) and the *Études poétiques* (1820). Unfortunately for the latter volume's full appreciation, it appeared shortly after the *Méditations* of Lamartine.

Page 227. LE CLAIR DE LUNE DE MAI, " Au bout de sa longue carrière . . ." From the *Études poétiques.*

CHARLES NODIER
(*1780–1844*)

CHARLES NODIER is better known for his prose stories than for his verse. He was one of those French men of letters who felt and transmitted the influence of Germany. He promoted the Romantic movement by his stimulating personal contacts with the group of young writers that he drew around him, more than by what he himself wrote. In 1824, he was appointed Librarian of the Bibliothèque de l'Arsenal. There, with his wife and charming daughter, Marie (afterwards Mme F.-Jules Mennessier-Nodier), he received Lamartine, Hugo and other promising young men. This salon became a chief center for aspiring young talents. This group is often referred to as the " premier cénacle ", or. " cénacle de l'Arsenal ". It should be distinguished from the " deuxième cénacle " opened about 1828 by Victor Hugo at his home in the Place Royale (now Place des Vosges).

Page 228. LA JEUNE FILLE, " Elle était bien jolie, au matin, sans atours . . ." From the *Poésies diverses.*

CASIMIR DELAVIGNE
(*1793–1843*)

A POPULAR dramatist who preferred the classical style, Delavigne had yet a Romantic admiration for Shakespeare and Schiller. He felt that it was possible to " romanticize " classicism. His *Messéniennes* (1818), a collection of elegies, mourning the sad state to which France had fallen since Napoleon had lost his throne, won popular acclaim. He was a moderate whose successes made the true Romantics jealous. They had their revenge, for their fame has been more enduring.

Page 229. LA BRIGANTINE, " La brigantine qui va tourner . . ." From the *Œuvres*. 18. *se confira dans sa neuvaine*, will be especially devout in the series of prayers of her *novena*.

PIERRE–JEAN DE BÉRANGER
(*1780–1857*)

BÉRANGER is doubtless the first in rank of the *chansonniers*. Between 1815 and 1830, especially, he was a national poet with an immense following. The chanson in his hands took on breadth and seriousness. He used it largely as a vehicle for his political opinions, even as a political weapon. The object of his attack was the monarchy of the restoration and the pre-revolutionary ideas which it tried to revive. His weapon was formidable, for he appealed to the masses of the people by his songs and the current melodies to which he efficiently wedded them. He was not a Romantic, but, like Victor Hugo, he helped to promote the development of the Napoleonic legend, thus forwarding unwittingly the career and " coup d'État " of Napoleon III.

Page 231. LE ROI D'YVETOT, " Il était un roi d'Yvetot . . ." From the *Chansons*. This famous song dates from 1813, when Napoleon I's despotism was at its height. Under the Merovingian dynasty the Lords of the little Norman town of Yvetot, near Le Havre, had, according to tradition, acquired the royal title. Béranger contrasts the ways of this necessarily unambitious monarch with those of the French Emperor. It is said that Napoleon took the satire in good part. Béranger wrote in his *Mémoires:* " Mon

admiration pour le génie de Napoléon n'ôte rien à ma ré-
pugnance pour le despotisme de son gouvernement."
26. *muid*, old liquid measure; the Parisian *muid* equalled
18 *hectolitres*. 26. *pot*, two pints. 35. *lever le ban*, to call
out one's vassals. 36–37. *tirer au blanc*, to shoot at a target.

Page 232. LE MARQUIS DE CARABAS, " Voyez ce
vieux marquis . . ." From the *Chansons*. This song dates
from 1816, when the *émigré* nobles were clamoring for their
ancient privileges. Béranger took the title of his hero from
Charles Perrault's tale, *Le Chat Botté*. 12. *vavassaux*, a
vavasseur was a rear vassal. 24. *Pépin le Bref*, father of
Charlemagne. 32. *tabouret*, only ladies of the highest
nobility were allowed stools in the presence of royalty.
37. *croix*, orders, decorations. 52. *dîme*, tithe paid to the
clergy, a tax abolished in 1789. 56. *tendrons*, young girls.
58. *droit du seigneur*, rights over vassals' wives said to have
been claimed by feudal lords. 62. *encensoir*, nobles present
at Mass were honored by a special swing of the censer,
before the Revolution.

Page 234. LE VILAIN, "Hé quoi! j'apprends que
l'on critique . . ." From the *Chansons*. Title. *vilain*,
under the old régime *vilain* meant a countryman not of
noble birth. 24. *léopard*, the heraldic *lion léopardé* of the
English coat of arms, therefore a symbol of England.
27. *Ligue*, the Catholic League (1576–1596) strove for the
supremacy of the Church in France, until Henri IV restored
order after the Wars of Religion.

Page 236. LES SOUVENIRS DU PEUPLE, "On
parlera de sa gloire . . ." From the *Chansons*. A poem
(1828) which aided the growth of the Napoleonic legend.
Napoleon died at Saint Helena in 1821. 15. *il passa*, on
his way to meet his bride, his second wife Marie-Louise of
Austria, in 1810. 30. *à Notre Dame*, Napoleon's son, the
King of Rome, was baptized there in 1811. 40. *Champagne*,
the allied armies opposed to Napoleon invaded this region
in 1815, during the Hundred Days. 54. *piquette*, cheap
wine drunk by the poorer classes. 60. *venger la France*,

Napoleon won a last victory at Montmirail on February 11 and 12, 1814.

Page 238. LES ÉTOILES QUI FILENT, " Berger, tu dis que notre étoile . . ." From the *Chansons.* 7. *cette étoile qui file*, reference to the popular astrological belief that a shooting star represents the passing of a human life.

Page 239. ADIEUX DE MARIE STUART A LA FRANCE, " Adieu, charmant pays de France ", From the *Chansons.* Mary Stuart, daughter of James V, King of Scotland, and Queen of that land in her own right, returned to her native country, from the land in which she had been brought up, in 1560, after the death of François II, King of France, her young husband.

MARCELINE DESBORDES-VALMORE
(*1786–1859*)

THE actress Marceline Desbordes-Valmore ranks among the lyric poets of the earlier years of the nineteenth century. Her language has something of the flavor of the age preceding, but the note of emotion she expresses is direct and sincere. The theme that best inspired her was love — love disappointed and betrayed. Some of her posthumous poems reveal a touching religious fervor. Many believe that the minor poet and playwright Henri de Latouche (1785–1851), who edited André Chénier's works in 1819, was the object of the poetess' overwhelming passion, but this identification of her idol is not completely assured.

Page 241. ÉLÉGIE, " J'étais à toi peut-être avant de t'avoir vu . . ." From the *Élégies.* 19. *Comme un timbre vivant . . .*, a variant of this line and the three following reads:

> J'exprimais par lui seul mes plus doux sentiments;
> Je l'unissais au mien pour signer mes serments.
> Je le lisais partout, ce nom rempli de charmes,
>   Et je versais des larmes:

Page 242. SOUVENIR, " Quand il pâlit un soir . . ." From the *Élégies*.

Page 242. S'IL L'AVAIT SU, " S'il avait su quelle âme il a blessé . . ." From the *Romances*.

Page 243. L'ATTENTE, " Quand je ne te vois pas . . ." From *Les Pleurs*. 5. *ta voix*, Henri de Latouche is said to have had a beautiful speaking voice.

Page 243. LES ROSES DE SAADI, " J'ai voulu ce matin te rapporter des roses . . ." From the *Poésies inédites, recueil posthume*. Title. Saadi, a Persian poet of the 13th century, author of the *Gulistan* (Garden of Roses), of whose preface Marceline paraphrases a passage.

Page 244. LA COURONNE EFFEUILLÉE, " J'irai, j'irai porter ma couronne effeuillée . . ." From the *Poésies inédites, recueil posthume*. Some critics consider this poem the poetess' masterpiece.

ALPHONSE DE LAMARTINE
(*1790–1869*)

LAMARTINE was the first notable poet of his century and still is held in esteem as one of the great of France. He passed a quiet youth in the shelter of home influences on his father's estate near Mâcon, receiving his most lasting impressions from his remarkable mother's instruction, from the fields and woods, and from certain favorite books, among which were the Bible and Ossian. This education was supplemented by a visit to Italy in 1811–12, memorable for the episode of Graziella, and a short service in the royal guards. His first volume, the *Méditations poétiques* (1820), offered something new in French letters and made him famous at once. These poems were saturated with the poet's personality and shaped by his emotions. To communicate his pervading melancholy he had found the secret of lines which, while they did not yet have the color, brilliancy, and variety that the Romanticists presently gave to verse, charmed the ear with a harmony and a music unattained before. Lamartine's long poems of idealistic philosophical intention, especially *Jocelyn* (1836), have interest, but it was as the lyric poet of the first *Méditations* and several succeeding collections, in which he celebrated love, nature, religion, that he made his chief and most durable impression.

Page 245. L'ISOLEMENT, "Souvent sur la montagne..." From the *Premières Méditations poétiques.* August, 1818, Milly. 1. *montagne,* a mountain called *le Craz* overlooks the poet's ancestral home. 11. *char vaporeux...,* the moon, an 18th century *périphrase.* 13. *flèche gothique,* the church at Soligny. 38. *le vrai soleil,* God. 45. *char de l'Aurore,* dawn, another *périphrase.*

Page 246. LE VALLON, "Mon cœur, lassé de tout..." From the *Premières Méditations poétiques.* Summer of 1819. 3. *vallon,* the "vallée Férouillat" in the mountains of Dauphiné, near Grand-Lemps, near also to the ruins of an old manor belonging to Lamartine's friend, Aymon de Virieu. 26. *Léthé,* the waters of this river in the underworld of the dead, when drunk, were said to bring forgetfulness. 55. *Pythagore,* Pythagoras, Greek philosopher, taught the doctrine that the organization of the universe is an harmonious system of numerical ratios; he is said to have thought he could hear the motions of the constellations of stars producing a celestial melody, the "music of the spheres". 59. *l'astre du mystère,* the moon.

Page 248. LE LAC, "Ainsi, toujours poussés vers de nouveaux rivages..." From the *Premières Méditations poétiques.* August-September, 1817. 5. *lac,* Lake Bourget in Savoie. 6. *elle,* the *Elvire* of *Le Lac,* Julie Bouchard des Hérettes, whose family had left San Domingo after the revolt of the blacks, and who had married, in 1804, the learned and elderly Doctor Charles. She met the young Lamartine at Aix-les-Bains, whither both had gone for reasons of health, in the autumn of 1816, and later at her salon in Paris. They were to have met the following year at Lake Bourget, but Mme Charles was too ill to come. In

Le Lac, the poet refers to her as desperately ill. She died, having received the last Sacraments of the Church, December 18, 1817.

Page 250. L'AUTOMNE, " Salut, bois couronnés d'un reste de verdure . . ." From the *Premières Méditations poétiques.* November, 1819. 25. *Peut-être l'avenir . . .*, an allusion to Miss Birch, the English girl whom Lamartine married at Geneva in 1820, who is the *Elvire* (ideal symbol of the poet's love) of various poems in the *Nouvelles Méditations* (1823).

Page 251. LE CRUCIFIX, " Toi que j'ai recueilli sur sa bouche expirante . . ." From the *Nouvelles Méditations poétiques.* Perhaps from 1818 with alterations in 1823. 1. *toi*, the cross taken to the poet by his friend, de Perseval, not by the priest, as in the poem, after the death of Mme Charles, which Lamartine did not witness. 6. *un martyr*, though masculine, referring to Mme Charles, or else possibly to the Abbé de Keravenant, a " martyr " of the French Revolution, who had given her the crucifix. 10. *chants*, the priest chants nothing at a death bed, so the poet is thinking of later rites. 42. *sept fois*, seven is symbolical rather than accurate, a sacred number, mystical. 71. *l'olivier sacré*, in the Garden of Gethsemane, where Jesus watched and prayed.

Page 254. L'OCCIDENT, " Et la mer s'apaisait . . ." From the *Harmonies poétiques et religieuses.* Composed at Florence in 1827.

Page 255. AU ROSSIGNOL, " Quand ta voix céleste prélude . . ." From the *Harmonies poétiques et religieuses.* 17. *l'astre des nuits*, the moon. 51. *Philomèle*, the nightingale.

ALFRED DE VIGNY
(1797–1863)

THE Comte Alfred de Vigny is also one of the great poets of the century. He surpassed most, if not all, of his fellow Romanticists in the intellectual quality of his verse. His poems were not merely the product of a moment of passion or of a transient emotion. The strings of his lyre were not set vibrating by every breeze that blew. Personal emotion was by him subjected to the action of an intellectual solvent, was generalized into impressive symbols and made almost impersonal before it was given form and expression. For this reason, partly, the bulk of his poetry is small, not exceeding the limits of the volume containing the two *recueils*, *Poèmes antiques et modernes* and *Les Destinées, Poèmes philosophiques*. Of rich human interest is also the prose *Le Journal d'un Poète*, a remarkable collection of notes and " pensées ", expressing the writer's lofty Stoicism.

Page 257. MOÏSE, " Le soleil prolongeait sur la cime des tentes . . ." From the *Poèmes antiques et modernes, livre mystique*. Vigny says of *Moïse* (composed in 1822), in a letter of 1838: " Aucun (de mes poèmes) encore n'a dit toute mon âme, mais s'il y en a un que je préfère aux autres, c'est *Moïse*. Je l'ai toujours placé le premier, peut-être à cause de sa tristesse . . . Mon Moïse n'est pas celui des Juifs. Ce grand nom ne sert que de masque à un homme de tous les siècles et plus moderne qu'antique: l'homme de génie, las de son éternel veuvage et désespéré de voir sa solitude plus vaste à mesure qu'il grandit. Fatigué de sa grandeur, il demande le néant." 6. *Nébo . . .* , the place names, in the English Bible, are Nebo, Pisgah, Gilead, Ephraim, Manasseh, Judah, Naphtali, Jericho, Peor, Zoar, Canaan, Moab, Horeb. Nebo is a mountain toward the mouth of the Jordan river and east of the Dead Sea. 20. *lentisque touffu*, mastic-tree with thick leaves. 41. *les fils de Lévi*, Levites, descendants of Levi, son of Jacob and Leah, a sacred caste in ancient Jerusalem, consecrated to the service of God. 56. *livre*, the *Pentateuch*, portion of the Bible attributed to Mosaic authorship. 82. *le fleuve*, reference to the passage of the Red Sea, dry shod, by the children of Israel. 89. *vieillir*, cf. *Deuteronomy* XXXIV, 7: " And Moses was an hundred and twenty years old when he died." 91. *berger*, the youthful Moses. 115. *Josué*, Joshua, the leader who takes Moses' responsibility.

Page 261. LE COR, " J'aime le son du cor, le soir, au
fond des bois . . ." From the *Poèmes antiques et modernes,
livre moderne.* Vigny had gone as captain, in 1823, to the
Pyrenean frontier guard, during the Spanish War, and had
viewed the scenes inspiring this poem. The unique Oxford
MS. of *La Chanson de Roland* was not known at that time.
Vigny may have taken his Roland story from a prose
summary of the *Chronique des Prouesses et faits d'armes de
Charlemagne*, attributed to the Archbishop Turpin of Vigny's
poem. The summary appears in the *Bibliothèque universelle
des Romans.* 2. *la biche aux abois*, the roe at bay. 10. *Frazona*, Spanish Stazona, French Estaçou. 10. *Marboré*,
amphitheatre formed by central mass of the Pyrenees.
12. *gaves*, mountain torrents. 27. *Roncevaux*, or Ronceval,
Spanish village at entrance of the Pyrenean pass where
Charlemagne's rear guard, under the command of Count
Roland, was overwhelmed by the Basque mountaineers,
in 778. 30. *Olivier*, Oliver, Roland's friend; like Roland
and Archbishop Turpin, one of Charlemagne's twelve peers.
48. *Luz . . . Argelès*, villages in the modern *département des
Hautes-Pyrénées*, in a valley which extends toward Lourdes
from the " Brèche de Roland " and the " Cirque de Ga-
varnie ". 50. *Adour*, French river rising in the Pyrenees.
56. *Turpin*, Archbishop of Reims; in the *Chanson de Roland*
this war-like cleric is killed with his friends Roland and
Oliver. 59. *saint Denis*, patron saint of France. 68. *Obéron*, king of the fairies; personage of the medieval narrative
poem, *Huon de Bordeaux.* Cf. Shakespeare's *Midsummer
Night's Dream*, in which Oberon and his queen, Titania,
figure.

Page 263. LA MORT DU LOUP, " Les nuages couraient sur la lune enflammée . . ." From *Les Destinées,
Poèmes philosophiques.* Possibly composed in 1838. First
published 1843. There are two lines in Byron's *Childe
Harold*, doubtless known to Vigny:

> And the wolf dies in silence, — not bestow'd
> In vain should such example be.

6. *Landes*, moorlands, giving name to the *département des*

Landes, in southwestern France. 12. *girouette,* a weather vane. 23. *loups-cerviers,* literally lynxes, but the poet without doubt means wolves. 40. *Rémus . . . Romulus,* legendary founders of Rome, said to have been deserted in infancy, found and suckled by a friendly she-wolf.

Page 266. LE MONT DES OLIVIERS, " Alors il était nuit, et Jésus marchait seul . . ." From *Les Destinées, Poèmes philosophiques.* Possibly composed in 1839. First published in 1844. The conclusion, *Le Silence,* was not added until 1862. 10. *Gethsémani,* the Biblical Garden of Gethsemane. 91. *Lazare,* the Lazarus raised by Christ from the dead. 133. *renonce,* a variant is *remonte,* but the MS. has the former reading.

Page 270. LA BOUTEILLE A LA MER, " Courage, ô faible enfant de qui ma solitude . . ." From *Les Destinées, Poèmes philosophiques.* Written in 1847 or 1853. First published in 1854. Vigny wrote, in the *Journal d'un poète,* under the year 1842: " Un livre est une bouteille jetée en pleine mer, sur laquelle il faut coller cette étiquette: Attrape qui peut." In the " Explication hors texte relative à la théorie des marées exposée dans l'Étude IVᵉ ", of Bernardin de Saint-Pierre's *Études de la Nature,* one may read: " (Christophe Colomb) pensa encore à tirer parti des courants de la mer au retour de son premier voyage; car étant sur le point de périr dans une tempête, au milieu de l'Océan Atlantique, sans pouvoir apprendre à l'Europe, qui avait méprisé si longtemps ses services et ses lumières, qu'il avait enfin trouvé un nouveau monde, il renferma l'histoire de sa découverte dans un tonneau qu'il abandonna aux flots, espérant qu'elle arriverait tôt ou tard sur quelque rivage. Une simple bouteille de verre pouvait la conserver des siècles à la surface des mers, et la porter plus d'une fois d'un pôle à l'autre." 3. *camail,* hood. 5. *Chatterton,* precocious and unfortunate English poet of the 18th century, whom Vigny uses as a type of misunderstood genius in *Stello* (1832) and in his play, *Chatterton* (1835). 5. *Gilbert,* the 18th century French poet, also appearing in *Stello.* 5. *Malfilâtre,* a lesser 18th century French poet,

author of *Narcisse dans l'île de Vénus*, who is wrongly said
to have died of hunger, " La faim mit au tombeau Malfilâtre ignoré ", by Gilbert (also wrongly asserted to have
died of privations), in the *Satire I, Le Dix-huitième Siècle*.
8. *un grave marin*, Vigny had read the travel narratives of
two members of the Bougainville family (related to his own
family) one voyage in the latter half of the 18th century
and the other in the early 19th; these gave him details
for this poem. 13. *partant*, therefore. 15. *toise*, surveys,
measures. 37. *Terre-de-Feu*, Tierra del Fuego, region
between the Strait of Magellan and Cape Horn. 39. *cingler*, sail before the wind. 43. *cap des brumes*, Vigny mis-
places Cape Horn. 46. *pics noirs*, Vigny intends San
Diego and San Ildefonso. 57. *mise en panne*, hove to.
65. *Aï*, wine town on the Marne in Champagne. 72. *compas*, here used for *boussole*. 119. *ligne ardente*, Equator.
125. *flamme*, a pennant at mast-head. 128. *Négrier*, slave-
ship. 132. *sarigue*, opossum.

VICTOR HUGO
(*1802–1885*)

VICTOR HUGO's commanding influence, as the chief of
the Romantic school and the champion of a revolution in
literary doctrine and practice, has led to his being always
considered in connection with the movement to which he
gave such a powerful impulse. He was not merely an able
party chief and an influence, he was also a great poet. He
was that by reason of the breadth and variety of his per-
formance, the surprising mastery of form that he showed,
the new capacities for picturesque expression that he
discovered in the language or created for it, the new possibilities of rhythm and melody that he opened to it, and
the range, power and sincerity of the thoughts and feelings
to which he gave so sonorous and musical a body. No doubt
in an early work, such as *Les Orientales* (1829), the body
was more to him than the spirit that it lodged. The development of technical resources had a charm of its own

and he had the artist's delight in skillful and exquisite workmanship. But he did not stop with the dexterity and virtuosity of the craftsman. The domestic affections, the love of country, the mystery of death had a deep hold upon him. Whenever he approached these great themes he was almost sure to be genuine and moving. His pity for the poor and unfortunate was real and from it sprang much of his democracy. He had a fine gift of wrathful indignation, called into exercise especially by Napoleon III, who prompted the satirical-lyrical-epic *Les Châtiments* (1853). He prided himself upon his propensity to philosophical reflection, well evidenced in certain poems of *Les Contemplations* (1856) and *La Légende des Siècles* (1859–77–83), but he was far more original as a poet than as a thinker. No contemporary, no predecessor since the Théodore Agrippa d'Aubigné of *Les Tragiques* (1616), had his magnificent capacity for evoking vast visions and suggesting epic atmosphere. He was that rare being, a modern mythmaker.

Page 275. LES DJINNS, " Murs, ville, et port..." From *Les Orientales*. Title. *Djinns*, for Hugo these were geniuses, spirits of the night, *genii;* in Mohammedan popular belief they are spirits created of fire and both good and evil. Poem. *Et come i gru...*, the motto is from Dante, *Inferno*, Canto V, verses 46–49. 15–16. *flamme toujours suit*, according to a rural European superstition, here applied by Hugo to the Orient, the "feu follet" is a phosphorescence accompanying a disembodied spirit, wandered from its place of burial. 33. *Dieu...*, an Arab speaks. 65. *Prophète*, Mohammed.

Page 279. EXTASE, " J'étais seul près des flots, par une nuit d'étoiles..." From *Les Orientales*. Motto. *Et j'entendis*, the motto is Biblical, *Revelations*, I, 10.

Page 279. LORSQUE L'ENFANT PARAÎT..., " Lorsque l'enfant paraît, le cercle de famille..." From *Les Feuilles d'automne*. 1. *le cercle*, in May, 1830, Hugo's family circle included the wife he had married in 1822 and three children, Léopoldine, Charles, Victor. 37. *arche*,

Noah's Ark to which the dove came back when the Flood was subsiding, bringing hope.

Page 281. LA TOMBE DIT A LA ROSE..., "La tombe dit à la rose..." From *Les Voix intérieures.*

Page 281. TRISTESSE D'OLYMPIO, "Les champs n'étaient point noirs, les cieux n'étaient pas mornes..." From *Les Rayons et les ombres.* Dates from October 21, 1837. Hugo had visited the valley of the Bièvre, near Paris, with his fiancée, Adèle Foucher, and returned there with her after their marriage. In 1834 he brought thither also Juliette Drouet, an actress whom he had met at an artist's ball in 1833 and with whom he had a *liaison* lasting fifty years. Title. *Olympio*, Hugo himself. 58. *l'arbre*, tree where the clandestine lovers met or exchanged letters. 59. *l'enclos*, garden of the cottage in the village of Les Metz, where Juliette had stayed.

Page 286. OCEANO NOX, "Oh! combien de marins, combien de capitaines..." From *Les Rayons et les ombres.* Dates from July, 1836, after the poet had witnessed a great tempest at Saint-Valéry-en-Caux. Title. *Oceano Nox*, part of the line "vertitur interea cælum et ruit Oceano Nox" (the sky turns, meanwhile, and Night rushes on from the Ocean), Virgil, *Æneid*, II, 250.

Page 287. L'EXPIATION, "Il neigeait. On était vaincu par sa conquête..." From *Les Châtiments, livre V. L'Autorité est sacré.* 4. *Moscou*, Napoleon's Russian campaign took place in 1812. 36. *Annibal*, Hannibal, Carthaginian military genius, won great victories, but lost a decisive war with Rome. 36. *Attila*, king of the Huns, defeated in Gaul near Troyes (451). 38. *ponts*, Napoleon, retreating from Russia, crossed the Berezina river, Nov. 26–27, 1812. 40. *Ney*, a marshal of France. 69. *Waterloo*, Napoleon was defeated by Wellington at Waterloo, Belgium, June 18, 1815. 88. *Grouchy*, another marshal. 88. *Blücher*, the Prussian general who reached Waterloo earlier than Grouchy. 108. *Friedland*, Napoleon's victory over the Russians, June 14, 1807. 108. *Rivoli*, his victory over the

Austrians in 1797. 159. *roc hideux*, Saint Helena. 161. *voleur du tonnerre*, comparison with Prometheus. 178. *Parthe*, the Roman general Crassus was defeated by the Parthians in 59 B.C. 181. *rois*, Napoleon's son, the King of Rome, was entrusted to the care of his grandfather, the Emperor of Austria, in 1815. 181. *un autre*, Count Neipperg, lover and second husband of the Empress Marie-Louise. 200. *Marengo*, victory over Austrians in 1800, with which a type of military cloak, favored by Napoleon from about that time, is associated. 206. *Hudson Lowe*, British governor of Saint Helena during Napoleon's captivity. 218. *colonne veuve*, the statue of Napoleon, removed from the Vendôme column in Paris (1814), was replaced by a new statue in 1833. 227. *Essling*, Napoleon met defeat there in 1809. 227. *Ulm*, Napoleon's victory over the Austrians in 1805. 227. *Arcole*, his victory over the Austrians in 1796. 227. *Austerlitz*, his great victory over the Austrians and Russians in 1805. 259. *Louvre*, royal palace in Paris, now museum. 259. *Capitole*, triumphant generals were crowned at the Temple of Jupiter, on the Capitoline Hill, in Rome. 260. *Saint-Cloud*, royal palace burned in 1870, formerly standing in the park of the same name, near Paris. 260. *Vatican*, residence of the Pope in Rome. 273. *Cyrus*, Persian ruler of the 6th century B.C. 282. *cercueil*, Napoleon was reburied under the gilded dome of the Invalides, in Paris, December 15, 1840. 287. *abeilles*, emblems of the activity of Napoleon's empire. 316. *Beauharnais*, the name of the Vicomte de Beauharnais, the Empress Josephine's first husband. Her daughter by this earlier marriage, Hortense, married Napoleon I's brother Louis, King of Holland. Their son was Napoleon III. 328. *Fould*, finance minister after the *coup d'état* of December 2, 1851. 328. *Magnan*, senator of the Second Empire, marshal of France. 328. *Rouher*, minister, statesman of Second Empire. 328. *Parieu*, president of the *conseil d'état* for Napoleon III. 337. *Sibour*, the Archbishop of Paris who authorized a *Te Deum* in honor of the Second Empire. 342. *Cartouche*, a noted robber executed in 1721. 345. *grec*, sharper or cheat. 346. *paysan*, the peasants had voted for the reestablishment of the empire. 348. *Lodi,* Napoleon I's victory over the Austrians in 1796. 351. *Carlier,* a Bonapartist politician, prefect of police. 353. *Pietri,* also prefect of police. 354. *Maupas,* a third prefect of police. 358. *Poissy,* town near Paris, where there is a prison. 363. *pasquins,* grotesque servants of the Italian *commedia dell' arte.* 364. *Callot,* Jacques, early 17th century French artist, who was fond of the grotesque. 366. *Troplong,* president of the Senate in Second Empire. 366. *Chaix-d'Est-Ange,* attorney-general of Napoleon III. 368. *Mandrin,* 18th century French robber. 374. *Victoires,* Pradier's twelve statues, surrounding tomb of Napoleon I. 383. *Balthazar,* reference is to the Biblical Belshazzar, *Daniel,* V. 386. *Dix-huit brumaire,* of the revolutionary year VIII (Nov. 9, 1799); on this day, and that following, General Bonaparte abolished the Directorate, contrary to his sworn oath to support the Constitution of the year III, and made himself First Consul, an important step toward his becoming Emperor later.

Page 298. MES VERS FUIRAIENT . . . , " Mes vers fuiraient, doux et frêles . . ." From *Les Contemplations, Tome I, Autrefois; livre deuxième, L'Ame en fleurs.*

Page 299. ÉCRIT AU BAS D'UN CRUCIFIX, "Vous qui pleurez, venez à ce Dieu, car il pleure . . ." From *Les Contemplations, Tome I, Autrefois; livre troisième, Les Luttes et les rêves.* Dates from March, 1842.

Page 299. OH ! JE FUS COMME FOU . . . , " Oh, je fus comme fou dans le premier moment . . ." From *Les Contemplations, Tome II, Aujourd'hui; livre quatrième, Pauca meæ.* Dated Marine Terrace, September 4, 1852. (*Pauca meæ,* written in full, *pauca carmina meæ filiæ,* a few songs for my daughter.) 1. *le premier moment,* the date given by Hugo for the poem is the first anniversary in exile of the tragedy of September 4, 1843, when the boat in which were sailing on the Seine his daughter Léopoldine and her recently married husband, Charles Vacquerie, capsized. The young husband, unable to rescue his wife, let himself drown also. While the young couple was staying in the hamlet of Villequier, near Caudebec, on the Seine, Hugo was at Rochefort in southwestern France, where he learned of the lamentable event in a daily newspaper. It is the death of this beloved daughter that the poet commemorates in the division into two Tomes, *Autrefois, Aujourd'hui,* of *Les Contemplations.*

Page 299. ELLE AVAIT PRIS CE PLI . . . , "Elle avait pris ce pli dans son âge enfantin . . ." From *Les Contemplations, Tome II, Aujourd'hui; livre quatrième, Pauca meæ.* Dated November, 1846, "Jour des morts", All Soul's Day.

Page 300. A VILLEQUIER, "Maintenant que Paris, ses pavés et ses marbres . . ." From *Les Contemplations, Tome II, Aujourd'hui; livre quatrième, Pauca meæ.* Dated Villequier, September 4, 1844. Said to have been composed by the poet (who made a few additions to it in 1846) on the first anniversary of his daughter's death, after a visit to the cemetery at Villequier.

Page 305. LA CONSCIENCE, "Lorsque avec ses enfants vêtus de peaux de bêtes . . ." From *La Légende des siècles; livre premier, D'Ève a Jésus.* It was placed earlier, under the title *Caïn,* as the first poem of *Les Châtiments.* 26. *l'aieül,* Hugo's Cain is far older than the Biblical son of Adam. In general he treats with freedom details of the *Genesis* narrative. ^27. *Jabel,* descendant of Cain. 32. *Tsilla,* Zillah, mother of Tubalcain. 40. *Hénoch,* Enoch, son of Cain. 44. *Tubalcaïn,* a descendant of Cain. 47. *Énos,* son of Seth and grandson of Adam and Eve. 47. *Seth,* third son of Adam and Eve, brother of Cain and Abel.

Page 307. BOOZ ENDORMI, "Booz s'était couché de fatigue accablé . . ." From *La Légende des siècles; livre premier; D'Ève à Jésus.* 1. Booz, the Boaz of the Biblical Book of *Ruth.* 2. *aire,* a court for flailing grain. 14. *candide,* white, shining, stainless. 29. *juge,* before the monarchy, the rulers of Israel were Judges. 31. *géants,* the " giants in the earth in those days," referred to in *Genesis,*

VI, 4. **32.** *mouillée encore*, the Flood long antedated Boaz.
33. *Jacob*, son of Isaac and Rebecca. **33.** *Judith*, the Be-
thulian widow, in the Old Testament Apocrypha, who
killed the Assyrian general Holophernes. **37.** *chêne*, the
" tree of Jesse " of medieval art, giving the genealogy of
Christ. **40.** *roi*, King David, great grandson of Boaz.
40. *Dieu*, Jesus Christ. **61.** *Moabite*, from Moab, region to
the east of Jordan in Arabia Petræa. **68.** *Galgala*, hills
near Bethlehem. **81.** *Ur*, city in southern Babylonia,
or Chaldea, where Abraham is said to have been born.
81. *Jérimadeth*, Hugo may have made a place name from
that of the tribe of Jerahmeel.

Page 309. SAISON DES SEMAILLES. LE SOIR,
" C'est le moment crépusculaire... " From *Les Chansons
des rues et des bois.*

Page 310. JEANNE ÉTAIT AU PAIN SEC...,
" Jeanne était au pain sec dans le cabinet noir... " From
L'Art d'être grand-père. **1.** *Jeanne*, the second of the two
children of Charles Hugo, elder son of the poet.

Page 311. PROMENADES DANS LES ROCHERS,
" Un tourbillon d'écume, au centre de la baie... " From
Les Quatre vents de l'esprit.

ALFRED DE MUSSET
(*1810–1857*)

ALFRED DE MUSSET, witty parodist of the more extreme
tendencies of Romanticism, yet, in a sense also, its spoiled
child, became after his tragic trip to Italy (1833–1834), in
company with the novelist George Sand, a lyric poet of
comparatively narrow range, but within it surpassingly
genuine and spontaneous. His chief theme was the passion
of love. What he lacked in breadth he made up in directness and intensity. He remained a poet of the heart,
eternally young. He also wrote prose tales, in which his
wit and fancy shine, as they do in his plays, the best drama
of their time.

Page 314. BALLADE A LA LUNE, " C'était dans la nuit brune . . ." From the *Premières Poésies*. 10. *cafard*, hypocritical. 14. *faucheux*, field spider. 38. *Phoebé*, Diana, goddess of the moon and the chase. 44. *dépossédé*, from which the goddess has withdrawn. 59. *prées*, old feminine plural form of *pré*. 62. *Apollo*, god of the sun. 66. *berger*, Endymion, beautiful youth, who fed his flock on Mount Latmos. 100. *Comme un point sur un* i, nine subsequent strophes were suppressed in the first edition, and are here also omitted, as they add nothing essential to the effect of the poem.

Page 317. LA NUIT DE MAI, " Poète, prends ton luth et me donne un baiser . . ." From the *Poésies nouvelles*. Title. *La Nuit de mai*, the first of the series of *Nuits* (June, 1835), the others being *La Nuit de décembre* (November, 1835), *La Nuit d'août* (August, 1836), *La Nuit d'octobre* (October, 1837). The poet's *liaison* with George Sand had come to an end not during the Italian journey, but after attempts at reconciliation in Paris the following year; the end came in March, 1835. 74. *Argos*, capital of Argolis, in the Greek Peloponnesus. 74. *Ptéléon*, town of ancient Greek Thessaly. 75. *Messa*, Homeric Greek city and harbor in Laconia. 76. *Pélion*, Thessalian mountain. 77. *Titarèse*, Thessalian river. 79. *Oloossone*, Homeric Greek city in Thessaly. 79. *Camyre*, Homeric town on island of Rhodes. 93. *Tarquin*, Sextus Tarquinius, seducer of the Roman matron Lucretia. 95. *ébéniers amers*, laburnum trees. 113. *l'homme de Waterloo*, Napoleon I. 116. *tertre vert*, Saint Helena. 119. *pamphlétaire*, one Barthélemy, defamer of Lamartine in *Némésis*, July 3, 1831. 153. *pélican*, the fable of the pelican giving blood to its young was current in medieval, Renaissance and later literature.

Page 322. TRISTESSE, " J'ai perdu ma force et ma vie . . ." From the *Poésies nouvelles*. Dated Bury, June 14, 1840.

Page 323. SOUVENIR, " J'espérais bien pleurer, mais je croyais souffrir . . ." From the *Poésies nouvelles*. First published, February, 1841. 2. *place à jamais sacrée*,

Musset had revisited, in 1840, the forest of Fontainebleau, where he had been before, in 1833, with George Sand. Five months later he met his lost love by chance, at the Théâtre des Italiens, with the result that he spent the night writing *Souvenir.* 14. *gorge*, the gorge of Franchart, in the forest. 57. *Dante*, in the *Inferno*, V, 121–123 Francesca da Rimini begins the story of her adulterous love for Paolo:

> . . . Nessun maggior dolore
> Che ricordarsi del tempo felice
> Nella miseria . . . (There is no greater
> sorrow than to be mindful of the happy
> time in misery)

92. *pié*, old spelling of *pied*.

Page 328. RAPPELLE–TOI, " Rappelle-toi, quand l'aurore craintive . . ." From the *Poésies nouvelles*. Dated 1842. Motto. *Vergiss mein nicht*, forget me not, remember. Title. *Mozart*, the great 18th century Austrian composer.

FÉLIX ARVERS
(1806–1851)

THE minor poet Arvers, who wrote mainly for the stage, is remembered in most anthologies because of one sonnet, said to have been inspired by the daughter of Charles Nodier, Marie, wife of Monsieur F.-Jules Mennessier-Nodier, a clerk in the Ministry of Justice. Arvers was himself clerk for a lawyer, employed by the Nodier and Musset families. He wrote the sonnet, ostensibly " Imité de l'Italien ", in the adored one's album, as an expression of a hopeless devotion he could not avow. His single volume of verse dates from 1833.

Page 329. UN SECRET, " Mon âme a son secret, ma vie a son mystère . . ." From *Mes Heures perdues*.

CHARLES–AUGUSTIN SAINTE–BEUVE
(1804–1869)

THE great nineteenth century literary critic was also a poet of some merit. By his *Tableau historique et critique* *de la poésie française et du théâtre français au XVI*ᵉ *siècle* (1827–28), he offered the Romantics a worthy national ancestry, in the period before Boileau made Malherbe triumph. He was not always the sympathetic critic of the Romantics, for he could not approve all their tendencies. He had twinges of jealousy too, sometimes, of greater poets' successes. His own work shows traces of his reading in the English poems of Cowper, Crabbe, Wordsworth. He endeavored to cultivate an unemphatic, unrhetorical style, to speak with simplicity and intimacy of common things and experiences. Before François Coppée he cultivated a kind of " genre moyen".

Page 330. SOUVENIR (A M. Auguste Le Prévost), " Dans l'île Saint-Louis, le long d'un quai désert . . ." From *Les Consolations,* III. Name. *Auguste Le Prévost,* French historian and archeologist. Motto. *Quis memorabitur* . . . the motto from the *Imitatio Christi,* Thomas à Kempis' famous book of devotion (fifteenth century), means " Who will remember you after death and who will pray for you ? " 1. *île Saint-Louis,* the smaller Parisian island in the Seine, above the *île de la Cité.* 34. *Boulogne-sur-Mer,* French channel port, birthplace of Sainte-Beuve.

Page 332. SONNET, " Si quelque blâme, hélas ! se glisse à l'origine . . ." From *Le Livre d'amour,* sonnet XXIV. A few copies of this work, inspired by Sainte-Beuve's *liaison,* then ended, with Mme Victor Hugo, were printed in 1843.

AUGUSTE BARBIER
(1805–1880)

AUGUSTE BARBIER secured immediate fame by the vigorous satire of his first work, the *Iambes* (1830–1831), inspired by the Revolution of 1830, as André Chénier's had been by that of 1789. He is still best remembered for this series of indignant protests against post-revolutionary profiteers, the developing Napoleonic legend, and other abuses of the day. His other notable volume, *Il Pianto* (1832), commemorates a voyage to Italy.

Page 332. L'IDOLE, " O Corse à cheveux plats ! que ta France était belle . . ." From the *Iambes*, *L'Idole*, III. 1. *Corse*, Napoleon I, native of Corsica. 2. *messidor*, first of the summer months, in the Revolutionary Calendar.

JULIEN–AUGUSTE BRIZEUX
(*1806–1858*)

THIS regional poet is remembered for his simple and touching poems, full of the landscape and of the rural life in his native Brittany. *Marie* (1831) and *Les Bretons* (1845) describe the folk-ways of the district most familiar to Brizeux with something of the same charm and picturesqueness that we find in the series of rustic novels by George Sand, whose scene is her beloved Berry.

Page 334. MARIE. LE PONT KERLÔ, " Un jour que nous étions assis au pont Kerlô . . ." From *Marie*. 23. *demoiselle*, dragon-fly.

VICTOR DE LAPRADE
(*1812–1883*)

AN idealistic poet in the Platonic and Christian tradition, Laprade was most genuinely inspired by his love of nature. In spirit he more resembles Lamartine, although his reflective interest connects him also with Vigny.

Page 335. A UN GRAND ARBRE, " L'esprit calme des dieux habite dans les plantes . . ." From *Odes et poèmes*. 17. *Cybèle*, or Rhea, goddess of the earth.

GÉRARD LABRUNIE DE NERVAL
(*1808–1855*)

GÉRARD LABRUNIE, known in letters as Gérard de Nerval, was the most original in the group of young Romanticists who gathered around Hugo. He travelled widely in Europe and in the Orient. He felt profoundly the influence of German literature, translating Goethe's *Faust* (1828). He was something of a precursor of the French Symbolists, as he tended to bind his images chiefly by the dream-like play of his musical fancy. Symptoms of insanity developed early and at different times he was an inmate of the asylum. On January 26, 1855, at dawn, he was found hanged from the window of a house on a wretched Parisian street. Was it a suicide or was it murder?

Page 337. LE ROI DE THULÉ (Le Soir, — Marguerite chante dans sa chambre), " Il était un roi de Thulé ..." From *Faust, première partie*. For comparison, the text of Goethe's poem reads:

DER KÖNIG IN THULE

Es war ein König in Thule
   Gar treu bis an das Grab,
Dem sterbend seine Buhle
   Einen goldnen Becher gab.

Es ging ihm nichts darüber,
   Er leert' ihn jeden Schmaus;
Die Augen gingen ihm über,
   So oft er trank daraus.

Und als er kam zu sterben,
   Zählt' er seine Städt' im Reich,
Gönnt' alles seinem Erben,
   Den Becher nicht zugleich.

Er sass beim Königsmahle,
   Die Ritter um ihn her,
Auf hohem Vätersaale,
   Dort auf dem Schloss am Meer.

Dort stand der alte Zecher,
   Trank letzte Lebensglut,
Und warf den heil'gen Becher
   Hinunter in die Flut.

Er sah ihn stürzen, trinken
Und sinken tief ins Meer.
Die Augen täten ihm sinken,
Trank nie einen Tropfen mehr.

1. *Thulé*, Thule was fabled to be a land at the extreme end
of the world (Ultima Thule).

Page 338. FANTAISIE, " Il est un air pour qui je donnerais . . ." From *Petits Châteaux de Bohême*. 2. *Rossini*,
19th century Italian composer of operas, etc. 2. *Mozart*,
great 18th century Austrian composer. 2. *Weber*, 19th
century German composer of Romantic school.

Page 339. LES CYDALISES, " Où sont nos amoureuses . . ." From *Petits Châteaux de Bohême*.

Page 339. VERS DORÉS, " Homme, libre penseur ! te
crois-tu seul pensant . . ." From *Les Chimères*.

Page 340. ÉPITAPHE, " Il a vécu, tantôt gai comme un
sansonnet . . ." From *Les Chimères*.

THÉOPHILE GAUTIER
(1811–1872)

THÉOPHILE GAUTIER was one of the most important
poets of the century, though he cannot be called in any
large sense one of the greatest. He began as a young
painter, one of the youthful admirers of Victor Hugo and a
participant in the early battles of Romanticism. His
importance, however, is due to the emphasis he came to
place upon the element of form in poetry, both by his pre-
cept and his practice. The directness and sincerity of the
emotional cry he completely subordinated to the pursuit
of exquisite and perfect workmanship. The poem, *L'Art*,
in his characteristic volume, *Émaux et Camées* (1852) sums
up his poetic creed. He was without great intellectual
depth or emotional intensity. The only feeling which he
found overmastering was a shuddering repugnance for the
physical horrors of death. He had a rare power of seeing

the forms and colors of things. He was an objective visual artist, a poetic painter, a master of plastic line. He marks the transition from the Romantic to the Parnassian æsthetics and may be regarded, along with his friend Théodore de Banville, as a chief precursor of the later school of poetry.

Page 340. PASTEL, " J'aime à vous voir en vos cadres ovales . . ." From the *Poésies diverses*, Vol. I. 8. *quais*, the embankments of the Seine, with the stalls where old books and prints are displayed for sale, are a familiar sight to all visitors of the French capital. 10. *Parabère*, Comtesse de, mistress of Philippe, duc d'Orléans, nephew of Louis XIV and Regent of France during the minority of Louis XV. 10. *Pompadour*, Marquise de, mistress of Louis XV, great patroness of the arts.

Page 341. LE POT DE FLEURS, " Parfois un enfant trouve une petite graine . . ." From *Poésies diverses*, Vol. I.

Page 342. DANS LA SIERRA, " J'aime d'un fol amour les monts fiers et sublimes . . . " From *España*. Title. *Sierra*, Spanish for mountain range, i.e. the Estrella, Morena, Nevada, etc., ranges in Spain.

Page 342. A ZURBARAN, " Moines de Zurbaran, blancs chartreux qui, dans l'ombre . . ." From *España*. 1. *Zurbaran*, Francisco (1598–1663), Spanish religious painter. 1. *chartreux*, Carthusians, an austere religious order founded in the middle ages (1084) by Saint Bruno. 3. *Pater*, Lord's Prayer, " Pater noster ". 3. *Ave*, the Hail Mary, " Ave Maria ". 30. *statuaire divin*, God, the Creator of the human form. 37. *Le Sueur*, Eustache (1617–1655), French religious painter, who did a series of pictures dealing with the life of Saint Bruno.

Page 344. LES AFFRES DE LA MORT (Sur les murs d'une Chartreuse), " O toi qui passes par ce cloître . . ." From *España*. Subtitle. *Chartreuse*, a Carthusian monastery.

Page 346. PREMIER SOURIRE DU PRINTEMPS, " Tandis qu'à leurs œuvres perverses . . ." From *Émaux et Camées*.

Page 347. L'ART, "Oui, l'œuvre sort plus belle..."
From *Émaux et Camées.* This poem is dedicated to Théodore de Banville. It was originally entitled *A Théodore de
Banville, Réponse à son odelette.* Gautier's poem first appeared in *L'Artiste*, September 13, 1857. Banville had
included in the *Odelettes* (1856) a poem in the same strophic
form as that used by Gautier later. The most suggestive
lines of Banville's short ode run:

> Pas de travail commode !
> Tu prétends comme moi,
>   Que l'Ode
> Garde sa vieille loi,
>
> Et que, brillant et ferme,
> Le beau rythme d'airain
>   Enferme
> L'idée au front serein ...
>
> Et toi, qui nous enseignes
> L'amour du pur laurier
>   Tu daignes
> Être un bon ouvrier.

8. *cothurne*, buskin, a high-soled shoe worn by tragic actors
in ancient times. 17. *carrare*, white marble from Carrara,
in Italian Tuscany. 18. *paros*, white marble from the
Greek isle of Paros in the Ægean Sea. 21. *Syracuse*, Greek
city of Sicily, famed in ancient times for its medals and
coins. 28. *Apollon*, sun god, patron of the fine arts, who
presided over the nine muses. 37. *trilobe*, properly *trilobé*,
three-cusped.

Page 349. NOËL, "Le ciel est noir, la terre est
blanche..." From *Émaux et Camées.*

THÉODORE DE BANVILLE
(1823–1891)

THIS precocious and voluminous writer, friend and
disciple of Théophile Gautier, found delight in playing with

the technical difficulties of poetic form. He exercised a considerable influence upon the development of the Parnassian æsthetics. He took up and developed the dictum of Sainte-Beuve that rhyme is " l'unique harmonie du vers". His *Odes funambulesques* (1857) even used rhyme as a means of comic effect. Banville was responsible for a revival of interest in the fixed forms of fifteenth century French verse. His *Petit Traité de versification française* (1871) was influential in England and America as well as in France. His work in general lacks depth, but possesses delicate sentiment, romantic verve, charming humor, playful fancy, irony without bitterness, a gift for plastic description.

Page 349. LE SAUT DU TREMPLIN, " Clown admirable, en vérité..." From the *Odes funambulesques*. 7. *Madagascar*, French colony, great island in Indian Ocean off East Africa. 15. *Piranèse*, or Piranesi, Giovanni Battista, 18th century Italian architect. 17. *toupet*, tuft of hair on clown's forehead. 23. *vif-argent*, quicksilver, or mercury. 29. *Saqui*, Mlle Lalanne, a circus acrobat of the Empire period. 56. *lapis lazuli*, semi-precious blue stone. 57. *prison mourante*, the earth. 62. *boursiers*, speculators on the Stock Exchange, or Bourse. 64. *réalistes en feu*, idealists who scorn materialism. 67. *échafaud*, the *tremplin*, or spring-board, becomes by extension a scaffold, since the clown is hurt by leaping too high from it.

Page 351. BALLADE DES PENDUS, " Sur ses larges bras pendus..." From the comedy, *Gringoire*. In the play the Bohemian poet, Gringoire, recites this satire on royal cruelty to two unknowns, who are really King Louis XI and his minister, Olivier le Daim. The King offers him his life, if he is able to win the hand of his god-daughter within the hour. The poet does win her to pity for the lot of common folk, with a second ballade, having for refrain, " Aux pauvres gens tout est peine et misère." The King is forced to make good his promise. The historical Pierre Gringoire (1475–1538) was a poor poet of whose life little is known. 2. *Flore*, Roman goddess of flowers and gardens.

6. *inouïs*, even the proverbially cruel Turks and Moors know not such cruelty. 8. *verger du roi Louis*, the forest about the king's château of Plessis-les-Tours. 9. *morfondus*, chilled with the glacial cold of death. 11. *tourbillons*, wind. 25. *Prince*, the traditional opening of the final half-strophe, or envoi, of the ballade form.

Page 352. LA LUNE, " Avec ses caprices, la Lune . . ." From *Rondels*, in *Rimes dorées*.

Page 353. LE THÉ, " Miss Ellen, versez-moi le Thé . . ." From *Rondels*, in *Rimes dorées*.

Page 353. LAPINS, " Les petits lapins, dans le bois . . ." From *Sonnailles et Clochettes*. 3. *Arbois*, a town in the Jura mountains, whose wines are famous. 13. *Dostoïewski*, Fédor, famous 19th century Russian novelist. 21. *Kant*, Emmanuel, eminent 18th century German philosopher. 24. *La Fontaine*, Jean de, great 17th century French fabulist. 29. *Schopenhauer*, Arthur, 19th century German philosopher, famous for pessimism.

CHARLES LECONTE DE LISLE
(1818–1894)

BORN on the island of Bourbon (now Réunion) in the Indian Ocean, east of Madagascar, Leconte de Lisle came early to France. After the profound disillusionment of the Revolution of 1848, he devoted himself entirely to intellectual pursuits and became the master spirit among the poets of the middle of the century and the leader of the Parnassians (very diverse poets, so called from *Le Parnasse contemporain* [1866–71–76], edited by Catulle Mendès and Xavier de Ricard, to which they contributed). Leconte de Lisle protested vigorously against the Romanticists for their immodest display of self. To be wholly master of the resources of poetic art he felt that one must subordinate the too direct voicing of one's personal joys and sorrows. Individual emotions are of small import in comparison with the collective life of humanity, the vast phenomenon of life as a whole, the incredible vastness of the universe. A philosopher poet and a great painter in words, Leconte de Lisle finds inspiration in Greek æsthetic naturalism, in Hindu pantheism and Buddhism, in Scandinavian myths, in the phenomena of primitive nature. His soul is deeply tortured and his thought is one of haughty and tragic despair. Emotion, in most of his poems, is generalized but pervasive. However far he may be from the impassive impersonality of his doctrine, there is but one opinion as to his rare command of form and the perfection of his art, which have won for him the epithet *impeccable*.

Page 354. HYPATIE, " Au déclin des grandeurs qui dominent la terre . . ." From *Poèmes antiques*. The longer form given here was published in *La Phalange*, July, 1847. Title. *Hypatie*, Hypatia, a beautiful woman and a learned devotee of the ancient Greek philosophers, who was murdered by the Christian mob in Alexandria (415). 5. *Hellas*, Greece. 19. *Olympe*, Mount Olympus, seat of the gods. 20. *l'ivoire* . . . , certain Greek temples, like the Parthenon in Athens, had statues of the gods in ivory and gold. 27. *Œdipe*, Hypatia was as faithful to the old gods as Antigone had been to her father, Œdipus. 31. *Pythonisse* . . . , the seeress who prophesied from the tripod at Delphi. 32. *Immortels*, the gods. 43. *Galiléens* . . . , the Christians spoke of Hypatia as a kind of sphinx-like monster. 44. *Dieu mort*, Jesus Christ crucified. 61. *vil Galiléen*, in another poem, *Le Nazaréen*, in the *Poèmes barbares*, Leconte de Lisle speaks more respectfully of Jesus as a man, though he does not attribute divinity to Him. 63. *Platon*, the great Greek idealistic philosopher, here a symbol for Hypatia as philosopher. 63. *Aphrodite*, Venus, goddess of beauty and love, here symbol of Hypatia's womanly loveliness. 68. *Paros*, Greek isle in the Ægean, seat of famous white marble quarries.

Page 357. VÉNUS DE MILO, " Marbre sacré, vêtu de force et de génie." From *Poèmes antiques*. Title. *Vénus de Milo*, the famous statue, in the Louvre, of Roman Venus, Greek Aphrodite, sea-born goddess of love and beauty, was discovered in 1820 on the isle of Melos and brought to France by a French diplomat, the Comte de Marcellus. 4. *blanche mère des dieux,* the first edition of *Poèmes antiques* (1852) here omits four stanzas of this poem, as published earlier in *La Phalange,* March, 1846. They are as follows, to *Du bonheur impassible* at the opening of the second strophe of the shorter text:

> . . . Tu n'es pas Aphrodite, au bercement de l'onde,
> Sur ta conque * d'azur posant un pied neigeux,

* *conque,* cf. Botticelli's picture of the Birth of Venus.

> Tandis qu'autour de toi, vision rose et blonde,
> Volent les Rires d'or avec l'essaim des Jeux.

> Tu n'es pas Kytherée,† en ta pose assouplie,

† *Kythérée,* Cytherea, a name of the goddess.

> Parfumant de baisers l'Adonis‡ bienheureux,

‡ *Adonis,* youth beloved by Venus.

> Et n'ayant pour témoins sur le rameau qui plie
> Que colombes d'albâtre et ramiers amoureux.

> Et tu n'es pas la Muse aux lèvres éloquentes,
> La pudique Vénus, ni la molle Astarté ‡‡

‡‡ *Astarté,* Oriental name for Venus.

> Qui, le front couronné de roses et d'acanthes,
> Sur un lit de lotos se meurt de volupté.

> Non ! les Rires, les Jeux, les Grâces enlacées,
> Rougissantes d'amour, ne t'accompagnent pas.
> Ton cortège est formé d'étoiles cadencées,
> Et les globes en chœur s'enchaînent sur tes pas . . .

14. *Archipel,* the Ægean islands. 17. *Thétis,* here, the sea, from the sea goddess, Thetis.

Page 357. MIDI, " Midi, roi des étés, répandus sur la plaine . . ." From *Poèmes antiques.* 18. *fanons,* dewlaps;

a dewlap is a fold of skin hanging below throats of oxen.
31. *infimes*, earthly.

Page 358. NOX, " Sur la pente des monts les brises
apaisées . . ." From *Poèmes antiques*.

Page 359. L'ECCLÉSIASTE, " L'Ecclésiaste a dit:
Un chien vivant vaut mieux . . ." From *Poèmes barbares*.
1. *L'Ecclésiaste* . . . , Cf. Biblical *Ecclesiastes* II, 24, IX, 3–6.

Page 360. LES ELFES, " Couronné de thym et de
marjolaine . . ." From *Poèmes et poésies* and *Poèmes
barbares*.

Page 361. LA VÉRANDAH, " Au tintement de l'eau
dans les prophyres roux . . ." From *Poèmes et poésies* and
Poèmes barbares.

Page 362. LES ÉLÉPHANTS, " Le sable rouge est
comme une mer sans limite . . ." From *Poèmes et poésies*
and *Poèmes barbares*.

Page 364. LE MANCHY, " Sous un nuage frais de
claire mousseline . . ." From *Poèmes et poésies* and *Poèmes
barbares*. 3. *manchy*, sedan-chair or litter. 3. *rotin*,
rattan. 11. *Telingas*, servants of a tribe of that name.
17. *verangues*, growths of vegetation. 20. *bobres*, kind of
mandolin. 20. *Madécasses*, from Madagascar, France's
large island colony off East Africa. 27. *Letchi*, trees having
red fruits.

Page 365. LE SOMMEIL DU CONDOR, " Par delà
l'escalier des roides Cordillères . . ." From the *Poésies
complètes* (1858) and the *Poèmes barbares*. 1. *Cordillères*,
Andes Mountains of South America. 9. *pampas*, plains.
11. *Chili*, republic on Pacific. 21. *Croix australe*, Southern
Cross, constellation not visible in northern hemisphere.

Page 366. LES MONTREURS, " Tel qu'un morne
animal, meurtri, plein de poussière . . ." From *Poèmes
barbares*. First published in the *Revue contemporaine*, June
30, 1862. An important poem for Leconte de Lisle's
æsthetics.

Page 366. LE VENT FROID DE LA NUIT, " Le vent froid de la nuit siffle à travers les branches . . ." From *Poèmes et Poésies* and *Poèmes barbares*.

Page 367. LA MAYA, " Maya ! Maya ! torrent des mobiles chimères . . ." From *Poèmes tragiques*. 1. *Maya*, Indian goddess, symbol of the eternal illusion in the perpetually becoming phenomenal world.

CHARLES BAUDELAIRE
(1821–1867)

CHARLES BAUDELAIRE'S formative years were tormented by family strife, placed as he was between an uncomprehending mother and a tyrannical stepfather, whose control he swept finally aside in 1842, when he attained his majority. Then began his creative period in poetry and art criticism and his Bohemian life of moral and financial misery. His was a strange nature, endowed with rare gifts which he persistently abused. Pure physical sensation supplied much material for his poetry, and among the senses he drew often upon one that has a more remote association with ideas, the sense of smell. In his desperate search for new and strange experiences he went the round of violent and exhausting dissipations, and, as his senses flagged, he spurred them on with stimulants. Meanwhile he observed himself curiously. His poems reflect these wilful depravities and perversities of mind and body. Their title, *Les Fleurs du Mal* (1857), invites such epithets as " unhealthy " and " unwholesome ". Certain of the component poems were even condemned as immoral by a contemporary court of justice. But among the flowers of evil are also expressions of repentance of sin, of longing for an unattained purity, order and harmony. Baudelaire's poetry is so varied and powerful that Victor Hugo declared that he had endowed French verse with a " frisson nouveau". Paul Valéry has hailed in him the most important poet of the nineteenth century. By his celebrated theory of " correspondances ", or interchangeable interrelations of the senses of sight, sound, touch, smell, also by his frequent use of symbols that hint or suggest rather than state, and again by his aversion to rhetoric, Baudelaire is the progenitor of the Symbolist movement. His influence upon modern verse has been profound.

Page 368. PREFACE (ou AU LECTEUR), " La sottise, l'erreur, le péché, la lésine . . ." First published in the Revue des Deux Mondes, June 1, 1855, then in *Les Fleurs du Mal.* 9. *Trismegiste,* Thrice-greatest, epithet applied to the god Hermes (Mercury) by the Greeks, but here to Satan. 22. *ribote,* goes on a debauch. 29. *lices,* bitch-hounds.

Page 369. L'ALBATROS, " Souvent, pour s'amuser, les hommes d'équipage . . ." From *Les Fleurs du Mal, Spleen et Idéal,* II. A poem said to have been composed in 1841 at the time of the poet's enforced voyage to the tropical isle of Mauritius in the Indian Ocean off Africa.

Page 370. ÉLEVATION, " Au-dessus des étangs, au-dessus des vallées . . ." From *Les Fleurs du Mal, Spleen et Idéal,* III. One of the poles of Baudelaire's temperament was an aspiration toward ideal values.

Page 370. CORRESPONDANCES, " La Nature est un temple où de vivants piliers . . ." From *Les Fleurs du Mal, Spleen et Idéal,* IV. 10. *hautbois,* oboe.

Page 371. LA VIE ANTÉRIEURE, " J'ai longtemps habité sous de vastes portiques . . ." From *Les Fleurs du Mal, Spleen et Idéal,* XII.

Page 371. LA BEAUTÉ, " Je suis belle, ô mortels ! comme un rêve de pierre . . ." From *Les Fleurs du Mal, Spleen et Idéal,* XVII.

Page 372. HYMNE A LA BEAUTÉ, " Viens-tu du ciel profond ou sors-tu de l'abîme . . ." From *Les Fleurs du Mal, Spleen et Idéal,* XXI.

Page 373. LA CHEVELURE, " O toison, moutenant jusque sur l'encolure . . ." From *Les Fleurs du Mal, Spleen et Idéal,* XXIII. 1. *toison,* doubtless the hair of his mistress, Jeanne Duval. 13. *houle,* swell, wave of the sea. 15. *flammes,* pennants, flags. 34. *gourde,* container for water or wine.

Page 374. HARMONIE DU SOIR, " Voici venir les temps où vibrant sur sa tige . . ." From *Les Fleurs du Mal, Spleen et Idéal,* XLVII. 2. *encensoir,* church censer. 3. *les sons et les parfums tournent,* application of his theory of " Correspondances." 16. *ostensoir,* church monstrance for the consecrated Host.

Page 374. LE FLACON, " Il est de forts parfums pour qui toute matière . . ." From *Les Fleurs du Mal, Spleen et Idéal,* XLVIII. 18. *Lazare,* a reference to Christ's raising of Lazarus from the dead, *St. John,* XI, 44.

Page 375. LES CHATS, " Les amoureux fervents et les savants austères . . ." From *Les Fleurs du Mal, Spleen et Idéal,* LXV. Title. *Les chats,* Baudelaire loved cats as much as he disliked dogs and wrote several poems about them. 7. *Erèbe,* Erebus, dark region under the earth above Hell, in mythology.

Page 376. LA CLOCHE FÊLÉE, " Il est amer et doux, pendant les nuits d'hiver . . ." From *Les Fleurs du Mal, Spleen et Idéal,* LXXIII. 1. *pendant les nuits d'hiver,* this poem is thought to date from 1843, when Baudelaire lived in the Hôtel Pimodan, located on the Ile Saint-Louis, where the bells of Notre Dame cathedral could easily be heard. 5. *cloche au gosier vigoureux,* doubtless the big or *bourdon* bell.

Page 376. SPLEEN, " J'ai plus de souvenirs que si j'avais mille ans . . ." From *Les Fleurs du Mal, Spleen et Idéal,* LXXV. 13. *Boucher,* pictures by François Boucher, 18th century French painter of pastoral and genre subjects. 19. *matière vivante,* his brain. 20. *granit,* a Pyramid. 22. *sphinx . . . ne chante,* the rays of the rising sun were said to cause a statue of Memnon, near Thebes in Egypt, to emit a musical note.

Page 377. LE GOÛT DU NEANT, " Morne esprit,

autrefois amoureux de la lutte..." From *Les Fleurs du Mal, Spleen et Idéal*, LXXIX.

Page 378. RECUEILLEMENT, "Sois sage, ô ma Douleur, et tiens-toi plus tranquille..." From *Les Fleurs du Mal, Spleen et Idéal*, XCI. Some critics hail this sonnet as Baudelaire's most beautiful poem.

Page 378. LE RENIEMENT DE SAINT PIERRE, "Qu'est-ce que Dieu fait donc de ce flot d'anathèmes..." From *Les Fleurs du Mal, Révolte*, CXXIX. In this favorite poem of the poet himself, he seems to share the view of Vigny (*Le Mont des Oliviers*) and Leconte de Lisle (*Le Nazaréen*, etc.) that Jesus was self deceived as to His divine mission and that His sacrifice did not secure for men the salvation which He believed Himself sent to mediate. 2. *Séraphins*, angels of the first hierarchy, Seraphim. 9. *Jardin des Olives*, Garden of Gethsemane, scene of Christ's vigil, in *St. Matthew*, XXVI, 36–46. 14. *crapule*, common rabble. 15. *épines*, of the Crown of Thorns. 20. *cible*, a target for shooting. 24. *fleurs... rameaux*, allusion to Christ's entry into Jerusalem on Palm Sunday. 26. *marchands*, reference to Jesus' expulsion of the money-changers from the Temple. 32. *renié*, the denial of Saint Peter, *St. Matthew*, XXVI, 69–75.

Page 379. LA MORT DES PAUVRES, "C'est la Mort qui console, hélas! et qui fait vivre..." From *Les Fleurs du Mal, La Mort*, CXXXIII.

Page 380. LE VOYAGE, "O Mort, vieux capitaine, il est temps! levons l'ancre..." From *Les Fleurs du Mal, La Mort*, CXXXCII; the final section (VIII) of *Le Voyage*, the poem ending *La Mort* and *Les Fleurs du Mal*.

Page 380. LE COUCHER DE SOLEIL ROMAN-TIQUE, "Que le soleil est beau quand tout frais il se lève..." From *Les Épaves*, I, and *Les Fleurs du Mal*.

LÉON DIERX
(*1838–1912*)

A COMPATRIOT of Leconte de Lisle, born in the île Bourbon (or Réunion), Léon Dierx had, like his friend, a noble and lofty soul darkened by pessimism. A Parnassian in form, he had too lyrical a temperament to try to be impersonal. He had a fine feeling for nature. He was a dreamer and loved to suggest as well as state. To that extent he too was a forerunner of the Symbolists. His most notable volumes are *Poèmes et poésies* (1864) and *Les Lèvres closes* (1867).

Page 380. LES FILAOS, " Là-bas, au flanc d'un mont couronné par la brume..." From *Les Lèvres closes*. 4. *filaos*, a tree of the île Bourbon, or Réunion. 26. *mouffias*, climbing vines. 37. *savanes*, plains. 39. *éthers*, vapors. 51. *éolien*, the trees make a sound vaguely suggesting the Æolian, or wind, harp.

LOUISE ACKERMANN
(*1813–1890*)

LOUISE-VICTORINE CHOQUET, after studying the classics in France and philosophy in Germany, married Paul Ackermann, a French philologist, then in Germany, in 1843. Left a widow in 1846, she lived a secluded life thereafter. Her work, the fruit of long solitude, bears the impress of a strong, reflective mind, deeply tinged by pessimism. Her philosophic disenchantment, powerfully voiced in her verse, connects her with Vigny, among the Romantics, and with the Parnassians Leconte de Lisle and Sully Prud-homme. She shares also Leconte de Lisle's cult of Beauty.

Page 382. A UNE ARTISTE, " Puisque les plus heureux ont des douleurs sans nombre..." From the *Premières poésies*, V.

Page 383. L'HOMME, " Jeté par le hasard sur un vieux globe infime..." From *Poésies philosophiques*, XVII.

FRANÇOIS COPPÉE
(*1842–1908*)

FRANÇOIS COPPÉE's poetry has lost credit with many critics, but it still finds favor with those who like to discover poetry in the life of every day. He was especially the poet of " la vie des humbles ", portraying it with a sincere sentiment and a simple naturalness that won popularity. He wrote not only poetry, but also plays, novels, short stories. His best poems are in *Les Intimités* (1868) and *Les Humbles* (1872).

Page 384. PROMENADE, " Je suis un pâle enfant du vieux Paris, et j'ai . . ." From *Les Intimités*, X.

Page 385. LA PETITE MARCHANDE DE FLEURS, " Le soleil froid donnait un ton rose au grésil . . ." From *Les Intimités*, XIII. 21. *la fanchon*, sort of *fichu*, worn over head, tied under chin.

RENÉ–FRANÇOIS SULLY PRUDHOMME
(*1839–1907*)

SULLY PRUDHOMME combines the artistic punctiliousness of a Parnassian with sincere emotion and a philosophic mind. The intellectual quality of his work is conspicuous, but hardly less so the finish of its form. It bears deep traces of the contemporary scientific movement. The personal emotion from which the poems spring appears always intellectually illumined. His short lyrics of a serious tone and admirable simplicity of style are the permanent part of Sully Prudhomme's poetic production. His long poems seem too overweighted with philosophical reflection to be successful.

Page 386. LES CHAÎNES, " J'ai voulu tout aimer et je suis malheureux . . ." From *Stances et poèmes*.

Page 387. LE VASE BRISÉ, " Le vase où meurt cette verveine . . ." From *Stances et poèmes*.

Page 388. INTUS, " Deux voix s'élèvent tour à tour . . ."
From *Stances et poèmes.*

Page 388. LE LEVER DU SOLEIL, " Le grand soleil,
plongé dans un royal ennui . . ." From *Stances et poèmes.*

Page 389. LA PRIÈRE, " Je voudrais bien prier, je
suis plein de soupirs . . . " From *Les Épreuves.* Sully
Prudhomme is not to be thought of simply as a poet celebrating the new science or voicing moods of poignant
lament for a religious faith he could not recover. He had
also a profound sense of social pity, a feeling of solidarity
with all the humble who usefully toil, as is evidenced by
this poem, among others, the sonnet, *Un Songe*, also from
Les Épreuves:

Le laboureur m'a dit en songe: Fais ton pain,
Je ne te nourris plus, gratte la terre et sême.
Le tisserand m'a dit: Fais tes habits toi-même,
Et le maçon m'a dit: Prends la truelle en main.

Et seul, abandonné de tout le genre humain,
Dont je traînais partout l'implacable anathème,
Quand j'implorais du ciel une pitié suprême,
Je trouvais des lions debout dans mon chemin.

J'ouvris les yeux, doutant si l'aube était réelle:
De hardis compagnons sifflaient sur leur échelle,
Les métiers bourdonnaient, les champs étaient semés;

Je connus mon bonheur et qu'au monde où nous sommes
Nul ne peut se vanter de se passer des hommes;
Et depuis ce jour-là, je les ai tous aimés.

JOSÉ–MARIA DE HÉRÉDIA
(*1842–1905*)

A CUBAN by birth, son of a descendant of the Spanish
" conquistadores " and of a French mother, Hérédia came
to France to be educated at the age of eight. He became an
historical scholar, after rigorous training at the *École des
Chartes*, in Paris, as well as the most talented and faithful

of the poetic disciples of Leconte de Lisle. He had in the highest degree the Parnassian ideals of perfection of form and impersonality of content. His evocations of past epochs of history or of landscape are vivid and depicted with consummate art. He spent years perfecting (and occasionally publishing in the *Revue des Deux Mondes* or elsewhere), the sonnets of *Les Trophées* (1893). To the sonnet he seems to give an added amplitude, by the sweep of the vision he calls up in the last three of its fourteen lines.

Page 390. ANDROMÈDE AU MONSTRE, "La Vierge Céphéenne, hélas! encor vivante..." From *Les Trophées, La Grèce et la Sicile*. This sonnet and the two following form a trilogy. 1. *Céphéenne*, the maid Andromeda, daughter of King Cepheus, offered to sacrifice herself to free her country from a sea-monster; she was tied to a rock to attract the beast, but was rescued by Perseus, hero son of Zeus and Danaë. 6. *bave*, foam. 13. *Pégase*, Pegasus, the wingèd horse of the hero Perseus.

Page 391. PERSÉE ET ANDROMÈDE, "Au milieu de l'écume arrêtant son essor..." From *Les Trophées, La Grèce et la Sicile*. 2. *Méduse*, the head of the snaky-haired goddess was cut off by Perseus; Pegasus and Chrysaor sprang forth as the hero accomplished the act.

Page 391. LE RAVISSEMENT D'ANDROMÈDE, "D'un vol silencieux, le grand Cheval ailé..." From *Les Trophées, La Grèce et la Sicile*. 6. *Liban*, Lebanon. 8. *Hellé*, Helle, falling from a golden ram into the sea, was said to have given the name to the Hellespont. 13. *Bélier*, Aries, the ram, sign of Zodiac. 13. *Verseau*, Aquarius, the water-pourer, sign of the Zodiac. 14. *Constellations*, groups of stars named for Perseus and Andromeda, who were supposed to have been changed into them at death.

Page 392. LE CYDNUS, "Sous l'azur triomphal, au soleil qui flamboie..." From *Les Trophées, Rome et les Barbares*. This poem and the two following form a trilogy. 2. *fleuve*, the Cydnus, river in Cilicia, Asia Minor, on which Tarsus is located. Cleopatra came up this river in her barge to meet Mark Antony for the first time. 5. *épervier*, hawk, sacred in ancient Egypt. 10. *Lagide*, the line of the Ptolemies, to which Cleopatra belonged, claimed descent from Lagus; the first Ptolemy was commonly called the son of Lagus.

Page 392. SOIR DE BATAILLE, " Le choc avait été très rude. Les tribuns . . ." From *Les Trophées, Rome et les Barbares.* 7. *Phraortes*, Antony fought in 36 B.C. with Phraates, king of Parthia. 12. *buccins*, type of war trumpet. 14. *Imperator*, Mark Antony, a Roman commanding general, hence this title.

Page 393. ANTOINE ET CLÉOPÂTRE, " Tous deux, ils regardaient, de la haute terrasse . . ." From *Les Trophées, Rome et les Barbares.* 4. *Bubaste ou Saïs*, important ancient cities in the lower Nile delta. 14. *une mer immense*, Augustus defeated Antony in the sea battle of Actium, in 31 B.C., after the flight of Cleopatra's ships had weakened the latter's naval forces.

Page 393. LE VITRAIL, " Cette verrière a vu dames et hauts barons . . ." From *Les Trophées, Le Moyen Age et la Renaissance.* 3. *la dextre auguste*, the right hand of God. 4. *cimier*, crest of a helmet. 4. *chaperon*, head-piece or hood. 6. *sacre*, another type of falcon with a wider wing-spread. 7. *Byzance*, Byzantium, or Constantinople. 7. *Saint-Jean d'Acre*, the Syrian sea-port of Acre was important during the Crusades. 10. *poulaine*, a very long and pointed shoe.

Page 394. LES CONQUÉRANTS, " Comme un vol de gerfauts hors du charnier natal . . ." From *Les Trophées, Les Conquérants.* 3. *Palos*, the Andalusian port from which Columbus sailed on his first two voyages. 3. *Moguer*, a small Spanish town a little above Palos. 3. *routiers*, pilots, or veterans. 6. *Cipango*, the name given by Marco Polo, in the account of his travels, to an island or islands east of Asia, supposed to be Japan. Columbus expected to reach Japan by sailing west. 7. *vents alizés*, trade-winds. 7. *antennes*, yard-arms.

Page 394. LE RÉCIF DE CORAIL, " Le soleil sous la mer, mystérieuse encore . . ." From *Les Trophées, L'Orient et les Tropiques.* 2. *abyssins,* abyssal, or perhaps Abyssinian, if Hérédia is referring to a work on coral reefs by Charles Darwin, *Les Récifs de corail, leur structure et leur distribution* (traduit par L. Cosserat, 1878), in his personal library, a book which speaks of the Mediterranean, the Red Sea off Abyssinia, the Atlantic about Cuba, as regions rich in coral. Hérédia was of Cuban origin and had seen such coral formations. 8. *madrépore,* coral polyp.

Page 395. LE BAIN, "L'homme et la bête, tels que le beau monstre antique . . ." From *Les Trophées, La Mer de Bretagne.* 1. *monstre,* the centaur of mythology, half horse, half man. 3. *pulvérin,* spray.

PAUL VERLAINE
(*1844–1896*)

VERLAINE was one of the most striking and original figures among the poets of the latter half of the century. He was one of the creative forces in the literary movement that came to be called Symbolism. In the irregularity of his life he might count as a modern Villon. He possessed a rich poetic endowment which did not always produce all that it seemed capable of offering. He began under the influence of the Parnassians, but his most characteristic work was as far removed as possible from the plastic objectivity of that school. He pursued the expression of the most elusive sensations and was little concerned about precise forms and outlines in his thoughts. In the rendering of pure feeling, in direct emotional appeal of tone and accent, he discovered, or employed more consistently than his predecessors, powerful secrets. He endeavored to make poetry something suggestive, dream-like, subtly and harmoniously penetrating like music. He wrote melodiously, in his finer verse, of his voluptuous reveries, of his repentance for his vices and sins, of his mystical aspirations. His most famous volume, *Sagesse* (1881), was inspired by a sincere religious crisis, experienced under the guidance of a kindly chaplain, during the prison sentence that followed the affray in which he wounded his friend, Arthur Rimbaud.

Page 395. CHANSON D'AUTOMNE, " Les sanglots longs des violons . . ." From *Poèmes saturniens.*

Page 396. NOCTURNE PARISIEN, " Roule, roule ton flot indolent, morne Seine . . ." From *Poèmes saturniens.* Verlaine is said to have written this remarkable picture of Paris before he was eighteen. 7. *Tibre*, Italian river. 11. *Guadalquivir,* Spanish river. 12. *boléro,* a Spanish dance. 13. *Pactole,* a river of ancient Lydia, in Asia Minor. Legend says that its waters' gold-bearing qualities were due to King Midas, of the Golden Touch, having bathed in them. 13. *Bosphore,* strait to Black Sea at Constantinople (Istanbul). 14. *kief,* period of absolute rest. 16. *Lignon,* French stream of the Forez, a tributary of the Loire, celebrated by Honoré d'Urfé, in *L'Astrée,* the famous early seventeenth century pastoral novel. 16. *Adour,* French Pyrenean stream flowing into the Gulf of Gascony. 19. *Meschacébé,* Mississippi; needless to say, the Niagaras of which the poet speaks are otherwise located. 23. *Eurotas,* river of Greek Sparta. 27. *Ganga,* the Ganges river of India. 43. *pont de la Cité,* bridge between the *île de la Cité* and the *île Saint-Louis,* later called the *pont Saint-Louis.* 47. *un roi,* refers to the gallery of twenty-eight kings on the façade of Notre Dame Cathedral. This gallery would of course not be visible from the *pont Saint-Louis.* 64. *Rossini,* the 19th century Italian composer of operas, etc. 90. *Mané-Thécel-Pharès, mene, tekel, upharsin,* the fateful words appearing on the wall before the astonished revelers at King Belshazzar's feast, *Daniel,* V, 5–28. 94. *Oreste,* Orestes, the hero of the Greek tragic legend. 94. *Électre,* sister of Orestes, and like him, a child of Agamemnon and Clytemnestra. 98. *grand Ver,* Death.

Page 399. CLAIR DE LUNE, " Votre âme est un paysage choisi . . ." From *Les Fêtes galantes.* 2. *bergamasque,* Italian country dance.

Page 399. MANDOLINE, "Les donneurs de sérénades..." From *Les Fêtes galantes.* 5. *Tircis,* the name of a shepherd in Virgil's seventh *Eclogue,* traditional name for a pastoral personage. 5. *Aminte,* the title rôle in Torquato Tasso's pastoral drama, *Aminta* (1573). 6. *Clitandre,* favorite name for the young lover, in 17th and 18th century French comedy. 7. *Damis,* another favored name for a young man in these comedies.

Page 400. COLLOQUE SENTIMENTAL, "Dans le vieux parc solitaire et glacé..." From *Les Fêtes galantes.* 15. *avoines folles,* wild oats.

Page 400. PUISQUE L'AUBE GRANDIT..., "Puisque l'aube grandit, puisque voici l'aurore..." From *La Bonne chanson.* This volume reflects the real, though ephemeral, happiness of his marriage.

Page 401. LA LUNE BLANCHE..., "La lune blanche luit dans les bois..." From *La Bonne chanson.*

Page 402. C'EST L'EXTASE LANGOUREUSE..., "C'est l'extase langoureuse..." From *Romances sans paroles.*

Page 402. IL PLEURE DANS MON CŒUR..., "Il pleure dans mon cœur..." From *Romances sans paroles.*

Page 403. ÉCOUTEZ LA CHANSON BIEN DOUCE..., "Écoutez la chanson bien douce..." From *Sagesse.*

Page 404. LITANIES, "O mon Dieu, vous m'avez blessé d'amour..." From *Sagesse.* 20. *charbons,* the thurible, censer or incense pot, contains coals to burn the incense used at high Mass. 34. *vous, Dieu...,* refers to the verb *connaissez,* in the first line of the last strophe.

Page 405. LE CIEL EST, PAR–DESSUS LE TOIT..., "Le ciel est, par-dessus le toit..." From *Sagesse.* 1. *le ciel,* it is the view from his high prison cell window, of which the poet speaks.

Page 406. JE NE SAIS POURQUOI . . . , " Je ne sais pourquoi . . ." From *Sagesse.*

Page 407. VOUS VOILÂ, VOUS VOILÂ, PAUVRES BONNES PENSÉES . . . , " Vous voilà, vous voilà, pauvres bonnes pensées . . ." From *Sagesse.*

Page 407. ART POÉTIQUE, " De la musique avant toute chose . . ." From *Jadis et Naguère.* 2. *impair,* Verlaine is advocating more use of the nine and eleven syllable lines (attempted in Renaissance times by Ronsard). Five syllable lines, also *impair,* were commoner. The *Art poétique* itself is in nine syllable verse. 17. *pointe,* verbal wit, conceit. 21. *éloquence,* empty rhetoric. 23. *rime,* Verlaine suggests that the Parnassian poets, such as Banville, have given too much importance to rhyme. 36. *littérature,* merely formal.

Page 409. UN VEUF PARLE, " Je vois un groupe sur la mer . . ." From *Amour.* 1. *un groupe,* his wife and child.

Page 409. PARABOLES, " Soyez béni, Seigneur, qui m'avez fait chrétien . . ." From *Amour.* 9. *le poisson,* the fish is a symbol of Christ in early Christian art. The initial letters of the Greek word for fish correspond to the initials of the Greek words for JESUS, CHRIST, GOD, SON, SAVIOUR. 10. *l'ânon,* the ass that Jesus rode in triumph on Palm Sunday. 11. *les porcs,* the swine that ran into the sea, *St. Mark,* V, 13.

Page 410. KYRIE ELEISON, " Ayez pitié de nous, Seigneur . . ." From *Liturgies intimes.* Title. *Kyrie eleison,* Greek words meaning " Lord, have mercy upon us ", sung at high Mass, before the *Gloria in excelsis Deo.*

ARTHUR RIMBAUD
(1854–1891)

THE adventurous spirit of this strange young poet developed early, and his poetic genius flowered as precociously, but withered sooner. A restless childhood preceded a feverish youth of literary production and of Bohemian companionship with Verlaine, whose attention and subsequent friendship (whose crisis was the well-known shooting affray), were won by the composition of *Bateau ivre* in 1871. After the publication of *Une Saison en enfer* in Brussels (1873), Rimbaud tried to burn all that he had written, abandoned literature and set out upon his extensive travels, which ended only with his death, from an infection contracted in Abyssinia, at a hospital of Marseilles. *Les Illuminations*, preserved by Verlaine, was published by him in 1886. He had cited a number of Rimbaud's early poems in *Poètes maudits*, two years earlier. Rimbaud put into practice, with a direct vision and a realistic brutality, a principle enunciated by himself, in a letter of May 15, 1871, to his friend Demeny: "Le poète se fait voyant par un long, immense et raisonné dérèglement de tous les sens . . . Ineffable torture où il a besoin de toute la foi, de toute la force surhumaine, où il devient entre tous le grand malade, le grand criminel, le grand maudit, — et le suprême savant ! — car il arrive à l'inconnu . . . Cette harangue sera de l'âme pour l'âme, résumant tout, parfums, sons, couleurs, de la pensée accrochant la pensée et tirant."

Page 411. SENSATION, "Par les soirs d'été bleus j'irai dans les sentiers . . ." From the *Premiers vers*.

Page 411. TÊTE DE FAUNE, "Dans la feuillée, écrin vert taché d'or . . ." From the *Premiers vers*. Title. *faune*, rural divinity of ancient Rome, hornèd man, with goat's legs and pointed ears.

Page 411. OPHÉLIE, "Sur l'onde calme et noire où dorment les étoiles . . ." From the *Premiers vers*. Title. *Ophélie*, Ophelia, unfortunate heroine of Shakespeare's *Hamlet*. 4. *hallali*, hunting cry, or sounding of the hunter's horn, announcing that the stag is at bay. 8. *romance*, Ophelia's song during her madness. 11. *saules*, the willows on which she attempted to hang a garland, before falling to her watery death. 19. *Norvège*, the Norwegian mountains are far away but the coast of Sweden is easily seen across the strait at Elsinore (Helsingör), Denmark. 27. *cavalier*,

Prince Hamlet.   28. *genoux,* reference to Hamlet's attitude
at time of play within a play episode.

Page 413.   LES EFFARÉS, " Noirs dans la neige et
dans la brume . . ."   From the *Premiers vers.*   2. *soupirail,*
opening through which the light of the baker's oven room
may be seen.   9. *trou clair,* the oven door.   11. *gras sourire,*
the well-fed baker's smile.   15. *sein,* warm as a mother's
breast.   16. *médianoche,* midnight repast, Spanish word,
formerly used for such a meal, after a fast day; a *réveillon,*
midnight meal on Christmas Eve.   22. *que,* when.   25. *res-
sentent,* they experience how comfortable life can be.
26. *Jésus,* innocents.

Page 414.   MA BOHÊME, " Je m'en allais, mes poings
dans mes poches crevées . . ."   From the *Premiers vers.*
6. *Petit Poucet,* the Tom Thumb of the *Contes de fées,* by
Charles Perrault (1628–1703).   7. *Grande-Ourse,* constellation *Ursa Major,* the big bear or "dipper"; here a sign
for an imaginary inn, a paraphrase for " *à la belle étoile* ",
in the open air.

Page 414.   LE DORMEUR DU VAL, "C'est un trou de
verdure où chante une rivière . . ."   From the *Premiers vers.*
2. *haillons,* ragged eddies of foam.   4. *mousse,* sparkles.

Page 415.   BATEAU IVRE, " Comme je descendais
des fleuves impassibles . . ."   From the *Premiers vers.*
1. *je descendais,* the journey of the boat may be taken as a
symbol of the adventurous life.   2. *haleurs,* tow-men and
horses, for merchandise boats on rivers and canals, haulers.
3. *cibles,* targets.   11. *Péninsules démarrées,* islands once
part of mainland.   16. *falots,* colored wharf-lights.
17. *pommes sures,* sour apples.   26. *rutilements,* reddish
lights.   29. *trombes,* water-spouts, cyclones over water.
30. *ressacs,* waves breaking with violent frothing.   43. *Maries,* Our Lady, Star of the Sea, patroness of sailors; also
the three Saintes Maries, who landed, according to pious
belief, at the Provençal town of that name, in New Testament times.   44. *forcer le mufle,* curb the fury.   44. *poussifs,*
panting.   49. *nasses,* weirs, kind of bow-net.   50. *Léviathan,*

the huge monster mentioned in *Job*, XLI, 1–34. 51. *bonaces*,
smooth seas. 59. *dérades*, driftings. 63. *ventouses*, suckers.
69. *cheveux des anses*, clinging seaweeds of the coves.
71. *Monitors*, warships. An American warship of the
Civil War period was named the *Monitor*. 71. *Hanses*,
the Hansa, a league founded to protect German sea trade
in 1241, had stations in many towns of northern Europe.
72. *ivre d'eau*, full of water. 76. *morves*, mucus. 77. *lunules*, circular or crescent-shaped (moon-shaped) spots.
78. *hippocampes*, sea horses. 79. *triques*, cudgels; the heat
prostrates as if these were used. 80. *entonnoirs*, the sky
arches over the sea like a blue furnace. 82. *Béhémots*,
Behemoth; vast monster mentioned in *Job*, XL, 15–24.
82. *Mælström*, whirlpool near Lofoden islands off north-
west coast of Norway. 92. *que j'aille à la mer*, may I go
to the bottom of the sea. 93. *flache*, or *flaque*, puddle.
100. *yeux horribles des pontons*, sinister lights of the prison
ships.

Page 418. VOYELLES, "A noir, E blanc, I rouge, U
vert, O bleu, voyelles..." From the *Premiers vers*.
4. *bombillent*, buzz. 6. *lance*, crest. 6. *ombelles*, white
flower clusters. 9. *virides*, green. 10. *pâtis*, pastures.
12. *strideurs*, piercing sounds. 14. *Oméga*, last letter of
Greek alphabet. 14. *Ses Yeux*, some think this may refer
to a girl with whom the poet had had a brief affair, but this
is uncertain.

STÉPHANE MALLARMÉ
(1842–1898)

MALLARMÉ, for many years a teacher of English in
various French schools, became the philosophical expounder
of the æsthetics of Symbolism. He had begun his writing
of poetry under the auspices of the Parnassian movement
and remained always a painstaking artist. His charming
personality won for him many friends, especially among
younger poets, who loved to assemble at the celebrated
Tuesdays in his home. He strove, in his delicate, idealistic

and regularly rhythmic verse, to transpose the external signs in the sensible reality of nature, itself a creation of the mind, into symbols, thus creating an ideal world of dream. Such a poetry, necessarily obscure, could not be for the general, incapable of appreciating Mallarmé's attempt to capture poetry " pure " and to provide marvelous pretexts for revery.

Page 418. APPARITION, " La lune s'attristait. Des séraphins en pleurs ..." From the *Poésies*. 1. *séraphins*, angels of the first hierarchy, often represented as musicians in Italian Renaissance art.

Page 419. SOUPIR, " Mon âme vers ton front où rêve, calme sœur ..." From the *Poésies*. 6. *l'Azur*, the autumn sky.

Page 419. L'AZUR, " De l'éternel Azur la sereine ironie ..." From the *Poésies*. 1. *Azur*, symbol of the Ideal. 13. *léthéens*, the river Lethe, in the underworld of the dead, gave forgetfulness of the past to the shades who drank of its waters.

Page 420. BRISE MARINE, " La chair est triste, hélas! et j'ai lu tous les livres ..." From the *Poésies*. 8. *la jeune femme ...*, Mme Mallarmé and her baby. 16. *le chant des matelots*, symbol of the Ideal.

Page 421. L'APRÈS–MIDI D'UN FAUNE. ÉGLOGUE, " Ces nymphes, je les veux perpétuer ..." From the *Poésies*. This celebrated, but obscure, poem was refused by the *Parnasse contemporain* in 1876. It inspired Claude Debussy's *Prélude* of the same name (1894). It may have been itself influenced by the 18th century French painter, François Boucher's picture, *Pan et Syrinx*, which Mallarmé is said to have seen at the National Gallery in London. 1. *nymphes*, female woodland divinities. 10. *faune*, male woodland divinity; Pan, the god of nature, had, like the fauns, horns, pointed ears and goat's legs. 26. *creux roseaux*, the reeds of his musical instrument, Pan's pipes. 34. *le la*, the faun is tuning the pipes.

53. *syrinx*, the pipes. 101. *Vénus*, the goddess of love. 110. *couple*, the nymphs.

Page 424. ÉVENTAIL DE MADEMOISELLE MALLARMÉ, " O rêveuse, pour que je plonge . . ." From the *Poésies*. 1. *rêveuse*, Mlle Mallarmé, whom the fan is addressing. 11. *de naître*, at being born. 16. *l'unanime pli*, possibly *l'espace*, mentioned earlier.

ALBERT SAMAIN
(1858–1900)

ONE of the founders of the new *Mercure de France*, Samain won, in his literary success, which that review aided, compensations for a youth of patient and painstaking labor at uncongenial tasks. He began his writing when the Symbolist ideas were coming to prominence, but his work shows the influence of the Parnassian poets also. His verse, beginning with *Au Jardin de l'Infante* (1893), which established his reputation, reveals a lyric talent of distinguished delicacy, expressing in half tints and with a subtle music a tender sensibility and a soft melancholy.

Page 425. L'INFANTE, "Mon âme est une infante en robe de parade . . ." From *Au Jardin de l'Infante*.

Page 426. ÉLÉGIE, " L'heure comme nous rêve accoudée aux remparts . . ." From *Au Jardin de l'Infante*.

Page 427. LE REPAS PRÉPARÉ, " Ma fille, laisse là ton aiguille et ta laine . . ." From *Aux Flancs du vase*.

Page 428. NOCTURNE PROVINCIAL, " La petite ville sans bruit . . ." From *Le Chariot d'or*. 20. *Ursulines*, convent of Sisters of the Catholic order of Saint-Ursula, founded in 1557. 28. *scapulaire*, a religious amulet, made of two small bits of cloth and worn on a cord about the neck. 36. *hôtels du Parlement*, fine town houses built in provincial capitals by the judicial families of the " noblesse de robe ", during the *Ancien Régime*.

JULES LAFORGUE
(1860–1887)

JULES LAFORGUE had a talent for odd humor, for melancholy irony, which gives to his verse a special quality. His was a strange union of restless imagination, penetrating lyricism and sardonic wit. His exotic origin, for he was born at Montevideo, Uruguay, his period of residence in Berlin as reader to the Kaiserin Augusta, his romantic marriage to a poor English girl, his early death from tuberculosis, after a long struggle with poverty, were the chief events of a career, which did not permit him to rise to his full stature.

Page 429. NOËL SCEPTIQUE, " Noël! Noël? j'entends les cloches dans la nuit . . ." From *Le Sanglot de la terre.* 1. *Noël?*, the poet puts the interrogation point to underline his mood of questioning, mingled with tender recollection. 6. *nef*, nave of nearby church. 11. *sale réduit*, the poet's attic room.

GEORGES RODENBACH
(1855–1898)

THIS pleasing Flemish poet was one of the more interesting representatives of the Belgian phase, in the Symbolist movement. He is especially successful as a regionalist, depicting scenes in Bruges and the other dreamy old cities, beside the silent canals.

Page 430. VIEUX QUAIS, " Il est une heure exquise, à l'approche des soirs . . ." From *La Jeunesse blanche.* 10. *cartouches*, architectural ornaments, stone frames surrounding designs in low relief. 13. *pignons*, gables.

Page 431. EN PROVINCE, " En province, dans la langueur matutinale . . ." From *Le Règne du silence.* 5. *s'effeuille*, falls like flower petals. 6. *escaliers*, step-like Flemish façades. The gables of houses rise in step-like design, thus showing outwardly the inner structure of the roof.

CHARLES VAN LERBERGHE
(*1862–1907*)

ANOTHER attractive Belgian Symbolist is Charles Van Lerberghe, whose delicate musical sense and gift for bathing poetic images in a strange misty light, blurring all sharp contours, give his verse individuality.

Page 431. MA SŒUR LA PLUIE..., " Ma sœur la Pluie..." From *La Chanson d'Ève.* 17. *sonores,* because the raindrops patter down upon them. 24. *pieds,* perhaps a suggestion of Saint Mary Magdalen's washing Jesus' feet with her hair.

MAURICE MAETERLINCK
(*1862–*   )

THE well-known Belgian dramatist and essayist is also the writer of symbolistic poems, *Serres chaudes* (1889), and a collection of twelve *Chansons* (1890), fifteen in the edition of 1900, in which he combines a pervasive mystery with something of the naïve charm of the popular ballad.

Page 432. REFLETS, " Sous l'eau du songe qui s'élève..." From *Les Serres Chaudes.*

Page 433. CHANSON, " Et s'il revenait un jour..." From *Douze (Quinze) Chansons.*

ÉMILE VERHAEREN
(*1855–1916*)

OF the poets of modern Belgium, Émile Verhaeren was the most powerful and the most original. His work was uneven, but varied and sincere. He painted pictures of Flemish life, secular and religious. He exposed the tragedy of the countryside caught in the tentacles of the all-absorbing city, with its vast machines and overburdened workmen. He celebrated in tender lyrics the blessedness of an exceptionally happy marriage. He cried out with pain and outrage at the disasters of the first World War. Much of his work was in free rhythms. He had a greater range and sweep than the Symbolists, whose sense of mystery attracted him, and more directness. In verbal power, in variety of themes and in capacity for epic vision he was nearer Victor Hugo.

Page 433. LE MOULIN, " Le moulin tourne au fond du soir, très lentement . . ." From *Les Soirs.*

Page 434. LES HORLOGES, " La nuit, dans le silence en noir de nos demeures . . ." From *Les Bords de la route.*

Page 435. LE VENT, " Sur la bruyère longue infiniment . . ." From *Les Villages illusoires.*

Page 436. CHAQUE HEURE OÙ JE SONGE . . . , " Chaque heure où je songe à ta bonté . . ." From *Les Heures claires.*

Page 437. JE T'APPORTE, CE SOIR . . . , " Je t'apporte, ce soir, comme offrande, ma joie . . ." From *Les Heures d'après-midi.*

Page 438. C'EST LA BONNE HEURE . . . , "C'est la bonne heure, où la lampe s'allume . . ." From *Les Heures d'après-midi.*

Page 438. AVEC LE MÊME AMOUR . . . , " Avec le même amour que tu me fus jadis . . ." From *Les Heures du soir.*

Page 439. L'EFFORT, " Groupes de travailleurs, fiévreux et haletants . . ." From *La Multiple splendeur.*

REMY DE GOURMONT
(1858–1915)

REMY DE GOURMONT, descended, on his mother's side, from François de Malherbe's family, was a talented poet as well as a distinguished critic and *érudit*. His poetry is only a small segment of his vast literary achievement. It has unusual richness of imagery and an interesting freedom in the use of rhythms.

Page 441. JEANNE, " Bergère née en Lorraine . . ." From *Les Saintes du Paradis*. 1. *bergère*, Sainte Jeanne d'Arc, born at Domremy in Lorraine in 1412, was burned at the stake at Rouen in 1431.

Page 441. LE HOUX, " Simone, le soleil rit sur les feuilles de houx . . ." From *Simone, poème champêtre*.

Page 442. LES FEUILLES MORTES, " Simone, allons au bois: les feuilles sont tombées . . ." From *Simone, poème champêtre*.

Page 442. L'ÉGLISE, " Simone, je veux bien. Les bruits du soir . . ." From *Simone, poème champêtre*. 24. *Saint Roch*, a saint, born at Montpellier, about 1293, who consecrated his life to the care of the plague-stricken and died about 1327.

JEAN MORÉAS
(*1856–1910*)

A DESCENDANT of one of the heroes in the War of Greek Independence, Jean Papadiamantopoulos came to France, after a short period as a modern Greek man of letters, took the name of Moréas and became a leading figure among the French Symbolists, then the founder of the neo-classical *École Romane*, and finally a poet free from the schools. His greatest *recueil* is the *Stances* (1899–1920), a beautiful and sincere work, classical in its meditative simplicity, of a dignified vigor and a genuine depth.

Page 444. ACCALMIE, " O mer immense, mer aux rumeurs monotones . . ." From *Les Syrtes*.

Page 444. NOCTURNE, " Toc toc, toc toc, — il cloue à coups pressés . . ." From *Les Cantilènes*. Motto. *Wisst ihr . . .*, The motto means — Do you know why the coffin can possibly be so heavy? I laid both my love and my sorrow therein. 1. *Toc, toc . . .*, onomatopoetic, suggesting the sound of hammering.

Page 445. UNE JEUNE FILLE PARLE, " Les fenouils m'ont dit: il t'aime si . . ." From *Le Pèlerin passionné*.

Page 446. L'AUTOMNE ET LES SATYRES, " Hier j'ai rencontré dans un sentier du bois . . ." From *Sylves*. 3. *satyres*, rustic divinities, male. 5. *Hercule*, the mythological Hercules, famous for his labors, or feats of strength.

Page 446. STANCES, O TOI QUI SUR MES JOURS . . . , " O toi qui sur mes jours de tristesse et d'épreuve . . ." From *Les Stances*.

Page 447. STANCES, QUAND POURRAI–JE . . . , " Quand pourrai-je, quittant tous les soins inutiles . . ." From *Les Stances*.

Page 447. STANCES, SUR LA PLAINE SANS FIN . . . , " Sur la plaine sans fin, dans la brise et le vent . . ." From *Les Stances*.

STUART MERRILL
(1863–1915)

THIS American-born poet, who preferred French as his literary medium, was born at Hempstead, Long Island, but passed his childhood and most of his manhood in France, save for a period of writing and study in New York (1885–90). He is one of the interesting lesser figures in the varied group of Symbolists. He is important as a *vers-libriste*.

Page 447. NOCTURNE, " La blême lune allume en la mare qui luit . . ." From *Les Gammes*.

Page 448. OFFRANDE, " Les enfants de la France dansent et chantent des rondes . . ." From *Les Quatre saisons*. 13. *mistral*, strong cold and dry wind, blowing from north or northeast upon southern France, especially the Rhône valley.

FRANCIS VIÉLÉ–GRIFFIN
(1864–1937)

ALTHOUGH born in Norfolk, Virginia, of partly French ancestry, Viélé-Griffin, who went early to France, like

Merrill, counts as a French and not as an American poet. A disciple of Mallarmé, though of more vigorous temperament, he sings especially the province of Touraine, whose beauty charmed him, and the joys of a healthy life of varied activity. He has importance as a theorist of free verse.

Page 449. CHANSON, " J'ai pris de la pluie dans mes mains tendues . . ." From *Cueille d'avril.*

Page 450. MATINÉE D'HIVER, " Ouvre plus grande la fenêtre . . ." From *La Clarté de la vie.*

HENRI DE RÉGNIER
(*1865–1936*)

THIS poet was attracted at once by the firm clarity of technique in the Parnassians and by the free rhythms of the Moderns, which he was able to harmonize musically with the subtle shadings of emotion he desired to convey. Of Leconte de Lisle, he preserved the cult for the plastic beauty of antiquity. With the Symbolists, he shared the love of revery, of dream-like evocation by transposed " correspondances ". An aristocratic poet, he sought delicacy and nobility, avoiding the banal.

Page 451. ODELETTE, " Un petit roseau m'a suffi . . ." From *Les Jeux rustiques et divins.* 1. *roseau,* a rustic reed pipe, such as shepherds used to play.

Page 452. LA VOIX, " Je ne veux de personne auprès de ma tristesse . . ." From *La Sandale ailé.*

ANNA–ELIZABETH DE NOAILLES
(*1876–1933*)

THE Comtesse Mathieu de Noailles, born Princesse de Brancovan, in Paris, of a Greek mother and a Roumanian father, became the most distinguished of modern French woman poets. She sings hymns to all the joys of nature with a vibrant lyricism, a romantic imagination and a pantheistic ardor. She is the poetess too of overshadowing and disquieting Death. Her work, regular in form, is very subjective and personal, belonging to no school.

Page 452. LE VERGER, " Dans le jardin, sucré d'œillets et d'aromates..." From *Le Cœur innombrable.*

Page 454. EXALTATION, " Le goût de l'héroïque et du passionnel..." From *Le Cœur innombrable.*

Page 455. LE TEMPS DE VIVRE, " Déjà la vie ardente incline vers le soir..." From *Le Cœur innombrable.*

Page 456. J'ÉCRIS POUR QUE, LE JOUR..., " J'écris pour que, le jour où je ne serai plus..." From *L'ombre des jours.*

Page 456. SI VOUS PARLIEZ, SEIGNEUR..., " Si vous parliez, Seigneur, je vous entendrais bien..." From *Les Vivants et les morts.*

Page 458. SI L'ON SONGE..., " Si l'on songe à tout ce qu'on fit..." From *L'Honneur de souffrir.*

FRANCIS JAMMES
(1868–1938)

FRANCIS JAMMES underwent, in his youth, various poetic influences, notably those of Verlaine and of the " vers-libristes ", but he developed a very individual system of æsthetics. He became the pastoral poet of the Basses-Pyrénées, the tender Catholic poet preserving, after his conversion, something still of Jean-Jacques Rousseau's " vicaire savoyard ", while adding thereto the more orthodox fervor of Saint Francis of Assisi. He had the art to speak of simple things simply, with a touching sincerity.

Page 458. LA SALLE A MANGER, " Il y a une armoire à peine luisante..." From *De l'Angélus de l'aube à l'angélus du soir.*

Page 459. LE VIEUX VILLAGE, " Le vieux village était rempli de roses..." From *De l'Angélus de l'aube à l'angélus du soir.*

Page 460. IL VA NEIGER . . . , " Il va neiger dans quelques jours. Je me souviens . . ." From *De l'Angélus de l'aube à l'angélus du soir.*

Page 461. PRIÈRE POUR QU'UN ENFANT NE MEURE PAS, " Mon Dieu, conservez-leur ce tout petit enfant . . ." From *Le Deuil des Primavères.* 7. *Fête-Dieu,* Corpus Christi, Feast of the Blessèd Sacrament, celebrated on the Thursday following the Octave of Pentecost (feast falling fifty days after Easter).

Page 462. MON HUMBLE AMI, MON CHIEN FIDÈLE . . . , " Mon humble ami, mon chien fidèle, tu es mort . . ." From *Clairières dans le ciel.*

Page 462. ART POÉTIQUE, " Telle à la cime une cigale continue . . ." From *Les Georgiques chrétiennes.* 3. *Mantoue,* the Latin poet Virgil, author of the *Georgics, Eclogues, Æneid,* was born at Mantua, in northern Italy. He is sometimes referred to as the " swan of Mantua." As a pastoral poet, he may be said to have employed the shepherd's rustic reed pipe.

PAUL FORT
(1872–   )

PAUL FORT is known for the *Ballades françaises,* a long series of volumes in which he displays his talent for melodious rhythms, freely regular. These poems are printed like prose but employ musically both rhyme and assonance. Paul Fort's love for nature is ardent. He has a genuine feeling, too, for legend and for the naïve simplicity of the popular ballad. The first volume of *Ballades* appeared in 1897.

Page 463. LA RONDE, " Si toutes les filles du monde voulaient s'donner la main . . ." From *Ballades françaises,* Vol. I.

Page 464. LA NOCE, " Ah ! Que de joie, la flûte et la musette troublent nos cœurs . . ." From *Ballades françaises,* Vol. I. 4. *Gai, gai* . . . , paraphrase of a popular refrain:

Gai, gai, marions-nous, entrons donc vite en ménage.
Gai, gai, marions-nous, mettons-nous la corde au cou.

Page 464. CETTE FILLE, ELLE EST MORTE . . . ,
" Cette fille, elle est morte dans ses amours . . ." From
Ballades françaises, Vol. I.

Page 465. LE BERCEMENT DU MONDE, " Du
coteau, qu'illumine l'or tremblant des genêts . . ." From
Ballades françaises, Vol. II (*Montagne, forêt, plaine, mer*).

Page 466. LA CORDE, " Pourquoi renouer l'amourette ? . . ." From *Ballades francaises*, Vol. V (*L'Amour
marin*). 13. *c'est-y bien*, popular for *est-ce bien*.

CHARLES PÉGUY
(*1873–1914*)

ONE of the tragic losses of France in the first World War,
Charles Péguy published most of his works, inspired by his
generous social, patriotic and religious ideals, in the famous
Cahiers de la Quinzaine (1900–1914). He was, above all, a
mystic, and his Catholic devotion was deep and sincere.

Page 467. HEUREUX CEUX QUI SONT MORTS
. . . " Heureux ceux qui sont morts pour la terre charnelle
. . ." Fragment of *Ève*.

LOUIS LE CARDONNEL
(*1862–1936*)

ONE of the ablest of modern Catholic poets was the priest,
Louis Le Cardonnel, who, influenced by Verlaine and
Mallarmé in his youth, became, especially after his trip to
Assisi in 1905, a poet who fused remarkably well his love
for all beauty and his mystical love of God.

Page 467. PRINTEMPS FRANCISCAIN, " Près du
cloître où la vigne est blonde de lumière . . ." From
Carmina sacra. 13. *l'insensé d'Assise*, Saint Francis of

Assisi, a town in the Italian province of Umbria, lived from 1182 to 1226 and was the founder of the Franciscan order. One of the charming stories concerning Saint Francis, in the *Little Flowers*, is that telling of his sermon to the birds.

GEORGES DUHAMEL
(1884–   )

THE eminent novelist, Georges Duhamel, is also a poet, whose sober verse is intensely sincere and filled with the same social pity, the same tenderness for human sufferings, that animates his other works.   Though sometimes called an " unanimiste ", Duhamel disclaims any adherence to the doctrines professed by the group of enthusiastic young artists and intellectuals of *l'Abbaye* at Creteil, with whom he was associated (1905–08) during the period of their " community " living.

Page 468.   BALLADE DE FLORENTIN PRUNIER, " Il a résisté pendant vingt longs jours..."   From the *Élégies.*   39. *je vas,* rural for *je vais.*   40. *Je veux pas,* colloquial omission of *ne.*

JULES ROMAINS
(1885–   )

AFTER the publication of *La Vie unanime* (1908) Jules Romains became known as the chief of the so-called " unanimiste " group of writers.   His poems show that concern for society and for collective sentiments, simply, intellectually and persuasively expressed, that appear in his more famous plays and novels.

Page 470.   UNE AUTRE ÂME S'AVANCE, " Qu'est-ce qui transfigure ainsi le boulevard ? "   From *La Vie unanime.*

PAUL CLAUDEL
(1868–   )

THIS eminent diplomat, who is also a distinguished poet and dramatist, writes under the influence of the Symbolist æsthetics, of the Bible, and of Catholic tradition. His works reveal an ardent and mystical temperament, which finds rest and an answer to philosophic questionings in the Roman Church. He is one of the greatest modern religious poets.

Page 471. LA SAINTE FACE, " Je ne saurais effacer de ton cœur une certaine image . . ." From *La Ville*, act III. 3. *Véronique*, Saint Veronica, according to tradition, wiped Jesus' face, wet with sweat and blood, as He toiled up Mount Calvary bending under the weight of His cross. Upon the linen cloth the suffering features of the Saviour remained imprinted, the " Sainte Face" of religious art. 13. *Ivors*, Satan, the tempter, who displayed to Christ the power and riches of this world to draw Him from His mission. 21. *Verbe*, St. John's gospel (I, 1–14) refers to Jesus as the Word, "In the beginning was the Word . . . " 32. *Ostension*, act of displaying and offering. The consecrated Host is exposed upon an *ostensoir* of fine goldsmith's work, a monstrance.

Page 472. MAGNIFICAT, "Soyez béni, mon Dieu, qui m'avez délivré des Idoles . . ." From *Cinq grandes odes*. 3. *Isis*, Egyptian goddess, sister and wife of Osiris. 3. *Osiris*, god, protector of the dead, etc. 13. *Moloch*, Carthaginian divinity to whom babies were offered as propitiatory sacrifices. 26. *Apis*, Egyptian divinity, a bull in form.

Page 473. LA VIERGE A MIDI, " Il est midi. Je vois l'église ouverte. Il faut entrer." From *Poèmes de guerre*. 18. *restituée*, woman, in general, must share the guilt of mother Eve, according to Catholic theology. Our Lady, immaculately conceived by her mother Saint Anne, is without original sin, due to the temptation and fall of Adam and Eve in the Garden of Eden.

PAUL VALÉRY
(1871–   )

THE closest in spirit of modern poets to Stéphane Mallarmé, the æsthetician of Symbolism, seems to be Paul

Valéry, whose *la Jeune Parque*, (1917) and *Le Cimetière marin* (1920) have been among the most widely discussed of modern poems. Valéry, like Mallarmé, does not write for superficial readers, too easily routed by his difficult and abstruse poetic quest for philosophic knowledge of the truth, a quest he exposes in exactly related words and splendid images, revelatory of the most delicate shades of conscious and sub-conscious meaning. His verse is, in the main, classical in style. It has a meditative harmony of tone befitting the metaphysical lyricism he most favors.

Page 475. LA FILEUSE, " Assise la fileuse au bleu de la croisée . . ." From the *Album de vers anciens*. Motto. *Lilia . . . neque nent,* the motto means: Nor would lilies float.

Page 476. ORPHÉE, " Je compose en esprit, sous les myrtes, Orphée . . ." From the *Album de vers anciens*. 1. *Orphée*, the musician of Greek legend, of divine origins, who charmed wild beasts, descended into Hades, in quest of his dead wife, Eurydice, whom he lost twice, as, in rescuing her, he looked back against the infernal deities' command. Orpheus met his end by being torn to death by enraged Bacchantes, whose secret rites he had seen.

Page 476. NAISSANCE DE VÉNUS, " De sa profonde mère, encor froide et fumante . . ." From the *Album des vers anciens*. 1. *profonde mère*, the sea, from which Venus, goddess of love and beauty, was born. Cf. Botticelli's painting, *The Birth of Venus*. 7. *Thétis*, the sea, by extension, from the name of the sea goddess.

Page 477. LE VIN PERDU, " J'ai, quelque jour, dans l'Océan . . ." From *Charmes ou poèmes*.

Page 477. LE RAMEUR, " Penché contre un grand fleuve, infiniment mes rames . . ." From *Charmes ou poèmes*.

Bibliographical List

BIBLIOGRAPHICAL LIST

ACKERMANN, LOUISE

Œuvres, Lemerre, 1885. Marc Citoleux, *La Poésie philosophique au XIXe siècle, Mme Ackermann*, Plon-Nourrit, 1906. Le Comte d'Haussonville, *Madame Ackermann d'après des lettres et des papiers inédits*, Lemerre. 1892.

ARNAULT, ANTOINE-VINCENT

Œuvres, Bossanye père, 8 vols., 1824–27. Vol. 3 contains the *Romances*, etc., Vol. 4, the *Fables et Poésies*. C.-A. Sainte-Beuve *Causeries du lundi*, 15 vols., Garnier, 1857–62, VII.

ARVERS, FÉLIX

Mes Heures perdues, ed. Théodore de Banville, Cinqualbre, 1878. Léon Séché, Vol. 1, « les Camarades », *Alfred de Musset*, Merc. de Fr., 2 vols. 1907. Léon Séché, *Félix Arvers*, « La Revue de Paris », 1906.

AUBIGNÉ, THÉODORE AGRIPPA D'

Œuvres, ed. E. Reaume, F. De Caussade, A. Legouez, 6 vols., Lemerre. 1873–92. *Les Tragiques*, ed. Armand Garnier, Jean Plattard, Soc. Textes Fr. Mod., Droz, 1932. Samuel Rocheblave, *Agrippa d'Aubigné*, Hachette, 1910. Armand Garnier, *Agrippa d'Aubigné et le parti protestant; contribution à l'histoire de la réforme en France*, Fischbacher, 1928. Jean Plattard, *Une Figure de premier plan dans nos lettres de la Renaissance, Agrippa d'Aubigné*, Boivin, 1931.

BAÏF, JEAN-ANTOINE DE

Œuvres, ed. Marty-Laveaux, 5 vols., Coll. de la Pléiade,

Lemerre, 1881–90. Mathieu Augé-Chiquet, *La Vie, les idées et l'œuvre de Jean-Antoine de Baïf*, Hachette-Privat, 1909.

BANVILLE, THÉODORE DE
Poésies complètes, 3 vols. Charpentier-Fasquelle, 1891–1907. *Choix de poésies*, Charpentier-Fasquelle, 1923. *Petit Traité de poésie française*, Charpentier-Fasquelle, 1903. Edmondo Rivaroli, *La Poétique parnassienne d'après Théodore de Banville; théorie, applications, conséquences*, Maloine, 1915. M. Fuchs, *Théodore de Banville, contribution à l'histoire de la poésie française pendant la 2de moitié du XIXe siècle*. Éditions Scientifica, 1918. John Charpentier, *Théodore de Banville, l'homme et son œuvre*, Perrin, 1925.

BARBIER, AUGUSTE
Iambes et poèmes, Dentu, 1883. *Poésies, iambes et poèmes*, Lemerre, 1898. C.-A. Sainte-Beuve, *Portraits contemporains*, 5 vols., Calmann-Lévy, 1881–82, II. Léon Séché, *Le Centenaire d'Auguste Barbier*, « Annales romantiques », 1905.

BAUDELAIRE, CHARLES
Œuvres complètes, ed. Gautier, Le Dantec, 14 vols., Nouv. Revue Fr., 1918–. *Œuvres complètes*, ed. Le Dantec, 2 vols., Éditions de la Pléiade, 1932–33. Camille Mauclair, *Charles Baudelaire, sa vie, son art, sa légende*, Maison du Livre, 1918. Ernest Raynaud, *Charles Baudelaire*, Garnier, 1922. Pierre Flottes, *Baudelaire, l'homme et le poète*, Perrin, 1928. François Porché, *La Vic douloureuse de Charles Baudelaire*, Plon, 1926. Philippe Soupault, *Baudelaire*, Coll. Maîtres des littératures, Rieder, 1931. J. Pommier, *La Mystique de Baudelaire*, Éditions des Belles Lettres, 1932. A. Ferran, *L'Esthétique de Baudelaire*, Hachette, 1933. Jean Royère. *Baudelaire; mystique de l'amour*, Champion, 1927.

BELLEAU, REMY
Œuvres, ed. A. Gouverneur, 3 vols., Bibl. Elzévirienne,

Jannet, 1867. *Œuvres*, ed. Marty-Laveaux, 2 vols., Coll. de la Pléiade, Lemerre, 1878. Alexandre Eckhart, *Remy Belleau, sa vie, sa Bergerie*, Budapest, Németh, 1917.

BÉRANGER, PIERRE-JEAN DE
Chansons, 2 vols., Perrotin, 1862. *Musique des Chansons*, 1 vol., Perrotin, 1861. *Textes choisis et commentés*, ed. Stéphane Strowski, Plon, 1913. Ch. Causeret, *Béranger*, Coll. Class. pop., Lecène Oudin, 1895. Fortunat Strowski, *Béranger*, Plon, 1913. Léon Four, *La Vie en chansons de Béranger*, Paris, 1930.

BERTAUT, JEAN
Œuvres poétiques, ed. A. Chenevière, Bibliothèque Elzévirienne, Jannet, 1891. Abbé Georges Grente, *Jean Bertaut, abbé d'Aunay, premier aumonier de la reine, évêque de Séez (1552–1611)*, Lecoffre, 1903. Émile Faguet, *Au temps de Malherbe*, Vol. I, 1923, *Histoire de la poésie française de la renaissance au romantisme*, Boivin, 1923–.

BERTIN, ANTOINE DE
Poésies et œuvres diverses, ed. Eugène Asse, Quantin, 1879. Henri Potez, *L'Élégie en France avant le romantisme*, Calmann-Lévy, 1898. Émile Faguet, *Les Poètes secondaires du XVIIIᵉ siècle*, Vol. IX, 1935, *Histoire de la poésie française de la renaissance au romantisme*, Boivin, 1923–.

BOILEAU-DESPRÉAUX, NICOLAS
Œuvres, ed. Gidel, 4 vols., Garnier, 1873. *Œuvres*, ed. Pauly, 2 vols., Lemerre, 1891. *Satires*, ed. Albert Cahen, Soc. Textes Fr. Mod., Droz, 1932. *Épîtres*, ed. Albert Cahen, Soc. Textes Fr. Mod., Droz, 1937. *L'Art poétique*, ed. le Père Victor Delaporte, Lethielleux, 1885. *L'Art poétique*, ed. D. Nichol Smith, Cambridge University Press, 1919. Antoine Albalat, *L'Art poétique de Boileau*, Coll. Les Grands Événements Littéraires, Malfère, 1929. Gustave Lanson, *Boileau*, Coll. Les Grands Écrivains Français, Hachette, 1892. Émile

Faguet, *Boileau*, Vol. V, 1931, *Histoire de la poésie française de la renaissance au romantisme*, Boivin, 1923–.

BRIZEUX, JULIEN-AUGUSTE
Œuvres complètes, 4 vols., Lemerre, 1860. *Œuvres*, ed. Auguste Dorchain, 4 vols. Garnier, 1910–12, Abbé C. Lecigne, *Brizeux, sa vie et son œuvre, d'après des documents inédits*, Lille, Poussielgue, 1898. Louis Tiercelin, *Bretons de lettres*, Champion, 1905.

CHARTIER, ALAIN
Œuvres, ed. André Duchesne, Paris, 1617. Joret Desclosières, *Un écrivain national au XVᵉ siècle: Alain Chartier*, Fontemoing, 1899. Didier Delaunay, *Étude sur Alain Chartier*, Rennes, Oberthur, 1876.

CHATEAUBRIAND, FRANÇOIS-RENÉ DE
Œuvres complètes, 12 vols., Garnier, 1859–61. (*Poésies*, including *Tableaux de la nature, idylles; Poésies diverses; Moïse, tragédie*, were published in 1828 in collected form.) *Œuvres complètes*, 31 vols., Ladvocat et Dufey, 1826–31. Adolphe de Lescure, *Chateaubriand*, Coll. Grands Écriv. Fr., Hachette, 1892. Pierre Moreau, *Chateaubriand, l'homme et la vie, le génie et les livres*, Garnier, 1927. Edmond Biré, *Les Dernières années de Chateaubriand*, Garnier, 1902. Victor Giraud, *Le Christianisme de Chateaubriand*, Hachette, 1928, Gilbert Chinard, *L'Exotisme américain dans l'œuvre de Chateaubriand*, Hachette, 1918.

CHAULIEU, GUILLAUME AMFRYE DE
Œuvres, ed. M. de Saint-Marc, 2 vols., Paris, 1750. *Poésies de Chaulieu et de La Fare*, Amsterdam, Lyon, 1724. Frédéric Lachèvre, *Les derniers libertins*, Champion, 1924. Émile Faguet, *De Boileau à Voltaire*, Vol. VI, 1932, *Histoire de la poésie française de la renaissance au romantisme*, Boivin, 1923–. C.-A. Sainte-Beuve, *Causeries du lundi*, 15 vols., Garnier, 1857–62, I.

CHÊNEDOLLÉ, CHARLES LIOULT DE
Œuvres complètes, Didot, 1864. Mme Paul (Lucy

Lamare) de Samie, *À l'Aube du romantisme: Chênedollé (1769–1833)*. *Essai biographique et littéraire*, Paris, 1922. Charles-Augustin Sainte-Beuve, *Chateaubriand et son groupe littéraire*, 2 vols. Calmann-Lévy, 1889.

CHÉNIER, ANDRÉ
Œuvres complètes (poetry), ed. Paul Dimoff, 3 vols., Delagrave, 1908–19. *Œuvres* (poetry and prose), ed. H. Clouard, 3 vols., Cité des Livres, 1927. *Œuvres poétiques*, pref. André Bellessort, 2 vols., Garnier, 1925. J. Haraszti, *La Poésie d'André Chénier*, Hachette, 1892. Paul Morillot, *André Chénier*, Coll. des Class. Pop., Lecène Oudin, 1894. Émile Faguet, *André Chénier*, Coll. Gr. Écriv. Fr., Hachette, 1902. Paul Dimoff, *La Vie et l'œuvre d'André Chénier jusqu'à la Révolution Française, 1762–1790*, Droz, 1936.

CHÉNIER, MARIE-JOSEPH
Œuvres anciennes et posthumes, not. Arnault, 8 vols., Guillaume, 1824–26. *Poésies*, ed. C. Labitte, 2 vols., Bau, 1822. *Le Chant du départ*, Rouanet, 1833. Julien Tiersot, *Les Fêtes et les chants de la révolution française*, Hachette, 1908. C. Labitte, *Marie-Joseph Chénier*, « Revue des Deux Mondes », 1844. A. Liéby, *Étude sur le théâtre de Marie-Joseph Chénier*, Soc. Fr. d'Impr. et de Libr., 1901. Émile Faguet, *Au temps de la révolution*, Vol. XI, 1936, *Histoire de la poésie française de la renaissance au romantisme*, Boivin, 1923–.

CLAUDEL, PAUL
Œuvres lyriques, Nouv. Revue Fr., 1913–. Joseph de Tonquedec, *L'Œuvre de Paul Claudel*, Beauchesne, 1917. Georges Duhamel, *Paul Claudel: le philosophe, le poète, l'écrivain*, Merc. de Fr., 1920. Frédéric Lefèvre, *Les Sources de Paul Claudel*, Lemercier, 1927. Gonzague Truc, *Paul Claudel*, Nouv. Revue crit., 1925. Mme Sainte-Marie Perrin, *Introduction à l'œuvre de Claudel*, Bloud et Gay, 1926. Victor Brindel, *Claudel*, Vrin, 1934. J. Maclaule, *Le Drame de Paul Claudel*, Desclée de Brouwer, 1936. J. Maclaule, *Le Génie de Paul Claudel*, Desclée de Brouwer, 1936.

COPPÉE, FRANÇOIS

Œuvres. Poésies, 6 vols., Lemerre, 1907. Ernest Gaubert, *François Coppée, biographie critique,* Sansot, 1906. Léon Le Meur, *La Vie et l'œuvre de François Coppée,* Spès, 1932.

DELAVIGNE, CASIMIR

Œuvres complètes, 6 vols., Didier, 1852–54. F. Vaucheux, *Casimir Delavigne; étude biographique et littéraire,* Dumoulin, 1893. Mme Marcelle Fauchier-Delavigne, *Casimir Delavigne intime,* Soc. Fr. d'Impr. et de Libr., 1907.

DESBORDES-VALMORE, MARCELINE

Œuvres poétiques, 3 vols., Lemerre, 1886–92. *Poésies complètes,* ed. B. Guégan, 5 vols., Le Trianon, 1932–. Jacques Boulenger, *Marceline Desbordes-Valmore d'après des papiers inédits,* Fayard, 1909. Jacques Boulenger, *Marceline Desbordes-Valmore. Sa vie et son secret,* Plon, 1926. Lucien Descaves, *La Vie douloureuse de Marceline Desbordes-Valmore,* Nilsson, 1910. Lucien Descaves, *La Vie amoureuse de Marceline Desbordes-Valmore,* Flammarion, 1925. Boyer d'Agen, *Les Amitiés littéraires de Mme Desbordes-Valmore,* Lemerre, 1923. Stefan Zweig, *Mme Desbordes-Valmore,* Nouv. Revue Crit., 1928.

DESCHAMPS, EUSTACHE

Œuvres complètes, ed. Gaston Raynaud and Marquis de Queux de Saint-Hilaire, 11 vols. (the eleventh a study of the poet), Soc. An. Textes Fr., Didot, 1878–1903. Amédée Sarradin, *Étude sur Eustache Deschamps,* Versailles, Cerf et fils, 1878.

DES HOULIÈRES, ANTOINETTE

Œuvres complètes, 2 vols., Crapelet, 1799. *Œuvres choisies,* ed. Adolphe de Lescure, Librairie des Bibliophiles, 1882. Frédéric Lachèvre, *Les derniers libertins,* Champion, 1924, C.-A. Sainte-Beuve, *Portraits de femmes,* Garnier, 1882.

DESPORTES, PHILIPPE
Œuvres, ed. Alfred Michiels, Delahaye, 1858. Jacques Lavaud, *Un poète de cour du temps des derniers Valois: Philippe Desportes (1546–1606)*, Droz, 1936.

DIERX, LÉON
Poésies complètes, 2 vols., Lemerre, 1896. E. Noulet, *Léon Dierx*, Les Presses Universitaires de France, 1925.

DORAT, CLAUDE-JOSEPH
Œuvres complètes, en prose et en vers, 20 vols., Paris, 1764–1780. G. Desnoireterres, *Le Chevalier Dorat et les poètes légers du XVIIIᵉ siècle*, Perrin, 1887. Émile Faguet, *Les Poètes secondaires du XVIIIᵉ siècle*, Vol. VIII, 1935, *Histoire de la poésie française de la renaissance au romantisme*, Boivin, 1923–.

DU BARTAS, GUILLAUME DE SALLUSTE
The Works of . . . A critical edition, ed. Urban Tigner Holmes, John Coriden Lyons, Robert White Luker, Chapel Hill, University of North Carolina Press, 1935–. Georges Pellissier, *La vie, les œuvres de du Bartas*, Hachette, 1883. Urban Tigner Holmes, *Guillaume de Salluste Sieur Du Bartas. A Biographical and Critical Study*, Chapel Hill, University of North Carolina Press, 1935.

DU BELLAY, JOACHIM
Œuvres poétiques, ed. Henri Chamard, 6 vols., Soc. Textes Fr. Mod., Cornély, 1908–23. *Poésies françaises et latines*, ed. E. Courbet, 2 vols., Garnier, 1919. *La Deffence et illustration de la langue françoyse*, ed. Henri Chamard, Fontemoing, 1904. Henri Chamard, *Joachim du Bellay*, Lille, Au Siège de l'Université, Bigot, 1900. Robert Valentine Merrill, *The Platonism of Du Bellay*, University of Chicago Press, 1925. Francis Ambrière, *Joachim du Bellay*, Firmin-Didot, 1930.

DUHAMEL, GEORGES
Élégies, Merc. de Fr., 1920. André Thérive, *Georges Duhamel*, Coll. La Revue Crit., Rasmussen, 1925.

Luc Durtain, *Georges Duhamel; l'homme et l'œuvre*, Crès, 1920. P. Humbourg, *Georges Duhamel. Son Œuvre*, Nouv. Revue Crit., 1930.

FLORIAN, JEAN-PIERRE CLARIS DE
Œuvres, 12 vols., Briand, 1810. *Fables*, Garnier, 1866. Albin de Montvaillant, *Florian, sa vie, ses œuvres, sa correspondance*, Dentu, 1879. Léo Clarétie, *Florian*, Coll. Class. Pop., Lecène Oudin, 1889. G. Saillard, *Florian, sa vie, son œuvre*, Toulouse, Privat, 1912.

FORT, PAUL
Ballades françaises, ed. définitive, Flammarion, 1923–. *Anthologie des Ballades françaises*, Merc. de Fr., 1917. Georges-Armand Masson, *Paul Fort, son œuvre*, Coll. Les Célébrités d'Aujourd'hui, Nouv. Rev. Crit., s. d. Raymond Clauzel, *Paul Fort ou l'arbre à poèmes*, Paris, 1925. Louis Mandin, *Étude sur les « Ballades Françaises » de Paul Fort*, Coll. Vers et Prose, Figuière, 1911. Amy Lowell, *Six French Poets*, Boston, Houghton Mifflin, 1926.

FROISSART, JEAN
Poésies, ed. A. Scheler, 3 vols., Bruxelles, Académie Royale de Belgique, Devaux, 1870–72. *Méliador*, ed. A. Longnon, 3 vols., Didot, 1895–99. Mary Duclaux, *Froissart*, Coll. Gr. Écriv. Fr., Hachette, 1894. F. S. Shears, *Froissart, Chronicler and Poet*, London, G. Routledge & Sons, 1930.

GAUTIER, THÉOPHILE
Poésies complètes, ed. René Jasinski, 3 vols., Firmin-Didot, 1932. *Émaux et Camées*, ed. J. Madeleine, Soc. Textes Fr. Mod., Hachette, 1927. *L'España*, ed. René Jasinski, Vuibert, 1929. Maxime Du Camp, *Théophile Gautier*, Coll. Gr. Écriv. Fr., Hachette, 1890. Henri Potez, *Théophile Gautier*, Colin, 1895. René Jasinski, *Les Années romantiques de Théophile Gautier*, Vuibert, 1929. L. P. Dillingham, *The Creative Imagination of Théophile Gautier*, Bryn Mawr, College Exchange, 1927. Adolphe Boschot, *Théophile Gautier*,

Coll. Temps et Visages, Paris, 1930. Albert Cassagne, *La Théorie de l'art pour l'art*, Hachette, 1906.

GILBERT, NICOLAS-JOSEPH
Œuvres complètes, not. Charles Nodier, Garnier, 1839. *Poésies diverses*, ed. Paul Perret, Quantin, 1882. E. Laffay, *Le poète Gilbert (1750–1780); étude biographique et littéraire*, Blond et Barrat, 1899. Émile Faguet, *Les Poètes secondaires du XVIIIe siècle*, Vol. IX, 1935, *Histoire de la poésie française de la renaissance au romantisme*, Boivin, 1923–.

GOURMONT, REMY DE
Les Saintes du Paradis; Oraisons mauvaises; Simone; Divertissements, Merc. de Fr., 1898–1914. Paul Delior, *Remy de Gourmont et son œuvre*, Coll. Les Hommes et les Idées, Merc. de Fr., 1909. Pierre de Querlon, *Remy de Gourmont*, Coll. Les Célébrités d'Aujourd'hui, Nouv. Revue Crit., 1903. Amy Lowell, *Six French Poets*, Boston Houghton Mifflin, 1926.

HÉRÉDIA, JOSÉ-MARIA DE
Les Trophées, Lemerre, 1893, new ed. 1931. Miodrag Ibrovac, *José-Maria de Heredia: sa vie, son œuvre*, Les Presses Universitaires Françaises, 1923. Miodrag Ibrovac, *Les Sources des « Trophées »*, Les Presses Universitaires Françaises, 1923.

HÉROËT, ANTOINE
Œuvres poétiques, ed. Ferdinand Gohin, Soc. Textes Fr. Mod., Cornély, 1909. Jules Arnoux, *Un précurseur de Ronsard: Antoine Héroët, néoplatonicien et poète, 1492–1568*, Digne, Chaspoul, 1912.

HUGO, VICTOR
Œuvres complètes, definitive ed. P. Maurice, G. Simon, 41 vols., Ollendorff, 1905–33. *Œuvres complètes, ne varietur* ed., 48 vols., Hetzel, 1880–85. *L'Œuvre de Victor Hugo* (Morceaux choisis), ed. Maurice Le-vaillant, Delagrave, 1931. *Légende des siècles*, ed. P. Berret, 6 vols., Hachette, 1920–28. *Les Contemplations,*

ed. J. Vianey, 3 vols., Hachette, 1922. *Les Châtiments,* ed. P. Berret, 2 vols., Hachette, 1932–33. Paul Berret, *Victor Hugo,* Garnier, 1927. André Bellessort, *Victor Hugo, Essai sur son œuvre,* Perrin, 1930. Raymond Escholier, *La Vie glorieuse de Victor Hugo,* Plon, 1928. Raymond Escholier, *Victor Hugo artiste,* Crès, 1926. W. F. Giese, *Victor Hugo. The Man and the Poet,* New York, Dial Press, 1926. Mary Duclaux, *Victor Hugo,* Plon, 1925. A. Joussain, *L'Esthétique de Victor Hugo,* Soc. Fr. d'Impr. et de Libr., 1921. Eugène Rigal, *Victor Hugo, poète épique,* Soc. Fr. d'Impr. et de Libr., 1900. Paul Stapfer, *Victor Hugo et la grande poésie satirique en France,* Ollendorff, 1901. Charles Renouvier, *Victor Hugo, le poète,* Colin, 1893. Charles Renouvier, *Victor Hugo, le philosophe,* Colin, 1900. Denis Saurat, *La Religion de Victor Hugo,* Hachette, 1929. Léopold Mabilleau, *Victor Hugo,* Coll. Gr. Ecriv. Fr., 1893. Ferdinand Brunetière, *Victor Hugo,* 2 vols., Hachette, 1902. Léon Séché, *Le Cénacle de Joseph Delorme,* 2 vols., Merc. de Fr., 1912. Louis Guimbauld, *Victor Hugo et Juliette Drouet,* Blaizot, 1914. Louis Barthou, *Les Amours d'un poète,* Conard, 1919.

JAMMES, FRANCIS
Œuvres, 6 vols., Bibliothèque choisie, Merc. de Fr., 1926–. *Choix de poèmes,* Merc. de Fr., 1922. Edmond Pilon, *Francis Jammes et le sentiment de la nature,* Coll. Les Hommes et les Idées, Merc. de Fr., 1908. Albert de Bersaucourt, *Francis Jammes, poète chrétien,* Bibl. des Temps Présents, 1910. Amy Lowell, *Six French Poets,* Boston, Houghton Mifflin, 1926. L'Abbé J. Calvet, *Le Renouveau catholique dans la littérature contemporaine,* Lanore, 1927.

LABÉ, LOUISE
Œuvres, ed. P. Blanchemain, Libr. des Bibliophiles, 1875. *Œuvres,* ed. Charles Boy, 2 vols., Lemerre, 1887. *Œuvres,* ed. Fernand Mazade, Coll. Les Poètes Français, Paris, 1923. Stanislaw Koczorowski, *Louise Labé,* Champion, 1925. Dorothy O'Connor, *Louise Labé, sa*

vie et son œuvre, Les Presses Françaises, 1926. Jean
Larnac, *Louise Labé, la Belle Cordière de Lyon (1522–
1566),* Firmin-Didot, 1934.

LA FARE, CHARLES-AUGUSTE DE
Poésies de Chaulieu et de La Fare, Amsterdam, Lyon,
1724. *Poésies inédites,* ed. Gustave Van Roosbroeck,
Champion, 1924. Émile Faguet, *De Boileau à Voltaire,*
Vol. VI, 1932, *Histoire de la poésie française de la renais-
sance au romantisme,* Boivin, 1923–. C.-A. Sainte-Beuve,
Causeries du lundi, 15 vols., Garnier, 1857–62, X.

LA FRESNAYE, JEAN VAUQUELIN DE
Œuvres diverses, ed. Julien Travers, 3 vols., Caen, 1869–
72. *Art poétique,* ed. Georges Pellissier, Garnier, 1885.
Aimé Prosper Lemercier, *Étude littéraire et morale sur
les poésies de Jean Vauquelin de la Fresnaye,* Hachette,
1887.

LA FONTAINE, JEAN DE
Œuvres complètes, ed. Edmond Pilon, Fernand Dauphin,
6 vols., Garnier, 1872–76. *Œuvres,* ed. Girard, Des-
feuilles, Régnier, Mesnard, 11 vols., Coll. Gr. Écriv.
de la France, 1883–93. Georges Lafenestre, *La Fon-
taine,* Coll. Gr. Écriv. Fr., Hachette. 1895. Hippolyte
Taine, *La Fontaine et ses Fables,* Hachette, 1901.
Louis Roche, *La Vie de Jean de la Fontaine,* Plon, 1913.
Gustave Michaut, *La Fontaine,* 2 vols., Hachette, 1913–
15. Émile Faguet, *La Fontaine,* Soc. d'Impr. et de
Libr., 1913. A. Hallays, *La Fontaine,* Perrin, 1922.
Ferdinand Gohin, *L'Art de La Fontaine dans ses Fables,*
Garnier, 1929. René Bray, *Les Fables de La Fontaine,*
Coll. Les Grands Événements Littéraires, Malfère,
1929. Jean Giraudoux, *Les Cinq Tentations de Jean de
La Fontaine,* Grasset, 1938. Émile Faguet, *La Fontaine,*
Vol. IV, 1930, *Histoire de la poésie française de la
renaissance au romantisme,* 1923–.

LAFORGUE, JULES
Œuvres complètes, 2 vols., Merc. de Fr., 1903. Camille
Mauclair, *Étude sur Jules Laforgue,* Merc. de Fr.,

1896.   Jeanne Cuisinier, *Jules Laforgue*, Messein, 1925.
François Ruchon, *Jules Laforgue, 1860–1887: sa vie, son œuvre*, Genève, Ciana, 1924.

LAMARTINE, ALPHONSE DE
Œuvres, 12 vols., Lemerre, 1885–87.   *Œuvres*, 22 vols.,
Hachette, 1900–1907.   *Chefs-d'œuvre poétiques*, ed. F.
Flutre, Hachette, 1927.   *Morceaux choisis*, ed. R. Canat,
Didier, 1926.   *Méditations poétiques*, ed. Gustave Lan-
son, Hachette, 1922.   Marc Citoleux, *La Poésie philo-
sophique du XIXe siècle, Lamartine*, Paris, Plon-Nourrit,
1905.   René Doumic, *Lamartine*, Coll. Gr. Écriv. Fr.,
Hachette, 1912.   Paul Hazard, *Lamartine*, Plon, 1925.
Paul-Maurice Masson, *Lamartine*, Hachette, 1911.
Émile Deschanel, *Lamartine*, 2 vols., Calmann-Lévy,
1893.   Charles de Pomairols, *Lamartine; étude de
morale et d'esthétique*, Hachette, 1889.

LAPRADE, VICTOR DE
Œuvres poétiques, 6 vols., Lemerre, 1878–81.   Camille
Latreille, *Victor de Laprade*, Lyon, Lardanchet, 1912.
Edmond Biré, *Victor de Laprade, sa vie et ses œuvres*,
Perrin, 1886.   J. Condamin, *La Vie et les œuvres de
Victor de Laprade*, Lyon, Vitte, 1884.

LEBRUN, PONCE-DENIS ÉCOUCHARD
Œuvres, ed. P. L. Ginguené, 4 vols., G. Warée, 1811.
Œuvres, 5 vols., Perrin, 1861.   *Œuvres choisies*, Firmin-
Didot, 1844.   Henri Potez, *L'Élégie en France avant le
romantisme*, Calmann-Lévy, 1898.   Émile Faguet, *Au
temps de la révolution*, Vol. XI, 1936, *Histoire de la poésie
française de la renaissance au romantisme*, Boivin, 1923–.
C.-A. Sainte-Beuve, *Causeries du lundi*, 15 vols.,
Garnier, 1857–62, V.

LE CARDONNEL, LOUIS
Œuvres, 2 vols., Bibliothèque choisie, Merc. de Fr.,
1929.   Pierre d'Hugues, *Louis Le Cardonnel, poète
mystique*, Spès, 1926.   P. Richard, *Le poète Louis le
Cardonnel*, Avignon, Aubanel, 1925.   Albert de Bersaucourt, *Louis le Cardonnel*, Coll. Les Célébrités d'hier,

Falque, 1909. Abbé J. Calvet, *Le Renouveau catholique dans la littérature contemporaine*, Lanore, 1927.

LECONTE DE LISLE, CHARLES
Poésies complètes, texte définitif, 4 vols., Lemerre, 1929–32. Fernand Calmettes, *Leconte de Lisle et ses amis*, Librairies-Imprimeries réunies, 1902. Jean Dornis, *Essai sur Leconte de Lisle*, Ollendorff, 1909. Joseph Vianey, *Les Sources de Leconte de Lisle*, Montpellier, Coulet, 1907. J. Ducros, *Le Retour de la poésie française à l'antiquité grecque au milieu du XIXᵉ siècle*, Colin, 1918. G. Falshaw, Leconte de *Lisle et l'Inde*, D'Arthez, 1923. H. Elsenberg, *Le Sentiment religieux chez Leconte de Lisle*, Jouve, 1909. C. Kramer, *André Chénier et la poésie parnassienne. Leconte de Lisle*, Champion, 1925. Edmond Estève, *Leconte de Lisle, l'homme et l'œuvre*, Boivin, 1923. Pierre Flottes, *Le poète Leconte de Lisle: documents inédits*, Perrin, 1929.

LE MAIRE DE BELGES, JEAN
Œuvres, ed. J. Stecher, 4 vols., Louvain, Académie royale de Belgique, Lefever, 1882–91. Paul Spaak, *Jean Lemaire de Belges; sa vie, son œuvre et ses meilleures pages*, Champion, 1926. Georges Doutrepont, *Jean Lemaire et la Renaissance*, Bruxelles, Lamertin, 1934. J. A. Stecher, *Jean Lemaire de Belges; sa vie, son œuvre*, Louvain, Lefever, 1891.

LÉONARD, NICOLAS-GERMAIN
Œuvres complètes, ed. Vincent Campenon, 3 vols., Didot, 1797–98. *Idylles et poèmes champêtres*, ed. Émile Henriot, Petite Bibliothèque Surannée, Sansot, 1910. Charles Verrier, *Le Poète Léonard*, Merc. de Fr., 1905. Émile Faguet. *Les Poètes secondaires du XVIIIᵉ siècle*, Vol. IX, 1935, *Histoire de la poésie française de la renaissance au romantisme*, Boivin, 1923–.

LESCUREL, JEHANNOT DE
Friedrich Gennrich, *Rondeaux, Virelais und Balladen, aus dem Ende des XII., dem XIII., und dem ersten Drittel des XIV. Jahrhunderts, mit den überlieferten*

Melodien, Gedrückt für Gesellschaft für romanische Literatur, Vol. I., Dresden, 1921., Vol. II, Göttingen, 1927.

LINIÈRES, FRANÇOIS PAYOT DE
Poésies choisies, in *Recueil de Sercy*, tomes III, IV, V, Paris, 1656–60. Émile Magne, *Un ami de Cyrano de Bergerac: le chevalier de Linières*, « Revue du Temps Présent », avril-juin, 1914. G. Colas, *Jean Chapelain. Étude historique et littéraire d'après des documents inédits*, Perrin, 1912.

MACHAUT, GUILLAUME DE
Œuvres, ed. Ernest Hoeppfner, 3 vols., Soc. Anc. Textes Fr., Firmin-Didot, 1908–21. *Œuvres*, ed. P. Tarbé, Coll. des Poètes de Champagne, Reims, Régnier, 1849. *Poésies lyriques*, ed. V. Chickmaref, Champion, 1909. *Le Voir Dit*, ed. Paulin Paris, Soc. des Bibliophiles, 1875.

MAETERLINCK, MAURICE
Serres chaudes, suivies de Quinze Chansons, Bruxelles, Lacomblez, 1900. Gérard Harry, *La Vie et l'œuvre de Maurice Maeterlinck*, Fasquelle, 1932. Louis Le Si-daner, *Maurice Maeterlinck, son œuvre*, Nouv. Revue Crit., 1929. Una Taylor, *Maurice Maeterlinck: a critical study*, New York, Dodd Mead, 1915.

MALHERBE, FRANÇOIS DE
Les Poésies, ed. Philippe Martinon, Garnier, 1926. *Les Poésies*, ed. Jacques Lavaud, Soc. Textes Fr. Mod., 1936–37. *Œuvres*, ed. Ludovic Lalanne, 5 vols., Coll. Gr. Écriv. de la Fr., Hachette, 1862–69. Gustave Allais, *Malherbe et la poésie française à la fin du 16e siècle*, Thorin, 1892. Albert, duc de Broglie, *Malherbe*, Coll. Gr. Écriv. Fr., Hachette, 1927. Ferdinand Brunot, *La Doctrine de Malherbe d'après son commentaire sur Desportes*, Masson, 1891. Albert Counson, *Malherbe et ses sources*, Liège, Vaillant-Carmanne, 1904. Maurice Souriau, *La Versification de Malherbe*, Poitiers, 1912. Armand Gasté, *La Jeunesse de Malherbe (docu-*

ments et vers inédits, Caen, 1890. Jean de Celles, *Malherbe, sa vie, son caractère, sa doctrine,* Perrin, 1937.

MALLARMÉ, STÉPHANE
Poésies Complètes, Nouv. Revue Fr., 1930. *Les Poésies,* Fasquelle, 1926. Albert Mockel, *Stéphane Mallarmé. Un Héros,* Merc. de Fr., 1899. Albert Thibaudet, *La Poésie de Mallarmé,* Nouv. Revue Fr., 1927. Jean Royère, *La Poésie de Mallarmé,* Émile-Paul, 1931. Jean Royère, *Mallarmé,* Kra, 1927. H. Fabureau, *Stéphane Mallarmé,* Nouv. Revue Crit., 1934. Camille Soula, *La Poésie et la pensée de Stéphane Mallarmé,* Champion, 1929.

MAROT, CLÉMENT
Œuvres complètes, ed. Abel Grenier, 2 vols., Garnier, 1920. *Œuvres complètes,* ed. P. Jannet, 4 vols., Marpon et Flammarion, 1868–72. *Œuvres,* ed. Guiffrey, 3 vols., Quantin, 1875–1911. Henry Guy, *Clément Marot et son école,* Tome II, 1926, (Tome I, *L'École des Rhétoriqueurs,* 1910), *Histoire de la poésie française au XVIᵉ siècle,* Champion, 1910–26. Pierre Villey, *Marot et Rabelais,* Vol. I, *Les Grands Écrivains du XVIᵉ siècle,* Champion, 1923.

MAYNARD, FRANÇOIS
Œuvres, ed. G. Garrisson, 3 vols., Lemerre, 1885–88. *Poésies,* ed. Ferdinand Gohin, Garnier, 1927. Charles Drouhet, *Le Poète François Maynard (1583–1646); étude critique d'histoire littéraire,* Champion, 1909.

MERRILL, STUART
Œuvres, 6 vols., Mercure de France, 1887–1909. *Prose et vers, Œuvres posthumes,* Messein, 1926. Marjorie-Louise Henry, *Stuart Merrill, La Contribution d'un Américain au Symbolisme français,* Champion, 1927.

MILLEVOYE, CHARLES-HUBERT
Œuvres, ed. Paul L. Jacob, 3 vols., Quantin, 1880. *Œuvres,* not. Sainte-Beuve, Garnier, 1865. *Élégies,* ed. A. Séché, Michaud, 1909. Pierre Ladoué, *Un Pré-*

curseur du romantisme, Millevoye (1782–1816); essai d'histoire, Perrin, 1912. Henri Potez, *L'Élégie en France avant le romantisme*, Calmann-Lévy, 1898.

MORÉAS, JEAN

Œuvres, 4 vols., Merc. de Fr., 1907–23. *Choix de poèmes*, Merc. de Fr., 1923. René Georgin, *Jean Moréas*, Nouv. Rev. Crit., 1929. Ernest Raynaud, *Moréas et les Stances*, Coll. Grands Événements Littéraires, Malfère, 1929. Marcel Coulon, *Au Chevet de Moréas*, Editions du Siècle, 1912. Jean de Gourmont, *Jean Moréas, biographie critique*, Coll. Les Célébrités d'Aujourd'hui, Sansot, 1905.

MUSSET, ALFRED DE

Poésies complètes, ed. M. Allem, 2 vols., La Pléiade, 1933. *Œuvres complètes*, 10 vols. (2 vols. poetry), ed. Edmond Biré, Garnier, 1907–09. *Poésies choisies*. ed. F. Flutre, Hachette, 1929. Arvède Barine (Mme Cécile Vincens), *Alfred de Musset*, Coll. Gr. Écriv. Fr., Hachette, 1893. Maurice Donnay, *Alfred de Musset*, Hachette, 1913. Léon Séché, *Alfred de Musset*, 2 vols., Merc. de Fr., 1907. John Charpentier, *La Vie meurtrie d'Alfred de Musset*, Piazza, 1928. Pierre Gastinel, *Le Romantisme d'Alfred de Musset*, Hachette, 1933. Émile Henriot, *Alfred de Musset*, Hachette, 1928. Anatole Feugère, *Un grand amour romantique, George Sand et Alfred de Musset*, Boivin, 1927. H. D. Sedgwick, *Alfred de Musset*, Indianapolis, Bobbs Merrill, 1931.

NAVARRE, MARGUERITE DE

Les Marguerites de la Marguerite des Princesses, ed. Félix Frank, 4 vols., Libr. des Bibliophiles, 1873–74. *Les Dernières poésies*, ed. Abel Lefranc, Colin, 1896. Abel Lefranc, *Les Idées religieuses de Marguerite de Navarre*, Fischbacher, 1898. Abel Lefranc, *Marguerite de Navarre et le Platonisme de la Renaissance*, Bibliothèque de l'École des Chartes, 1897–98. Mary Duclaux, *La reine de Navarre, Marguerite d'Angoulême,*

Calmann-Lévy, 1900. Pierre Jourda, *Marguerite de Navarre*, 2 vols., Champion, 1930. Samuel Putnam, *Marguerite of Navarre*, New York, Coward-McCann, 1935.

NERVAL, GÉRARD LABRUNIE DE
Poésies complètes, 6 vols., Calmann-Lévy, 1877. *Œuvres*, ed. Aristide Marie, 15 vols., Champion, 1926–. *Poésies*, Helleu et Sergent, 1924. *Œuvres choisies*, Larousse, 1913. Léon-Adolphe Gauthier-Ferrières, *Gérard de Nerval, la vie et l'œuvre*, Lemerre, 1906. Jacques Boulenger, *Au pays de Gérard de Nerval*, Champion, 1914. Aristide Marie, *Gérard de Nerval, le poète, l'homme, d'après des manuscrits et documents inédits*, Hachette, 1918. Henri Clouard, *La Destinée tragique de Gérard de Nerval*, Grasset, 1929. René Bizet, *La Double vie de Gérard de Nerval*, Plon, 1928. J. Grimaud, *La Folie de Gérard de Nerval*, Nîmes, Chastanier et Almérat, 1930. H. Streutz, *Gérard de Nerval*, Fabre, 1911.

NOAILLES, ANNA-ÉLIZABETH DE
Œuvres, 10 vols., Calmann-Lévy, 1901–07; Fayard, 1913–24; Grasset, 1927–33. Georges-Armand Masson, *La Comtesse de Noailles*, Nouv. Revue Crit., 1922. Georges-Armand Masson, *La Comtesse de Noailles, son œuvre*, Éd. du Carnet Crit., 1924. René Benjamin, *Au Soleil de la poésie; sous l'œil en fleur de Madame de Noailles*, Libr. des Champs Élysées, 1928. Jean Larnac, *La Comtesse de Noailles, sa vie, son œuvre*. Ed. du Sagittaire, 1931. V. Brodlova, *La Poésie d'Anna de Noailles*, Dijon, Jobard, 1931.

NODIER, CHARLES
Essais d'un jeune barde, Cavanagh, 1804. *Poésies diverses*, Delangle, 1827. *Œuvres choisies*, ed. Cazes, Delagrave, 1914. Mme F.-Jules Menessier-Nodier (Marie Nodier), *Charles Nodier, épisodes et souvenirs de sa vie*, Didier, 1867. Léonce Pingaud, *La Jeunesse de Charles Nodier*, Champion, 1919. Michel Salomon, *Nodier et le groupe romantique*, Perrin, 1908. Mar-

guerite Henry-Rosier, *La Vie de Charles Nodier*, Nouv. Revue Fr., 1931. Jean Larat, *La Tradition et l'exotisme dans l'œuvre de Charles Nodier (1780–1844); étude sur les origines du romantisme français*, Champion, 1923.

ORLÉANS, CHARLES D'
Poésies, ed. Pierre Champion, 2 vols., Class. Fr. du Moyen Age, Champion, 1923–27. Pierre Champion, *La Vie de Charles d'Orléans (1394–1465)*, Champion, 1911.

PARNY, ÉVARISTE-DÉSIRÉ DE FORGES DE
Œuvres, Élégies et poésies diverses, ed. A. J. Pons, Préf. C.-A. Sainte-Beuve, Garnier, 1862. Henri Potez, *L'Élégie en France avant le romantisme*, Calmann-Lévy, 1898. C.-A. Sainte-Beuve, *Causeries du lundi*, 15 vols., Garnier, 1857–62, XV; *Portraits littéraires*, 5 vols., Garnier, 1862–64, IV.

PASSERAT, JEAN
Œuvres poétiques, ed. Prosper Blanchemain, 2 vols., Lemerre, 1881. J. Lacour, *Passerat*, Paris, 1856. Edgar von Mojsisovics, *Jean Passerat, sein Leben und seine Persönlichkeit*. Halle a.d.S., M. Niemeyer, 1907.

PÉGUY, CHARLES
Œuvres complètes, Nouv. Revue Fr., 1917. *Morceaux choisis des œuvres poétiques*, Nouv. Revue Fr., 1928. André Suarès, *Péguy*, Émile Paul, 1915. Paul Seippel, *Un poète français tombé au champ d'honneur: Charles Péguy*, Payot, 1915. Daniel Halévy, *Charles Péguy et les Cahiers de la Quinzaine*, Payot, 1918. Jean et Jacques Tharaud, *Notre cher Péguy*, Plon-Nourrit, 1926. E. Mounier, M. Péguy, G. Izard, *La Pensée de Charles Péguy*, Plon, 1931. Abbé J. Calvet, *Le Renouveau catholique dans la littérature contemporaine*, Lanore, 1927.

PIRON, ALEXIS
Poésies choisies, ed. Honoré Bonhomme, Coll. Petits Poètes du XVIIIᵉ Siècle, Quantin, 1879. Paul Cha-

ponnière, *Piron, sa vie et son œuvre*, Fontemoing, 1910. J. Durardeau, *Piron ou la vie littéraire à Dijon pendant le XVIIIe siècle*, Dijon, 1888.

PISAN, CHRISTINE DE
Œuvres poétiques, ed. Maurice Boy, 3 vols., Soc. Anc. Textes Fr., Firmin-Didot, 1886–95. *Un Carteron de ballades*, ed. Maurice du Bos, Coll. Petite Bibl. Surannée, Chiberre, 1921. *Jeanne d'Arc, Chronique rimée*, Orléans, Herluison, 1865. Marie-Josèphe Pinet, *Christine de Pisan, 1364–1430, étude biographique et littéraire*, Champion, 1927. Ernest Nys, *Christine de Pisan et ses principales œuvres*, Bruxelles, Weissenbruch, 1914.

RACAN, HONORAT DE BUEIL DE
Œuvres complètes, ed. Tenant de Latour, 2 vols., Bibl. Elzévirienne, Jannet, 1857. *Poésies*, ed. Louis Arnould, Soc. Textes Fr. Mod., Hachette, 1930. *Les Bergeries*, ed. Louis Arnould, Soc. Textes Fr. Mod., Droz, 1937. *Les Bergeries et autres poésies lyriques*, ed. Pierre Camo, Garnier, 1929. Louis Arnould, *Racan (1589–1670); Histoire anecdotique et critique de sa vie et de ses œuvres*, Colin, 1896. Louis Arnould, *Un Gentilhomme de lettres au XVIIe siècle, Honorat de Bueil, seigneur de Racan*, Colin, 1901.

RACINE, JEAN
Œuvres complètes, ed. Paul Mesnard, 8 vols., Coll. Gr. Écriv. de la Fr., 1865–73. *Œuvres complètes*, ed. Louis Moland, Saint-Marc Girardin, 3 vols., Garnier, 1869–77. Gustave Larroumet, *Racine*, Coll. Gr. Écriv. Fr., Hachette, 1898. Jules Lemaître, *Jean Racine*, Calmann-Lévy, 1908. Gonzague Truc, *Jean Racine: l'œuvre, l'artiste, l'homme et le temps*, Garnier, 1926. François Mauriac, *La Vie de Jean Racine*, Plon, 1928. Mary Duclaux, *The Life of Racine*, New York, Harpers, 1925. Thierry Maulnier (Jacques Talagrand), *Racine*, Libr. de la Revue Fr., 1935. Jean Giraudoux, *Racine*, trans. P. Mansell Jones, Cambridge, England, G. Fraser, 1938.

Alexander Frederick Bruce Clark, *Racine*, Cambridge, Harvard University Press, 1939. Pierre Robert, *La Poétique de Racine*, Hachette, 1890. For comparison of Racine with Corneille the following will serve: Gustave Lanson, *Corneille*, Coll. Gr. Écriv. Fr., Hachette, 1913. Émile Faguet, *En Lisant Corneille. L'Homme et son Temps. L'Écrivain et son Œuvre*, Hachette, 1914. Auguste Dorchain, *Pierre Corneille*, Garnier, 1918. Robert Brasillach, *Corneille*, Fayard, 1938.

RÉGNIER, HENRI DE

Œuvres, 6 vols., Merc. de Fr., 1913–29. *Choix de poèmes*, Merc de Fr., 1932. Jean de Gourmont, *Henri de Régnier et son œuvre*, Coll. Les Hommes et les Idées, Merc. de Fr., 1908. H. Berton, *Henri de Régnier, le poète et le romancier*, Grassart, 1910. Robert Honnert, *Henri de Régnier: son œuvre*, Coll. Les Célébrités d'Aujourd'hui, Nouv. Revue Crit., 1923.

RÉGNIER, MATHURIN

Œuvres, ed. E. Courbet, Lemerre, 1875. *Œuvres complètes*, ed. Prosper Poitevin, Garnier, 1931. *Œuvres complètes*, ed. Jean Plattard, Soc. Textes Fr. Mod., Fernand Roches, 1930. Joseph Vianey, *Mathurin Régnier*, Hachette, 1896.

RIMBAUD, ARTHUR

Œuvres de Rimbaud, vers et prose, ed. Berrichon, Merc. de Fr., 1912. *Œuvres complètes*, 3 vols., Ed. de la Banderole, 1921. *Poésies complètes*, Crès, 1925. Paterne Berrichon, *La Vie de Jean-Arthur Rimbaud*, Merc. de Fr., 1897. Paterne Berrichon, *Jean-Arthur Rimbaud. Le Poète*, Merc. de Fr., 1912. Ernest Delahaye, *Rimbaud. L'Artiste et l'être moral*, Messein, 1922. Jean-Marie Carré, *La Vie aventureuse de Jean-Arthur Rimbaud*, Plon, 1926. Jean-Marie Carré, *Les Deux Rimbaud*, Les Cahiers Libres, 1928. Marcel Coulon, *Le Problème de Rimbaud, poète maudit*, Nîmes, Gomès, 1923. Marcel Coulon, *Au Cœur de Verlaine et de Rimbaud*, Le Livre, 1925. F. Ruchon, *Jean-Arthur*

Rimbaud. Sa vie, son œuvre, son influence, Champion, 1929. Marcel Coulon, *La Vie de Rimbaud et son œuvre*, Merc. de Fr., 1929. André Fontaine, *Le Génie de Rimbaud*, Delagrave, 1934. Daniel Rops, *Rimbaud; le drame spirituel*, Plon, 1936.

RODENBACH, GEORGES
Poésies, 2 vols., Bibl. Choisie, Merc. de Fr., 1924–25. P. Muiche, *Georges Rodenbach*, Bruxelles, Scheffens, 1899. A. Daxhelet, *Georges Rodenbach*, Bruxelles, Weis, 1899. E. Revoil, *Georges Rodenbach*, Bruxelles, 1909.

ROMAINS, JULES (LOUIS FARIGOULE)
Œuvres poétiques, 10 vols., Bibl. Soc. Poètes Fr., 1904, Merc. de Fr., 1909–13; Nouv. Rev. Fr., 1916–28, Flammarion, 1937, Madeleine Israël, *Jules Romains, sa vie, son œuvre*, Kra, 1931. André Cuisenier, *Jules Romains et l'unanimisme*, Flammarion, 1935.

RONSARD, PIERRE DE
Œuvres complètes, ed. Paul Laumonier, 8 vols., Lemerre, 1914–19. *Œuvres complètes*, ed. Paul Laumonier, 9 vols., Soc. Textes Fr. Mod., Droz, 1914–37. *Œuvres complètes*, ed. Hugues Vaganay, 7 vols., Garnier, 1923–24. Paul Laumonier, *Ronsard, poète lyrique. Étude historique et littéraire*, Hachette, 1924. Gustave Cohen, *Ronsard, sa vie et son œuvre*, Boivin, 1924. Pierre Champion, *Ronsard et son temps*, Champion, 1925. Pierre de Nolhac, *Ronsard et l'humanisme*, Champion, 1921. Pierre de Nolhac, *La Vie amoureuse de Pierre de Ronsard*, Flammarion, 1926. Henri-Auguste Longnon, *Pierre de Ronsard*, Champion, 1912. Henri Franchet, *Le Poète et son œuvre d'après Ronsard*, Champion, 1923. Marcel Raymond, *L'Influence de Ronsard sur la poésie française (1550–1585)*, Champion, 1927. Morris Bishop, *Ronsard; prince of poets*, Oxford Univ. Press, 1940.

ROUGET DE LISLE, CLAUDE-JOSEPH
Essais en vers et en prose, Didot, 1796. *Cinquante chants français, paroles de différents auteurs*, Paris, Chez l'auteur, 1825. Henri Coutant, *La Marseillaise, son*

histoire depuis 1792, Roger Tricot, 1919. Marguerite Henry-Rosier, *Rouget de Lisle*, Nouv. Revue Fr., 1937. A. Lecomte, *Rouget de Lisle, ses œuvres, la Marseillaise*, May et Motteroz, 1892. Julien Tiersot, *Rouget de Lisle, son œuvre, sa vie*, Delagrave, 1892. Julien Tiersot, *Les Fêtes et les chants de la Révolution française*, Hachette, 1908.

ROUSSEAU, JEAN-BAPTISTE

Œuvres, ed. A. de Latour, Garnier, 1868. *Œuvres . . . poésies lyriques complètes et choix de ses autres poésies*, Firmin-Didot, 1844. Émile Faguet, *De Boileau à Voltaire*, Vol. VI, 1932, *Histoire de la poésie française de la renaissance au romantisme*, Boivin, 1923–.

SAINT-AMANT, MARC-ANTOINE DE

Œuvres poétiques, ed. Léon Vérane, Garnier, 1930. *Œuvres complètes*, ed. C. L. Livet, 2 vols., Bibl. Elzévirienne, Jannet, 1855. *Œuvres choisies*, ed. Remy de Gourmont, Coll. Les Plus Belles Pages, Merc. de Fr., 1907. Paul Durand-Lapie, *Un Académicien du XVIIᵉ siècle; Saint-Amant, son temps, sa vie, ses poésies*, Delagrave, 1897.

SAINTE-BEUVE, CHARLES-AUGUSTIN

Poésies complètes, 2 vols., Lemerre, 1879. *Poésies*, Charpentier-Fasquelle, 1910. *Le Livre d'amour*, Merc. de Fr., 1906. *Ses plus beaux vers*, Lemerre, 1930. Léon Séché, *Sainte-Beuve, son esprit, ses idées, ses mœurs*, Merc. de F., 1904. Léon Séché, *Le Cénacle de Joseph Delorme*, Merc. de Fr., 1912. Gustave Michaut, *Sainte-Beuve avant les Lundis*, Fontemoing, 1903. Gustave Michaut, *Sainte-Beuve*, Hachette, 1921. Louis Choisy, *Sainte-Beuve, l'homme et le poète*, Plon, 1921. E. Benoît-Lévy, *Sainte-Beuve et Mme. Victor Hugo*, Presses Univ. Fr., 1926. André Bellessort, *Sainte-Beuve et le XIXᵉ siècle*, Perrin, 1927. W. F. Giese, *Sainte-Beuve. A Literary Portrait*, Univ. of Wisconsin Studies, 1931. Lewis Freeman Mott, *Sainte-Beuve*, New York, Appleton, 1925.

SAINT-GELAYS, MELLIN DE
Œuvres, ed. Prosper Blanchemain, 3 vols., Bibl. Elzévi-rienne, Jannet, 1873–74. Abbé Henri Molinier, *Mellin de Saint-Gelays, 1490–1558; étude sur sa vie et ses œuvres,* Rodez, Carrère, 1910.

SAMAIN, ALBERT
Œuvres complètes, 4 vols., Bibl. Choisie, Merc. de Fr., 1911–12. *Œuvres choisies,* Merc. de Fr., 1928. Léon Bocquet, *Albert Samain, sa vie son œuvre,* Merc. de Fr., 1905. Ferdinand Gohin, *L'Œuvre poétique d'Albert Samain,* Garnier, 1920. Albert de Bersaucourt, *Albert Samain, son œuvre,* Coll. Les Célébrités d'Hier, Falque, 1924. Georges Bonneau, *La Philosophie du Symbolisme; la poésie d'Albert Samain,* Montpellier, Montane, 1924. Georges Bonneau, *Albert Samain, poète symboliste. Essai d'esthétique,* Merc. de Fr., 1925. Amy Lowell, *Six French Poets,* Boston, Houghton Mifflin, 1926.

SCÈVE, MAURICE
Delie, object de plus haulte vertu, ed. Eugène Parturier, Soc. Textes Fr. Mod., Hachette, 1916. Albert Baur, *Maurice Scève et la renaissance lyonnaise. Étude d'histoire littéraire,* Champion, 1906.

SULLY PRUDHOMME, RENÉ-FRANÇOIS
Poésies, 6 vols., Lemerre, 1900–08. Edmond Estève, *Sully Prudhomme, poète sentimental et poète philosophe,* Boivin, 1925. C. Hémon, *La Philosophie de M. Sully Prudhomme,* Alcan, 1907. E. Zyromski, *La Poésie de Sully Prudhomme,* Colin, 1907. H. Morice, *La Poésie de Sully Prudhomme,* Téqui, 1920. H. Morice, *L'Esthétique de Sully Prudhomme,* Vannes, Lafolye Frères, 1920. Pierre Flottes, *Sully Prudhomme et sa pensée,* Perrin, 1930.

TYARD, PONTUS DE
Œuvres, ed. C. Marty-Laveaux, Coll. de la Pléiade, Lemerre, 1875. J. P. Abel Jeandet, *Étude sur le seizième siècle, France et Bourgogne. Pontus de Tyard, seigneur de Bissy, depuis évêque de Châlon,* Auguste Aubry, 1860.

VALÉRY, PAUL
Poésies, Nouv. Revue Fr., 1930. Albert Thibaudet, *Paul Valéry*, Coll. des Cahiers Verts, Grasset, 1923. Alfred Droin, *Paul Valéry, et la tradition française*, Flammarion, 1925. René Fernandet, *Paul Valéry*, Le Pigeonnier, 1927. René Fernandet, *Autour de Paul Valéry*, Arthaud, 1933. Paul Souday, *Paul Valéry*, Kra, 1927. Frédéric Lefèvre, *Entretiens avec Paul Valéry*, Le Livre, 1926. Pierre Gueguen, *Paul Valéry. Son Œuvre*, Nouv. Revue Crit., 1928.

VAN LERBERGHE, CHARLES
Entrevisions, Crès, 1923. *La Chanson d'Ève*, Crès, 1926. Albert Mockel, *Charles Van Lerberghe*, Merc. de Fr., 1904.

VERHAEREN, ÉMILE
Œuvres, 11 vols., Bibl. Choisie, Merc. de Fr., 1914–. *Choix de Poèmes*, Merc. de Fr., 1917. Edmond Estève, *Un grand poète de la vie moderne*, Boivin, 1928. Albert de Bersaucourt, *Émile Verhaeren, son œuvre*, Nouv. Revue Crit., 1924. André Fontaine, *Verhaeren et son œuvre*, Merc. de Fr., 1929. Albert Mockel, *Émile Verhaeren, poète de l'énergie*, Merc. de Fr., 1933. Stefan Zweig, *Émile Verhaeren, sa vie, son œuvre* (trad. Paul Mouisse, Henri Chervais), Merc. de Fr., 1910. P. M. Jones, *Émile Verhaeren. A Study in the Development of his Art and Ideas*, New York, Boni, 1926. Amy Lowell, *Six French Poets*, Boston, Houghton Mifflin, 1926.

VERLAINE, PAUL
Œuvres complètes, 5 vols. Messein, 1911–13. *Œuvres posthumes*, 2 vols., Messein, 1920. *Choix de poésies*, Charpentier-Fasquelle, 1919. Edmond Lepelletier, *Paul Verlaine, sa vie, son œuvre*, Merc. de Fr., 1923. Pierre Martino, *Verlaine*, Boivin, 1924. François Porché, *Verlaine, tel qu'il fut, « ange et pourceau »*, Flammarion, 1933. Lucien Aressy, *La Dernière Bohème. Verlaine et son milieu*, Jouve, 1923. Marcel Coulon, *Verlaine. Poète saturnien*, Le Livre, 1925. Marcel Coulon, *Au*

Cœur de Verlaine et de Rimbaud, Le Livre, 1925. Ernest Delahaye, *Verlaine*, Messein, 1920. Harold Nicholson, *Paul Verlaine*, New York, Houghton Mifflin, 1921.

VIAU, THÉOPHILE DE

Œuvres complètes, ed. M. Alleaume, 2 vols., Bibl. Elzévirienne, Jannet, 1856. *Œuvres poétiques*, ed. L. R. Lefèvre, Garnier, 1926. *Œuvres choisies*, ed. Remy de Gourmont, Coll. Les Plus Belles Pages, Merc. de Fr., 1907. Antoine Adam, *Théophile de Viau et la libre pensée française en 1620*, Droz, 1935. C. Garrisson, *Théophile et Paul de Viau, étude historique et littéraire*, Picard, 1899. Frédéric Lachèvre, *Le Libertinage devant le Parlement de Paris. Le Procès du poète Théophile de Viau*, 2 vols., Champion, 1909.

VIÉLÉ-GRIFFIN, FRANCIS

Œuvres, 3 vols., Bibl. Choisie, Merc. de Fr., 1924. *Choix de poèmes*, Merc. de Fr., 1923. Robert de Souza, *Francis Viélé-Griffin*, « La Grande Revue », 1914. Jean de Cours, *Francis Viélé-Griffin; son œuvre, sa pensée, son art*, Champion, 1930.

VIGNY, ALFRED DE

Œuvres complètes, ed. F. Baldensperger, 10 vols., Conard, 1914–26. *Poésies complètes*, ed. A. Dorchain, Garnier, 1925. *Poèmes antiques et modernes*, ed. E. Estève, Soc. Textes Fr. Mod., Hachette, 1914. *Les Destinées. Poèmes philosophiques*, ed. E. Estève, Soc. Textes Fr. Mod., Hachette, 1925. Léon Séché, *Alfred de Vigny*, 2 vols., Merc. de Fr., 1913. Maurice Paléologue, *Alfred de Vigny*, Coll. Gr. Écriv. Fr., 1921. Fernand Baldensperger, *Alfred de Vigny*, Hachette, 1912. Fernand Baldensperger, *Alfred de Vigny. Contribution à sa biographie intellectuelle*, Nouv. Revue Crit., 1929. Marc Citoleux, *Alfred de Vigny. Persistances classiques et affinités étrangères*, Champion, 1924. Edmond Estève, *Alfred de Vigny. Sa pensée et son art*, Garnier, 1923. Pierre Flottes, *La Pensée politique et sociale d'Alfred de Vigny*, Les Belles Lettres, 1927. Ernest Dupuy, *Alfred de Vigny. Ses amitiés, son rôle littéraire*,

2 vols., Soc. Fr. d'Impr. et de Libr. 1910–11. Robert de Traz, *Alfred de Vigny*, Hachette, 1929. Arnold Whitridge, *Alfred de Vigny*, Oxford University Press, 1933.

VILLEDIEU, MARIE DESJARDINS DE
Œuvres complètes, 10 vols., Paris, 1702. Emile Magne, *Mme de Villedieu (1632–1673)*, Champion, 1911.

VILLON, FRANÇOIS
Œuvres complètes, ed. Auguste Longnon, Lucien Foulet, Class. Fr. du Moyen Age, Champion, 1914. *Œuvres complètes*, ed. Louis Moland, Garnier, 1925. *Œuvres complètes*, ed. Louis Thuasne, 3 vols., Picard, 1923. Pierre Champion, *François Villon, sa vie et son temps*, 2 vols., Champion, 1913. Gaston Paris, *François Villon*, Coll. Gr. Écriv. Fr., Hachette, 1901. Jean-Marc Bernard, *François Villon (1431–1463), sa vie, son œuvre*, Larousse, 1918. D. B. Wyndham Lewis, *François Villon*, New York, Coward-McCann, 1928.

VOITURE, VINCENT
Œuvres ... Lettres et poésies, ed. M. A. Ubicini, 2 vols., Bibl. Elzévirienne, Jannet, 1855. *Stances, sonnets, rondeaux, et chansons*, ed. Alexandre Arnoux, Petite Bibl. Surannée, Sansot, 1907. Émile Magne, *Voiture et les origines de l'Hôtel de Rambouillet (1597–1635); Voiture et les années de gloire de l'Hôtel de Rambouillet (1636–1648)*, 2 vols., Merc. de Fr., 1911–12.

VOLTAIRE, FRANÇOIS-MARIE AROUET DE
Œuvres complètes, ed. Louis Moland, 52 vols., Garnier, 1877–83. *Œuvre poétique* (morceaux choisis), Larousse, s. d. *Poésies*, 5 vols., Didot, 1823. Gustave Lanson, *Voltaire*, Coll. Gr. Écriv. Fr., Hachette, 1906. John Charpentier, *Voltaire*, Jules Tallandier, 1938. André Bellessort, *Essai sur Voltaire*, Perrin, 1926. Alfred Noyes, *Voltaire*, New York, Sheed and Ward, 1936. Émile Faguet, *Voltaire*, Vol. VII, 1934, *Histoire de la poésie française de la renaissance au romantisme*, Boivin, 1923–.

Indices

INDEX BY AUTHORS AND TITLES

(Note: Poems marked with the asterisk appeared also in
French Lyrics.)

INDEX OF FIRST LINES